Amerika Amerika

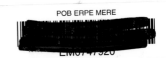

Van Ethan Canin verscheen eveneens bij uitgeverij Anthos

Draag mij over het water

Ethan Canin
Amerika Amerika

Vertaald door Barbara de Lange

Anthos|Amsterdam

De vertaler ontving voor deze vertaling een werkbeurs
van de Stichting Fonds voor de Letteren.

De versregels van Walt Whitman komen uit *Grashalmen*, vertaling Jabic Veenbaas,
uitgeverij Wagner & Van Santen (tweede druk, 2007) en 'Musée des Beaux Arts' komt uit
Die avond dat ik de stad in liep van W.H. Auden, vertaling Peter Versteegen, uitgeverij
Kwadraat (1983).

ISBN 978 90 414 1356 7
© 2008 by Ethan Canin
© 2009 Nederlandse vertaling Ambo|Anthos *uitgevers*,
Amsterdam en Barbara de Lange
Oorspronkelijke titel *America America*
Oorspronkelijke uitgever Random House
Omslagontwerp Roald Triebels, Amsterdam
Omslagillustratie © Annie Griffiths Belt/Corbis
Foto auteur © Fred Gerr

Verspreiding voor België:
Veen Bosch & Keuning uitgevers n.v., Wommelgem

Voor Misha, Ayla, Amiela en Barbara

Een

I

2006

WANNEER JE BIJ ZOIETS ALS DIT BETROKKEN BENT GEWEEST, AL IS
het nog zo lang geleden, al is het nog zo lang niet in het nieuws geweest,
dan ben je gedoemd er altijd op terug te komen. Er hoe dan ook iedere dag
van je leven op gespitst te blijven. Op het berichtje achter in de krant. Op
de onbekende op het feestje of de brief van een vreemde bij de post. Op de
speculerende stilte aan de andere kant van de telefoonlijn. Op het ge-
vreesde weer opduiken van iets dat naar alle waarschijnlijkheid nooit zal
terugkeren.

Ik had eigenlijk nooit gedacht dat ik degene zou zijn die het nu, na al die
tijd, weer zou oprakelen. Dat ik degene zou zijn die het eindelijk zou proberen te verklaren. Wat ik ervan weet tenminste, al is dat maar een deel.
Naar de andere delen kan ik alleen maar gissen. Maar daar gis ik nu al mijn
halve leven naar en ik denk dat ik het nu wel enigszins kan doorgronden.

Ik weet eerlijk gezegd niet wat de gevolgen zullen zijn – wie zich gekwetst zal voelen door mijn verhaal en wie in zekere zin getroost. Dat senator Henry Bonwiller dood is, is niet het enige. Het bericht van zijn over-
lijden werd hier uiteraard met verdriet ontvangen, maar dat is niet de
enige reden waarom ik dit wilde gaan vertellen. De andere reden zijn mijn
kinderen. Dat weet ik tenminste zeker. We hebben drie dochters en een
van hen is net iets ouder dan ik was toen het allemaal gebeurde, en ik ben
eerlijk gezegd toch wel opgelucht dat hun leven niet door iets dergelijks
wordt overschaduwd; maar ik weet ook dat je altijd bang blijft voor zoiets.
Want God sta je bij als je zelfs door je kinderen niet wordt gedwongen alles

anders te bekijken – eerst doordat je ze op de wereld hebt gezet en vervolgens doordat je hebt toegekeken toen ze de wereld in trokken.

De opkomst bij de begrafenis van senator Bonwiller was nog groter dan ik had verwacht. Zo'n zeshonderd mensen bij de toespraken 's morgens – meer nog als je de ongenodigden meetelt die op het trottoir voor de St. Anna in de schaduw van de platanen stonden en zich met hun krant koelte toewuifden. En minstens duizend bij de begrafenis die voor iedereen toegankelijk was die middag op begraafplaats St. Gabriel, niet al te ver daarvandaan en niet veel koeler dan in de stad. De St. Gabriel ligt in de gemeente Islington en hoewel er daar geen andere beroemdheden begraven liggen, is Islington de gemeente waar senator Bonwiller is geboren en heeft gewoond tot de ambitie hem verder dreef: het zal vermoedelijk zijn wens zijn geweest om daar uiteindelijk te rusten te worden gelegd. Daar liggen ook zijn ouders en broers. Zijn echtgenote ligt vijftienhonderd kilometer verderop begraven: in Savannah in Georgia bij haar eigen ouders, en over dat gegeven zal zeker zijn gekletst. Henry Bonwiller was op z'n zachtst gezegd een gecompliceerde man. Ik heb hem tot op zekere hoogte gekend. Niet goed genoeg om te weten wat hij zou hebben gevonden van de grafbeschikkingen, maar wel goed genoeg om te weten dat hij blij zou zijn geweest met de opkomst.

Het was een zaterdag laat in september. Door een hittegolf waren in de hele staat de gazonnen vergeeld en van het grasland steeg de geur van rottende appelen op. De dienst bij het graf was net afgelopen en we stonden nog in drommen in de schaduw van de majesteitelijke zomereiken met hun reusachtige stammen die, alsof ze het met elkaar hadden afgesproken, gelijkmatig verspreid over het hele grasveld van de begraafplaats oprezen. Ook over andere zaken waren kennelijk afspraken gemaakt. In de *New York Times* stond het bericht met een kop boven aan de voorpagina plus een vervolg van drie kolommen bij de overlijdensberichten, maar het artikel bevatte slechts één alinea over Anodyne Energy en verder weinig over de Silverton Orchards. De *Boston Globe* bracht een redactioneel commentaar in de rechterkolom van de voorpagina onder de kop 'Het land is in rouw', dat eindigde met: 'dit is het einde van een weldadiger tijdperk.' Maar geen van beide stukjes geschiedenis werd daar uitvoeriger besproken.

Ik heb het verslag voor de *Speaker-Sentinel* niet zelf geschreven, omdat ik om privéredenen bij de begrafenis was, maar de jonge medewerkster die dat deed heb ik wel geholpen: een stagiaire van de middelbare school die op haar eigen ironisch ongepaste wijze gekleed kwam en waarschijnlijk de helft van de mensen die ze zag niet kende. Senator Bonwiller was negenentachtig toen hij overleed, en was al bijna vijftien jaar niet meer in het nieuws geweest, maar onder de belangstellenden bevonden zich meer dan een tiental senatoren, twee leden van het Hooggerechtshof, de gouverneurs van New York en Connecticut en genoeg advocaten en rechters en leden van het Huis van Afgevaardigden om de provinciale gevangenis mee te vullen. Er leek ook wel een heel regiment gepensioneerde politieagenten aanwezig, in vol ornaat met hun oude parade-uniform met satijnen biezen. Maar er waren er zoveel die met een stok liepen of in een rolstoel zaten dat je Henry Bonwiller had kunnen houden voor een kleinsteedse letselschadeadvocaat in plaats van een man die eens, als het rad van fortuin een andere kant uit was gedraaid, de president van de Verenigde Staten had kunnen worden.

De stagiaire van de *Speaker-Sentinel* heette Trieste Millbury. Trieste en ik hebben sinds haar komst bij de krant al heel wat aanvaringen gehad, en eerlijk gezegd wenste ik die middag dat ik bij een grotere krant werkte – bijvoorbeeld een dagblad waar de hoofdredacteur niet samen met de stagiaire op een begrafenis hoefde te zijn. Maar zo gaat het nu eenmaal bij de *Speaker-Sentinel*: we sturen het liefst onze eigen mensen op een verhaal af, ook al zijn we met handen en voeten gebonden aan de nieuwsagentschappen. Wij behoren tot de laatste plaatselijke dagbladen die zich nog niet hebben laten opkopen door McClatchy, Gannett of Murdoch, en al zijn we onlangs gestopt met de zondagseditie, we brengen op de andere zes dagen van de week nog steeds een uitstekende ochtendeditie uit, een krant die we zelf volschrijven zoals dat al meer dan honderd jaar gebeurt. Daar ben ik trots op.

Maar ik vermoed dat ook dat een aflopende zaak is. Zo gaat dat nu eenmaal hier in Carrol County. Het is al tien jaar geleden dat op de ijzerwarenwinkel nog DELANEY & SONS stond en de bakkerij Cleary Brothers heette, en vijftien jaar geleden dat Starbucks in het Carrol Center de afstammelingen van Hollandse bietenboeren zover kreeg Italiaans te spreken bij de kassa. Het was senator Bonwiller die eerst IBM hiernaartoe lokte, en toen IBM er eenmaal was, duurde het niet lang of DuPont, Trane en Siemens volgden. Dat was het begin van de situatie die we nu kennen met onze Crate & Barrel en onze Lowe's en het bericht dat er in het voorjaar een filiaal van IKEA wordt geopend, nota bene in wat vroeger een verlaten streek was. Talloze mensen zijn Henry Bonwiller daar dankbaar voor. En talloze niet.

De ouders van Trieste Mallbury horen waarschijnlijk bij de laatsten. Ze woont met hen op het verwaarloosde boerenland vijftien kilometer naar het noorden in een woonwagen aan de rand van een drooggelegde veenpoel die men in de jaren tachtig weer onder heeft laten lopen na de invoering van een wet ter bescherming van moerasgebied – alweer door toedoen van senator Bonwiller. Dat deel van het district is niet zo ontwikkeld als sommige streken in het zuiden, die nu bezaaid zijn met stoeterijen, hofsteden en in historisch rood geschilderde koetshuizen. Toch staan er waar de Millbury's wonen weinig andere woonwagens. Het zijn ontwikkelde mensen – de vader van Trieste was vroeger chemicus bij Dupont –, maar Trieste is, geloof ik, de enige van hen die 's morgens uit werken gaat.

Het was haar taak op de begrafenis onze verslaggever bij te staan. De verslaggever zou het artikel schrijven en Trieste zou de inzet schrijven. Kies maar een onderwerp, zei ik na de teraardebestelling, ze mocht het zelf weten, en als ze het goed deed, zou ik het in de maandagmorgeneditie plaatsen.

'Even voor de zekerheid,' zei ze. 'Mijn naam komt er toch wel bij?'

'Als het goed is,' zei ik. 'Dan zeker.'

Het moet bijna veertig graden zijn geweest en we waren op weg naar de hapjes en de drankjes. Mijn vrouw en mijn vader waren ook bij de dienst aanwezig geweest, maar zij waren al naar het stenen poortgebouw gelopen om aan de hitte te ontsnappen. Bij de tafel stond een cateraar de gekoelde flesjes bronwater te openen en Trieste pakte er voor ons allebei een.

'Als wat ik schrijf niet goed is,' zei ze terwijl ze mij een flesje aangaf, 'hoeft mijn naam er ook niet bij.'

'Nee, dat snap ik.'

Ze lachte. 'Je kunt wel zien dat sommige van die mannen beroemd zijn,' ging ze verder. 'Ik weet alleen niet wie het zijn.'

'Hoe weet je dan dat ze beroemd zijn?'

'Dat zie je gewoon. Ze zijn groter dan gewone stervelingen.'

Ik nam een slokje. 'Machtige mannen verschillen niet van andere mensen,' zei ik. 'Ook zij moeten hun benen een voor een in hun broek steken.'

Ze lachte weer, een gewoonte van haar en een nuttige eigenschap voor een verslaggever. 'Zei uw vader dat soms vroeger altijd? Ik geloof dat ik hem bij de dienst heb gezien, of niet?'

'Ja, dat zei hij altijd.'

'Dat zegt mijn vader ook altijd.' Ze nam een slokje water. 'Maar mijn moeder is het er niet mee eens. Volgens haar moeten machtige mannen hun broek sneller aantrekken.'

'Senator Bonwiller was een belangrijke figuur in mijn leven, Trieste,' zei ik. 'Ik wil straks even alleen zijn hier.'

'Natuurlijk, meneer. Is er nog iemand in het bijzonder die ik zou moeten herkennen?'

'De gouverneur misschien?' antwoordde ik terwijl ik naar de mensenmassa wees. 'Om te beginnen. En een heleboel Congresleden. Maar je moet maar even in je eentje rondneuzen, Trieste. Zoek maar iemand om het aan te vragen. Zo pakken verslaggevers het aan. Dat is betrouwbaarder dan afgaan op iemands grootte.'

'Gesnopen. Lekker koud water is dit, hè? Daar word je wakker van.' Ze keek me aan. 'Maar nu moet ik u natuurlijk alleen laten.'

'Dank je, Trieste. Dat zou fijn zijn. En tussen haakjes,' zei ik. 'Kijk eens om je heen. Iedereen draagt een pak of donkere kleren. Dit is de begrafenis van een senator.'

'Ja, ja,' zei ze terwijl ze zich al omdraaide naar de menigte, 'maar zo kunt u me tenminste meteen herkennen.'

―――

Zijn leven lang had Henry Bonwiller machtige vrienden en machtige vijanden gemaakt en toen ik me ook tussen de rouwenden begaf, zag ik dat de menigte juist daaruit bestond: een combinatie van beide in gelijke delen, niet zozeer met elkaar verbonden door hun sympathie of hun afkeer van de man als wel door het feit dat ze zich allemaal nog goed herinnerden hoe het land er in de tijd van de senator uit had gezien, plus het evidente feit dat zij inmiddels allemaal aan de kant stonden. Ik heb de stokken en de rolstoelen al genoemd. Als jongen heb ik senator Bonwiller weleens horen zeggen dat hij zijn vijanden het liefst had omdat hij nooit aan hun oprechtheid hoefde te twijfelen; maar toen ik door de mensenmenigte liep, had ik wel tegen hem willen zeggen dat ook dat uiteindelijk misschien een misrekening is geweest. De mannen en vrouwen die hem hadden bestreden – degenen die hem ten val probeerden te brengen met hun redactionele commentaren, hun brieven en hun gesmoes op feestjes – stonden hier schouder aan schouder met degenen die hem ieder jaar kerstcadeautjes en bij iedere verkiezingscampagne cheques hadden gestuurd, en ze leken allemaal even aangedaan door zijn dood. Ik kreeg de indruk dat ze hem alles hadden vergeven. Dat ze ook zichzelf alles hadden vergeven – nu het strijdgewoel voorbij was.

Maar te midden van al die mensen zag ik ook in dat Trieste, die nog niet eens zo lang op de wereld rondloopt als mijn jongste dochter, volkomen gelijk had: de mannen die ik herkende, degenen die nog volop actief waren, zagen er inderdaad zo uit als zij zei: meer dan levensgroot. De senatoren en gouverneurs en zelfs de leden van het staatsbestuur. Er brandde nog steeds een vuur in hen. Ze straalden iets uit waardoor ze voor iedereen om hen heen werden uitvergroot.

Dirk Bonwiller, de zoon van de senator, baande zich een weg door de menigte. Hij had die ochtend in de St. Anne de grafrede uitgesproken en binnen een paar tellen had ik al door dat hij zich binnenkort zelf verkiesbaar ging stellen. Als spreker was hij net zo doorkneed als zijn vader – dezelfde uitgesponnen stiltes, dezelfde fluisterende bas, dezelfde retorische herhalingen van zinswendingen – en toch moet ik zeggen dat hoewel het onderwerp van zijn grafrede het belangrijkste progressieve lid van het Amerikaanse Congres sinds Sam Reyburn was en een pleitbezorger van alle idealen die armen, arbeiders en vakverbonden ooit hebben gekoesterd, toch moet ik zeggen dat je gemakkelijk had kunnen vergeten dat hij ook de vader van de spreker was. Er zaten politieke punten in Dirk Bonwillers grafrede, een stuk of drie, vier. Zo zit die familie in elkaar.

Dirk heeft hetzelfde knappe voorkomen als zijn vader vroeger, een postuur van formaat en een heel groot, uitermate expressief gezicht dat al voor de televisiecamera belicht lijkt. Nu al, na de preek, het gebed en de symbolische schep aarde op het graf, deed dat opvallende gezicht zijn werk terwijl het over de zee van donkere hoeden van de rouwenden gleed. Vroeger herkende ik Henry Bonwiller altijd op precies diezelfde manier: aan dat glimmende gezicht dat boven de menigte bewoog als de mijter van een bisschop boven de gelovigen.

Ik ben zelf lang en toen de zoon van de senator vlak langs me liep, drong ik me naar voren en zei: 'Mooi gesproken vanmorgen, meneer Bonwiller. Uw vader zou tevreden zijn geweest.' Ik stak mijn hand boven de menigte naar hem uit. 'Corey Sifter – gecondoleerd.'

'Ja, dank u, dank u. De *Speaker-Sentinel* is een mooie krant. De laatste zo ongeveer.'

'Uw mensen hebben u goed voorgelicht.'

'Nee, nee. Ik ken uw werk. We hebben uw steun altijd geapprecieerd.' Hij zette zijn bril lager op zijn neus om me over het montuur heen aan te kijken. 'Ik hoop dat we erop kunnen blijven rekenen.'

Toen werd hij snel meegenomen.

Niet bepaald een praatje voor een begrafenis, moet ik zeggen – maar wel heel gelikt. Onze zetel in het Huis van Afgevaardigden wordt nu al drie termijnen bezet door een Republikein, doordat het westelijke deel van de staat conservatiever is geworden, maar Dirk Bonwiller moet er toch minstens evenveel kans op maken. En wie weet wat hij daarna gaat doen? Hij staat aan het hoofd van de bond voor behoud van boerenland in Albany, zit in het bestuur van de commissie voor wederopbouw van de Bronx en heeft vorig jaar op het vakbondscongres van de AFL-CIO in Rochester een toespraak gehouden op het hoofdpodium; hij heeft een huis hier plus een herenhuis in Brooklyn en hij houdt vakantie aan het Ontariomeer bij Sackets Harbor. Het is geen toer om in te zien dat hij alle delen van de Democratische Partij in de staat zal aanspreken als zijn tijd komt.

Achter de begraafplaats ligt een natuurreservaat, een deel van het gebied dat Henry Bonwiller door wetgeving heeft helpen omzetten in moeras toen de biologen eenmaal inzagen wat de Hollandse pioniers hadden aangericht door het droog te leggen, en om aan de mensenmassa te ontsnappen liep ik die kant uit. Ik ben geen einzelgänger – een einzelgänger zou het in mijn werk geen maand volhouden – maar mijn vrouw was met haar eigen auto gekomen en mijn vader zou met alle plezier met haar mee naar huis rijden. Zij kenden de senator niet zoals ik hem heb gekend.

Bij het natuurgebied gekomen zag ik dat er inmiddels flink veel vogels waren en dat het net was of het gebied nooit iets anders was geweest dan wat het opnieuw was geworden: een laaggelegen moeras van kattenstaarten en wilgen bezaaid met velden waterlelies en verwelkte stokrozen. De tegenstanders van de senator formuleren het zo: het heeft ons drie eeuwen gekost om bij ons uitgangspunt terug te komen. Een Canadese kraanvogel zweefde laag boven het kreupelhout. Om van het hooggelegen kerkhof in het natuurgebied zelf te komen moest ik een korte helling vol distels af en bij de ingang kon ik achter me nog net het dak van de bussen zien die vanaf het parkeerterrein de autoweg op draaiden. In het dal waar ik stond, hoorde ik een eenzame brulkikker, maar ik zag hem nergens in het grote, schemerdonkere veen waarin waterinsecten en mysterieus schommelende stengels zich roerden. Het moeras wordt omzoomd door paden van ruw gezaagde, aan elkaar gespijkerde planken van zilverwit uitgebleekt cederhout die op slechts een paar centimeter boven het water lopen: ik koos er een van. Een enkele meerval dook haastig naar de diepte. Zo'n vierhonderd meter achter me stond nog een groep rouwenden, maar vanuit de laagte waar ik liep, kon ik ze niet zien; ik stak het middelste drasland over, tot schouderhoogte verscholen tussen de kattenstaarten, en klom de heuvel op boven de beek. Boven gekomen rustte ik uit op een bankje onder een enorme zomereik, die breder was dan hoog, met zijn wortels als een geraamte gespreid over de lange aarden wal die over half Carrol County uitkijkt.

Iets waar je ook niet op bent voorbereid, is hoe kinderen je verleden veranderen. Dat is het nu juist. Iedereen weet dat ze je toekomst veranderen, maar als je hen ziet in hun onschuld – in hun wieg, dan op hun fiets en later in hun auto, bij hun voetbalwedstrijden, hun optredens en al snel bij hun diploma-uitreiking en hun bruiloft –, als je hen bij dat alles ziet, weet je dat alles wat je ooit hebt gedaan, iedere handeling waarbij je ooit een rol hebt gespeeld, ook nog een andere betekenis heeft en dat die nog groter en ingrijpender is dan de betekenis die je al kende. Niet alleen de betekenis die dat alles voor jou had, maar ook die het voor het kind van een ander had. Van alle dingen kwam juist dat nu weer boven. De onontkoombare waarheid ervan. Dat al je daden – de eervolle en de dubbelhartige, de veile en de fatale –, dat al je daden een dubbel leven leiden. Ik kan me alleen maar verbazen over de toegevendheid van mijn eigen ouders en van anderen die deel uitmaken van dit verhaal.

We zitten hier twintig minuten van het Eriemeer vandaan en bijna even ver van het Ontariomeer, en als je hoger komt, in de wind, voelt de lucht aan zoals aan zee, met dezelfde helderheid in de hemel: iets zilts in de wind ook al zitten we zeshonderd kilometer van de oceaan. De klim had me ruim een kwartier gekost. In het oosten zag ik nog maar een paar achtergebleven auto's op het parkeerterrein. Voor me uit, in de richting van Masaguint waar Trieste Millbury met haar ouders woont, vormden zich de eerste veren van laaghangende bewolking. Door dat soort wolken krijgt de hemel voor mij bij daglicht altijd iets weidsers, zoals ze als zilveren meterlijnen op dit uur van onderen worden belicht, zonder echter het gezichtsveld te domineren zoals de gebruikelijker stapelwolken in het najaar, met hun witte bergen en hun daverende onweer. Ik kon driehonderdzestig graden om me heen kijken. Over een paar uur zou de hemel boven Masaguint een zwart gat zijn in de horizon, die 's nachts voor het overige tegenwoordig van Islington tot Steppan is verlicht. Ook daar gaat dit verhaal eigenlijk over: dat er geen weg terug is.

Ik stond op van het bankje. Masaguint lag achter me, de begraafplaats voor me. De projectontwikkelaars zullen wel gauw de rest in handen krijgen. Wat overblijft, het deel waar Trieste woont, ligt ingebed tussen gletsjerkeien ter grootte van een auto; maar daar laat tegenwoordig niemand zich meer van weerhouden. De wijken zullen ongetwijfeld Granietheuvel of Beekland worden genoemd en de grote, begraven rotsblokken zullen fungeren als zuilen voor de toegangspoort of rechtop worden vastgezet om er de huisnummers in te griffen. Volgens sommigen duurt dat nog wel tien jaar, maar ik vermoed dat het eerder zal zijn.

Toen ik terugkwam, was de begraafplaats bijna leeg. Een paar medewerkers van het rouwcentrum stonden in hun sleetse kostuum stoelen op te stapelen en vanachter de heuvel in de verte was een tractor verschenen: de grafdelvers. Ik keek nog eens goed rond toen ik over de planken door het moeras liep. Mijn laatste blik op senator Henry Bonwiller.

De hoop aarde lag tussen ons in. De tractor remde af, een man sprong uit de laadschop en de bestuurder begon de berg aarde naar het graf te schuiven. Ik ging onder een van de eiken staan. Ook wanneer grafdelvers een senator begraven, vloeken en spugen ze en tikken ze hun sigarettenas af in het gras, en dat deden ze nu ook zodra ze het gat hadden gevuld. Toen pakten ze hun gereedschap en begonnen zorgzaam de randen van zwarte aarde weer in het gazon te werken. Henry Bonwiller was altijd een vriend van de arbeider geweest.

Toen ze klaar waren, stapten ze weer in de tractor en reden over de helling terug, en op dat moment verscheen er een andere man. Slepend met een been kwam hij achter een boom vandaan en strompelde hij over het gras naar het graf, waarbij zijn ene been achterbleef, zodat hij het langs zijn stok moest zwaaien. Juist daaraan herkende ik hem: het manke been en de gebeeldhouwde knop van zijn stok.

Hij bleef bij het graf staan en keek om zich heen, toen sloeg hij zijn ogen neer en boog zijn hoofd. Hij was even oud als de senator en zelfs van een afstand zag ik dat hij nog steeds een hoekig vastberaden, Amerikaans gezicht had van het soort dat je hier in de omgeving steeds minder vaak ziet. Ik wil niet berekenend lijken, maar als hij zijn hoed had afgenomen, was het een plaatje voor de voorpagina geweest.

Hij was uitgeteerd, maar hij had tot het laatst toe volgehouden.

Er waren spreeuwen te horen in de bomen. Maar na een paar minuten keerde het geronk van de tractor terug en even later kwam hij opnieuw over de helling aanrijden, ditmaal met de zoden. Hij reed over het terrein en kwam op een paar meter van de man tot stilstand. Maar de man keek niet op of om. Ik merkte dat de grafdelvers niet wisten wat ze moesten doen. De bestuurder zette de motor af. Toen werd er een gettoblaster hoorbaar, afgestemd op een zender met opgewonden gepraat – die worden nog de genadeslag voor kranten zoals de mijne –, totdat hij zich bukte en die ook uitzette. Hij bleef op zijn plaats zitten terwijl zijn helper uit de laadschop stapte en de andere kant uit ging staan kijken. Ze zullen het niet erg hebben gevonden om nog een sigaretje te kunnen roken.

Uiteindelijk stapte de bestuurder uit en samen begonnen ze het gras te herstellen. Ze vulden, opnieuw met zorg, de rechthoek van aarde met vierkante zoden, en sneden met een jachtmes de laatste stukken op maat.

Maar pas toen ze klaar waren en weer op de tractor over het grasveld weg-reden, keek de andere man eindelijk op; en toen ik achter de boom van-daan kwam, keek hij eindelijk ook naar mij, maar heel even. We zullen op vijftien meter afstand van elkaar hebben gestaan en ik weet zeker dat hij niet wist wie ik was. Ik kon zijn gezicht echter goed zien, net als de knop van zijn stok in de vorm van een eendenkop. Ik deed een paar stappen naar hem toe en zag toen dat zijn vrouw er ook was, achter een boom. Eerlijk gezegd zag ze eruit als een wrak en toen ze mij zag kijken, gebaarde ze dat ik terug moest gaan.

Op dat moment draaide ik me om en zag ik dat haar man zich op één knie had laten zakken, en zelfs vanaf de plaats waar ik stond zag ik dat hij huilde.

Dat was het. Het stille einde van alles. Er was nu niemand anders meer in leven die ervan wist.

II

1971

IK BEN VIJFTIEN KILOMETER VAN DIE BEGRAAFPLAATS OPGEGROEID in een stadje dat bijna in zijn geheel was gebouwd en in bezit was van één familie, de Metareys. Het stadje heette Saline, wat als je van de oude stempel bent rijmt op 'zaai'n', en als je een nieuwkomer bent rijmt op 'zien'. Het ligt op een uur rijden ten zuiden van Buffalo, in het westelijk deel van de staat New York, het vroegere grondgebied van de Erie- en Seneca-indianen. In 1881 kwam een jongetje met de naam Eoghan Metarey samen met zijn vader zonder een cent aan in Fort Clinton in New York na een reis van een half jaar vanuit hun boerendorp in het oosten van Schotland, en samen trokken ze in westelijke richting naar deze lage heuvels en eikenbossen. Ze besloegen paardenhoeven en ruimden stallen voor een maaltijd of geld voor de reis, maar in 1890 hadden ze genoeg gespaard om een ijzerwarenwinkel te openen, en daar begon Eoghan Metarey zijn imperium op te bouwen. Binnen vijf jaar had hij zijn eerste grote lap grond gekocht en binnen nog vijf jaar had hij een post nodig om alle houthakkers, fabrieksarbeiders en gravers die hij in dienst had te herbergen. Hij werd de eerste grote kapitalist in dit deel van de wereld en een van de eersten die een stad stichtten voor hun arbeiders; maar anders dan de andere rijkelui van zijn tijd woonde hij zelf in de plaats die hij had gesticht. Toen hij Saline begon te bouwen, werden de bossen nog onveilig gemaakt door een groep afvallige Seneca; hij rekende zonder omhaal met hen af. Sommigen nam hij als gids in dienst en de anderen gaf hij geld om naar het zuiden te trekken, zodat een bezoeker rond de eeuwwisseling een Otis-lift kon nemen naar de bovenste verdieping van Eoghan Metareys Nieuwe Wereldbank in Saline, een gebouw van zes verdiepingen met een gevel van graniet, om voor het raam met een kopje Chinese thee te zitten genieten van een beperkt, leigrijs uitzicht op het Eriemeer, dertig kilometer naar het westen, waar diezelfde Seneca ooit hadden gevist.

Tot het eind van de Tweede Wereldoorlog ging het zowel Saline als de familie Metarey voor de wind. Het statige centrale plein van de stad begon bij de brede marmeren trap van een bibliotheek met Griekse zuilen en de naam van Eoghan Metarey erop, en de trottoirs werden verlicht door gegoten bronzen gaslampen met de naam van zijn gieterij. Het plantsoen aan de overkant van de straat werd in tweeën gedeeld door de singel die hij had gegraven, en het opgepompte water viel de hele lente en zomer via een serie watervallen gebouwd van zijn eigen graniet naar beneden. De hoofdstraat was zes huizenblokken lang en had dankzij de steengroeven van Metarey de elegante natuurstenen façade van een flinke stad. Vanaf de top van St. Anne's Hill, de heuvel die achter het laatste winkelpand oprees, werd het oog van de bezoeker naar het Eriemeer getrokken, dezelfde lonkende glinstering van water die te zien was vanaf de bovenste verdieping van de bank. In Port Carrol had Eoghan Metarey het grootste jacht van de Verenigde Staten liggen – althans volgens de oudgedienden van Saline. Mijn grootvader was in de Schotse Laaglanden geboren, maar mijn vader was geboren op het land van Eoghan Metarey, in het huis waarin ik zelf ben opgegroeid, een bakstenen huis met aan één kant een laag schuin zinken dak, dat dwars doormidden was gedeeld: Dumfriesstraat 410 A. Dumfries 410 B werd bewoond door een zekere Eugene McGowar, een man die ook voor de Metareys werkte en net als mijn vader altijd dankbaar leek dat hij beland was in een nieuwe wereld – ook al was die niet meer zo bloeiend als vroeger – in een buurt waarin alle huizenblokken door Eoghan Metarey waren gebouwd en alle huizen eender waren.

Behalve dat van Eoghan Metarey zelf natuurlijk. Toen ik geboren werd, in 1955, waren de meeste steengroeven en fabrieken van Metarey gesloten en veel arbeiders van het bedrijf waren naar het oosten getrokken, maar het centrum zag er nog hetzelfde uit als vroeger en iedereen die op bezoek kwam, werd nog steeds meegenomen langs Aberdeen West, het landgoed van de Metareys. Aberdeen West was een Edwardiaans landhuis van baksteen en natuursteen met vierentwintig kamers, dat toentertijd werd bewoond door de jongste zoon van Eoghan Metarey, Liam, die het familiebedrijf had overgenomen. Het stond in de top van een driehoekige lap grond van veertigduizend hectare – bijna een kwart van het district. Eoghan Metarey was geboren als zoon van een dorpshoefsmid, maar al op zijn zesendertigste had hij de spoorweg aangelegd die Albany met Washington verbond, en de rijkste steenkolenbedding van Nova Scotia aangeboord. En dat in een tijd dat steenkool de brandstof was van het grootste deel van de industrie in New England en niet lang daarna de brandstof zou vormen van de nieuwe elektriciteitscentrales voor de uitdijende voorsteden van New York langs het spoor. Kort voor de eerste bouwhausse in ons deel van de staat had hij tussen Saline en het Eriemeer zijn drie houtzagerijen gebouwd en de bossen gekocht die ze moesten bevoorraden. En dat was nog niet eens alles: in de periode waarin alle voorname openbare gebouwen in Albany, Buffalo en Manhattan tot stand kwamen, had hij lei- en granietgroeven gegraven waarin vierentwintig uur per dag, zeven dagen per week bij het licht van Edisons verbluffende nieuwe uitvinding grote steenplaten werden uitgehouwen en op lage treinwagons werden gelegd die tot aan de voet van zijn hellingen reden. En een jaar voor het uitbreken van de Eerste Wereldoorlog had hij een samenwerkingsverband beklonken met John D. Rockefeller voor oliebronnen drieduidend kilometer westelijker in Alberta in Canada. Het was of hij, zoals veel van dat soort mannen, altijd wist wat er komen ging.

In mijn jeugd was Liam Metarey degene die voor de stad zorgde. Het feit dat hij het evenbeeld was van zijn vader deed hem geen kwaad bij de oudgedienden, die leken te geloven dat God hun bijzondere beschermengelen had bezorgd in de gedaante van twee vrijwel identiek ogende Schotse verlossers uit de Oude Wereld. Beide Metareys waren lange, rusteloze mannen met een smalle, scherp gekromde neus en hoge Keltische jukbeenderen vlak onder duister kijkende ogen – ogen die nog steeds alle aandacht opeisen op iedere ooit van hen genomen foto. Het was niet zozeer de kleur ervan als wel de stemming en het feit dat de melancholieke blik zo'n schril contrast vormde met de krijgshaftige vorm van de kaken en neus. Beide mannen leken eigenlijk meer op kunstenaars dan op industriëlen – dat heb ik tenminste altijd gevonden. Ze leken meer op die oude foto's van Kafka in Praag of Picasso in Parijs dan op iemand als Rockefeller of Vanderbilt.

De Metareys reden ook altijd in een onopvallende auto en droegen meestal dezelfde kleren als de gewone burgers tegenwoordig hier nog steeds dragen. De boodschappen voor de zondagsmaaltijd deed Liam Metareys vrouw June altijd zelf bij Burdick's supermarkt, net als mijn moeder en alle andere huisvrouwen. Alle drie de kinderen Metarey – de twee meisjes, Christian en Clara, en hun broer Andrew – zaten net als wij allemaal eerst op de lagere school Martin Van Buren, daarna op de Governor Minuit-middenschool, en later op de Franklin Roosevelt-highschool, en ze liepen langs dezelfde weg als wij naar huis. Op een gegeven moment, kort voor de inauguratie van John Kennedy als president, was Liam Metarey onder president Eisenhower minister van Financiën geweest – ik heb nog steeds een vijftigdollarbiljet waarop zijn hoekige, linkshandige handtekening gedrukt staat –, maar voor zover ik weet waren die paar maanden de enige periode waarin de familie niet in Saline woonde. Verder woonden de Metareys het hele jaar door op hun landgoed en wij allemaal woonden op de weidegrond waarop vroeger hun paarden hadden gegraasd.

Toen ik werd geboren, was het bezit van de Metareys al meer dan tien jaar op zijn retour; maar ook in die staat was het nog steeds indrukwekkend. Het omvatte nog steeds steenovens, een papierfabriek, de Nieuwe Wereldbank van Saline, de ijzergieterij, een werf voor boten van glasfiber in Buffalo, de twee resterende houtzagerijen en steenkoolbeddingen en oliebronnen in verschillende provincies van Canada. Het jacht was weg, maar ze hadden nog een zeilboot op het Eriemeer en bezaten bijna driehonderd huizen in Saline en Islington, die Liam Metarey nog steeds verhuurde voor een prijs die zelfs de bewoners redelijk vonden. Twee van hun uitgeputte kalksteen- en granietgroeven waren veranderd in meren, waarin forel was uitgezet. Port Carrol lag op een halfuur rijden, maar als je in Saline opgroeide, leerde je vissen, roeien en eventueel een bootje met buitenboordmotor bedienen op de oude Kalksteengroeve 3 van Metarey en leerde je duiken van de hoge rotsen van Granietmijn 1. Mijn vader en de andere mannen uit de buurt kwamen vaak genoeg met mooie beekforel uit de wateren van de Metareys thuis, zoals ze 's winters ook heel wat keren met een mooie ree of fazant van de jachtgronden van de Metareys thuiskwamen. Onder andere om die reden was Liam Metarey geliefd, ook bij de mannen die voor hem werkten.

Mijn vader was een van hen, net als zijn vader – een mijnwerker – en zijn broers vroeger, die alle vijf in de bouw hebben gewerkt. Samen met zijn oudste broer had mijn vader een bedrijf in bestrating en fundering en een van mijn vroegste herinneringen is dat ik boven lig te luisteren naar het gebonk van zijn kniehoge rubberen laarzen tegen de rand van onze stoep – *wap, wop, wap, wap* – als hij op het gras de modder en aangekoekte brokken cement eraf trapte. Zodra ik dat hoorde, rende ik naar beneden om hem te begroeten. Dan kwam hij binnen om in bad te gaan en mijn moeder gaf me zijn glas thee dat ik hem voor het avondeten boven bracht. Gedurende een groot deel van mijn kindertijd liep er een spoor van fijn grijs gruis over ons pad, dat de trap van onze veranda op ging en zich in een bleke ring ophoopte op de geweven mat in ons krappe halletje dat, net als de huid van mijn vader en de slaapkamer van mijn ouders, altijd naar kalk rook.

Maar mijn vader zat elke avond op die kleine slaapkamer te studeren en in het najaar van mijn eerste jaar op de lagere school had hij zijn loodgieters- en pijpfittersdiploma gehaald. Dat was hij vanaf het moment dat ik oud genoeg was om het belangrijk te vinden: loodgieter. Hij werd ook lid van een vakbond, in de tijd dat er werk zat was voor vakbondsleden. In onze buurt stond loodgieterswerk hoog in aanzien – hoger dan het werk dat hij vroeger deed in elk geval en hoger dan wat zijn eigen vader ooit had bereikt. Het merendeel van zijn klussen – van ieders klussen – was voor de Metareys.

Hij was ook een redelijk goede elektricien – zo ging dat vroeger hier in deze beroepen – en in later tijden deed hij soms beide soorten werk bij de projecten die al snel een aanvang namen toen senator Bonwiller en de Metareys in de jaren zestig IBM aantrokken. De arbeidsmarkt was een tijdlang zo krap dat de vakbond van elektriciens een oogje dichtkneep bij dat soort verzoeken, en in heel wat huizen hier in de omgeving heeft mijn vader de buizen en de meeste bedrading aangelegd. Er zijn er zelfs een paar waar hij die twee klussen plus de fundering heeft gedaan. Als je goed kijkt in de zuidoosthoek van veel veertig jaar oude kelders hier, dan zie je precies op grondniveau de letters GCS – Granger Corey Sifter – keurig in het beton gekrast, vlak boven het jaartal. Corey was zijn tweede naam. Zoals Granger de mijne is.

Die hausse was een nieuw soort ontwikkeling – huizen die tegelijk werden gebouwd met de straten waaraan ze lagen en het eigendom waren van de gezinnen die er woonden – en die jaren waren het begin van Salines tweede bloei. In deze nieuwere vorm duurt de bloei tot op heden voort nu de elektronicamakers en computer-assembleerders en tegenwoordig ook de chipleveranciers hiernaartoe komen – moderne bedrijven die de beste grond hebben gekocht waar vroeger de zaagmolens en de bossen van Metarey stonden. De levensstandaard en de natuurgebieden bevallen die bedrijven, net als de vele jongeren met middelbareschooldiploma en de meren voor iedereen onder handbereik – allemaal op de ene of de andere manier een geschenk van de Metareys.

En van Henry Bonwiller. Het lijkt nu misschien vreemd dat een hele stad die mannen beschouwde zoals wij toen: als weldoeners, beschermers en misschien zelfs wel verlossers. Maar zo was de stad Saline in mijn jeugd. Ik heb nu een kritischer blik en net als ieder ander heb ik mijn mening over senator Bonwiller, maar ik geloof nog steeds dat Liam Metarey een genereuze, altruïstische beschermheer met burgerzin was met een oog voor het algemeen belang, ook na de bloeitijd van zijn bedrijven. En waarschijnlijk ook na wat hij heeft gedaan. Dat klinkt nu vreemd.

Het maakt vermoedelijk ook niet uit wat zijn motieven waren – niet dat ik die ooit zou kunnen kennen. Ik heb het alleen over het feitelijke bewijs van wat hij voor de stad heeft bereikt – van wat hij voor ons allemaal in de streek heeft bereikt, en van wat hij in wezen voor het hele land probeerde te bereiken. Ik ken een aantal feiten: dat Salines bevolking ook in de jaren van mobiliteit na de Tweede Wereldoorlog op peil bleef doordat Liam Metarey de huur die zijn vader had opgelegd verlaagde, dat Liam Metarey zijn land altijd openstelde voor jagers en vissers, dat hij honderden mensen uit de stad in zijn houtzagerijen en steengroeven werk bood toen die nog in bedrijf waren, en tientallen op zijn landgoed en in allerhande kleinere ondernemingen nadat ze gesloten waren, dat hij studiebeurzen beschikbaar stelde aan de kinderen van plaatselijke arbeiders, dat hij zijn werknemers een ziektekostenverzekering en pensioen aanbood lang voordat de vakbonden dat van hem eisten, en dat hij het gezin van iedereen die in een bedrijf van hem een verwonding opliep extra geld gaf boven op de uitkering van de verzekering. Toen ik klein was, raakte een arbeider dodelijk gewond bij het zaagraam in een zagerij van Metarey, en de weduwe wordt nu nog door de familie Metarey onderhouden. En iedereen die de geschiedenis van de Amerikaanse arbeidersbeweging kent, weet hoe cruciaal de rol van Henry Bonwiller was – en dus van Liam Metarey – in veel van haar overwinningen. Het is niet moeilijk te zien hoeveel die mannen voor ons hebben betekend – het is niet moeilijk te zien waarom we zoveel ontzag voor hen hadden.

Ik vraag me nu af of senator Bonwiller zichzelf misschien wel op een of andere manier zag als de morele erfgenaam van Eoghan Metarey. Ik bedoel, als de man die zou herstellen wat door de sociale dynamiek in verval was geraakt. Ook nadat Henry Bonwiller in de Senaat was gekozen en zijn befaamde appartement op Fifth Avenue, dicht bij The Plaza, had gekocht hield hij zijn huis in Islington aan, en in het weekend wandelde hij ook op het toppunt van zijn macht nog met zijn cockerspaniël Uncle Dan door Saline en deed hij inkopen bij de plaatselijke winkels, precies zoals Eoghan Metarey vroeger met zijn Schotse windhonden. Sommige oudgedienden noemen de drie dan ook nog steeds 'de drie-eenheid', wat naar mijn mening duidt op hun overtuiging dat de erfenis van die mannen een eeuwig durende eenheid zal vormen.

En dat is misschien ook zo, maar er waren ook wel verschillen tussen hen. Wanneer Henry Bonwiller in Morley's Steak House, Salines versie van een goed restaurant, of bij Flann's aan de overkant van de straat, de belangrijkste bar van de stad, ging eten, kwamen de mannen van de vakbond altijd binnen om hem te begroeten. Voor Liam Metarey hadden ze misschien voor het raam tegen hun pet getikt, en je kunt rustig stellen dat ze bij Eoghan Metarey gewoon waren doorgelopen. Niet uit vijandigheid, maar uit respect. Liam Metarey heeft, geloof ik, zijn leven lang zijn best gedaan om dat respect te belonen en Henry Bonwiller deed zijn best om het te kanaliseren. Op mijn elfde was ik al meer dan eens getuige geweest van het vertoon van solidariteit van de senator: de mannen, mijn vader incluis, die hun pet afnamen als ze hem de hand schudden, en de senator die zo nu en dan een paar van hen bij zich aan tafel uitnodigde. Zijn stralende, tevreden gezicht dat glom in het licht van de barlampen. De Wet op de Arbeidsverhoudingen van 1966 was, zoals iedereen weet, bijna geheel zijn werk.

Nu nog zal de naam van de senator een handjevol oudgedienden van de vakbond een knikje van genegenheid ontlokken als deze de gratis instantkoffie achter in Gervin's buurtsuper drinken. Die mannen hebben hun hele werkzame leven op Henry Bonwiller gestemd. En net als mijn vader hebben ze altijd ingezien dat de Metareys nauw betrokken waren bij alles wat de senator deed. Dat begrepen we allemaal. Het waren de Metareys die ervoor zorgden dat hij in de Senaat werd gekozen en zij speelden een prominente rol onder degenen die zijn presidentskandidatuur steunden. Maar ook dat is nog niet alles. De dichtstbijzijnde onderneming van de Metareys ligt nu honderdvijftig kilometer ver weg, maar nog altijd biedt de familie werk aan tientallen inwoners van de stad – het soort dat niet wil werken voor IKEA of IBM Assembly, of het soort dat het niet kan. Onze eigen familie – dat wil zeggen alle Sifters plus aanhang – heeft zelfs altijd bijzonder veel van hun gulle gaven mogen ontvangen en er zijn er genoeg in en om Saline die zeggen dat ik degene ben die er nog het meest van heeft geprofiteerd. Dat is nog een reden voor dit verhaal.

———

Mijn middelbare school zat in hetzelfde gebouw als die van mijn vader, maar in mijn vaders tijd heette de school de Carrol County Senior High en niet de Franklin Roosevelt. En in mijn vaders tijd kregen de zoons van steenhouwers in ieder geval op de Carrol County Senior geen algebra, Amerikaanse geschiedenis of Engels. Zij kregen techniek. Dat was in 1942. Japan was aan de winnende hand.

Mijn vader en de andere leerlingen techniek zorgden voor het onderhoud – dat was blijkbaar hun taak. Niet alleen van de Carrol County maar ook van de vier lagere scholen en de twee middenscholen en alle andere overheidsgebouwen in de omgeving: het postkantoor, de gemeentelijke bibliotheek en het openbare zwembad. Wat mijn vader betrof, was het een ideale opleiding.

Zodra hij zeventien werd, zou hij in dienst gaan. Daaraan moet hij hebben gedacht toen hij in de derde klas op een dag in mei de opdracht kreeg het dak op te gaan om de airconditioner te repareren. De Japanners hadden net Birma en Corregidor veroverd en twee dagen eerder de Lexington tot zinken gebracht. Maar de Amerikaanse marine had hen vlak voor Australië tegengehouden. Zo had die week de kop geluid van het bioscoopjournaal *Het voortschrijden des tijds* van het Empire-theater, ook een geschenk van Eoghan Metarey aan de stad. Op dat moment besloot mijn vader dat de marine voor hem bestemd was.

Hij klauterde uit het raam van een klaslokaal naar de nooduitgang, ging de brandtrap op naar het dak en klom over de borstwering op het gebouw. Het was een warme middag en het bitumen zoog aan zijn schoenen. In die tijd werd de lucht gekoeld door middel van een ijstank en op de Carrol County Senior stonden de ijstanks boven de aula. Hij liep over het dak naar het hokje met apparatuur en toen hij daar het spruitstuk naast zich van de grond optrok, ontdekte hij dat hij door een gat in het plafond precies op het podium uitkeek. Hij zag de kruin van een meisjeshoofd.

Ze droeg een kostuum. Een geel gewaad. Opeens maakte ze een pirouette en een wijdere gele rok waaierde om haar heen uit. Ze acteerde, besefte hij. In een toneelstuk. Hij had nog nooit een toneelstuk gezien. Op de planken naast haar was met zwart plakband een X aangebracht en ze trok er een stoel overheen, waarop ze ging zitten, ietsje naar rechts: hij zag nu een deel van de zijkant van haar gezicht en een stukje enkel. Hij sleepte het spruitstuk zo zacht mogelijk over de vloer en toen hij het tegen de muur had gezet, hoorde hij haar een tekst opzeggen: 'Dank u, mama, ik zit hier goed.' Ze stond op en draaide nog eens in de rondte en de gele rok waaierde dit keer nog verder uit, zodat hij een strook groen zag. Hij schoof zijn moersleutels opzij en ging liggen kijken.

Het zou een hele tijd duren voordat hij weer een toneelstuk zag – meer dan zestig jaar zelfs. Maar later die week zag hij het stuk dat zij repeteerde – het was van Oscar Wilde. En een maand daarna ging hij bij de marine. Vervolgens bleef hij twee jaar op de Stille Zuidzee en zorgde voor het onderhoud aan het hydraulische systeem van de slagkruiser de Louisville. Vlak voor het eind van zijn detachering werd het schip in de Zuid-Chinese Zee getroffen door een paar kamikazepiloten en toen de machinekamer zich met rook vulde, kwam de herinnering in hem boven aan het uitzicht dat hij ooit had gehad door een rechthoekig gat in het plafond: het kastanjebruine haar van dat meisje tegen het groene lint.

Toen de repetitie voorbij was, was hij naar beneden geklommen en door de achterdeur van het toneel naar binnen gegaan. Daar bevond zich een elektriciteitspaneel. Hij bleef ervoor staan en draaide stoppen los en vast totdat ze uit de kleedkamer kwam. Ze had haar gewone schoolkleren aan.

'Heb je zin om een keer met me uit te gaan?' vroeg hij.

Ze keek even naar hem. 'Waarom zou ik?'

'Omdat je mooi bent.'

'Dat is geen reden.'

'Omdat ik wegga dan.'

Ze wees naar zijn schoenen. 'Zo komt er teer op het toneel.'

'Sorry,' zei hij. Hij bukte om het schoon te maken. 'Doe je het?'

'Je weet niet eens hoe ik heet.'

'Hoe dan?'

'Oké. Anna.'

'Anna Hoe?'

'Anna Bainbridge.'

'Doe je het, Anna Bainbridge?'

'Ik zou niet weten waarom.'

'En als ik naar het toneelstuk kom?'

Ze keek nog eens naar zijn schoenen. 'Ik denk niet dat het iets voor jou is.'

'Je weet maar nooit.'

'Als je zin hebt moet je komen. Het is een vrij land.'

'Weet je het zeker?'

'Ja, ik weet het zeker.' Ze wees. 'Er zit nog een beetje teer.'

Hij bukte nog eens.

'Ik heet Grange Sifter,' zei hij toen hij overeind kwam.

En iets meer dan tien jaar later, nadat mijn vader was teruggekeerd in Saline en na een doodgeboren kind en een late miskraam van een tweeling, kreeg Anna Bainbridge Sifter mij.

Op de marinewerf van Groton, waar mijn vader na zijn detachering op de uss de Louisville werd gestationeerd, trok hij de aandacht van een voorman van Liam Metarey, en vanaf de dag van zijn terugkeer in Saline werkte hij in de huurhuizen van de Metareys. Het waren degelijke, mooie huurhuizen, zoals ze tegenwoordig alleen nog in de rijkste buurten schijnen voor te komen, met vóór een diepe veranda in de schaduw van een rode eik en een overstekende dakrand waardoor het fundament droog bleef, en een stoep van gemerkte klinkers in een ruitpatroon met een rand van visgraat. Toen ik klein was, werden die brede dakranden nog door de ene groep ooms van mij gebouwd en de stoepen door de andere gelegd. De Metareys konden hun woonwijken zo goed onderhouden doordat de houtzagerijen, steenovens en ijzergieterijen hun eigendom waren, maar deels ook doordat ze mannen als mijn vader en zijn broers in dienst hadden die zo'n beetje permanent op afroep beschikbaar waren.

Toen ik naar de middelbare school ging, begon ik voor mijn vader de draagbare oven te sjouwen waarmee hij loden lassen maakte. Dat was mijn zaterdagbaantje. In 1970 kon je binnen een straal van tachtig kilometer van Saline waarschijnlijk nog geen tien met lood gelaste pijpen meer vinden, maar toch leerde mijn vader me lood lassen. De oven was een stalen bol zo groot als een lantaarn met een regelaar en een luchtknop waardoor het gas in een sissende vlammenstraal werd gemengd. Ik verhitte het lood in een smeltkroes tot het van zwart zilverwit en ten slotte kersenrood werd; dan goot ik het uit. Hij maakte me terdege bewust van de gevaren: van de dampen kon ik beneveld raken, het lood moest zo dik zijn als soep, anders zou de las gaan zweten en een natte fitting kon exploderen. Ik droeg ook zijn jijnijzers, pakkingen en de rollen hennep waardoor mijn vingernagels naar teer stonken. Elke maandag controleerde ik voordat ik naar school ging mijn handen op de geur.

Er werden in die tijd ook nieuwe huizen gebouwd, maar dat was vakbondswerk en de mannen werkten niet op zaterdag. Die huizen waren voor de gezinnen die toen een paar kilometer ten westen van ons op de opgaande helling van de Shelter Bend Hill kwamen wonen, met zo'n stuk of twaalf per jaar: de nieuwe directeuren van de uitdijende transistorfabriek van IBM in Islington. Zij bestelden bakstenen koloniale huizen met brede schoorstenen of Queen Annes met torentjes en baksteen voor de begane grond en overnaadse cederhouten planken voor de bovenverdieping. Mijn vader legde de leidingen en de aansluitingen. Het pijpwerk was natuurlijk allemaal nog steeds van Metarey en de baksteen kwam van Metarey net als het hout, en al stond er op de groene portiers van de vrachtwagens in witte letters O'SHAUGHNESSY-ERIE, we begrepen allemaal dat ook die firma tot het imperium van Liam Metarey behoorde.

Op een dag vroeg mijn vader of ik hem wilde helpen met een kapotte rioolbuis op het land van de Metareys zelf. Het was in de lente van mijn tweede jaar op de Franklin Roosevelt High School. De wortels van de gigantische zomereik van het landgoed, een majestueuze, in de breedte uitwaaierende boom waarvan de onderste takken van de rand van het hoofdgazon over de oprijlaan tot de bovenste treden van de veranda reikten, waren in de buis gegroeid. 'Weet je wat dat inhoudt?' vroeg mijn vader op een zaterdag bij het ontbijt.

'Wat dan?'

'Het houdt in dat we met een tandenborstel moeten graven.' Hij nam een slokje koffie. 'En met een nagelschaartje moeten knippen.'

'Niet slecht betaald voor nagels knippen,' antwoordde mijn moeder, die over het huishoudgeld ging.

We waren voor zonsopgang opgestaan en zij had eieren gekookt en een hutspot gemaakt. Ze stond op de rand van het fornuis boterhammen met sardines voor mijn vader en mij klaar te maken terwijl ze een vel briefpapier bestudeerde, bedrukt met de afbeelding van dezelfde eik waaronder we moesten werken. Ik zag dat ze de betalingsvoorwaarden las.

'Het wordt een geul van drie meter, schat ik,' zei mijn vader. 'En dat op het heetst van de dag.'

'Dan mag je weleens beginnen, hè?' zei mijn moeder.

'Je hebt gelijk, lieverd.'

En dat deden we dan ook, nog voor het licht was. De breedste takken van de boom reikten tot ver voorbij de rioolbuis en toen we op Aberdeen West aankwamen, ging mijn vader met een lantaarn en een ijzeren pin aan de slag om de wortels in de grond te lokaliseren. In het grote huis was het nog donker. Mijn vader floot zachtjes 'Roddy McCorley' en zo nu en dan keek hij naar de ramen op. Toen hij klaar was met de pin begonnen we te graven, maar al voordat we op enkeldiepte waren, moesten we de bats verruilen voor een spa en met het smalle blad tussen de wortels wrikken. Ze zaten overal. Hij floot niet meer. Hij trok voorzichtig het uiteinde van een haarwortel weg, maar had hem nog niet losgelaten of hij viel weer in het gat. Hij stond ernaar te kijken in het toenemende licht, dat nog zwak was maar al warm voelde op mijn rug. 'Wat zou jij hier nemen, Cor?' vroeg hij ten slotte.

'Een halve steek?'

'Te grof. Meneer Metarey betaalt ons om de boom niet te beschadigen.'

'Twee halve steken en een rondtorn dan.'

'Dat zou ik nemen,' zei hij. 'Of een dubbele paalsteek.'

Het was al bijna twaalf uur toen ik eindelijk tot mijn middel in de korte uitgegraven geul stond. Ik had Christian, die bij mij in de klas zat, niet gezien, maar vlak nadat we waren begonnen, was haar zusje Clara buiten op de trap voor het huis komen zitten, nog geen zes meter bij ons vandaan. Ze zat een boek te lezen. Af en toe legde ze het neer, sloot haar ogen alsof ze over iets nadacht en pakte het dan weer op. Ik was een harde werker, maar ik werd onwillekeurig door haar afgeleid.

De buis lag nog ruim een halve meter dieper. Om me heen hing een netwerk van haarwortels met zorg geborgd in een stelsel van lussen dat ik met metselaarslijn had aangelegd. In de sleuf lag echter nog steeds een web van dikkere hoofdwortels gespannen, net zo'n ingewikkelde wirwar als de kruin van de boom, en op deze diepte moesten we bukken om ertussen te graven. Mijn handschoenen waren al doorweekt.

Toen ik één handschoen uittrok om een wortelpunt te bevrijden, merkte ik dat mijn vader zijn spa neerlegde; ik keek op en zag Liam Metarey naast de geul staan. 'Dat is jullie geheim natuurlijk,' zei hij terwijl hij tussen ons in sprong. 'Het is hier op de bodem zeker vijf graden koeler.'

'Gods eigen airco,' antwoordde mijn vader zonder aarzeling – het soort antwoord dat ik ook wilde leren geven. Toen begon hij weer 'Roddy McCorley' te fluiten.

Meneer Metarey sloeg zijn stropdas over zijn schouder en knielde om te bekijken wat we hadden gedaan. 'Prachtig, zoals jullie die wortels hebben beschermd,' zei hij. Hij tilde een van mijn lussen op. 'Ik mag blij zijn als een chirurg van Park Avenue mij net zo goed behandelt.'

Mijn vader glimlachte. 'Het vernuft van de Amerikaanse arbeider,' zei hij.

'Rustig aan, jongen,' zei meneer Metarey terwijl hij weer uit het gat klom. Ik stond het zweet van mijn gezicht te vegen met de droge slip van mijn hemd. Hij draaide zich naar mijn vader om. 'Weet hij niet dat hij per uur wordt betaald?'

Mijn vader grinnikte – meer een laag schokken van zijn borst dan een geluid. 'Het is een goeie werker, die jongen.' Hij stond aan het hoofd van de plaatselijke afdeling van de loodgietersbond en iedereen mocht hem graag. 'Ik zou niet weten waar hij dat vandaan heeft,' voegde hij eraan toe.

'Voor mij is het zo klaar als een klontje,' antwoordde Liam Metarey terwijl hij het huis weer in liep.

Na twaalven, toen we de laatste happen van onze boterhammen namen, kwam Christian tevoorschijn. Ze stapte over haar zusje heen, kwam naar de geul toe en zette een kan limonade op de plank. Mijn vader weigerde een glas – ook op de warmste dagen dronk hij nog thee – maar na een ogenblik nam ik het aanbod aan. Ik dronk één glas leeg en zonder te vragen schonk ze nog eens in.

Clara legde haar boek neer en sloeg ons vanaf de veranda gade. 'Dorst?' riep ze.

'Hij doet het alleen uit beleefdheid,' antwoordde Christian.

'Mooi. Ik hou van beleefdheid.'

Ik dronk het tweede glas leeg en Christian schonk het nog eens vol. Op school wisselden we zelden een woord met elkaar maar we hadden wel samen Engels. 'Drink maar zoveel als je wilt,' zei ze zachtjes. 'Trek je niets aan van mijn zus.'

Ik keek haar na toen ze over het gazon terugliep. Op de veranda moest ze weer over Clara heen stappen.

'Pas op, Corey,' zei mijn vader.

Op deze diepte zaten er kleiaders in de aarde en die moest ik er met een priem uit prikken. De wortels liepen eromheen in webben van strengen die ik moest losschudden voordat ik ze kon wegtrekken. Maar zo jong als ik was, hield ik al van werken. Ik was blij met de discipline die het meebracht, waardoor ik niet meer hoefde te denken. Tegen de tijd dat de zon achter de topgevel van het huis verdween, hadden we een hele hoofdwortel met zijn vertakkingen blootgelegd en even later pulkte ik een klomp klei uit de verste punt in de greppel en kwam ik bij de kapotte buisflens uit. Terwijl de schaduw over de geul schoof, groef ik in de deklaag en bikte met een beitel de kern van klei weg tot ik eindelijk een langwerpige, vezelige klont tevoorschijn trok met de exacte vorm van de mof.

Op dat moment hoorde ik Clara's stem weer achter me. 'Hoef je niet meer?' vroeg ze.

Ik draaide me om. Ze was met het boek in haar hand van de veranda gekomen. 'Je drinkt helemaal niet,' zei ze.

'Ik wil het niet allemaal achter elkaar opdrinken,' antwoordde ik en ik lachte. Maar ze bleef me aankijken.

Ik pakte mijn spa op. 'Wat lees je?' vroeg ik.

'Dat zegt je toch niets.' Ze trok een gezicht. 'Het stinkt hier naar vis.'

'Boterhammen met sardine,' zei ik. Ik glimlachte nog eens, maar ze keek slechts op me neer. Ik klopte met de schep tegen mijn schoen. 'Nou,' zei ik. 'Aan het werk maar weer.'

Ze hield het glas limonade tegen de zon op. Er glinsterden druppels op het glas. 'Als je het toch niet hoeft,' zei ze, 'dan drink ik het maar op, goed? Het is hier zo warm.' Ze nam een grote slok en zette het glas weer neer. Ik kneep mijn ogen samen tegen het licht, knikte naar haar en glimlachte nog eens – zo was ik toen. Uiteindelijk wendde ik mijn blik af en boog me weer over het gat.

Een paar minuten later hoorde ik het geluid van voetstappen. Dit keer draaide ik me niet om. Ik was nu onder in de geul bezig de blootgelegde buis rondom uit te graven en toen de voetstappen op de planken bleven staan, hield ik mijn hoofd gebogen. Aan het andere eind van de greppel zag ik de benen van mijn vader. Ze kwamen overeind en zijn knieën en schoenen draaiden. Ten slotte hoorde ik de stem van meneer Metarey. 'Kijk eens, Corey,' zei hij en zijn stem klonk geamuseerd. 'Ik heb een nieuwe voor je gehaald.'

———

In mijn jeugd was onze hele buurt, waar vroeger de Clydesdale-paarden van Eoghan Metarey hadden gegraasd, nog bezaaid met zijn enorme eiken en platanen en zijn met gras begroeide kunstmatige dijken, en dat alles binnen een muur van met de hand gehouwen stenen. De muur versprong bij een smal beekje waar je overheen kon springen en dat we de Lethe noemden – al wisten zelfs onze ouders waarschijnlijk niet wat die naam betekende. We woonden allemaal in identieke bakstenen eengezinshuizen van twee onder één kap en de twee helften hadden een gemeenschappelijke muur, wat in die tijd ongebruikelijk was: de aannemer had bakstenen uitgespaard. In de korte periode na de Eerste Wereldoorlog dat Eoghan Metarey in Europa was, had een Hollandse aannemer uit Buffalo de familie opgelicht en rijtjes van zes huizen op een halve hectare neergezet. Ze waren in steeds wijdere bogen rond Aberdeen West geplaatst, als daglonershuisjes rond een boerenhofstede, eindigend bij het ijzeren hek van de Metareys met zijn door pilaren geflankeerde ingang. Dat hek was natuurlijk van Metarey-ijzer en de zuilen van Metarey-kalksteen.

Op een ochtend kwam ik op weg naar school daar net langs toen Christian naar buiten kwam. 'Ik snap niet waarom mijn zus zo doet,' zei ze.

'Hoe doet?'

Het was voor het eerst dat ze de moeite nam iets tegen me te zeggen.

'Je weet wel...' zei ze. 'Je limonade opdrinken. Ik kon haar wel vermoorden. Wij allemaal. Ik wilde mijn excuses aanbieden. Aan jou en je vader.'

'Je hoeft je nergens voor te excuseren, Christian. Clara ook niet. Ik had meer dan genoeg gehad. Ik was al blij met een beetje.'

'Het is aardig dat je dat zegt.'

'Echt. Ik meen het.'

'Misschien,' zei ze. Ze legde haar boeken naast het pad neer. 'En misschien ook niet. In elk geval is het erg aardig dat je dat zegt.'

Ik haalde mijn schouders op.

Ze keek me aan. 'Jij bent anders dan de rest,' zei ze. 'Geloof ik.'

Ik keek weg.

'Het is wel zo. Je bent anders dan de andere jongens. Dat zie ik nu al.' Toen sloeg ze haar arm om een van de pilaren en hees zich op de rand van de muur. 'Nou ja,' zei ze. 'Clara krijgt al straf.'

'Vanwege de limonade?'

'Nee. Niet vanwege de limonade. Geef mijn boeken even aan, dan vertel ik het.'

Ik gaf ze aan en zij legde ze onder zich om op te zitten. 'En behoorlijk ook,' zei ze. 'Ze had het binnen een week voor elkaar.' Ze wees achter ons. 'Moet je zien wat ze met vaders schuur heeft gedaan.'

Ik draaide me om. Aan het eind van de rij sparren waren twee mannen bezig bij een van de garages.

'Vader is razend,' zei ze hoofdschuddend. Ze duwde haar haar over haar schouder naar achteren. 'Ze heeft hem in brand gestoken.'

'Wat?'

'Hij is tot de grond toe afgebrand.'

'Met opzet?'

Ze nam me op en het groen van haar Schotse irissen was gevlekt met de zilverige glinstertjes die ik later zou leren kennen. 'Alles wat mijn zus doet is met opzet,' zei ze. Ze sprong van de rand. 'Kom mee, dan zal ik het laten zien.'

We staken tussen de bomen door naar de andere kant van het tuinpad, waar we Gib Burl en Sandy Blount aantroffen, twee kennissen van mijn vader, die bezig waren de resten van het bouwsel neer te halen. Het enige wat nog overeind stond waren vier zwarte palen, vastgehouden door stukken geblakerde muurbekleding.

'Ze gaat naar een tuchtschool,' zei Christian.

Er hing nog een rijtje gereedschap aan een van de palen en waar we bij stonden haalde Sandy Blount een reischaaf van de haak, keek om zich heen en maakte aanstalten hem in zijn overall te steken. Ik begreep dat hij niet doorhad dat we stonden te kijken en ging voor Christian staan. De steenkolentrein floot. 'We komen nog te laat op school,' zei ik.

Ze lachte alleen maar en liep de open plek op; en toen Sandy haar zag, legde hij de schaaf op een stapel bij de rest.

———

Op een zaterdag werd er vroeg in de ochtend onder het ontbijt aangeklopt; mijn vader ging opendoen en toen hij terugkwam, zei hij: 'Nou, dat is interessant – het is meneer Metarey.'

'Wat?' Mijn moeder stond op en liep naar de achterveranda, waar een spiegel hing boven de wastafel. 'Híér? De zon is amper op.'

'Hij wil Corey spreken.'

Ze maakte een staart van haar haar, wikkelde er een elastiekje omheen en trok het strak.

'Wil hij míj spreken?' vroeg ik.

'Op de veranda.'

'Ga gauw vragen of hij binnenkomt, schat.' Ze boog zich naar de spiegel toe. 'Granger...' zei ze.

'Hij wil niet binnenkomen. Hij zei dat hij niet wilde storen onder het ontbijt.'

'Hij stoort ons niet. Je hebt hem toch wel binnen gevraagd, hoop ik. Hoe zie ik eruit?'

'Je bent mooi, schat,' zei hij. 'Net als altijd. Ik heb hem wel binnen gevraagd. Hij wilde ons niet storen.'

'Wat moet ik doen, pap?'

'Ga met hem praten. Hij staat buiten te wachten, Cor. Ga maar, of vlucht door het raam. Hier,' zei hij en hij deed een stap naar het venster toe. 'Ik houd het wel open.'

'Granger,' zei mijn moeder.

Toen ik op de veranda kwam, stond meneer Metarey op het gras. 'Het spijt me dat ik je stoor bij je ontbijt,' zei hij. 'Ik zei al tegen je vader dat ik net zo goed een andere keer kan terugkomen.'

'Natuurlijk niet, meneer.'

'Gort, volgens je vader.'

'Dat klopt.'

'Nou, dan wil ik je zeker niet ophouden.'

'Dank u, meneer.'

Hij lachte. 'Je bent netjes opgevoed. Ik wou dat ik mijn eigen kinderen zover kon krijgen dat ze zo beleefd tegen me deden.'

'Dat doen ze vast al.'

Hij leek me onderzoekend op te nemen. Ik droeg mijn Wranglers en een blauw overhemd met lange mouwen, de kleren die ik elke dag aan had.

'Wat doe je deze zomer, Corey?'

'Voor mijn vader werken, denk ik.'

'Ik heb je moeder gesproken.'

Ik keek hem aan.

'We hebben hulp bij het huis nodig.'

'Ja, meneer.'

Hij sloeg zijn armen over elkaar en lachte, terwijl hij op zijn hakken naar achteren wipte. 'Ik bied jou dat werk aan, jongen. Ik bied jou die baan aan. Werken op Aberdeen.'

'U biedt het míj aan?'

'Ja, jongeman. Ik heb al gezien hoe je werkt. 't Bespaart me de moeite van een sollicitatiegesprek. Je kunt morgen aan de slag als je wilt. Wat vind je ervan?'

'Nou, ja,' zei ik. Ik dacht aan Christian. 'Geweldig. Dank u wel.'

III

ER WORDT NERGENS IN CARROL COUNTY MEER LANDBOUW BEDRE-
ven. De boeren zijn allang weg. Masaguint is het enige stukje in het hele
stroomgebied dat nog niet is overgenomen door de buitenwijkbouwers
die lang geleden de rest hebben opgeëist. Het is een drassig, met zwerfkeien bezaaid glooiend grasland: vroeger onbruikbaar voor gewassen en
nu onbruikbaar voor projectontwikkeling. De Dutch Downs, zo noemden de oudgedienden het. Veengrond uit de tijd dat de gletsjer van Groen-
land tot Pennsylvania reikte. Onze arme dijkenbouwende pioniers van
rond 1900 dachten dat ze wondergrond hadden gevonden. Er was zelfs
een stormloop op het land. Mestlandbouw noemden ze het: ze hadden
nog geen gevoel voor makelaarstaal. Ze legden de moerassen droog en
pootten aardappelen, vroegen hun familie in Nederland zich bij hen te
voegen in hun gezwoeg. Maar ondanks hun nederig geploeter en hun pro-
testantse gebeden konden ze niet voorkomen dat de moerassen uiteindelijk volledig droogvielen. Op het laatst was het land zo verdord dat de
bovengrond begon weg te waaien. Eerst geleidelijk, toen met fatale gevolgen. Opgenomen in de wind van het meer, mee in donkere wervelstormen
naar de Atlantische Oceaan. In de uitgedroogde laag die overbleef, brand-
den zelfs vuren – ondergrondse inferno's waardoor er rook uit het kool-
stofhoudende veen walmde. Stel je voor: de bodem zelf stond in brand.
Gods ongenoegen. Wat had het anders moeten lijken?

Al gauw gaven de boeren het op en vertrokken. Duizenden ossenkarren
die naar het westen of noorden reden. Het wordt in deze streken als een
les beschouwd: dat het akkerland je hier alleen maar tot optimisme mis-
leidt, ondanks de lieflijke groene begroeiing in de lente en het aangenaam

glooiende stroomgebied, ondanks de mooiweerwolken aan de zonnige horizon. Alles houdt iets verborgen.

Nog lange tijd daarna dreef de bedrijvigheid in ons deel van de staat op hout en mijnen. Op mannen als Eoghan Metarey en zijn tegenhangers in de aangrenzende districten. Aan het eind van de negentiende eeuw hadden de resterende boeren hun land voor een schijntje verkocht aan de ertszoekers en de spoorwegen; er werden schachten gegraven en rails gelegd. Toen ik klein was, gaf de steenkolentrein zijn tweetonige fluitsignaal nog om acht, vier en tien uur bij de nadering van de slagboom op Bridge Street en kon je op het station van Saline in een passagierstrein stappen waar je pas in Buffalo weer uit kon. Maar vijf jaar geleden is het laatste stuk spoor veranderd in een fietspad en alle mijnen zijn allang verzegeld. In de jaren zeventig en tachtig dreef de plaatselijke economie grotendeels op hout, kolen en steen, en verder bijna niets. De mensen moesten de eindjes aan elkaar knopen.

Dat is waarschijnlijk een van de redenen dat Henry Bonwiller zo geliefd was, al huldigde hij in sociaal en economisch opzicht progressieve opvattingen in een district van eenzelvige laaglanders. Maar de politiek van Carrol County is niet erg doorzichtig, en voor wie hier niet woont zal ze een volslagen mysterie zijn dat door de traditie van zwijgzaamheid eens te meer wordt versluierd. Wij praten niet graag en discussiëren al helemaal niet – we vinden gewoon dat er nog te veel te doen is. En we praten helemaal niet graag over politiek, vooral niet met onbekenden – wat in deze streek iedereen is die je niet sinds de lagere school kent. En misschien was juist die geslotenheid van ons wel Henry Bonwillers redding toen zijn moeilijkheden begonnen. Veertig jaar lang heeft hij de bevolking van Carrol County beschermd. En de bevolking heeft hem weer beschermd.

Tegenwoordig is er nog steeds veel werk te doen hier, en zo hebben we het ook graag – te veel om tijd te verspillen aan roddel over Washington, fiscale wetsherzieningen of de privé-uitspattingen van een president. In voorverkiezingentijd, als de kandidaten op een van hun vijftien bezoeken per dag door het westelijk deel van de staat stormen, zijn de mensen hier waarschijnlijk meer geïnteresseerd in de vraag of de rij voor de kassa bij Burdick's supermarkt opschiet zonder dat ze erover hoeven te praten of het de taak van de overheid is om uit te maken wat er in een biologieles-boek mag worden geschreven, laat staan wat er in de slaapkamer van een burger gebeurt. Dat soort tweespalt brengt ons in verlegenheid. Er zijn mensen die ik al vijftig jaar ken, terwijl ik nog steeds geen idee heb of ze Democraat of Republikein zijn. En van degenen die mij kennen – vrien-den van mijn ouders en mijn eigen vrienden van vroeger, plus de nieuw-komers die voor de lucht en het water hiernaartoe zijn gekomen – zou een enkeling vast wel mijn voorkeur kunnen zeggen als iemand ernaar vroeg, maar ik weet zeker dat het hun niets kan schelen.

Voor een krantenman is dat eigenlijk een nadeel – te moeten bedenken hoe hij door die muur van vlijtige laaglandse zwijgzaamheid heen kan breken. Het is ook altijd het voornaamste aspect geweest van het redac-tionele beleid van de *Speaker-Sentinel* dat ik in de vijftien jaar dat ik bij de krant werk, mede heb mogen vormgeven. Onze lezers – de blauwe boor-den die afstammen van boeren en zaagmolenwerkers – zijn het mis-schien niet met al onze redactionele commentaren eens, maar we weten dat ze zich over bepaalde kwesties nog kunnen opwinden, al is het maar een beetje: corruptie, misbruik van ons land voor staatsbelangen in het zuiden en de moraal van onze kinderen.

Ik ben er trots op dat er drie openbare *colleges* te vinden zijn op minder dan vijftig minuten van Saline en dat de verlenging van het contract voor de bibliotheek van Eoghan Metarey in de stad iedere vier jaar met een overweldigende meerderheid wordt goedgekeurd door een groep kiezers die er vrijwel nooit komt – behalve misschien om te stemmen –, maar die vermoedelijk hoopt dat hun kinderen er komen. Desnoods hun kleinkin-deren. Dat is een prettige bevolking om mee in één district te wonen. Doorgaans zit ik liever hier dan in de grote stad, geen twijfel aan, ook al heb je in dit soort stadjes altijd meer dan genoeg nostalgie over de goede oude tijd.

Ik ben toch al op de leeftijd dat weemoedige melancholie geen onple-zierige stemming is om je middag in te slijten. Daar was ik net mee bezig onder het middageten op de dag na de begrafenis van senator Bonwiller – met denken aan vroeger – toen Trieste Millbury mijn kantoor binnen-kwam. 'Ik wilde even zeggen,' zei ze, 'dat ik er bovenop zit.'

'Waarop?' vroeg ik.

Ze stak een lepel yoghurt in haar mond en ging op mijn vensterbank zitten.

'Die geschiedenis van Bonwiller, meneer. Toen hij in '72 presidentskandidaat was, bedoel ik. Zijn campagne werd geleid door Liam Metarey.'

'Iedereen die ouder is dan mijn dochters weet dat.'

Ik vouwde mijn boterham open. Cornedbeef. Die ochtend voor zonsopgang had ik het vetrandje eraf gesneden en het vlees op volkorenbrood gelegd, zonder mayonaise. Dit draagt bij aan mijn weemoedige melancholie.

'En Nixons mensen waren er ook bij,' zei ze.

'O,' zei ik. 'Sterker nog: Nixon heeft die verkiezingen gewonnen. Als je dat nog weet van wat je hebt gelezen.'

'Veel meer dan dat, bedoel ik. Ik bedoel dat Nixon er van de andere kant bij betrokken was. De Silverton Orchards. Anodyne. Die dingen.'

'Waar heb je dat vandaan, Trieste? Een weblog?'

'Gegoogeld, meneer.'

'Heb je bewijs?'

'Nee.'

'Hoe geloofwaardig is het dan?'

Ze nam nog een hap yoghurt. 'Goed dan,' zei ze. 'Er was geen geweldig bewijs. Maar volgens mij is het wel geloofwaardig.'

'Hoezo?'

'Meneer,' zei ze. 'Ik ben net zoals alle goede verslaggevers.'

'En dat houdt in?'

Ze keek me met een nieuwsgierige blik aan. 'Dat houdt in dat ik op mijn intuïtie afga.'

———

In het voorjaar van 1971, aan het eind van de vierde klas van de middelbare school ging ik bij de familie Metarey werken. Het was een leven dat me zo plotseling overviel, besef ik nu, dat ik binnen de kortste keren mijn afkomst vergat. En door de generositeit van de Metareys – zo noem ik het maar, al zou ik het net zo goed hun eigenaardigheid kunnen noemen, of, zoals mijn vrouw vroeger zei, hun gemene trekjes –, doordat ze mij in hun leven toelieten, kreeg ik op mijn zestiende voor het eerst het idee dat een dergelijk leven misschien ooit voor mij zou zijn weggelegd.

Ik zorgde voor het onderhoud op Aberdeen West: de prachtige gardenia's en rozenstruiken in de drie buitensporig grote tuinen snoeien, de zaadbollen die van de rijen platanen vielen en de bolsters van de kastanjes wegharken, en het ene na het andere weiland met voedergras besproeien. De Metareys bezaten vierhonderd hectare grasland waarvan ze het hooi aan de stoeterijen in de streek verkochten, en mijn eerste taak 's morgens was het besproeien van dat land. Op hun oude tractor, een Massey-Ferguson, sleepte ik de dikke pijpen achter me aan op hun metalen wielen, die groot genoeg waren voor een huifkar. De standpijpen waren gietijzeren buizen van acht centimeter in doorsnee, twaalf meter lang, die aan elkaar waren gekoppeld met enorme, gesmeerde klemmoeren – een systeem waar de meeste boeren al een halve eeuw daarvoor vanaf waren gestapt. Maar iedere ochtend voor schooltijd en één ochtend in het weekend trok ik ze met de Ferguson mee, manoeuvreerde ik ze op de reuzenwielen op hun plaats en koppelde ik ze aan elkaar met een sleutel zo lang als mijn arm. Tegen de tijd dat de zon boven de eiken uit kwam, waren mijn kleren drijfnat van het zweet.

In tegenstelling tot de andere herenboeren dankte Liam Metarey zijn bevloeiingssysteem niet af, omdat hij zichzelf zelfs op het toppunt van zijn rijkdom vermoedelijk niet als een heer beschouwde: hij zal nog steeds de stem van zijn vader hebben gehoord – van de Schotse smidszoon die straatarm in Fort Clinton van het tussendek stapte. Aan de koppelingen van de standpijpen, elk zo'n honderddertig kilo zwaar, bevestigde ik verticale stalen sproeiers die twee keer zo lang waren als ik. Als ik de stroomkleppen openzette, gorgelden de sproeikoppen even en kwamen ze in beweging. Tenslotte kwamen de lange platte armen omhoog, die tot veertig meter in de rondte haperende halvemanen van water uitsproeiden – grote regenbogen van nevel die aan één kant van de pijp glinsterden, in een bergje parels neerkwamen en even later aan de andere kant weer verschenen. Ik was iedere ochtend net op tijd weer thuis om me voor school te verkleden.

Ik moet zeggen dat ik me bevoorrecht voelde. Het was eenzaam werk, maar ik vond het fijn om alleen op het land te zijn, vooral als de zon boven de eiken uit kwam; het was ook zwaar, maar daar hield ik ook van. De hele lente en zomer dat ik over het land van de Metareys rondliep, had ik het gevoel dat me een geheim werd getoond, een raadsel van mogelijkheden. Op de een of andere manier was ik ook bevriend geraakt met Christian. Die vriendschap was niet minder verbluffend dan de rest en was me nog wel op de meest mysterieuze wijze overkomen. De verwarring die ik voelde, vloeide deels voort uit de wetenschap dat ik die eigenlijk niet had verdiend. Niets had ik verdiend. Ik hoorde er niet thuis, niet op dat land en niet bij die mensen. Er waren volwassen mannen in Saline – en niet zo weinig ook – die hun handen dicht hadden geknepen als ze mijn baantje hadden gekregen, en er waren zat ouderejaars op de Rooseveltschool die van de andere kant van de stad zouden zijn komen lopen om één zin met een van de dochters Metarey te wisselen. En toch was het mij op een of andere manier allemaal in de schoot gevallen.

Op een zaterdagochtend niet lang nadat ik was begonnen, verscheen er boven het oostelijke deel van het landgoed een tweedekker die laag over het huis vloog. Ik was bezig geweest pijpen te verleggen op de hooggelegen weilanden in een uithoek van het land en ik zag de tweedekker beneden me van koers veranderen en in mijn richting komen. Het leek een sproeivliegtuig, donkerrood met een open cockpit tussen de vleugels en een windscherm dat in de zon schitterde toen het vliegtuig aan de lange klim omhoog begon. Halverwege het weiland trok het op, maakte een plotselinge duik en vloog recht over mijn hoofd, op nog geen dertig meter boven me.

Ik keerde de tractor. Boven de uiterste westgrens van het land begon het toestel weer te klimmen. Even later hoorde ik het hoge janken van de motor toen het in een bijna verticale stand optrok; helemaal boven gekomen bleef het even als een achtbankarretje hangen, voltooide de boog en draaide zich op de rug om overhellend een omgekeerde daling in te zetten. Vlak boven de boomkruinen trok het met brullende motor weer recht.

Ik reed de tractor onder de takken van de Lodge Chief Marker, de reusachtige Noorse spar op het hoogste punt van het grondgebied van de Metareys, en zette de motor af. De Lodge Chief was driehonderd jaar geleden door de Seneca geplant als baken voor reizigers op het meer, en in de diepe schaduw van die spar zat ik zestig kilometer ver over bossen en weiland uit te kijken. In de verte beschreef de tweedekker lussen en daarna achten. Toen voerde het toestel een angstaanjagende manoeuvre uit: het klom snel, vertraagde en bleef bijna stil in de lucht hangen, op zijn top achteroverhellend om daarna in een spiraal naar beneden te duiken, terwijl de motor opeens weer begon te brullen toen het uit zijn val werd getrokken. Daarna vloog het weer recht over de bossen en keerde terug. Het vloog weg en weer terug, weg en weer terug, soms zo laag boven de velden dat ik ervan overtuigd was dat het er was geland. Ik wist dat er een landingsbaan aan de oostkant van het land lag, een lange strook beton met een windzak en twee aluminium hangars. Ik had er een keer in de buurt gesproeid.

Achter me zei een stem: 'Zo, zit je naar de show te kijken?'

Ik draaide me om. Het was Gil McKinstrey, de huistimmerman, op een fiets. Hij was degene van wie ik mijn opdrachten kreeg.

Ik startte de tractor weer. 'Heel even maar.'

'Voor mij hoef je niets te doen,' zei hij. 'Tenminste wat mij betreft.' Hij sprong van zijn fiets en liet hem op de grond vallen. 'Zou ik ook doen als ik jou was.'

'Ik keek niet naar de show. Ik was aan het werk.' Het toestel werd in de verte kleiner. Ik zocht met mijn hand in de kar achter me naar een koppeling. Mijn hand viel op een drukring. 'Ik zocht de hoofdbron.'

Hij trok de bovenrand van zijn schoen opzij en haalde er een half-opgerookte sigaret uit, glimlachte en wees ermee naar een rij frambozenstruiken. 'Die is toch elke week op dezelfde plek?'

'Soms vind ik hem niet meteen.'

Hij wees nog eens. 'Dat zeg ik.'

Het toestel kwam laag boven de bomen aanvliegen en passeerde boven de andere kant van het weiland.

'Aberdeen Red,' zei hij.

Ik knikte. 'Dat is meneer Metarey in dat ding, hè?'

Hij keek me aan. 'Je bent warm,' zei hij. Het vliegtuig beschreef een lus in de verte en hij volgde het met zijn sigaret. 'Bedoel je dat je het echt niet weet?'

'Nee, meneer.'

Hij lachte. 'Het is zijn vrouw, jongen.'

Ik keek hem aan en pakte toen een moer voor de drukring. 'O?'

Het geluid van de motor zwol weer aan en toen ik opkeek, naderde de rode romp voor een nieuwe manoeuvre. Het toestel vloog dit keer met de vleugels schuin diagonaal over het weiland. Gil McKinstrey keek amper op. Aan het eind van het weiland keerde het en trok weer op om nu dichter bij het landhuis voor ons langs te vliegen over de platanen bij de garage. Daar helde het over, ging soepel over in een geleidelijkere daling en draaide plotseling boven het dak van het hoofdgebouw om zijn as en vloog over de helft van de lengte van de oprijlaan ondersteboven. Daar moest zelfs Gil McKinstrey om lachen. Ik probeerde de gestalte van mevrouw Metarey in de cockpit te onderscheiden. Toen het vliegtuig verdween, sprong ik van de Ferguson en liep eromheen om iets in de kar te zoeken.

'Ze was een keer naar de Zuidpool in dat ding,' zei hij. Hij streek een lucifer af aan zijn schoen en stak zijn sigaret op. 'Of was het de Noordpool? In elk geval is ze een keer naar een pool geweest. Het zal daar behoorlijk koud zijn. Zo koud dat je ballen eraf vriezen.'

De drukring die ik had gepakt, was roestig. Ik nam wat smeervet uit de emmer. 'Er is hier genoeg om de hele dag naar te blijven kijken,' zei ik.

'In plaats van werken.'

'Misschien.'

'Binnen is nog meer te zien,' zei hij. Hij knipoogde.

'Daar weet ik niets van.'

Hij draaide zich om en keek naar het vliegtuig, maar ik zag wel dat hij lachte.

'Ik werk nooit binnen,' zei ik. 'Ik werk hier.'

'Ze heeft het geleerd op een boerderij in het westen,' zei hij ten slotte terwijl hij zich omdraaide om me weer aan te kijken. 'Zeker op het land van haar pappie. Montana of zo. Toen ze klein was, heb ik gehoord. Voor ze meneer Metarey kende.'

'Ze is goed, hè?'

'Best wel. De lui die het weten kunnen, zeggen tenminste van wel.' Hij veegde zijn gezicht af met een doek uit zijn zak. 'Jezus, wat is het warm,' voegde hij eraan toe, 'je kan een rat bakken in die hitte.' Hij keek naar de grond. 'Maar jij bent een handige bliksem, hè?'

'Ik doe alleen maar mijn best.'

Hij vouwde de doek op en stopte hem weer in zijn borstzak. 'Ik was toch alleen maar voor de bankhamer gekomen. Die had ik stom genoeg in de kar laten liggen.' Hij kneep de sigaret uit, stopte de peuk terug in zijn schoen en keek naar het westen, waar de tweedekker inmiddels boven de landingsbaan aan het dalen was. 'Ik wilde de show niet verstoren.'

'Ik was niet naar een show aan het kijken,' zei ik nog eens. 'Ik was aan het werk.'

Hij stond te rommelen tussen de onderdelen onder in de kar. De bankhamer lag in de verste hoek onder een stel schuifbouten, maar ik zei niets. 'Dat zal wel,' zei hij ten slotte terwijl hij de hamer tevoorschijn haalde en er een paar keer mee in zijn handpalm sloeg om hem te testen. 'Dat weet ik wel, jongen. Je doet het best goed.'

=====

Al snel maakten Christian en ik er een gewoonte van 's middags in het weekend, als mijn dienst erop zat, af te spreken. Als ik weer bij het huis was, zat ze daar te wachten op de koele kalkstenen stoep of op de oprijlaan in de schaduw van de zomereik – de boom waar mijn vader en ik onder hadden gegraven – en dan kwam ik bij haar zitten en vertelden we elkaar wat we die ochtend hadden gedaan. Mijn ochtenden waren altijd hetzelfde en ik deed mijn best om er heel normaal over te doen, ook al waren ze dat nog niet – niet voor mij. De hare bestonden uit paardrijlessen, die haar vader betaalde in ruil voor klusjes in de stal, of lezen of uitstapjes met haar vriendinnen naar de meren van de steengroeven. Ze moest soms lachen om dingetjes die ik zei en haar lach deed me iets. Algauw merkte ik dat deze intermezzo's mijn dagen van elkaar onderscheidden – de dagen dat we elkaar spraken en de andere dagen. Als haar vader me tijdens een van onze afspraakjes had gevraagd om weer aan het werk te gaan, had ik onmiddellijk gehoorzaamd – en ik zou nooit meer bij zijn dochter in de buurt zijn gekomen. En dat verwachtte ik waarschijnlijk ook. Maar hij deed het niet.

En dus gingen we ermee door. Dit baantje was het eerste dat ik ooit buiten mijn vader om had gehad en ik herinner me die ochtenden in de volle zon als de eerste keren dat ik me ervan bewust werd dat mijn leven begrensd was. Het was een vreemde gewaarwording voor een jongen die niet geneigd was tot bespiegeling, een jongen wiens beeld van zichzelf nog niet verderging dan wat anderen in hem zagen. Ik was zestien en tot dan toe had ik net als al mijn vrienden afspraakjes gehad met meisjes van school, die ik meenam naar de met gras begroeide heuvels, aangelegd door de voorouders van Christian Metarey, om hen te kussen onder de eiken die haar grootvader aan het eind van de vorige eeuw had geplant. Als ik meneer Metarey zag, knikte ik altijd en hij knikte naar mij, maar buiten dat zeiden we weinig.

Ik was inmiddels ook een paar keer binnen geweest, maar Christian had me niet veel van het huis laten zien. We gingen altijd regelrecht naar de bibliotheek boven; dan nam zij de platenspeler mee naar het balkon en luisterden we naar de Beatles, James Taylor of Boz Scaggs en spraken over dezelfde dingen als buiten. Door de openstaande deuren zag ik de dienstmeisjes op de gang aan het werk. De boekenkasten achter ons hadden glazen deuren die van boven scharnierden en tegen alle muren stond een schuine houten ladder die op rubberen wieltjes heen en weer kon rijden. De bladeren van een eik kwamen bijna door het zijraam bij de lange tafel. Ik had het gevoel dat ze me als het ware op de proef stelde door alleen een klein stukje te tonen om te zien of ik meer wilde – het ingelegde walnotenhout van de lambrisering, de oosterse tapijten op de vloer, het facetgeslepen vensterglas waardoor het zonlicht in driekleurige strepen gebroken op de muren viel. Maar er waren ook keren dat ze stil werd en haar gezicht een bepaalde uitdrukking kreeg, en ik meende dat ze iets anders van me verwachtte: dat ik haar hand pakte bijvoorbeeld, of me naar haar toe boog.

Op een avond eind mei ging thuis de telefoon en mijn vader nam op in de keuken. Vanuit de woonkamer, waar ik zat te lezen over de Cleveland Indians, die dit jaar alweer aan de verliezende hand waren, hoorde ik hem vrolijk praten en even later kwam hij voor me staan. 'Nou, kapitein,' zei hij. 'Het ziet ernaar uit dat je morgen gaat zeilen.'

Mijn moeder keek op van haar breiwerk.

'Wat?' zei ik.

'Tenminste, als je zin hebt. Dat was meneer Metarey. Ze hebben toch een boot liggen in Port Carrol? Je bent uitgenodigd. Het is Memorial Day. Ik hoop dat je vanavond niet te veel hebt gegeten.'

'Lieve help,' zei mijn moeder terwijl ze opstond.

En de volgende morgen zat ik voor het eerst van mijn leven tussen het hele gezin Metarey. Het was even na zonsopgang en ik zat op de achterbank bij hen in de Chrysler, tussen Christian en Clara in, met op mijn schoot de taart die mijn moeder in alle vroegte had gebakken. Ik wist niet eens of ik mee was als vriend van Christian of als het manusje-van-alles van de familie, maar toen mevrouw Metarey zich op de voorbank omdraaide om me te begroeten, bood ik haar het blik aan. Het was nog warm.

'O, dank je wel, Corey,' zei ze.

'Geen dank.'

'Hij heeft hem zelf gebakken,' zei Clara.

'O ja?'

Hun broer Andrew, die verlof had van het leger, zat naast Clara met zijn pet diep in zijn ogen. 'Let maar niet op haar,' zei hij bedaard, waarna hij zijn hoofd tegen het raampje legde en naar de lucht keek. Meneer Metarey reed; naast hem zat hun hond, Churchill, een Engelse setter, had Christian me verteld, met zijn snuit tegen de voorruit gedrukt. Toen we het hek uit reden, draaide hij zich naar me om en blafte één keer.

'Dat betekent hallo,' zei Clara.

'Hallo, Churchill,' zei ik terug.

'Dit is Corey,' zei mevrouw Metarey. 'Hij is heel beleefd.' Toen voegde ze eraan toe: 'Je zit op zijn staart, Liam.'

Meneer Metarey verschoof en keek even in het achteruitkijkspiegeltje. 'Nou, het is wel duidelijk van wie iedereen het meest houdt op Aberdeen West,' zei hij. 'Hè, Corey?'

Ik lachte hardop, zodat hij het kon horen.

'Je bent vast niet vaak in de gelegenheid geweest om te zeilen,' zei meneer Metarey terwijl hij me in het spiegeltje aankeek. 'Of wel?'

'Ja, meneer. Ik bedoel, nee. Nog nooit.'

'Maar hij kent alle knopen,' zei Christian.

'Echt waar?' vroeg mevrouw Metarey.

'Ik heb er een paar van mijn vader geleerd, mevrouw.'

'Coreys vader is bij de marine geweest,' zei meneer Metarey. 'Veelbelovender kan het haast niet.'

'Alleen als hij in de achttiende eeuw bij de marine had gezeten.'

'Hou op, Clara,' zei Andrew.

'Je zit toch bij Christian in de klas?' vroeg mevrouw Metarey.

'Ja.'

'Natuurlijk, June. Hij is de zoon van Grange Sifter. Zijn familie woont al zijn hele leven in deze omgeving, schat. Hij heeft met zijn vader het hoofdriool schoongemaakt en ze hebben geen wortel beschadigd.' Ik zag hem in het achteruitkijkspiegeltje glimlachen. 'Ik heb het gecontroleerd,' zei hij. Toen wendde hij zich naar zijn vrouw. 'De eik van de oprijlaan, schat. De zomereik. Je vader is de beste pijpfitter uit de buurt, Corey.'

'Dank u, meneer Metarey.'

'Wat fijn,' antwoordde ze. Ze probeerde een sigaret aan te steken, maar de lucifer brak af en ze gooide hem uit het raampje. 'En, wat vind je van president Nixon?'

Het bleef stil.

'Vroeg u dat aan mij, mevrouw Metarey?'

'Nee,' zei Clara. 'Dat vroeg ze aan Church.'

De hond blafte.

'Clara,' zei Andrew zonder zijn hoofd van het raampje te tillen, 'hou je een beetje in.'

'Vader moet niet zoveel van Nixon hebben,' zei Christian. 'Nixon is wel een internationalist, maar hij is een fossiel. Zo was het toch?'

'Zo ongeveer,' zei meneer Metarey.

'Moeder kan hem ook niet uitstaan,' zei ze. 'Moeder vindt hem een gladjanus.'

'Dat is nog zacht uitgedrukt, schat,' zei mevrouw Metarey.

'Ben jij Democraat?' vroeg Clara terwijl ze me aankeek.

'Clara,' zei Andrew.

'Wat is er nou?'

'Dat gaat ons niks aan.'

'Ik ben eigenlijk niks, geloof ik,' antwoordde ik.

'Corey is een vrijdenker,' zei Christian. 'Ja toch?'

'Zou je jezelf zo noemen, Corey?' vroeg meneer Metarey.

'Ja, meneer. Ik geloof van wel.'

Hij grinnikte even en draaide het spiegeltje toen naar mij. 'Je hoeft geen meneer te zeggen,' zei hij. 'Dan krijg ik het gevoel dat mijn vader bij ons in de auto zit.'

Mevrouw Metarey liet haar raampje omhooggaan – ik had nog nooit in een auto gezeten met elektrisch bedienbare ramen – en slaagde erin haar sigaret aan te steken. Toen liet ze de ruit een eindje zakken, zodat de rook door de opening werd weggezogen. 'Als je vader in de auto zat, Liam,' zei ze, 'gingen we niet op een doordeweekse dag zeilen.'

'Het weekend van Memorial Day, schat.' Dit keer draaide hij het spiegeltje naar Andrew. 'Om de militairen te eren.'

'Vader is Democraat,' zei Christian. 'Maar hij is eigenlijk ook een vrijdenker.'

'Alleen heeft hij liever niet dat anderen dat weten,' zei mevrouw Metarey.

Andrew tilde zijn hoofd op. 'Dat zegt Christian altijd,' zei hij tegen mij. 'Dat vader vrijdenker is. Iedereen weet dat hij voor Eisenhower heeft gewerkt.'

'Dat is een bewijs te meer, Andrew. Je bent toch Democraat, vader?'

'Natuurlijk, liefje.' Meneer Metarey opende zijn raampje en knikte naar de stapelwolken die aan de horizon samentrokken. De rook van de sigaret van zijn vrouw veranderde van richting en dreef in een sliert door de auto naar achteren. 'Vanmiddag draait de wind naar het zuiden,' zei hij. 'Ik hoop dat jullie iets tegen zeeziekte hebben ingenomen.'

'Heb je weleens meegevaren, Corey?' vroeg mevrouw Metarey.

'Hij zei toch al van niet?' zei Clara.

'Nooit op een zeilboot, tenminste,' zei meneer Metarey.

'Nee, nog nooit, mam,' zei Christian.

'Mooi,' zei mevrouw Metarey, 'dan heeft hij geen slechte gewoonten.' Ze inhaleerde diep en gooide de peuk uit het raampje van haar man.

'Over slechte gewoonten gesproken, June,' zei meneer Metarey.

Andrew hief zijn hoofd weer op van het raampje waar hij tegenaan leunde –enigszins geschrokken, leek het. 'Geen paniek,' zei hij in mijn richting. 'Ik leer het je wel.'

Zo bleek uiteindelijk dat ik te gast was. De boot lag aan de dichtstbijzijnde kant van Port Carrol, vijftien kilometer noordelijker aan het meer, en terwijl meneer Metarey en Andrew de boot begonnen op te tuigen, liep ik met Christian mee over de steiger omdat ze me wilde laten zien waar de Potomac van Franklin Roosevelt had gelegen. Churchill liep blaffend en aan de lijn trekkend mee. Christian wees over het water en legde uit dat het meer door een serie sluizen werd gescheiden van de Saint Lawrence Seaway, zodat een met erts beladen schip niet langs de Niagara hoefde om in het Ontariomeer te komen en daar de diepe vaargeul te nemen naar de Atlantische Oceaan. De hond rende springend vooruit en trok Christian overal mee naartoe waar hij maar een geurspoortje tussen de palen vond. Het was nog vroeg, er was verder niemand en uiteindelijk maakte Christian een hek los waardoor we op het lange gedeelte van planken steigers kwamen bij de ligplaatsen. Alleen de Metareys hadden een zeilboot. Hij heette de Adirondack. Andrew en meneer Metarey liepen al behendig over het dek om de nodige voorbereidingen te treffen, en hoewel ik inmiddels vrij zeker wist dat ik niet geacht werd te werken, had ik toch het idee dat ik hen had moeten helpen. Christian droeg de taart van mijn moeder en toen we aan boord waren, ging ze de kajuit in om hem op tafel te zetten.

'Corey Sifter,' zei ze toen ik haar achternakwam in de lage, donkere ruimte waar we door de patrijspoort konden zien hoe Andrew buiten een lijn door een katrol trok, 'je bent écht anders.'

Ik pakte het blik op. 'Ik heb hem niet echt zelf gebakken, hoor.'

'Dat bedoel ik niet.'

Net toen we weer aan dek kwamen, stapte Andrew op de steiger, gooide de touwen los, trok ons achterwaarts de ligplaats uit en sprong op het laatste moment aan boord. Toen voeren we achteruit op de motor de haven uit door de smalle vaargeul van het kanaal. Ik lette overal op. De Adirondack was een mooi schip van gelakt mahoniehout afgezet met een boord van nog roder hout waarop de kikkers en het ijzerwerk waren bevestigd, en de plooien van de zeilen en zelfs de opgerolde lijnen zagen stralend schoon in het ochtendlicht. Meneer Metarey stond aan het stuurwiel. Andrew was op het dek bezig om lijnen van de kikkers los te maken, te controleren en er weer op te wikkelen, Christian liep naar voren, waar Clara stond, en samen gingen ze naast de reling op de voorplecht liggen, terwijl Churchill een plekje tussen hen in zocht; June Metarey trok zich in een vouwstoel terug bij de deur van de kajuit en nipte aan een whiskyglas, en haar man bestudeerde een onder glas onder het stuur-wiel uitgevouwen kaart. We voeren op de motor tot voorbij de laatste pa-len en bogen af naar de golfbreker. Voor ons wapperden de vlaggen van de jachthaven. Mevrouw Metarey ritste haar jack dicht en bleef met haar ge-zicht naar voren in de wind zitten. Ik ging op mijn knieën bij de reling hal-verwege de achtersteven zitten, dichter bij Andrew en meneer Metarey. Opeens stond Andrew met zijn armen te pompen, het zeil ging omhoog en de boot sprong naar voren en schoot het kanaal in.

We kliefden schuin door het water. Vlak bij de golfbreker trok hij aan een lijn en we helden steil op de kiel omhoog. Ik klauterde over het dek naar de hoge kant en toen ik me daar aan de reling vastgreep, zag ik Chris-tian en Clara samen lachen. Ik kon het niet horen, maar ik zag het aan hun schouders, ook al hadden ze hun gezicht afgewend. Mevrouw Metarey glimlachte ook, met haar kin vooruit gestoken in de wind. Christian en Clara bleven, allebei met blote voeten, op de voorplecht liggen en Clara liet haar armen in de bruisende golf bungelen waar de boeg het water kliefde.

'Hij is gewoon verstandig!' hoorde ik.

Het was meneer Metarey die van achteren riep.

'Ik zie het nu al,' ging hij hoofdschuddend verder, 'maar jullie niet, meisjes!'

Andrew kwam op de hoge kant bij me staan.

Mevrouw Metarey nipte aan haar glas. 'Wij zijn uiterst verstandig,' hoorde ik haar antwoorden.

We voeren een tijdje parallel met het strand, bogen af naar het westen en kwamen in donkerder water. Het schip helde nu eens naar de ene, dan weer naar de andere kant over. Ik vond het geen aangenaam gevoel, maar na een tijdje ontspande ik, zodat ik midden op het dek durfde te blijven als de boot overstag ging. De haven lag in een kleine naar het oosten wijzende uitstulping van het meer en algauw waren we uit die beschutte engte. Het open water was van daaruit gezien adembenemend weids, de kust almaar verder weg, totdat ik uiteindelijk alleen nog de vlaggenmast bij de golf-breker zag en daarna niets meer dan de streep bomen in de verte. Op de top van Pond Hill, ver weg, vormde de Lodge Chief Marker een vaag uit-roepteken tegen de lucht.

Om twaalf uur legde meneer Metarey de boot in de wind. Andrew liet het zeil zakken en mevrouw Metarey kwam van beneden met boterhammen. We zaten met onze benen buiten boord bungelend te eten. Churchill bleef bij de kajuitdeur zitten, waar hij met zijn riem aan was vastgebonden, en rukte twee boterhammen van elkaar om de rosbief ertussenuit te halen. Ik had nog nooit bier gedronken bij het middageten, maar dat bood mevrouw Metarey aan. 'De wet van het water,' zei ze terwijl ze me een flesje aanreikte. 'Zou Jack Kennedy zeggen.'

'Daar kun je zeeziek van worden, Corey,' zei Andrew. 'Je hoeft het niet te drinken. Er is ook water.'

'Jack Kennedy zou niet drinken op het water,' riep meneer Metarey van de achterplecht.

'Daarom ging hij ook niet zo vaak zeilen, schat,' zei mevrouw Metarey. 'En trouwens, Andrew, het helpt juist tegen misselijkheid.'

'Dan neem ik er nog eentje,' zei Clara.

'Deel er maar een met Christian of mij,' zei Andrew.

'Dat lijkt me onwaarschijnlijk.'

'Nu nemen we een stuk van Coreys heerlijke taart,' zei Christian.

'Door Corey zelf gebakken,' zei Clara weer.

Christian keek haar even aan en ik ook. Ze leek kwaad op me en ik begreep niet waarom.

'Hij is nog in de leer,' vervolgde ze. 'De eerste liet hij aanbranden.'

'Nou, laten we dan maar hopen dat dit het tweede product is,' zei meneer Metarey.

'Wat is het ook weer voor taart, Corey?' vroeg Clara. 'Vader stikt als hij bramen eet. Dat is een keer gebeurd bij de McNamara's.'

'Ik weet eigenlijk niet meer wat erin zit,' zei ik. 'Maar geen bramen, dacht ik.'

'Mooi zo, jongen,' riep meneer Metarey. 'Je komt er wel.'

'Andrew,' zei Clara. 'Ik zei dat ik er nog een wilde.'

Andrew ging op de ijskist zitten. 'Je mag er eentje delen.'

'Moeder!'

'Hou op!' zei mevrouw Metarey. 'Eerst eten we de boterhammen. Dan gaat die heerlijke taart eraan, wat er ook in zit. Dan gaan we alles uitvinden wat er te weten valt over onze gast.'

Maar er is me nooit een vraag gesteld en toen de taart op was, die met aardbeien en rabarber bleek te zijn gevuld, hees Andrew het zeil; we kregen weer vaart en voeren verder het meer op. Door het bier stond ik vaster op mijn benen, net zoals mevrouw Metarey had voorspeld, en na een tijdje merkte ik dat ik ontspande. We voeren langzaam en kalm laverend in de richting van het strand, dat in het oosten weer in zicht was gekomen. Andrew en meneer Metarey waren van plaats verwisseld en in Andrews handen bewoog de boot rustiger over de lange, lage golven die in de gestage wind waren komen opzetten en net zo hoog waren als op zee. Clara en Christian wisten dat ze me niet meer konden plagen door dicht bij het water te liggen en Christian was aan de eettafel gaan zitten lezen. Mevrouw Metarey was de kajuit in gegaan en door de deur zag ik dat ze op een van de banken lag en probeerde haar schoenen uit te schoppen. De riempjes bleven om haar enkels hangen. Door het ronde raam zag ik haar met haar kuiten tegen elkaar wrijven in een poging haar voeten te bevrijden en daarna woest schoppen tot een van de schoenen eindelijk van haar voet viel. Clara had een lange rok aangetrokken en stond bij de achterreling naar ons kielzog te kijken.

'Het enige is,' zei Andrew toen ik dichter bij het stuurwiel was gekomen, 'dat er een paar knopen zijn die je moet kennen – maar die ken je waarschijnlijk al. En een paar deftige termen, voor aan de bar. *Bakboord* is links, *stuurboord* is rechts en de *schoot* is een soort touw. Geen zeil, zoals veel mensen denken. Maar je kunt ook *lijn* zeggen.' Hij draaide met zijn ogen. '*Zeil* is nog steeds zeil,' zei hij. 'Daar is geen speciaal woord voor.'

'Je zit in dienst, hè?' zei ik.

'Ja.'

'Hoe lang heb je verlof?'

'Ik heb een week gekregen.'

Toen ik later op *college* zat, hadden klasgenoten het weleens over oudere broers die in Canada woonden. Maar voor de jongens met wie ik opgroeide in Saline, was Canada geen optie. Zeker niet voor de zoon van Liam Metarey.

'Ben je bang?' vroeg ik.

'Bang?'

'Om naar Vietnam te gaan.'

55

Hij lachte. 'Ik dacht dat je bedoelde om hier te zijn.' Hij rolde een kaart op de standaard uit en bestudeerde die. 'Ik zit op een basis bij de Wegen- en Onderhoudsectie van de genie,' zei hij. 'Compagnie C, Fort Dix.'

Ik keek hem aan.

'New Jersey,' zei hij.

'O.'

'Jongens zoals ik worden niet naar het front gestuurd.'

'Dat wist ik niet.'

Hij keek me monsterend aan. 'Wil je weten wat ik doe?'

'Als dat mag.'

Hij lachte. 'Ik stort asfalt. Ik plaats hier en daar een hekpaal. Zit op een maaitrekker. Niet slecht.' De randen van de kaart begonnen te wapperen en hij keek op naar het westen. 'Al zou ik natuurlijk wel een paal op mijn hoofd kunnen krijgen.' Toen sloeg hij me op mijn schouder – iets wat zijn vader in de loop der jaren vele malen zou doen. 'Maar inderdaad,' zei hij, 'als ik daarnaartoe werd gestuurd, zou ik wel als de dood zijn.'

Hij pakte het wiel met beide handen beet, draaide en meteen kregen we een windvlaag in ons gezicht. Toen was het voorbij en ik keek naar de wir- war van rimpelingen die over het water wegtrok.

'Weet je nog wat ik gezegd heb, Corey?'

'Bakboord links,' zei ik. 'Stuurboord rechts. Schoot, geen touw.'

'Perfect. Nu mag je meedrinken in de kapiteinsclub.'

Hij draaide zich om en keek naar voren, waar een vrachtboot van de Grote Meren aan de horizon was verschenen en om een of andere reden keek ik naar achteren, waar Clara in haar rok met haar gezicht naar ons toe bij de achterreling stond, me fronsend aankeek en van het dek in het water gleed.

'Hé!'

Ik trok aan Andrew. Churchill rende blaffend naar de achtersteven. Het schip schoot naar links en begon te keren en ik zag dat Clara watertrap- pend uit het kielzog opdook, haar haar naar achteren streek en kopje-on- der ging. Toen stond meneer Metarey naast ons. Hij nam het roer over en keerde de boot scherp in de wind zodat de giek omzwiepte en het groot- zeil boven ons luid klapperde. De voorsteven lag stil in het water en schommelde toen het kielzog eronderdoor golfde. Clara lag al dertig meter achter ons, met haar haar als een zwarte vacht op het water.

'Ze kan zwemmen,' zei mevrouw Metarey, die haar hoofd uit de kajuit stak.

Meneer Metarey keek achterom.

'Niet teruggaan voor haar, hoor, Liam. Ze haalt ons wel in.'

Maar Andrew was al naar voren gegaan om het zeil te laten zakken en even later hoorde ik van beneden het gebrom van de motor. De boot beschreef een wijde boog en toen Clara langszij was, klom ze bibberend de uitklapbare trap op naar het dek.

'Hoe was het water, schat?' vroeg mevrouw Metarey. Eén schoen bungelde nog aan haar enkel.

'Heerlijk, moeder.' Ze keek woedend, naar haar vader dacht ik.

Meneer Metarey ging even naar beneden en kwam terug met een handdoek, die hij om haar heen probeerde te slaan, maar ze duwde hem weg en trok hem zelf om haar schouders. Churchill zat er nu rustig bij. Andrew deed zijn trui uit en trok hem over haar heen, en toen bleef ze ons staan aankijken, terwijl haar blik van haar moeder naar haar vader en naar Christian gleed.

'Nou,' zei ze ten slotte. 'Ik viel erin.'

'Dat zal wel,' zei mevrouw Metarey.

'Andrew ging opeens overstag. Ik was er niet op bedacht.'

'Dat lijkt Churchill onwaarschijnlijk,' zei Christian.

De hond blafte.

'Ik ging helemaal niet overstag,' antwoordde Andrew.

'Dat kan ik me ook niet herinneren,' zei Christian.

'Nou, ik ben degene die in het water is gevallen. Jullie waren in de kajuit.'

'Er zat niemand in de kajuit,' zei mevrouw Metarey. Ze bukte zich om haar schoen los te rukken.

Clara keek woedend om zich heen. 'Corey zag het, toch Corey? Ik viel overboord toen Andrew overstag ging.'

'Maar ja, we weten allemaal hoe diplomatiek Corey is,' zei meneer Metarey.

'Toch, Corey?' zei Clara terwijl ze zich naar mij omdraaide en me strak aankeek met een blik die ik in die tijd met geen mogelijkheid kon weerstaan of doorgronden.

'Je viel overboord,' zei ik ten slotte.

'Corey Sifter!'

'Je begint ons allemaal te vervelen, Clara,' zei mevrouw Metarey uiteindelijk terwijl ze weer naar de kajuit liep. 'Behalve onze gast blijkbaar.'

<hr/>

'God weet dat je hier waarschijnlijk al genoeg doet, Corey,' zei meneer Metarey op een middag niet lang daarna, 'maar ik vroeg me af of ik nog één ding mag vragen.'

'Ja, meneer.' Ik had samen met Christian na mijn werk ijsthee zitten drinken op het tuinpad en stond op.

'Dinsdagavond geven we een feestje,' zei hij. 'God mag weten waarom...' Hij raapte een paar kiezels van het pad op en gooide ze in de struiken. 'Dat moet je mijn vrouw vragen. Nou ja, gewoon, een feestje. Een van de hulpbarkeepers heeft zich net ziek gemeld en mevrouw Metarey vindt dat we extra hulp kunnen gebruiken.'

'Ja, meneer.'

'Het begint om acht uur. Als je om halfzeven kunt komen, betaal ik je tot elf uur.' Hij keek me door zijn bril aan. 'Maar je mag om tien uur naar huis.' Hij raapte nog een handje kiezelstenen op en gooide ze in de struiken. 'Omdat het een doordeweekse avond is.'

'Dat hoeft niet, meneer Metarey.'

Hij lachte. 'Wat zou je vader ervan zeggen als hij hoorde dat je om minder loon vroeg?'

'Mijn moeder is degene die dat niet fijn zou vinden.'

'Precies. Luister naar je moeder. En daarbij,' zei hij, 'kun je tegen je moeder zeggen dat ik je dubbel betaal.' Hij glimlachte. 'Omdat het zo kort dag is.'

Hij keek naar het eind van de visvijver, waar de oefendoelen in de verte dobberden in de wind. 'Weet je wat – als ik er een in één keer raak, betaal ik dubbel.' Hij raapte een steen van de oprijlaan op en voelde het gewicht in zijn hand. 'Als ik twee keer moet gooien, betaal ik het driedubbele.'

'Als u hem raakt, is hij stuk, meneer Metarey.' In de loods waar ik de Ferguson altijd zette, hing een stel oefendoelen. Ze hadden de doorsnede van een basketbalkorf en waren uit dunne schijven kurk gesneden met een aluminium houder voor de vlag.

'Drie keer, het vierdubbele,' zei hij.

'Pap was op school een superwerper,' zei Christian.

'Dat wist ik niet, meneer.'

'Niet waar,' zei hij. 'Ik was helemaal niet zo goed.' Hij schudde zijn schouder los. 'Niet goed in effect.'

De afstand tot de doelen was twintig meter. Drie stuks, die met hun vlaggetjes op drijvende golfholes leken. Hij was linkshandig. 'Deze is voor dubbel loon,' zei hij. Hij bracht de steen bij zijn oor en deed een stapje. Er spatte water op in een van de ringen.

'Nou, daar zal het dan toch bij blijven,' zei hij. 'Dubbel loon. Het spijt me.'

'Mooie worp, meneer Metarey. Het is meer dan genoeg. En ik zal het niet tegen mijn moeder zeggen.'

'Dank je wel. We willen haar niet tegen ons krijgen.'

Toen hij weg was, zei Christian: 'Hij was echt een topwerper, hoor. Hij doet altijd heel bescheiden. Zijn ploeg heeft meegedaan aan de nationale kampioenschappen.'

'Het is aardig van je vader,' zei ik. 'Hij heeft nog nooit gevraagd of ik binnen wilde werken.'

Ze keek me aan. We voelden een zuchtje wind. Ze boog naar voren. Dat was weer zo'n moment: ik vroeg me af of ze wilde dat ik haar kuste. Boven ons sloeg een deur en ze leunde weer naar achteren. 'Je bent niet de enige,' zei ze. Ze keek naar het huis. 'Die mijn vader aardig vindt, bedoel ik.'

Toen we later naar het terras terugliepen zei ze: 'Wil je weten voor wie dat feestje is, Corey?'

'Ja, best.'

Ze bleef staan en keek me aan. 'Morlin Chase.'

Ik keek terug.

'Als ik indruk wilde maken, ben ik bij jou zeker aan het verkeerde adres.' Ze lachte. 'Hij was zo'n beetje het brein achter Kennedy,' zei ze. 'Veel mensen vonden dat hij zich beter kandidaat had kunnen stellen voor het presidentschap, papa ook. En nu denkt hij erover om mee te doen aan de gouverneursverkiezingen. Daarom wil moeder dat feestje voor hem geven. Hij heeft nog van alles gedaan, hij is bijvoorbeeld ambassadeur in Rusland geweest. Hij heeft heel goede connecties in de Democratische Partij. O,' zei ze met een blik op mijn gezicht. 'Maak je geen zorgen – hij is heel aardig. Ik ken hem.'

'Ik maak me wel zorgen,' zei ik.

'Hoeft niet. Moeder hoopt vooral dat hij kan helpen met senator Bonwiller.'

'Met Henry Bonwiller?' Ik kende die naam natuurlijk wel – iedereen kende hem – maar het was de eerste keer dat ik hem bij de Metareys hoorde noemen.

Ze glimlachte naar me, ging op haar tenen staan en gaf me vlug een kus op mijn wang. 'Nou, Corey,' zei ze. 'Het wordt een interessante zomer voor je.'

Toen ik die zondagochtend de Massey-Ferguson in de grote garage stond te wassen, kwam er een roestige gele Corvair achter me tot stilstand, waar zich met veel moeite een man uit wurmde. Hij moest zijn sigaret in zijn mond houden en met beide handen op het portier leunen om zijn benen onder het stuur vandaan te trekken, en zonder zich naar mij om te draaien gooide hij zijn sleutels over zijn schouder en over het dak heen in mijn handen. Ik zag dat ze aan een sleutelring van de Buffalo Bisons hingen.

'Ik hoor dat jij de Indians steunt,' zei hij amechtig. Toen hij eindelijk rechtop stond, zag ik hoe dik hij was.

'Ja, meneer.'

Hij bleef staan en keek theatraal achter zich, alsof ik het tegen iemand anders had.

'Zelf ben ik voor de Bisons, jongen.' Hij sloeg met zijn hand op zijn enorme buik. 'Als dat niet al te ironisch is.' En trekkend aan zijn bezwete overhemd kwam hij naar mijn kant van de auto gestrompeld. 'Geboren en getogen in Buffalo.' Hij leunde naar voren en nam een trekje van zijn sigaret. 'Maar je zult het zien. Straks worden de Bisons de trainingsclub voor de Indians.'

Ik legde mijn spons op de bemodderde motorkap van de Ferguson. 'Voorlopig niet, meneer.'

'Johnny Bench was oorspronkelijk een Bison. Voordat het team Canadees werd.'

'Dat weet ik, meneer.'

Hij keek opnieuw theatraal achter zich.

'Weet je wie ik ben?'

'Nee, meneer.'

'Dus dáárom noem je me zo.'

'Hoe bedoelt u?'

Hij boog zich naar me toe en keek me onderzoekend aan. 'Je hebt het niet door, hè? Heel bijzonder.' Hij ging weer rechtop staan. 'Ik ben uitschot, jongen.' Hij nam de sigaret in zijn mond en stak zijn hand uit. 'Glenn Burrant. *Buffalo Courier-Express*. Politieke redactie.'

'Corey Sifter. Ik help op Aberdeen West.'

'Met tractors wassen?'

'En onderhoud, meneer.'

'Ooit gehoord van de *Courier-Express*, Corey?'

'Natuurlijk, meneer.'

'De vroegere krant van Mark Twain.'

'Daar weet ik niets van.'

'Dat had ik ook niet verwacht.' Hij nam me nog eens aandachtig op. 'Ik hoor dat we hier elk moment een nieuwtje kunnen verwachten,' zei hij. Hij trok zijn donkere wenkbrauwen op en verplaatste zijn sigaret met zijn kaken.

'Dat zou ik ook niet weten.'

'Zal wel niet, hè? Zeg,' vervolgde hij, 'heb je gisteren mijn overzicht van mogelijke Democratische kandidaten gelezen?'

Ik wist niet wat ik moest zeggen.

'O, ik snap het al. Jij bent net als alle andere kinderen in deze stad.' Zijn vingers werden zwart toen hij met zijn hand over het portier van de gele Corvair veegde. 'Je leest zeker geen kranten?'

'Niet zo vaak, meneer. Het spijt me. Ik kan uw auto voor u wassen, als u wilt.'

Hij lachte. 'Dit kan al het water van de zee niet schoonwassen.'

'Ik kan mijn best doen.'

'Het hele doel van praktische politiek is de bevolking bang houden,' zei hij toen. Hij bukte zich naar het zijspiegeltje om het schoon te vegen en haalde een kam door zijn haar. 'Door te dreigen met een eindeloze reeks schrikbeelden.' Hij stak de kam in zijn zak. 'Allemaal denkbeeldig.'

Ik keek hem aan.

Hij kwam overeind, trok nog eens aan zijn overhemd en snoof. 'Mencken.'

'Ja, meneer.'

Hij keek me met samengeknepen ogen aan. 'Jezus,' zei hij. 'Je weet niet eens wie Mencken is.'

'Eigenlijk niet, meneer.'

'H.L. Mencken. Henry Louis. De beroemdste man die ooit in mijn vak de pen hanteerde. Jammer, jongen. Denk ik tenminste. Maar je zult het wel niet kunnen helpen. Ooit gehoord van Ed Muskie?'

'Ik geloof van wel.'

'Humphrey?'

'Ja.'

'En George Wallace of Gene McCarthy?'

'Wie?'

'Dat moest je dan misschien maar eens uitzoeken.' Hij snifte. 'Voordat je in een jungle terechtkomt.'

Hij keerde zich bruusk om. Maar vlak voordat hij buiten was, draaide hij zich weer om terwijl hij nog eens aan zijn overhemd trok. 'Luister, kameraad,' zei hij. 'Je mag hem wassen. Maar niet té schoon maken.' Hij knipoogde. 'En als je een broodje gezond onder de rechterstoel vindt, stuur dan de dokter om me te halen.'

Ik keek hem na toen hij over de oprijlaan naar het huis strompelde, langzaam de trap op liep, voor de deur zijn rug rechtte en tot mijn verbazing zonder kloppen naar binnen ging.

En die ochtend, toen Glenn Burrant bij de Metareys binnen was, hield ik voor het eerst van mijn leven het eerste katern van een krant in mijn handen. Het was de *Courier-Express* en hij lag voorin, onder de rechterstoel, precies op de plaats waar het broodje waar hij het over had gehad moest liggen. Daar stond zijn artikel, bovenaan op pagina 1 onder de kop 'Het veld krijgt vorm', en ik weet nog goed wat er in me omging toen ik het las. Onder de kop, in een vrij grote letter, stond zijn naam – Glenn

Burrant – en toen ik die zo zag staan, kwam er opeens een gevoel van opwinding over me, eerlijk gezegd bijna net zo intens alsof het mijn eigen naam was.

======

'Doe een das om, Corey!' riep mijn moeder van boven. Het was dinsdagavond en ik controleerde mijn kleren in de halspiegel voordat ik voor het feest naar de Metareys ging.

'Welnee,' zei mijn vader vanaf de bank. 'Daar moet je geen das aan verspillen.'

Hij zat de honkbaluitslagen te lezen in de woonkamer terwijl onze buurman, Eugene McGowar, naar zijn draagbare radio zat te luisteren. Meneer McGowar sleet zijn dagen met het opgraven van de onuitputtelijke voorraad stenen die in de tuinen van Dumfries Street uit de grond kwamen – een dienst die zeer op prijs werd gesteld door de tuiniersters-annex-huisvrouwen –, en zijn avonden in onze helft van de twee-onder-één-kap met het luisteren naar honkbal op de radio terwijl mijn vader de sportpagina's las. Bij geen van beide activiteiten hoefde iets te worden gezegd, wat de reden was dat ze meneer McGowar goed bevielen. Hij was lang geleden zijn stem kwijtgeraakt na vijftig jaar werken aan de steenzaag in Granietmijn 2 van de Metareys.

'Meneer Rockefeller is al gouverneur sinds Corey in de luiers lag,' zei mijn vader. 'Ja toch, Eugene?'

Meneer McGowar keek vragend op.

'Ik zei alleen,' zei mijn vader iets harder, 'DAT ROCKEFELLER AL SINDS JAAR EN DAG GOUVERNEUR IS. Ja toch, Eugene?'

Meneer McGowar trok het vleeskleurige radiosnoer uit zijn oor. 'Sinds,' zei hij raspend terwijl hij diep inademde. 'Acht.' Hij hoestte. 'En-vijftig.' Hij schraapte zijn keel en ik zag dat hij zich inspande. Hij was zo lang als de deur en was de sterkste man die ik ken, maar het was pijnlijk om hem te zien praten. 'Yan-kees. Milwaukee. Braves.'

'Ik snap niet waarom ze het eigenlijk nog met die ander proberen, hoe heet-ie,' vervolgde mijn vader. 'En wie begint er nou zo vroeg met een campagne?'

'Hij heet Morlin Chase,' zei ik. 'Hij heeft heel goede connecties in de Democratische Partij.'

Mijn vader keek op. 'Nou, Cor, je hoeft er niet zo tegenop te kijken.'

'Christian Metarey zei dat gouverneur Rockefeller kwetsbaar is omdat hij de hele tijd overweegt om president te worden. Daarom kan Morlin Chase hem verslaan. Hij is ook intelligent, zeggen ze. Dat bedoel ik alleen maar, ik kijk er niet tegen op, pa, ik vertel het alleen maar.'

'Nelson Rockefeller zou het tegen Nixon niet ver schoppen, antwoordde mijn vader. Hij lachte. 'Daar durf ik vijf dollar onder te verwedden. Niet, Eugene?' Hij keek naar meneer McGowar. Toen legde hij de uitslagen weg en pakte *Lou Gehrig: Pride of Yankees*, waar hij al eeuwen aan bezig was.

Meneer McGowar stak zijn vinger in de lucht. 'Nixon heeft...' Hij probeerde vruchteloos nog een hoestbui te onderdrukken. Toen hij was uitgehoest, stak hij zijn vinger nog eens op. 'Rock-e-fellers. Ballen.' Hij sloeg met zijn vuist op zijn borst. 'In zijn. Sokkenla.'

Meneer McGowar moest er zelf om lachen, wat klonk alsof er een band leegliep. Hij bleef lachen tot mijn moeder op de trap verscheen.

'Je weet maar nooit,' zei ze. Ze had de blauwe stropdas van mijn vader in haar hand. 'Je weet maar nooit wie er bij de Metareys komt.' Toen liet ze erop volgen: 'En je weet maar nooit wat er gebeurt.'

'Wat voor iemand kan daar nou komen die voor Corey belangrijk is?' zei mijn vader. 'Rockefeller blijft gouverneur tot we allemaal onder de zoden liggen.'

'Dat zei jóúw vader ook altijd over Roosevelt,' antwoordde ze. 'Kijk toch eens, Corey. Je bent net je vader. Je loopt er helemaal verfomfaaid bij. Denken jullie dat overhemden zichzelf strijken?'

Terwijl ik mijn overhemd losknoopte, zag ik de enorme ribbenkast van meneer McGowar nog steeds op- en neergaan van het lachen. Toen mijn moeder weer de trap op was gelopen met het overhemd, stak hij zijn vinger nog eens op. 'Hij had,' zei hij, 'bijna...'

Hij hoestte.

'Bijna wat, Eugene?'

'...bijna...' kraste hij.

Hij haalde fluitend adem.

'...bijna. Gelijk.'

Mijn vader keek hem over de rand van zijn bril aan.

'...Je vader,' wist hij uit te brengen,' ...met Roosevelt.'

Hij bleef nog een hele tijd hoesten waarna hij de oortelefoon weer in zijn oor stak.

Inmiddels was mijn moeder weer onder aan de trap verschenen met mijn gestreken overhemd en de das van mijn vader over haar arm.

'Vooruit dan maar,' zei mijn vader terwijl hij eindelijk van de bank opstond. 'Laat mij dan tenminste de strop voor hem strikken.'

≡

Terwijl de zon die avond achter Aberdeen West onderging, arriveerden de eerste gasten, en toen de duisternis was ingevallen, stonden de mensen tot buiten het terras in de tuin. Achter een lange mahoniehouten tafel had Gil McKinstrey de bar opgezet. Kort nadat het feest was begonnen, stond ik champagneflessen uit een kist te halen toen er een hoffelijk ogende man voor me kwam staan en een bourbon met ijs bestelde. Zijn knikje naar Gil was al even hoffelijk en het stijve zwarte kostuum dat hij droeg, gaf hem het voorkomen van een priester; maar toen Gil hem zijn bourbon aanreikte, sloeg hij die in één keer achterover en stak hij zijn hand uit voor een tweede glas.

Als ik had geweten wie Morlin Chase was, had ik natuurlijk niet eens zo dicht bij hem durven staan. Maar ik zou pas jaren later echt meer over die mensen te weten komen. Over Chase. Over Henry Bonwiller. Over veel van de personen die ik dat jaar zou ontmoeten, van Averell Harriman tot Arthur Schlesinger, en zelfs over de hele familie Metarey. Ik denk nu al jaren na over die zomer en er zullen altijd flarden blijven die ik niet begrijp. Chase was zelf, ontdekte ik op *college*, de zoon van een spoorwegbaron en niemand in de geschiedenis van de Amerikaanse politiek had zo dicht bij zoveel presidenten gestaan als hij. Maar het duurde nog vier jaar voor er gouverneursverkiezingen werden gehouden.

Die avond had ik tot taak voor over de tweehonderd gasten de drank- en ijsvoorraad op peil te houden en de vuile borden en glazen op te halen, en hoewel er nog twee hulpen uit de stad bij de bar werkten, had ik nauwelijks tijd om naar mensen te kijken. De eerste keer dat ik de klapdeuren naar de keuken openduwde, was ik verbaasd te zien dat die zo groot was als een tennisbaan, met een hele rij fornuizen en gootstenen die de ruimte in tweeën deelde, en twee sproeislangen op rollers die door de dienstmeisjes heen en weer werden gerukt om het vaatwerk voor te spoelen voor de sterilisator. Het was er ook net zo druk als op een tennisbaan, met dienstmeisjes en koks die af en aan draafden. Ik bleef op een pad tussen de deur en de provisiekamer.

Toen ik een paar minuten later een krat Schotse whisky ophaalde, liep ik Clara tegen het lijf die voor de gootstenen bij de deur stond. Ze wees op mijn das.

'O,' zei ik, 'vind je hem mooi?' Ik had hem in mijn broek gepropt om te voorkomen dat hij in de glazen hing.

'Heb ik dat gezegd?'

'Nou, nee.'

'Maar ik moet toegeven dat het een interessante manier is om een das te dragen.'

Met de whisky in mijn armen liep ik door de smalle provisiekamer. 'Waar is Christian?' vroeg ik toen ik bij haar kwam. 'Ik zie haar nergens.'

Ze keek me zonder te antwoorden aan. Ze stond in de weg. 'Morlin Chase is gewoon een sukkel,' zei ze zonder zich te verroeren. 'Wist je dat? Dit is één grote poppenkast om bij zijn familie in het gevlei te komen.'

'Daar weet ik allemaal niks van,' antwoordde ik. Ik moest blijven staan en leunde met het krat tegen de deurpost. 'Echt. Ik moet dit naar Gil brengen voordat zijn voorraad op is.'

'Precies,' zei ze uiteindelijk terwijl ze een stap opzij deed zodat ik erlangs kon. 'Dat ís ook echt waar. Jij weet er helemaal niks van.'

Weer bij de bar aangekomen zette ik de flessen op de grond. Morlin Chase stond toen buiten op het terras, tussen twee balzaalramen met glas-in-lood die hem als een paar toneellampen in een geel schijnsel zetten. Al pratend gebaarde hij naar een kring toeschouwers, onder wie zich meneer en mevrouw Metarey bevonden. Ik zag dat ze aandachtig naar hem luisterden.

'Sta je weer naar de show te kijken?' vroeg Gil.

'Ik sta op bestellingen te wachten.'

'Dan heb je er hier een,' zei hij terwijl hij een dienblad op de bar smakte en er een whiskyglas op zette. Met een soepele polsbeweging schepte hij er ijs in en in een handomdraai schonk hij er een maat bourbon bij. 'Deze,' zei hij, 'is voor die arme vent daar.'

Ik keek hem aan.

'De Gebochelde van Times Square,' zei hij uit zijn mondhoek. Hij knikte naar het terras. 'Meneer Metarey houdt hem graag goed in de olie. Trawbridge heet-ie. De échte zwaargewicht onder de gasten. Niet Morlin Chase.' Hij zette nog een glas met een klap op het dienblad en schonk een dubbele bourbon in. 'En die is voor Chase. Vijf dollar als hij niet naast Trawbridge staat.'

Op het terras slalomde ik met het dienblad vol glazen tussen de mensen door en pas toen ik achter Morlin Chase stond, begreep ik het. Meneer Metarey was alweer weg, maar recht tegenover mevrouw Metarey in de kring stond een man met een welhaast dubbelgevouwen rug, die met zijn handen op stokken bijna zo hoog als zijn oksels steunde. Net toen ik daar aankwam, richtte Morlin Chase het woord tot hem en hij strekte trillend van inspanning zijn armen en keek op zoals een man die via een ladder uit een gat klimt.

Saline is nu een voorstad, maar toen was het een hout- en mijnstadje, en we hadden net als al dat soort stadjes onevenredig veel invaliden. Toch bleef ik hem onwillekeurig aangapen. Hij droeg een bril met een buitensporig groot zwart montuur en een donkerrode vlinderdas die scheef zat, en zijn mond ging schuil onder een ongeknipte bruine snor; maar wat me trof, was zijn intens fatsoenlijke uitstraling. Ik voelde ook iets van een onmiddellijke verwantschap met hem – misschien doordat ik wel zag hoe hard hij zijn best deed voor zijn plaats tussen de anderen.

Telkens als meneer Chase zijn blik over het gezelschap liet glijden, bleef die eerst hangen bij mevrouw Metarey en vervolgens bij die Trawbridge. Zo af en toe reageerde Trawbridge daarop met een knikje, zoals hij ook mij even toeknikte toen ik ten slotte naar hem toe ging om zijn lege glas van het bijzettafeltje weg te nemen en er het volle glas bourbon voor in de plaats te zetten. Hij moest zijn ene stok verschuiven om het te kunnen pakken.

Al die tijd hield Morlin Chase audiëntie. Andere gasten kwamen dichterbij om hem te horen en ik zag hen glimlachen, maar ik merkte dat ze ook naar Trawbridge keken. Net als mevrouw Metarey. Even later ging ik naar Morlin Chase toe en hield mijn dienblad met het laatste glas vlak voor hem, maar nog steeds zweeg hij niet. Pas nadat Trawbridge beverig zijn hoofd had opgeheven en hem over de rand van zijn bril heen een teken had gegeven, stak Morlin Chase eindelijk zijn hand uit om zonder onderbreking zijn lege glas te verwisselen voor het volle op mijn dienblad. Ondertussen ging hij door met zijn betoog.

Toen ik later die avond van Gil McKinstrey ijs moest halen, verscheen Christian in de provisiekamer achter in het huis. Ze ging zwijgend op het lage bankje naast de ijsmachine zitten en trok haar benen onder zich, zoals ze wel vaker deed. Ze keek toe terwijl ik de tinnen emmer vulde.

'Wie is die Trawbridge eigenlijk?' vroeg ik na een tijdje.

Ze keek uit het raampje naar de feestdrukte op het terras. 'O,' zei ze. 'Dat is zo zielig. Het is een oude vriend van papa. Van Yale, geloof ik. Hij is er vanwege iets wat papa vanavond misschien gaat doen.'

'Wat gaat je vader dan doen?'

Ze keek nog eens op en dit keer bleef ze me aanstaren terwijl ik doorwerkte; maar ze gaf geen antwoord en ze leek ook niet echt naar me te kijken. Ik tikte een rij ijsblokjes van de druppelaar en schepte ze in de emmer. Er verscheen een half uitgelaten, half onthutste uitdrukking op haar gezicht alsof ze zich iets heerlijks probeerde te herinneren dat haar telkens ontglipte. 'Goed dan,' zei ze ten slotte, harder.

Ze stond op, pakte me bij mijn arm en trok me door de zijgang mee naar de dubbele voordeur van het huis. De deuren stonden een eindje open en toen we erachter gingen staan, zag ik meneer Metarey bij een auto op het ronde voorplein voor het huis staan. Zo bleven we in de hal staan, zij met haar hand op mijn arm terwijl ze door de kier tussen de deuren naar buiten staarde. Ik zette de ijsemmer neer en keek op. Aan de muur achter haar hing een groot olieverfschilderij van haar grootvader, Eoghan Metarey, en voor het eerst zag ik dat zijn ogen net zo keken als die van Christian even daarvoor: met een donker floers maar ook die gedreven nieuwsgierigheid. Door een technisch trucje leken ze me recht in de ogen te kijken.

'Ik moet het ijs naar Gil brengen,' zei ik.

'Zie je papa?' vroeg ze. 'Ga naar hem toe en blijf bij hem.'

'Waarom?'

Ze opende de deuren verder. 'Laat jezelf zien. Alsof je wilt helpen.'

'Ik wíl ook helpen.'

'Ga dan.'

'Dat kan niet, Christian.' Ik keek achter ons. In de balzaal zag ik mensen rond de bar staan. Mevrouw Metarey was er weer bij. 'Ik ben aan het werk.'

Ze draaide zich om en keek me net zo aan; en toen, zo resoluut dat ik me niet probeerde te verzetten, pakte ze me bij de arm en trok me de veranda op. Een ogenblik later waren we beneden, tussen de heggen van het pad voor het huis, op weg naar de garage. Aan de andere kant van het voorplein stond meneer Metarey gebukt bij het achterraampje. Hij keek niet op. Christian trok nog steeds aan mijn hand en in het donker staken we het tuinpad over en doken achter het voederhek van de paardenstal weg, waar de ruin van mevrouw Metarey, Breighton, in het zwakke licht opkeek. 'Sst,' fluisterde Christian, en ze gaf hem een klopje. Hij snoof zachtjes en at verder. Daarop ging Christian op haar hurken zitten en deed het hek dicht, en toen ze weer aan mijn hand trok, hurkte ik naast haar en keken we samen door de latten. De auto was een Cadillac, een Eldorado. Meneer Metarey had nog steeds niet opgekeken.

'Ik moest ijs halen voor Gil,' fluisterde ik. 'Ik heb de emmer in de hal laten staan.'

'Ach, zeur toch niet over dat ijs... Gil kan wel wachten.'

De garagelamp wierp een kegel van bleek licht in het donker en het interieur van de auto lag in de schaduw; maar toen ging het achterportier open en stapte een man in een donker kostuum uit. Hij was nog langer dan meneer Metarey, had markante trekken en was zelfs in het schemerige licht imposant, en al begrijp ik niet hoe, ik wist meteen dat het Henry Bonwiller was.

Hij bleef naar de verste groepjes gasten kijken die op het gazon opzij van het huis in het flakkerende schijnsel van de citronellafakkels stonden. We zaten op nog geen acht meter van hen vandaan. Hij legde zijn hand op meneer Metareys schouder en zei iets in zijn oor.

'Nu beslissen ze,' fluisterde Christian. Ze draaide zich om en keek me met glanzende ogen aan. 'Senator Bonwiller besluit vanavond of hij zich kandidaat stelt. Ik denk van wel. Kijk maar.'

'En Morlin Chase dan?'

'Ik heb het over het presidentschap, Corey. President van de Verenigde Staten. Kijk maar! Ik geloof dat ze hun besluit hebben genomen.'

Meneer Metarey leunde naar voren om iets te zeggen en terwijl we naar hem keken, werd het grind opeens feller verlicht en even later kwam Clara naar buiten. Ze had zich verkleed: ik zag het zwarte silhouet van een jurk. Ze keek naar links en naar rechts over het voorplein en daalde de trap af naar het pad. Ze had de ijsemmer bij zich.

'Stik...' zei ik.

'Laat toch. O jee, Corey... kijk!'

Meneer Metarey en senator Bonwiller sloegen elkaar op de schouders en gaven elkaar een hand. Op dat moment stak Clara het pad over en liep naar hen toe, waarop meneer Metarey bukte en haar een kus op haar wang gaf. Hij glimlachte.

'Ze gaan het doen!' fluisterde Christian.

Henry Bonwiller gaf Clara een hand en bukte ook om haar op de wang te kussen. Ze zette de emmer op het grind.

'O, ik wist het wel,' zei ze. 'Ik wist het. Papa gaat het doen! Corey Sifter, wat je nu ziet is... Kijk dan, Corey! Kijk wat er voor je ogen gebeurt!'

Clara draaide zich om en hield haar hoofd schuin naar ons toe.

'Sst!' zei ik. 'Ik moet echt het ijs ophalen.'

De beide mannen draaiden zich om en liepen terug naar het huis en toen ze ons waren gepasseerd, bleef ik waar ik was, voornamelijk om te zien wat Clara met de emmer ging uitvoeren. Maar ze bleef er gewoon bij staan terwijl ze haar vader en de senator nakeek die om de wilg heen liepen naar het feest in de achtertuin.

Op dat moment, toen ik tegen de latten van het voederhek leunde om naar haar te kijken, kwam er een hand tegen mijn hals; en toen ik omkeek, voelde ik Christians lippen. Haar tong tikte vlug tegen de mijne. Meteen trok ze zich terug.

'Hé,' zei ik.

'Dat we dat samen hebben gezien, ongelooflijk...' Ze leunde opnieuw tegen me aan en dit keer stak ze haar tong tussen mijn tanden.

Ik liet me op mijn knieën zakken en trok haar naast me neer in het stro van Breighton. Haar mond proefde naar pepermunt. Haar handen waren warm en haar haar rook naar het hooi en nog iets. Rozen, geloof ik. Parfum. Hooi, mint en parfum.

Haar mond trok zich terug. 'Dassen staan je leuk,' fluisterde ze. Toen gingen haar lippen naar mijn hals. 'Je moet elke dag een das dragen.'

'Ik zal zien wat ik kan doen,' fluisterde ik terug.

'O, Corey,' hoorde ik terwijl we omrolden.

Toen ging het licht aan.

'Zo, zo...' zei Clara, en er scheen een zaklamp over Christians gezicht. 'Kijk eens wie het paasei heeft gevonden.' Toen gleed het licht weer naar mijn gezicht en meteen daarna naar mijn borst. 'En kijk eens wie zijn das heeft geruïneerd.'

Later die nacht begon het te regenen. Lang voor zonsopgang zwol het geluid aan, waardoor ik wakker werd in het donker. Toen besefte ik dat het geen regen was. Iemand tikte op het horraam. 'Kom eruit,' hoorde ik Christian zeggen.

'Sst...' Ik stapte uit bed. 'Hoe ben je boven gekomen?'

'Gevlogen.' Ze fladderde met haar armen en sprong op het zinken dak.

'Sst,' zei ik nog eens. 'Kom binnen... kom binnen.'

'Nee, jij moet buiten komen.' Ze scheen met een zaklamp in mijn gezicht. 'Je sliep,' zei ze. 'Ik had het kunnen weten.'

'Wat had je dan verwacht?'

'Dat je nadacht. Net als ik.'

'Waarover?'

'De wereld. Alles. Jóú waarschijnlijk.' Toen zei ze: 'Ik kan alleen maar zeggen dat je moet opschieten – anders is de maan weg.' Ze boog zich naar voren. 'Je moet schoenen aantrekken.'

Ik tilde de hor naar binnen. Ze pakte mijn hand, trok me door het open raam en nam me direct mee naar de rand van het dak, waar de ceder tot over de dakrand reikte. De kamer van mijn ouders zat aan de andere kant en die van meneer McGowar was vlak achter ons. Ze greep een tak beet en slingerde zich met een zwaai naar de stam om vervolgens door de takken naar beneden te klauteren.

Even later stond ik naast haar op de grond. Ze pakte mijn arm en trok me mee naar de steeg. Ik hield mijn schoenen in mijn ene hand totdat ik ze met een paar hinkende stappen kon aanschieten. Ze was niet van plan zich nog eens door me te laten kussen, kreeg ik de indruk. Niet hier tenminste.

In de verte blafte een hond.

'Church,' zei ze. 'Stil.'

Toen was ze weg. Ze liep snel Dumfries Street uit en het landgoed op, en sloeg achter de onderste rij berken af in de richting van de pijnbomen. Ik volgde haar. De grond onder onze voeten ging over in een zacht naaldendek en op de helling bij de autoweg in louter aangestampte aarde. Daarna in het verteerde blad van de bovenste eiken en later in hoog gras. We kwamen uit op het ongemaaide grasland op het hoogstgelegen deel van het landgoed. Aan de andere kant van de donkere vlakte tekende de immense Lodge Chief zich af tegen de paarsige lucht; Christian stond eronder met de zaklantaarn hoog boven haar hoofd.

Toen ik bij haar kwam, stond ze nog steeds zo aan de voet van de reusachtige boom, met haar hoofd in haar nek. De zaklamp lag op de grond en het licht scheen door het gras.

'Hier heeft Westinghouse de eerste schakelaar overgehaald,' zei ze.

'De eerste wat?'

'George Westinghouse. Westinghouse Electric. Grootvader kende iedereen. Westinghouse wilde Edison voor zijn, daarom legde hij voor grootvader de elektriciteit aan en haalde de eerste schakelaar over voor de lampen. In achttien-zoveel. Op kerstavond. Iedereen dacht dat hij zou ontploffen.'

'Ik vind die lichtjes prachtig,' zei ik.

'Er hoort een verhaal bij, net als bij alles. Grootvader heeft hem nooit betaald. Hij dreigde gewoon om anders Edison aan te nemen.'

Ik wachtte.

'Kom je nog?' vroeg ze ten slotte. 'Het is adembenemend. Kom op, Corey.' Ze ging tussen de wortels staan, greep de onderste tak beet en hees zich zonder nog iets te zeggen op. De naalden schommelden en vielen stil.

Eerlijk gezegd kon ik haar amper bijhouden. Ze klom boven me omhoog als een dier in de jungle. De takken van de grote pijnboom zaten grotendeels op regelmatige afstanden van elkaar aan de stam, maar ik was voorzichtiger dan Christian. Ik had haar zaklamp opgeraapt en in mijn zak gestopt. Binnen de tent van naalden was de nacht inktzwart, maar ik zag haar lichte T-shirt boven me, een bleke vorm in het maanlicht.

Toen ik haar eindelijk inhaalde, zat ze met haar rug tegen de stam. We bevonden ons zo'n twintig meter boven de grond. Door de dichte naalden gezien vormden de lantaarns van de inrit een flauwe band licht boven de bomen.

'Weet je waarom we hier zitten?' vroeg ze.

Ik koos een plekje een paar takken lager. 'Geen idee.'

Ze drukte een tak neer en er verscheen een driehoek van lucht. 'Voor het uitzicht.'

'Oké.'

'Kijk dan.'

'Dat doe ik.'

'Nee. Echt... kíjk nou.'

Daar was het. De paarsige strook aan de horizon. De blauwzwarte spleet van het verre meer in het maanlicht.

'Prachtig,' zei ik.

'Dat vind ik ook. Ik snap wel waarom ze dachten dat hij zou ontploffen.'

'Dat wat zou ontploffen?'

Ze gaf geen antwoord. 'Dat was fijn,' zei ze daarentegen. 'In de stal.'

'Dat vond ik ook.'

'Maar het betekent niets.'

Ik keek naar haar op.

Ze schudde met haar been en een stukje hemel verschoof en verdween. De naalden ritselden nog eens en even later verscheen er een kleiner stukje boven me. 'Het betekent niet dat het nog eens gebeurt, snap je?'

'Dat snap ik.'

Ze schoof heen en weer op haar nieuwe plek boven me. Na een ogenblik zei ze: '"Toen voelde ik me als een hemelschouwer..."'

Het kwam uit een gedicht dat we op school hadden gelezen.

De wind stak op en de stam schommelde.

'"Als een nieuwe planeet in zijn gezichtsveld zweeft,"' zei ze. Toen zweeg ze. Even later voegde ze eraan toe: 'Ik weet niet... Het is vast heel stom.'

'Het is niet stom.'

'Ik voel me net een ballon die elk moment kan knappen,' zei ze. Ze schudde haar hoofd. 'Van geluk.' Ze schudde nog eens. 'Nee. Niet van geluk. Die straks knapt van extase.'

Ik keek weer op.

'Ik voel me helemaal opgeblazen,' zei ze. Ze spreidde haar armen. 'Ik kan zomaar barsten.'

'Ik ben blij dat we dit hebben gedaan, Christian. Ik ben blij dat we het allemaal hebben gedaan. Ik ben blij dat je me bent komen halen.'

'Plof.'

Ik stak mijn hand uit en raakte haar arm aan. 'We kunnen naar beneden gaan.'

'Nee,' zei ze. 'Ik ga liever omhoog.'

Ze begon weer te klimmen.

'Het wordt dunner hier boven, Christian.'

'Zie je de maan?'

'Blijf nou zitten.'

'Kom op, Corey! Niet jij! Kom mee. Zie je de maan?'

Ik klom nog een meter. In de verte hoorde ik Churchill weer. 'We zitten al behoorlijk hoog,' zei ik. Beneden ons zag ik de kruinen van de andere bomen al. De grote, oranje maan ging erachter onder. De stam was hier niet dikker dan mijn been en zwaaide heen en weer wanneer Christian bewoog. Ik klom langzaam verder tot ik haar enkel kon aanraken.

'Hou nou op!' zei ze. Ze klom verder. 'Corey de Tobber!' Ze lachte. 'Je moet vertrouwen hebben.'

Er verscheen een opening in de muur van naalden.

'Vertrouwen in wie?'

'Doe niet zo gek. In de goden.'

'Goed. Kunnen we dan niet gewoon blijven zitten en op hen vertrouwen?'

'Corey,' fluisterde ze, 'vandaag hebben we iets meegemaakt dat we nooit zullen vergeten.' Ze keek op me neer. 'Iets histórisch.'

'Dat is zo,' antwoordde ik.

Toen zweeg ze. Hoe lang we zo bleven zitten, weet ik niet. Maar om de paar minuten kreeg ze nieuwe energie en klom ze weer een paar takken hoger. En ik volgde. We zaten zeker op vijfentwintig meter hoogte. De vroege-ochtendwind was aangewakkerd en de stam zwaaide gestaag heen en weer. De naalden die zachtjes ritselden. Ik keek erdoorheen naar het huis in het westen. Er was op de benedenverdieping licht aangegaan.

Na een tijdje zei ze zachtjes: 'Ik weet niet... Soms heb ik het in mijn hand. Maar dan word ik bang.'

'Nu ook?'

'En dan verpest ik het.'

'Je hebt niks verpest, Christian.'

Ik schoof weer naar haar toe, met mijn blik op het huis gericht. Ze stond toe dat ik haar arm aanraakte. Die beefde.

'Christian,' zei ik. 'Ik ben het.'

'Het is zo onbeschrijflijk mooi hier boven, Corey.'

'Dat vind ik ook. Je lijkt wel bang.'

'Jíj lijkt wel bang.'

'Dat ben ik ook.'

De naalden schudden en zakten dieper weg en toen drong het tot me door dat de tak op een andere manier bewoog. Ze trilde. De opening werd breder en op dat moment zag ik nog een licht flitsen, tussen de bomen aan de voet van de heuvel.

'Laten we hier maar blijven,' zei ik.

Er verscheen er nog een naast. Twee lampen, die naar ons toe kwamen.

'Ik weet dat je anders bent, Corey. Ik weet dat jij dat ook denkt.'

'Ik snap nooit wat je bedoelt...'

'Flikker toch op.'

Achter haar haalde ik de zaklamp uit mijn zak en knipperde ik het licht aan en uit. 'Dat is meer iets voor je zus.'

'Krijg de tering!'

'Dat ook.'

Ik knipperde nog eens. Toen tuurde ik in de duisternis. Een van de andere lichten bevond zich nu op de heuvel.

'Dit hebben wij van de Seneca gestolen,' zei ze. 'Al dit land.'

'Je grootvader heeft het opgebouwd, Christian. Uit het niets.'

'Krijg de klere, Corey.'

'Kom naar beneden, hierlangs. We kunnen wel blijven zitten als je dat wilt. Maar kom dichter bij me.'

Ze zat twee takken boven me en een poosje bleven we zwijgend zo zitten, maar na een tijdje draaide ze zich om en klom naar beneden. Ik pakte haar arm en hield haar vast. En na nog een paar minuten voelde ik dat ze eindelijk ontspande. 'Jezus,' zei ze ten slotte. 'Je zult wel denken dat ik gek ben.'

Ik geloof niet dat ik dat toen dacht. Ik werd alleen maar door angst gedreven – niet alleen dat haar daar in de boom iets naars zou overkomen, maar dat ons allebei iets naars zou overkomen, in de vorm van die twee lampen die naderbij kwamen; maar tegen de tijd dat ze bij ons kwamen en we Churchills aanhoudende geblaf hoorden, waren we allebei al begonnen aan de lange klauterpartij langs de stam naar beneden. En toen de zaklantaarn van meneer Metarey tussen de takken door scheen, waren we bijna op de grond. Ik hield Christian onder haar oksels vast toen ze zich in de armen van haar vader liet vallen. Hij sloeg zijn jas om haar heen en pakte haar hand.

'Ik kan het uitleggen, meneer,' zei ik toen ik op de grond stond.

Gil McKinstrey bleef met een stormlamp op een afstandje.

'Dat hoeft niet,' antwoordde meneer Metarey. 'Ik geloof dat ik het al begrijp.'

'Het is niet wat u denkt, meneer Metarey.'

'Laat maar, Corey. Dat weet ik. Ik vermoed dat ik al weet wat het was. Ik ben alleen maar dankbaar.' Hij keek de heuvel af naar beneden. 'Dank je.'

Toen liepen ze over het weiland weg, hij met zijn arm om haar schouders. Ik bleef met Gil een eindje achter hen. Churchill blafte blij en draafde heen en weer om ons heen. Meneer Metarey liep langzaam en toen we de rij grove dennen bereikten die het donkerste bos op zijn land vormden, ging Gil naar hen toe met de lamp boven zijn hoofd om het pad voor hen te beschijnen. En zo hield hij de lamp tot we de laagste rij eiken bereikten en door de bomen de zon zagen opkomen.

Toen ik dat weekend over de kar achter de Ferguson gebogen stond, zei een stem achter me: 'Arbeid maakt vrij.'

Ik kwam overeind. 'Ja, meneer.'

'Je zorgt er goed voor, zie ik. Welke knoop gebruik je daar?'

Ik had net een touw rond een handvol pijpbochten geknoopt. 'Een schavotknoop.'

'Het lijkt wel een scheerlijnsteek, maar dan anders.'

'Iets steviger, meneer Metarey.'

Hij knikte naar me en glimlachte. Ik wist niet hoe lang hij daar al stond. Het veld om ons heen was pijnlijk licht en ondanks het sproeien van die ochtend was het alweer droog. Ik tilde de bundel pijpen op en liet die weer in de kar vallen. De knoop hield. 'Je raakt er makkelijk een kwijt op een hobbel,' zei ik.

'Maar jij niet, zie ik.' In de verte beschreef de Aberdeen Red langgerekte achten en hij leunde op zijn hakken naar achteren en hield zijn hand boven zijn ogen om ernaar te kijken. Ik had de indruk dat hij dat ook van mij verwachtte, en ik keek ook, maar bleef over de kar gebogen staan. Ik vroeg me af of Clara hem had verteld dat ze ons in de stal had betrapt.

'Er zal binnenkort een hoop veranderen hier,' zei hij. 'Dat wilde ik je even laten weten.'

'Hebt u me niet meer nodig, meneer? Ik begrijp het wel.'

Hij lachte. 'Dat je dát hebt gezegd zal ik je moeder ook niet vertellen,' zei hij. 'Integendeel juist. Het zal een stuk drukker worden en we zullen je juist vaker nodig hebben. Er komt nieuws over senator Bonwiller.'

Ik waagde het erop. 'In dat geval moet ik u zeggen, meneer... dat ik het al weet. Christian zei zoiets. Er wordt gezegd dat dit voor senator Bonwiller het juiste moment is om zich ook in de strijd te mengen.'

Hij keek me aan.

'Ik bedoel, nu met al die betogingen in Washington. Ik heb het artikel van meneer Burrant gelezen, meneer.'

'O ja? Mooi zo, heel goed. Dan weet je er alles van.' Hij gaf me een klopje op mijn schouder. 'En ik heb zo'n vermoeden dat je er nu nog veel meer zult lezen.'

De Aberdeen Red kwam met een duikvlucht aanvliegen over het land en trok in een scherpe hoek weer op.

'Ze is goed,' zei hij. 'Dat moet je haar nageven.'

Ik zweeg.

Hij wees naar het vliegtuig. 'Mijn vrouw, bedoel ik.'

'O, ja, meneer. Ongelooflijk. Ik zie haar elke ochtend vliegen.'

'Dat komt doordat ze het alleen 's morgens mag.' Hij grinnikte een beetje stijfjes. 'Ik wilde ook nog zeggen dat ik het waardeer wat je allemaal voor ons doet. Het zal wel niet meevallen, met je huiswerk erbij.'

'School is deze week afgelopen.'

'En mijn dochters mogen je ook graag. Dat is een goed teken.'

Mijn handen zaten onder de modder en ik veegde ze af aan het gras.

'Wat ik eigenlijk wil zeggen, is dat ik het heel erg waardeer wat je voor Christian hebt gedaan.'

Ik keek op.

'Laatst,' zei hij. 'Af en toe heeft ze dat. Ik ben blij dat er een nuchter iemand bij was toen ze het deed. Dat bedoelde ik.'

'We waren alleen...'

'Je hoeft niets te zeggen, Corey. Ik ben blij dat er geen ongelukken zijn gebeurd. Mevrouw Metarey ook.'

Hij raapte een steen op en gooide die naar het hek van halve boomstammen. Het vliegtuig scheerde nu laag over de bomen.

'Ik heb zitten denken,' zei hij toen, 'en ik heb iets voor je geregeld.' Hij klom op de tractor, zette de motor af en kwam weer op de grond naast me staan. 'Ik heb een vriend van me gesproken, Tom MacDonald. Er komt volgende week een man hier met je praten over Dunleavy.'

Ik knikte.

'Dunleavy,' zei hij.

'Ja, meneer.'

De Aberdeen Red vloog een circuit boven de landingsbaan. We keken toe terwijl mevrouw Metarey de laatste bocht voor haar nadering maakte.

Hij glimlachte. 'Dat was dom van me. Je weet niet wat Dunleavy is, hè?'

'Nee, meneer.'

Hij klopte me nog eens op mijn schouder. 'Het is een school,' zei hij. 'Dunleavy Academy. Je komt er binnenkort wel achter. Het is een heel goede, exclusieve school. Ik heb er zelf op gezeten. En Andrew ook... tenminste de eerste paar jaar. Als je volgende week een goede indruk weet te maken op die man,' zei hij, 'krijg je de kans om er ook naartoe te gaan.'

'Echt?' Ik bukte me nog eens om mijn handen aan het gras af te vegen. Ik was afgeleid door de Aberdeen Red. Eerst dacht ik dat hij 'een baan' bedoelde. Ik heb een báán voor je geregeld.

'Wees maar niet bang,' zei hij. 'Voor je hem spreekt, geef ik je nog een paar tips. Dan weet je wat je kunt verwachten.' Hij gooide nog een steentje. 'Als iemand het verdient,' voegde hij eraan toe, 'ben jij het wel.'

IV

OP EEN SCHITTERENDE ZOMERMIDDAG IN DE TWEEDE HELFT VAN
die maand verklaarde Henry Bonwiller – voorzitter van de commissie van
overheidsuitgaven van de Senaat en oudste lid van de defensiecommis-
sie – voor het hele land, met voor zich drie televisiecamera's, een tiental
radiomicrofoons en twee rijen verslaggevers van de pers en naast zich
zijn vrouw en zijn twee tienerjongens, dat hij in de running was voor de
Democratische nominatie voor het presidentschap.

De senator is natuurlijk bekend door wat er later gebeurde, maar dit
was in het begin, lang voor Anodyne Energy en al het andere, en ik kan alleen maar zeggen dat het in de dagen daarna was of hij de lucht om zich
heen verlichtte. Als hij 's morgens aan kwam rijden, zag ik het personeel
voor de ramen staan om een glimp van hem op te vangen. Als hij 's middags door de stad wandelde en bleef staan voor kinderen die Uncle Dan
wilden aaien, moest een agent het verkeer manen door te rijden.

Zijn invloedssfeer werd onmiddellijk groter. Aan het begin van de zomer kondigde president Nixon aan dat hij handel met communistisch
China wilde toestaan en nog geen vierentwintig uur later kon je senator
Bonwiller samen met Eric Sevareid naast een nieuwe combine van John
Deere zien staan voor de loods van de Metareys om zijn commentaar te geven voor het avondjournaal van CBS. En daar waren ze 's avonds allebei
weer op de televisie van mijn ouders, terwijl meneer McGowar en mijn vader op de bank in de woonkamer zaten te kijken en mijn moeder haar
hoofd om de hoek van de keuken stak met een theedoek en een natte pan
in haar handen.

'China...' Meneer McGowar hoestte. In zijn handen had hij een stuk kwarts zo groot als een appel, dat hij met zijn zakdoek oppoetste. 'Daar komt...' Hij haalde diep adem. 'Daar komt...' Hij hoestte nog eens. '...na-righeid van.'

'Welnee,' zei mijn vader. 'Voor de bonden is het geweldig. Denk eens aan al die miljoenen Chinezen.' Hij nam een slokje uit zijn flesje Pabst Blue Ribbon. 'Die kopen allemaal onze spullen. Ze zullen Deere en New Holland met duizenden tegelijk aanschaffen.' Hij nam nog een slok bier. 'Dat soort landbouwmachines hebben ze daar niet, Eugene.' Toen floot hij de eerste regel van 'Cockles and Mussels'.

Meneer McGowar keek gepijnigd, maar gaf geen antwoord. Hij wuifde alleen met zijn ene hand naar de televisie en ging met de andere door met poetsen.

'Hmm,' zei mijn moeder vanuit de deuropening van de keuken, 'die senator Bonwiller is een knappe man voor de camera, zeg. Zag ik jou daar heel even op de achtergrond, Cor?'

'Nee ma. Dat kan niet.'

Eind juni bepaalde het hooggerechtshof dat de New York Times en de Washington Post de Pentagon Papers mochten publiceren, en president Nixon riep op tot de arrestatie van Daniel Ellsberg, die onmiddellijk onderdook. Die ochtend stond senator Bonwiller in de Senaat op om Ellsberg uit te roepen tot nationale held. Hij las de ene na de andere bladzijde uit de Pentagon Papers voor de Handelingen van het Congres voor om ten behoeve van het nageslacht vast te leggen dat de regering Laos had gebombardeerd en Noord-Vietnam had aangevallen en beide zaken toch in het openbaar had ontkend. Er ontstond hevige commotie in de Senaat en hij werd bijna uitgejoeld. Het incident haalde het avondnieuws niet, maar ik wist ervan doordat de Post en de Times er zelf over schreven, net als de Courier-Express, die ik inmiddels allemaal uit mezelf was gaan lezen.

Ik las de kranten al sinds de ochtend van mijn kennismaking met Glenn Burrant. Destijds was Liam Metarey op tientallen kranten geabonneerd, die ik 's middags altijd voor hem bij het postkantoor in Saline ophaalde en in de bibliotheek op krantenstokken hing. Sinds de vakantie was begonnen, werkte ik volle dagen op Aberdeen West en mijn laatste klus iedere vrijdagmiddag was alle oude kranten naar de openbare bibliotheek van Saline brengen. Maar in die tijd ging ik elke dag als ik klaar was met mijn werk op de zijveranda een paar kranten zitten lezen. De meeste kranten waren al een week oud doordat ze per post kwamen, maar evengoed las ik ze gretig. Ik vond het leuk, ik weet niet waarom. Ik stond er zelf van te kijken dat ik zoveel plezier beleefde aan kennis over de wereld. Tegenover mijn ouders had ik het gevoel dat ik geheimen bezat.

Inmiddels keek ik ook altijd uit naar de komst van Glenn Burrant zelf, die bijna iedere dag langskwam sinds het nieuws over de senator bekend was geworden. Telkens als er een belangrijke bijeenkomst was of een verklaring zou worden afgelegd of Henry Bonwiller acte de présence gaf, kwam de gele Corvair knersend en hotsend over het grind van de oprijlaan aanstuiven. Misschien kwam het doordat de *Courier-Express* dichtbij zat, maar Glenn had duidelijk een bevoorrechte relatie met Aberdeen West en mocht tijdens de besprekingen buiten wachten. Ik had hem welbewust laten weten dat ik zijn artikel had gelezen en ik zag best dat het hem plezier deed, ook al veranderde hij van onderwerp. Hij zwaaide altijd naar me als ik aan het werk was. Terwijl Liam Metarey en de campagneleiders binnen delibereerden, zat Glenn altijd uit te rusten op het ijzeren bankje in de schaduw van de zomereik, met zijn ene been als een volle weekendtas naast zich op de bank getrokken; en wanneer de besprekingen voorbij waren, was hij degene die de primeur kreeg. Ik vond het leuk te zien hoe hij opstond als hij werd ontboden – alsof hij op gelijke voet stond met die mannen, gek genoeg – en het karakteristieke blocnootje van de verslaggever uit zijn achterzak en een pen vanachter zijn oor haalde terwijl hij puffend de drie treden van de veranda op liep, bij de voordeur bleef staan om zijn sigaret uit te trappen en voor de ruit een kam door zijn haar te halen. Wat vooral veel indruk op me maakte, was zijn bruuske manier van doen en zijn omvang – als hij zijn nylon windjack dichtritste, bolde het op als het vel van een worst – maar ook dat hij me altijd met een samenzweerderig soort vertrouwelijkheid begroette als ik de gebutste oude Corvair van hem mocht overnemen om hem in de garage te zetten. Andere volwassenen vleiden me niet met hun aandacht.

Ik had nu ook tot taak om auto's te parkeren. En tussen de auto's die op het landgoed verschenen, viel de Corvair volledig uit de toon. Zodra Glenn uitstapte, veerde hij als een duveltje uit een doosje op en de zitting achter het stuur was altijd zo ingedrukt dat het was of ik op de bodem zat als ik erin reed. Maar bij alle Cadillacs, Lincolns en Mercedessen gaf Liam Metarey er altijd hoge prioriteit aan. Ik moest een bepaalde volgorde aanhouden als ik de auto's na afloop van een bespreking ophaalde en ik moest er altijd voor zorgen dat de Corvair bij de eerste auto's was die ik afleverde, met gewassen voorruit en een nieuw boekje tolcoupons achter de zonneklep.

Als ik zijn krakende portier dichtsloeg, bedankte Glenn me altijd met een zwaai van die hand zo groot als een honkbalhandschoen – de hand die voor de *Courier-Express* schreef! –, waarna hij het raampje aan de passagierszijde naar beneden draaide – het raampje aan zijn eigen kant zat klem – en met naar links overhellend chassis de slingerende oprijlaan op spoot. In de bocht onder de platanen werd het hellen even iets minder en een fractie van een seconde later vloog zijn sigaret uit het raampje op het grind. Dan liep ik erheen om de peuk op te rapen.

Ik noem Glenn niet alleen omdat hij degene was die mij tot het lezen van kranten aanzette, maar ook omdat hij onder zowel de betrokkenen als de buitenstaanders een van de scherpzinnigste mensen was die iets af wisten van de Bonwillers campagne. Toch weet ik nog steeds niet wat zijn aandeel was in de gebeurtenissen. Was hij uiteindelijk een vriend van de senator en de Metareys? Ook dat weet ik niet eens. Of was hij eigenlijk meer een vriend van de waarheid – een principieel mens, die net als veel mannen en vrouwen zoals hij niet direct die indruk wekte? Als ik het allemaal van te dichtbij probeer te bekijken, begint het te schemeren – en blijft Glenn Burrant een mysterie, net als iedereen. Na al die jaren weet ik niet wat ik zou hebben gedaan als ik wel had geweten, of althans vermoed, wat hij waarschijnlijk wist.

Maar dat huis, het was onweerstaanbaar. Aan de ene kant had je Henry Bonwiller, die met grote stappen over het schitterende veld van beemdgras naar een op de grote veranda opgestelde microfoon schreed terwijl de televisieverslaggevers op de oprijlaan ronddrentelden; en aan de andere kant had je mijn moeder, die aan de keukentafel de zoom van mijn vaders werkschort verstelde. Daar was zij, die achter het huis kleden klopte of lakens aan de lijn hing. En hier was ik, die de Aston Martin van Averell Harriman met zijn mahoniehouten versnellingsbak over het korte pad naar de garage bracht. Die een stel met lamsleer overtrokken sleutels aannam van Tom Watson, de voorzitter van IBM. Die Henry Bonwillers set donkere lederen reistassen netjes op bagagebanken in het gastenhuis zette en half openritste. Ik hing zijn donkere pakken in de kast en zette zijn met de hand gemaakte jachtschoenen op de houten standaard. De schoenen van de man die president zou worden! De senator had zelf een huis op een halfuur rijden in Islington, waar zijn vrouw en zoons waren, maar hij had een permanent verblijf op Aberdeen West. Er waren inmiddels nog twee gastenverblijven voor zijn adviseurs ingericht, mannen die op de gekste tijden uit een stad aan de kust arriveerden in een zwarte auto die de oprijlaan op kwam zoeven of een vliegtuig dat achter de bomen landde. De kamers van senator Bonwiller keken uit op de rijbak en de twee langwerpige visvijvers erachter, en voordat ik 's avonds naar huis ging, vergewiste ik me ervan dat er een bamboe hengel bij de kapstok hing en een bord met kunstvliegen op de vensterbank lag.

En toch had het allemaal op het moment dat het gebeurde iets onwerkelijks voor mij. Ik was echt nog steeds verbaasd elke keer dat zijn donkerblauwe Eldorado over het voorplein de tuin in reed, nog steeds opgelucht elke keer dat Henry Bonwiller uitstapte en Liam Metarey de hand schudde en zijn koffertje aan zijn chauffeur gaf. Het zal wel door mijn opvoeding komen dat ik elk moment een teleurstellend bericht verwachtte, een onvermijdelijke straf voor dit soort ambitie.

Op een avond zei Christian op het balkon van de bibliotheek, waar ze me na mijn werk mee naartoe had genomen: 'Papa wordt weer minister van Financiën.'

Clara snoof. 'Van Kroegzaken, zul je bedoelen.'

We zaten op ijzeren stoeltjes met ons drieën neer te kijken op de muziektent, waar een campagnefeest werd gegeven. Het was de eerste keer dat Christian me had uitgenodigd sinds de nacht in de boom, een episode die ik nog steeds niet begrijp, en ik was op mijn hoede. Ze zat niet meer buiten op het ijzeren bankje onder de zomereik als ik 's middags klaar was met mijn werk en ze was nergens in huis te bekennen – althans, voor zover ik kon uitmaken – als ik 's morgens aankwam. Maar daar op het balkon zag ze er net zo uit als altijd. En tot mijn opluchting gedroeg ze zich ook zo, alsof er niets was gebeurd.

Beneden ons stonden een paar honderd gasten op het gras cocktails te

drinken en onder de luifel boven de ingang was een jazztrio aan het spelen. Senator Bonwiller en Liam Metarey voerden een privégesprek onder
de gespannen stormlijnen van de tent en ik zag dat er andere mannen nerveus stonden te wachten om zich bij hen te voegen. Churchill lag languit
bij Christian en Clara op schoot als een witte plaid waar ze samen onder
zaten.

Christian zei: 'Papa zei Financiën of misschien Binnenlandse Zaken,
Clara.'

'Church is het met míj eens,' zei Clara. 'Hij denkt aan de zaken van de
kroeg.' Ze dronk iets met alcohol erin. Ze bood ons ook steeds een slokje
aan, maar omdat Christian ervoor bedankte, deed ik dat ook. Gil McKinstrey stond bij dit soort gelegenheden achter de bar.

'Helemaal niet,' zei Christian. 'Papa zegt dat senator Bonwiller straks
Iowa wint of minstens tweede wordt.'

'Glenn Burrant denkt dat hij ook een goede kans maakt in New Hampshire,' viel ik haar bij. 'Ook al is het een conservatieve staat.'

Clara giechelde. 'O, hebben we met Glenn Burrant gesproken? Senator
Bonwiller maakt vooral een goede kans om plat op zijn bek te vallen,' zei
ze. 'Zeg dát maar tegen Glenn Burrant. Ik weet wat voor iemand Henry
Bonwiller is. Hij wordt aller-allerlaatste in Iowa. Toch, Church?'

De hond hief zijn kop op.

'Hij heeft voorspellende gaven, zie je,' zei Clara terwijl ze haar glas naar
haar lippen bracht. Ze gaf hem een klopje op zijn snuit. 'Ja toch, lieverd?'

Christian zei: 'Helaas is de hond een te goede politicus om hierop commentaar te leveren.'

'Nou, goed,' zei Clara. 'In dat geval moet Corey het maar zeggen. Zeg
op, Corey. Zeg op: wat denk jíj? Niet wat Glenn Brr-ant zegt. Henry Bonwiller valt plat op zijn bek, toch?'

Haar ogen glansden. Christian keek mij met een verstandige blik aan.

'Je bent dronken, Clara,' zei Christian vlug. 'Kom, geef hier.' Ze stak
haar hand uit naar het glas. 'Geef aan mij.'

'En dan heeft hij nog geluk,' zij Clara snuivend. Ze trok het glas weg
en hield het boven haar hoofd. 'Hij maakt godbetert nog minder kans in
Iowa dan ik,' zei ze schamper. Ze schudde de ijsklontjes heen en weer,
boog naar voren en gooide ze over de balustrade in de menigte.

Op een ochtend kort daarna nam ik een schoon overhemd en een pantalon mee naar de Metareys en toen ik tussen de middag van het land kwam, ging ik me in een van de logeerkamers douchen en verkleden. Zodra ik klaar was, kwam meneer Metarey even beneden kijken en ging een stropdas voor me halen. Ik had niets tegen mijn ouders gezegd.

Toen we samen uit de kamer kwamen, stonden June Metarey en Christian in de hal. 'Daar moet een vrouwenoog aan te pas komen,' zei mevrouw Metarey. 'Eens even zien.' Ze droeg schoenen met hoge hakken – ze zag er niet uit als iemand die een vliegtuig kon besturen.

'Je ziet er prima uit,' zei Christian.

Ik glimlachte en raakte de das aan.

'Liam...' zei mevrouw Metarey.

'Hij heeft gewerkt,' antwoordde meneer Metarey.

'Blijf waar je bent, jongeman.'

Ik hoorde haar snelle voetstappen op de trap en even later kwam ze terug met een paar schoenen.

'Moeder.'

'Ze zijn van Andrew,' antwoordde June Metarey terwijl ze ze ophield. 'Maar dat vind hij niet erg.'

'Dit is niet te geloven,' zei Christian. Ze raakte mijn elleboog aan. 'Er is niets mis met je schoenen. Andrew zou zeggen dat je zelf moet weten wat voor schoenen je draagt.'

'En Andrew bleef een buitenbeentje op Dunleavy,' zei mevrouw Metarey. 'Weet je nog?'

Ze bekeek de schoenen kritisch, wreef vlug even de neuzen op en zette ze naast me op de grond. Het waren instappers – niet nieuw, maar donkerbruin gepoetst, zodat ik me geneerde voor mijn eigen enkelhoge zwarte schoolschoenen, die ik in de logeerkamer even met een washandje had schoongeveegd.

'Iets te groot,' zei ze, 'maar het zal wel gaan.' Ze stak haar hand in één schoen. 'Nette sokken erbij,' zei ze.

'Alsjeblieft, moeder.'

'Corey heeft sokken, June. Hij hoeft die van And niet.'

'Liam.'

Ik ging zitten, deed mijn schoenen uit en trok Andrews sokken over de mijne heen aan. Ze stonden goed bij de instappers, die met twee paar sokken redelijk pasten.

'Schoenen maken de man,' zei mevrouw Metarey toen. Ze liet zich op één knie zakken en poetste ze met haar mouw nog even op.

'Wat een onzin,' zei haar man.

'Dat heb ik nou van papa geleerd,' ging ze verder tegen mij. Ze steunde met één hand op de donkerrode Perzische loper in de gang. 'In zijn bedrijf moest hij iemands karakter kunnen beoordelen.' Ze keek op naar mijn gezicht. 'Daar lette hij altijd op. De details. Goedkope schoenen die een goed kostuum tenietdoen.'

'Net zo'n onzin.'

'Ik ben er heel blij mee, mevrouw Metarey,' zei ik. De enige keer dat ze ooit tegen me had gesproken, was op de zeiltocht geweest.

'God zegene hem,' zei ze in antwoord.

'Dank u.'

Ze keek weer op.

'Ik bedoelde papa,' zei ze. Ze stond van het kleed op. Toen voegde ze eraan toe: 'Maar God zegene jou ook, Corey.'

Toen kwam meneer Metarey voor ons staan. 'Beantwoord zijn vragen gewoon naar waarheid,' zei hij. 'Je mag trots zijn op jezelf, en dat zal duidelijk zijn. Je vader is een uitstekende vakman. Hij is bij de Amerikaanse marine geweest. Je hebt het goed gedaan op school, en zeker bij mij. Ik hoor zelfs dat je goed bent in voetbal. Dat is geen doorsneesport.'

'Ik heb het op straat geleerd.'

'Natuurlijk. Natuurlijk.'

'Kijk eens aan,' zei Christian, terwijl ze een stapje achteruit deed. 'Het kan niet misgaan.'

Klokslag één uur bracht Liam Metarey me naar een zijkamer. Daar zat de man van Dunleavy in een donkerblauwe blazer aan een groot bureau onder een landschap in olieverf van de Carrol-vallei. Hij had net zulke instappers aan als ik van Andrew had geleend. Hij wees me de stoel tegenover hem en toen Liam Metarey de kamer had verlaten, vulde hij zijn pijp, drukte de tabak aan en zei op een toon die een geamuseerde indruk maakte: 'Welkom op school.'

Ik had geen beurs nodig, zo bleek. Meneer Metarey zou mijn schoolgeld betalen. En meneer Metarey was degene die mijn ouders moest hebben ingelicht, want toen ik die dag thuiskwam, wist mijn moeder het al. Het verbaasde me dat ze zo opgetogen keek. Ik had zeker verwacht dat ze de hele zaak zou afblazen als ze ervan hoorde. Mijn vader ook. Maar dat deden ze geen van beiden. Integendeel, toen ik die middag in mijn bemodderde werkbroek met de weekendtas in mijn hand binnenkwam, begroette mijn moeder me in haar schort en zei: 'Eerst ga je met me mee naar Brownlee's voor een stel nieuwe kleren.'

'Dan gaan we samen,' zei mijn vader.

En zo veranderde mijn leven opnieuw, alsof er nog niet genoeg was veranderd.

V

'IK ZIE JE HAAST NOOIT MEER,' ZEI MIJN MOEDER.

Ze was op mijn kamer boven gekomen toen mijn vader in zijn stoel in slaap was gevallen met *Pride of the Yankees*. Ze zat op het voeteneinde van mijn bed terwijl ik de uitslagen las.

'Een honkbalweduwe,' zei ze.

'Wat is er, ma?'

'We praten nooit meer.'

De Indians stonden dit seizoen alweer op verlies. Er was het gebruikelijke gemopper over Alvin Dark en het gebruikelijke gezever over werpen, maar dit jaar verloor zelfs Sam McDowell. Dat gebeurde al sinds ik van de Mets was overgestapt op de Indians.

Ik keek op van mijn bureau. 'Dat is omdat ik werk.'

Ze glimlachte. 'Hoe doet Ray Pinson het?'

'Váda Pinson.' Op Vada Pinson had ik al mijn hoop gevestigd. Hij was een fantastische middenvelder geweest bij de Reds en ik droomde ervan dat hij de Indians weer kampioen kon maken. 'Je bent in de war met Ray Fosse,' zei ik. 'De vanger.'

'Hoe doet Ray Fosse het?'

'Hij slaat gemiddeld .270.' Ik keek in de krant. 'Pinson komt op .265. Dat is niet goed, voor geen van beiden.'

'Je bent zo vaak daar, Corey.'

Ik keek haar aan. 'Al die tijd verdien ik geld, ma.'

'Dat weet ik. Daar klaag ik niet over. Alleen...' Ze stond op en liep naar de muur waar mijn kampioensvaantje van de Buffalo Bills hing. Ik had een neus voor verliezende ploegen. 'Alleen, straks ben je hier niet meer.

Ik weet niet... dan ben je hier haast nooit meer.'

'Ik kan elk weekend naar thuis als ik wil.'

'Dat is ook zo. En het duurt nog wel even.'

'Ik kan altijd van gedachten veranderen.'

'Dat zou ik niet willen, lieverd.' Ze streek over de plooi tussen de rode vilten schouders van de Buffel. 'Neem het je ouwe moeder maar niet kwalijk,' zei ze zachtjes. 'Ik ben al een tijdje niet lekker.'

'Dan neem ik het je niet kwalijk.'

'Dank je.' Ze glimlachte. Toen legde ze haar vingers tegen haar slaap en er kwam een gepijnigde uitdrukking op haar gezicht. Ik zag dat ze nadacht.

'Dunleavy is hier honderdvijftig kilometer vandaan, ma. Ik kan altijd thuiskomen. Er gaat een bus. Of een trein.'

'Natuurlijk, natuurlijk. Het is ook geweldig voor je. We zijn allemaal dankbaar.' Ze haalde het vaantje van de muur, streek het glad op de rand van het bureau, hield het weer tegen de muur en prikte het vast. 'Corey,' zei ze, 'wat is senator Bonwiller eigenlijk voor iemand?'

Ik legde de krant neer.

'Je vader wil niet dat ik me ermee bemoei,' zei ze. Ze wierp een blik op de deur. 'Maar ik ben toch nieuwsgierig. Ik weet niet... Is hij echt zo anders? Is hij niet gewoon zoals iedereen?'

'Pa heeft hem ontmoet.'

'Dat weet ik. Maar ik wil weten wat jíj vindt.'

'Als je bij hem in de buurt bent,' zei ik, 'is hij net zoals iedereen die je daar ziet. Maar in een menigte is hij anders.'

'Hoe bedoel je?'

'Ik weet niet. Hij straalt iets uit of zo. Net of er een lamp op hem is gericht. Dat merk je gewoon.'

'Ben jij bij hem in de buurt geweest?'

'Ik breng zijn tas soms binnen.'

'En hoe doet hij tegen jou?'

'Hij geeft me altijd een hand.'

'Echt waar, Cor? Herkent hij je?'

Ik keek haar aan. Ze had haar handen gevouwen en leunde naar voren in haar stoel. Ik pakte het sportkatern weer op. 'Hij weet dat ik bijna oud genoeg ben om te stemmen,' zei ik.

Ze trok haar handen uit elkaar. 'Corey,' zei ze, 'zo moet je niet doen.'

'Hoe?'

'Zo oneerbiedig,' zei ze.

Ik sloeg de bladzijde om. De Indians stonden de hele zomer al onderaan. Misschien was ik daardoor uit mijn humeur. Ze konden de Brewers niet eens verslaan. 'Christian noemt dat juist realistisch,' antwoordde ik.

'Praat meneer Metarey weleens met jou over hem?'

Ik sloeg de bladzijde om.

'Lieverd?'

'Niet met mij. Natuurlijk niet.'

'Je vader gelooft dat hij een kans maakt.'

'Dat gelooft iedereen, ma. Daarom doen ze het. Ze treffen voorbereidingen voor Iowa in januari en dan New Hampshire. Dan kijken ze pas verder. Muskie is de koploper, maar zo hebben ze het ook liever.'

Ze keek me aan.

'Senator Edmund Muskie, ma. Uit Maine.'

'O,' zei ze. 'Je vader en ik zijn op onze huwelijksreis naar Bar Harbor geweest.' Ze glimlachte. 'En mevrouw Bonwiller, Cor? Is zij er weleens bij?'

'Nog niet. Zij komt later, als het moeilijker wordt. De tour door het zuiden.'

'Tour door het zuiden?'

'Zij komt uit Georgia,' vertelde ik. 'Daar kan ze helpen. De tour door het zuiden begint in mei. Geen enkele Democraat heeft ooit gewonnen zonder het zuiden.' Ik zweeg even. 'Er wordt gezegd dat hij daarom met haar getrouwd is.'

Ze keek me aan.

'Van wie heb je dat?' vroeg ze na een tijdje.

'Wat?'

'Dat soort praat.'

'Van de Metareys. Van Christian.'

'Ik weet het niet, schat.'

'Wat weet je niet?'

'Of dit allemaal wel goed voor je is.'

'Je zei net dat je dankbaar was.'

'Ben ik ook. Maar toch.' Ze legde haar vinger weer tegen haar slaap.

'Ma,' zei ik, 'ik ben alleen maar de klusjesjongen.'

'Nee, niet waar. Je bent veel meer.'

'Iets meer,' zei ik. 'Dat is zo.'

Ze stond uit de stoel op en liep weer naar de muur. 'Vertel eens: wat was de volgorde van de auto's ook weer?' vroeg ze.

'Waarom?'

'Omdat ik het interessant vind.'

Ik keek even naar de uitslag van de Brewers tegen de Yankees. Dave May had in de negende voor de Brewers een homerun gemaakt, maar ondanks het verlies stonden de Yankees nog steeds drie wedstrijden voor in de oostelijke competitie. Ik sloeg de pagina om naar de Mets tegen de Dodgers.

'Cor,' zei ze. 'Ik praat tegen je, je moeder.'

'Oké,' zei ik, opkijkend. 'Die van senator Bonwiller komt eerst natuurlijk. Tenzij de gouverneur er is, zoals laatst.'

'Heb je in de auto van gouverneur Rockefeller gereden?'

'Nee, zijn chauffeur, ma. Ik heb hem alleen het teken gegeven om hem uit de garage te halen. Na de senator komen een paar rechters. Dan de eigenaars van kranten. Dan de politie.'

'Is er politie bij?'

'Staatspolitie,' zei ik. 'Dan de verslaggevers. Gisteren wilde de auto van een journalist niet starten.'

'En wat deed hij?'

'Uiteindelijk heeft meneer Metarey hem aan de praat gekregen.'

'Meneer Metarey?'

'Er was iets met de carburateur. Hij heeft me voorgedaan hoe je die repareert. Je schroeft de kap los en sproeit er benzine in.'

'Heeft meneer Metarey je daarbij geholpen?'

'Hij heeft me niet geholpen, ma. Hij deed het zelf. Wist je dat de motor van een Corvair in de áchterbak zit? Dat wist ik niet. Maar hij wel. Zo zit hij in elkaar. Hij doet alles zelf.'

'Hmm,' zei ze, en weer gleed er een gepijnigde uitdrukking over haar gezicht. Ze ging peinzend op het voeteneinde van mijn bed zitten.

Dat deed meneer Metarey ook echt. Als er iets kapotging, waar dan ook op het landgoed, probeerde hij het zelf te repareren; en als hij het niet kon herstellen, demonteerde hij het en bewaarde de onderdelen die hij overhield in de loods in een plafondhoge kast vol lades met etiketten erop – die hij zelf zo te zien had overgehouden aan een veiling op het platteland. Het was of er twee mensen in hem leefden: de Liam Metarey die een derde van de gemeente Carrol bezat en zo ongeveer wekelijks met de gouverneur sprak, en een totaal ander mens: een resolute, schrale Schot die op stenig land zijn kostje bijeen probeerde te schrapen. Zijn loods met gereedschap was precies de schuur van een vindingrijke, zuinige boer.

'Wat had hij aan?' vroeg mijn moeder.

'Toen hij hem repareerde? Een pak. Wat dacht je dan? Hij kwam net van een vergadering. Ik heb zijn jasje voor hem vastgehouden. En hij deed voor wat ik moest doen als het nog eens gebeurt. Dat doet hij altijd.'

'Mooi zo,' zei ze. 'Ik mag hem wel.'

Toen ik haar dat hoorde zeggen, had ik het gevoel dat er als het ware een deur was opengegaan, maar ik was zestien en er was altijd wel iets waardoor ik niet al te enthousiast met mijn moeder wilde praten en niet de indruk wilde wekken al te goed naar haar te luisteren. Daarom sloeg ik nog een pagina van het sportkatern om. Ik wou dat ik me niet zo had gedragen, maar zo was het nu eenmaal.

'Goed,' zei ze uiteindelijk, 'dat zal dan wel het uitzicht zijn dat me moet bijblijven.' Ze stond op en liep naar de deur. 'De kruin van je lieve, ongekamde hoofd.'

=====

'En,' zei Clara tegen mij, 'heb je je vermaakt bij dat laatste fiasco?'

Ik lag op een rolplank onder mevrouw Metareys Galaxy de olie te verversen en stak mijn hoofd eronder vandaan. 'Bij het laatste wat?'

'Fiasco. Mijn vaders partijtje voor de kandidaat.'

'En jíj?'

'Ik vond het interessant. Ik wou dat ik hem met die ijsblokjes had geraakt.'

'O, dat,' zei ik. 'Ik wist niet of je dat nog wist.'

Het was even stil. 'Ik vroeg of je je hebt vermaakt.'

'Ik vond het erg leuk.'

'Erg léuk?'

'Ja,' zei ik, en ik liet me weer onder het chassis glijden. Ik hoopte dat mijn woorden door het lawaai van de wieltjes werden overstemd. Vanaf de eerste dag dat ik Clara kende, leek ze kritiek op me te hebben. Ze zei iets dat ik niet verstond.

'Hmm?' zei ik in antwoord, terwijl ik wat rammelde met de moersleutels.

'Hou op!'

'Waarmee?'

Weer een stilte.

'Mijn zusje is niet goed voor je, hoor.'

'Ik versta je niet,' zei ik. Ik hield de oliepan onder de het aftappunt.

'Weet je wat jij bent, Corey?'

Ik kwam met mijn hoofd onder de auto vandaan. Ze stond bij de open deur van de garage; ik reikte onder het chassis, draaide de stop los en gleed weer onder de auto om te zien of de olie in de pan liep. Het was weer stil. Ik hoorde Breighton stampen in de stal en Gil McKinstrey shingles vasttimmeren op het dak. Ik richtte mijn aandacht weer op het werk. De olie was nog helder ambergeel: sinds de laatste keer dat hij was ververst was er niet meer dan een paar honderd kilometer met de auto gereden.

'Weet je wat jij bent?' vroeg ze nog eens.

Ik zag de neus van een schoen bij de deur over het riempje van de andere schoen wrijven. 'Nee,' antwoordde ik.

'Wat zei je?' Er klonk ergernis in haar stem door.

Ze wilde me dwingen tevoorschijn te komen. En uiteindelijk liet ik me zo ver onder de auto vandaan glijden dat ze mijn gezicht kon zien. Ik vroeg me af of er olie op zat. 'Ik zei nee.'

Ze hield haar hoofd schuin. 'Je bent mijn grootvader.'

'Je grootvader? Bedoel je Eoghan Metarey?' Ik veegde mijn handen aan mijn broek af en gleed weer onder de auto. Ik dacht aan het portret in de hal. Zelfs op het schilderij had de man het gezicht van een roofdier. Het werd verzacht door de sombere ogen en de weelderige details – de fluwelen stoelleuning en de met goud ingelegde wandelstok –, maar toch had het iets van een roofdier. Bij zijn schouder stond een gele kanarie op een stokje, met donkere irissen die zo waren geschilderd dat ze de blik van de beschouwer net zo hardnekkig vasthielden als die van hun meester, alsof iedereen die dat huis binnenkwam werd gadegeslagen door twee eeuwig wakende wachters uit het verleden.

'Wat was je grootvader voor iemand?' vroeg ik van onder de auto.

'Wat voor iemand hij was? Nou, ten eerste heeft hij dit allemaal bij elkaar gekregen omdat hij het zo verdomd graag wilde. Zo iemand was hij.' Ze klakte met haar tong. 'En zeg nou niet dat je nog nooit van hem hebt gehoord.'

'Natuurlijk heb ik weleens van hem gehoord,' zei ik terwijl ik weer met mijn hoofd onder de auto vandaan kwam – maar ze was al weg.

——

In juli, toen er adviseurs van de hele oostkust werden aangetrokken voor de campagne, werd ik tot chauffeur gepromoveerd. Dat hield voornamelijk in dat ik voor meneer Metarey boodschappen deed in de stad, maar ook dat ik in het weekend senator Bonwiller moest rondrijden. Voor iedere jongen zou dat een mijlpaal in zijn leven zijn geweest, maar voor mij des te meer omdat ik pas sinds een paar maanden mijn rijbewijs had. Voordat meneer Metarey me als chauffeur had gevraagd, had hij Gil McKinstrey laten nagaan hoe goed ik kon rijden. Een hele middag hobbelde ik met Gil over het landgoed en dwaalden we daarna door de stad in zijn roestige oude pick-up. Gil was het type dat door het leven ging alsof hij toch altijd in de hoek zat waar de klappen vallen, maar toen hij zag dat ik niet echt vertrouwd was met een schakelbak nam hij me mee naar de heuvel van de Chief Lodge om goed te leren schakelen. Hij zat naast me zijn shagjes te roken terwijl ik op een steile helling leerde wegrijden waarbij het grind tegen het chassis ketste als ik de koppeling liet opkomen. 'Dat zal de verf geen goeddoen,' zei hij, en hij voegde eraan toe: 'Alleen zit er geen verf!' En hij lachte triest. Maar hij liet me oefenen tot ik de hellingproef kon.

De senator rondrijden was natuurlijk het hoogtepunt van mijn werk. Ik bracht hem in zijn donkerblauwe Eldorado voor zijn weekendlunch naar Morley's en als het zondag was, bracht ik hem naderhand terug naar zijn huis in Islington, al sliep hij daar maar zelden. Zijn vrouw was inmiddels in Atlanta om te helpen met de organisatie van de campagne in het zuiden en als de senator in de stad was, sliep hij meestal op Aberdeen West. Maar hij sprak de verslaggevers toch graag toe vanaf de trap voor zijn eigen woning, een geel oud vierkant huis met een witte schutting en een flinke tuin, die hij 's maandags op zijn persconferenties, of wanneer er maar een stemming van de Senaat in het nieuws was, voor het oog van de camera maaide. Zodoende was ik een paar keer per week zijn chauffeur.

De rest van de tijd ging ik met de Galaxy van mevrouw Metarey kranten of boodschappen halen, en soms drank, en een keer per week bracht ik June Metarey weg als ze een afspraak had in de schoonheidssalon in Steppan, waarbij ze gedurende de hele rit op de achterbank in het vliegtijdschrift *Wheels Up!* zat te bladeren. En een enkele keer bracht ik zelfs meneer Metarey in zijn Chrysler weg, meestal naar Gervin's voor gereedschap. Hij kocht altijd iets, al was het maar om het op een zakdoek uit elkaar te halen en op de voorbank tussen ons in te bestuderen.

Ik weet niet waarom ze allemaal een chauffeur nodig hadden. Ze konden uitstekend zelf rijden. Maar mijn baan was vermoedelijk deels bedoeld om te voldoen aan de verwachtingen van de burgers van Saline ten aanzien van mensen in hun positie: dat de Metareys en de Bonwillers niet alleen bedienden nodig hadden, maar ook aan alle rangen en standen van de stadsbevolking werk verschaften. Vergeleken met tegenwoordig waren het eenvoudige tijden, vooral in politiek opzicht, en het zal wel een blijk van die eenvoud zijn geweest – of misschien slechts van de argeloosheid van die specifieke streek – dat de senator werd toevertrouwd aan de zorgen van een tiener die net had leren rijden, maar zo was het. Anderzijds wist Henry Bonwiller ongetwijfeld ook dat mijn vader secretaris van de plaatselijke vakbond was en dat de bonden in Carrol County alleen al goed waren voor vijfduizend stemmen. Ook is het me niet ontgaan dat ik wellicht ook was bedoeld ter bescherming van de senator.

Hoe dan ook, sinds Henry Bonwiller zich kandidaat had gesteld, leek de regel te gelden dat niemand ooit ergens alleen naartoe mocht. Ook ving ik, als chauffeur van de senator, onvermijdelijk flarden van gesprekken op, en ik vond dat ik niet meer openhartig met mijn moeder kon praten. Er was niets over gezegd, maar ik had het wel begrepen – misschien door te kijken naar zijn vaste chauffeur Carlton Sample, een zwarte met een lichte huid uit New Orleans, die Henry Bonwillers chauffeur al was sinds hij in 1950 voor het eerst een verkiesbaar ambt bekleedde als procureur-generaal van de staat. Een van de dingen die me aan Carlton Sample opvielen, was dat hij altijd vriendelijk deed maar zelden iets zei, en binnen de kortste keren had ik me dezelfde houding aangemeten in het bijzijn van de senator. Carlton Sample had nog andere gewoontes die ik ook imiteerde, zoals het oppoetsen van de portierkruk met de binnenkant van zijn mouw nadat hij een portier had gesloten. En wanneer ik het dak van de Cadillac opende of sloot, bleef ik er net zoals hij op het trottoir bij staan met mijn voeten tegen elkaar en mijn handen netjes voor me gevouwen. Ik nam al mijn taken serieus, want ik was een jongen die niet alleen was grootgebracht met een sterk arbeidsethos, maar ook met het bijna religieuze geloof dat alleen tucht en toewijding werden beloond. Mijn grootvader was mijnwerker geweest, mijn vader was een vakman en vakbondslid, en toen kwam ik en ik reed een man rond die weleens president kon worden.

De Cadillac Eldorado van Bonwiller was nachtblauw, zo donker dat hij in de schaduw zwart leek, en soms liet de senator me tijdens de rit van zestig kilometer naar Islington meer dan eens stoppen, louter en alleen om dat ingenieuze dak te openen of te sluiten. Als ik het opende, leek de toch al grote auto reusachtig. Hij kwam dan voorin zitten, zette zijn zonnebril op en ging met zijn rug half naar mij toe gekeerd op de armleuning aantekeningen maken op een stenoblokje. Of hij bladerde wat in een bundel van Walt Whitman die altijd in het handschoenenvak lag en keek af en toe op naar de horizon. We zeiden niets. De wind golfde over het windscherm en drukte als een warme hand op mijn voorhoofd als ik mijn rug rechtte, of deed mijn hemd als een kussen opbollen als ik mijn elleboog in een bepaalde hoek op de deurleuning liet rusten. Het was haast niet te geloven dat ik hiervoor betaald kreeg.

Als het dak dicht moest, liet hij me het liefst ergens parkeren waar we bekijks hadden. Eerst maakte ik de hoes van vinyl los die achter de achterbank was gestopt, dan drukte ik op de knop aan de binnenkant van het portier aan de bestuurderskant. Daarna deed ik een stap naar achteren en vouwde mijn handen zoals Carlton Sample dat deed. Er klonk gezoem, de glanzende stof van het opgevouwen dak vulde zich met lucht en begon uit zijn omhulsel te puilen om vervolgens los te komen terwijl de twee metalen armen opeens omhoogschoten als een man die zijn ketenen afwerpt. De mensen op het trottoir kwamen dichterbij. Op het hoogste punt boog het hele met doek overdekte geval vanaf de knik naar voren en zakte het al uitvouwend naar de voorruit. Zodra het de ruit raakte, klemde ik het vast en waren we klaar om te gaan.

'Jij vindt het ook mooi, hè?' vroeg Henry Bonwiller op een middag toen een stel jonge moeders met hun peuters in de wandelwagen op de stoep naar ons stonden te kijken. Ik had hem in Islington opgehaald en we waren op weg naar Saline voor zijn zaterdagse lunch bij Morley's.

'Jazeker, meneer.'

'Geniaal, vind je niet?' Hij klopte liefkozend op de motorkap. 'Dat is nou de Amerikaanse techniek, jongen,' zei hij met zijn verdragende bariton. 'De beste van de wereld.' Hij draaide zich glimlachend naar de twee moeders om en tikte tegen zijn Yankees-pet. Daarna zei hij nog: 'Cadillac maakt die daken nu hier in de staat, in het zuiden.'

Wat moet ik nu van die opmerkingen denken? Waren ze alleen maar voor het publiek bedoeld? Senator Bonwiller heeft in al die tijd dat ik hem kende zelden iets tegen mij gezegd – dat verwachtte ik ook niet –, maar kon het hem nou werkelijk iets schelen dat die opvouwbare daken door mannen en vrouwen in de staat New York werden gemaakt? Dat de Amerikaanse arbeider vernuftig was? Vond hij echt dat de Amerikaanse techniek de beste van de wereld was? Of waren die jonge moeders gewoon stemvee – dat wil zeggen weer twee slachtoffers die hij nog niet in zijn macht had? Ongetwijfeld had hij thuis een Japans televisietoestel en in zijn garage waarschijnlijk een Italiaanse sportwagen. Waren dit gewoon de geijkte mooie praatjes van een verkiesbare man? De verplichtingen van een machtige aristocraat die niet verschilden van het ostentatief respectvolle 'meneer' en 'mevrouw' als hij op straat kiezers aansprak? Of de rood-wit-blauwe strohoed die hij op de barbecues van de Metareys altijd droeg? Hij was een van de laatste grote progressieve leiders van de Senaat in een tijd toen de macht van dit soort mannen ver reikte, maar hij was ook zonder twijfel een grootgrondbezitter, net als Liam Metarey.

Maar dat is achteraf. Ik heb zijn stemgedrag sindsdien aandachtig bestudeerd en het lijkt toch niet louter lippendienst te zijn geweest: hij stond echt achter de arbeiders, hij stond ook achter burgerrechten, en al duurde het even voordat hij de strijdpunten van vrouwen overnam, tegen de tijd dat ze gingen meetellen in de Amerikaanse politiek werd hij een van hun pleitbezorgers. En niemand anders heeft zich zo fel tegen de oorlog in Vietnam verzet. Maar geloofde hij echt in al die dingen, of waren het allemaal alleen maar ingrediënten van het imago dat hem macht, aanzien en faam bracht? Ik heb heel wat uren in zijn nabijheid verkeerd – in zijn auto en in het huis van de Metareys – en ik denk al jaren over hem na en nog weet ik het niet zeker.

Destijds was ik natuurlijk alleen maar trots. Toen we die middag Saline binnenreden, deed ik het dak van de Cadillac opnieuw open en terwijl we langzaam door Ontario Street reden, waarbij ik voetgangers ruim baan gaf en andere automobilisten respectvol voorrang verleende, voelde ik de ogen van een hele stad op me gericht, ogen die me kenden zoals ik was en ongetwijfeld met verbazing zagen hoe ver ik het had geschopt. (Er waren vanzelfsprekend ook vrienden van de Roosevelt-school bij, die ongetwijfeld spottend lachten; maar hen had ik achter me gelaten.) Ik reed voorzichtig en vol trots.

Uncle Dan rende op de achterbank heen en weer en blafte opgewonden als we groepen voetgangers op het trottoir passeerden. Henry Bonwiller zwaaide constant naar hen en zijn plezier straalde op ons allebei af. Het was nog een jaar voor de algemene verkiezingen maar er kwamen zelfs mensen de winkels uit om ons te groeten. 'Senator Bon!' riepen ze zwaaiend – zo werd hij altijd genoemd door de bevolking, zoals alle New Yorkers weten.

Hij had zijn bril afgezet, net als altijd wanneer hij in het openbaar verscheen, en toen we langs een paar ijzeren bankjes voor het postkantoor kwamen, vroeg hij zacht: 'Hoeveel?'

Daar vroeg hij altijd naar, naar de grootte van de groep toeschouwers – of, zoals hij hen noemde, kiezers. 'Twintig, meneer,' antwoordde ik, hoewel ik zag dat het er eerder vijftien waren. 'En uit de winkels nog meer.'

'Mooi, mooi,' fluisterde hij terwijl hij zonder zich van het trottoir af te keren bleef terugzwaaien. 'Ze denken al aan de verkiezingen. De beurzen raken leeg.' Hij hield zijn hand geheven om te groeten en vervolgde toen met dezelfde zachte bromstem: 'Slecht voor hen. Goed voor ons.'

Hij had het over de cijfers van de economie die 's morgens voorpagina-nieuws waren geweest: stagflatie. Ik was trots omdat ik de toespeling begreep.

Bij de hoek zag ik vrouwen ons aanwijzen voor hun kinderen en zich omdraaien om onze auto door de straat na te kijken. Maar toen we bij Morley's aankwamen en ik wilde parkeren, betrok zijn gezicht opeens. 'Rij door, de hoek om,' zei hij. 'Verdomme.'

'Ja, meneer.'

Ik reed het restaurant voorbij en sloeg Siding Road in. We waren niet meer te zien vanaf Ontario Street. We reden tot halverwege de straat.

'Stop,' zei hij. 'Doe het dak dicht.'

Ik deed wat hij zei. Hij schoot uit de auto en liep naar achteren.

'Breng me nu weer naar Morley's,' zei hij.

Toen ik dit keer voor het restaurant stilhield en uitstapte om zijn portier open te houden, hield hij me vanaf de achterbank met zijn hand tegen. 'Ik ga niet naar binnen,' zei hij.

'Goed, meneer.'

'Je gaat alleen naar binnen. Bestel een cola voor me bij de Ier aan de kassa en breng die hier.'

'Ja, meneer.'

'Je moet hard praten. Ga naar binnen. Je moet langzaam lopen. Ga naar de bar en zeg dat je een cola wilt bestellen voor je baas, die het op dit moment te druk heeft om binnen te komen. Zeg het goed hard. Je hoeft niet te schreeuwen, alleen harder te praten dan normaal.'

'Ja, meneer.'

'En neem Uncle Dan mee.' Hij gaf me de riem.

'Ja, meneer.'

'Hoe heet je ook weer, jongeman?'

'Sifter, meneer. Corey.'

'Je doet je werk altijd uitstekend, Corey. Doe nu het portier dicht.'

Toen ik Morley's binnenkwam, moesten mijn ogen even wennen aan het schemerduister van de eetzaal, maar daarna zag ik dat Glenn Burrant binnen was. Hij zat in zijn eentje te eten, een steak met twee gepofte aardappelen. Hij sloeg zijn ogen niet op bij mijn binnenkomst en ik zei niets toen ik langs zijn tafeltje liep. Hij bleef op zijn bord kijken, bewerkte zijn steak als een man die een gat in het ijs hakt en nam een slokje uit zijn glas, waarin zo te zien whisky zat. Morley's had ook hotelkamers en er bevond zich nog een gast in het restaurant, een jonge vrouw met een bloemetjeshoed en een zonnebril op – precies mijn idee van een schooljuffrouw op vakantie – die aan een tafeltje achter in vlak bij de trap zat met een glas wijn en een notitieblok voor zich. Ze knikte even toen ik haar passeerde en bij het zien van de hond glimlachte ze.

Ik liep snel door naar de bar en herhaalde wat Henry Bonwiller had gezegd, met iets meer stemverheffing dan normaal. De barkeeper schonk cola in. Hij gebruikte een echt glas, al zei ik dat ik het wilde meenemen, en de vrouw aan de tafel keek op toen ik bezwaar maakte. Maar de barkeeper wuifde mijn bezwaren weg en de vrouw keek de andere kant uit. Toen ik naar buiten liep, keek ze nog één keer op, glimlachte alsof ze me wilde helpen en stak haar hand uit om Uncle Dan over zijn kop te aaien. Ik bleef heel even staan, zei dat ik weg moest en gaf een rukje aan de riem. Pas toen ik de tafeltjes was gepasseerd, keek Glenn Burrant eindelijk op, wat ik weet omdat ik de spiegel bij de kapstok in de gaten hield.

Bij de auto gaf ik de cola aan senator Bonwiller, die prompt over de achterbank naar de andere kant schoof en het glas uit het achterportier op straat leeggoot. Toen gaf hij het lege glas aan mij en liet Uncle Dan naast hem op de bank springen. Op de terugweg naar Islington liet hij me stoppen bij Ferland's, waar ik twee broodjes rosbief kocht – een voor de hond – en bij McBride's, waar ik een fles Franse wijn haalde. Daarna bracht ik hem thuis.

Je kunt die middag achteraf op allerlei manieren interpreteren, maar geen van alle leiden ze tot een duidelijke conclusie. Glenn Burrants aanwezigheid zou toeval kunnen zijn geweest. Of misschien zat hij daar omdat hij in Henry Bonwillers privéleven zat te wroeten. Maar het is me natuurlijk niet ontgaan dat hij er ook kan hebben gezeten om de senator te waarschuwen.

En nog steeds wordt me weleens gevraagd of ik in mijn tijd bij de Metareys ooit met JoEllen Charney heb kennisgemaakt. Ik beantwoord die vraag liever niet, want het gesprek krijgt dan altijd een ongewenste wending. Daarom zeg ik meestal de letterlijke waarheid, namelijk dat ik nooit met haar heb kennisgemaakt.

Trieste Millbury moest een flink aantal mededingers verslaan voor de stage bij de *Speaker-Sentinel*. Er zijn nu vier middelbare scholen in Carrol County, plus plannen voor een vijfde, en voor dat ene baantje ontvingen we over de honderd sollicitaties. Maar die van Trieste viel meteen op. Ze was de jongste van zes zussen en broers die in hun woonwagen in vier stapelbedden en een uittrekbaar tweepersoonsbed rouleerden, met een evident geniale vader die in zijn genialiteit zowel iedere baan als het maatschappelijke bestel afwees. Trieste werd beschouwd als een geboren Salinese. Dat was bijzonder, omdat haar familie pas een halve generatie in de streek woonde. Maar ze hadden niets te maken met de technici, de managers en het hoog opgeleide kantoorpersoneel die door de plaatselijke bevolking als nieuwkomers worden beschouwd; omdat ze niet in deze categorie pasten, waren ze dus Saliners. In hun levensonderhoud voorzagen de Millbury's met de verbouw van frambozen en bosbessen. Hun woonwagen staat aan de rand van een moeras – het moeras van iemand anders – en ze verkopen het fruit vanuit de achterbak van hun met de hand beschilderde stationcar.

De moeder van Trieste is duidelijk een echte kunstenares en de spatborden van die auto zijn beschilderd met impressionistische streken geel en groen, zodat ze er precies zo uitzien als het veld opgeschoten gras waarin de auto meestal geparkeerd staat naast hun woonwagen – die ook beschilderd is, maar dan hemelsblauw. 's Zomers heb ik Trieste vaak 's zondags naast de auto zien staan op de kruising van Ontario Street en de autoweg, achter een weegschaal bestaande uit een stok en plastic melkflessen. Dat was onze met zorg geselecteerde stagiaire en onze beste plaatselijke kandidate voor een hoog aangeschreven universiteit van de laatste vijf jaar. Voordat ze werd aangenomen – voordat ik ook maar een idee had wie ze was – had ik weleens wat bij haar gekocht – en toen al hoorde ik in haar tongval van het noordelijke platteland iets dat ik later zou leren kennen als het maatschappelijke protest van haar vader: een onderstroom van korzeligheid vermengd met verregaande ironie en een felle, ongepolijste intelligentie die gevoed werd door tientallen jaren van overpeinzing. De ene klasse tegen de andere.

Toen ik Trieste beter leerde kennen, vertelde ze over haar vaders experimenten: hij was chemicus bij DuPont geweest voordat hij zich op de frambozen en bosbessen had gestort. Samen met Triestes moeder had hij alle zes de kinderen zelf onderwezen, in de woonwagen – die net als de ouders was verdeeld in kunst en wetenschap. Het deel bij de lattendeur was van haar vader; het deel aan de kant van het uittrekbare zonnescherm was van haar moeder. Ze waren begonnen met wat Trieste 'Gods principes' noemde. Toen ik daar nader naar informeerde, kwam ik erachter dat ze met God de zon bedoelde. De Zon. De familie Millbury had besloten dat de zon God was.

'Hij voldoet aan alle criteria,' zei Trieste op haar eerste dag op kantoor terwijl ze me uitdagend aankeek.

'Bijvoorbeeld?'

'Bijvoorbeeld dat hij ons het leven heeft geschonken. Het leven in stand houdt. We kunnen hem alleen kennen in de dood.'

'Hoe bedoel je, alleen in de dood?'

'Ik bedoel de bron van zijn energie. Twee protonen. Kernfusie. De waterstofbom. De dood van de mensheid.'

'O,' zei ik.

Kijk, zo'n soort meisje is Trieste. Met haar zeventien jaar is ze slimmer – een stuk slimmer – dan ik ooit zal worden. Maar wel gekleed in dezelfde flodderige kwaliteit imitatie-merkkleding als ik vroeger en geremd door dezelfde onbeholpen manier van doen. Ze droeg trouwens jongenskleren, maar er was altijd iets – een madeliefje in een knoopgat, een beschilderde steen aan een veter om haar pols – met een knipoog.

We zijn zo'n beetje bevriend geraakt. Dat wil zeggen, als ze me niet irriteert, mag ik haar wel. Ik weet alleen niet wat ze van mij vindt, doordat ze zich tegenover volwassenen cryptisch gedraagt, althans alle volwassenen met wie ik haar zie praten. Nieuwsgierig. Toegewijd. Aandachtig. Vaak merkwaardig beleefd; maar altijd cryptisch – alsof er een mop wordt verteld en zij één zin verder is dan jij.

Ze ziet er ook uit als iemand die je uiteindelijk wel de clou zal vertellen – alleen niet meteen. Ik ben gewend geraakt aan haar nieuwsgierige vragen en de zweem van een pesterig glimlachje. En ook die vreemde gewoonte van haar om van het ene op het andere moment verzet te verruilen voor medewerking, of omgekeerd. Dat alles vind ik eerlijk gezegd charmant. Maar wat zou ik haar kunnen bijbrengen? Voor haar eerste achtergrondartikel, toen ze twee weken bij de krant was, stelde ze een stuk voor over de rivier de Shelter, die de oostgrens van Carrol County vormt en vroeger de waterweg was waarover Eoghan Metarey zijn fortuin naar de zagerij liet drijven.

'Het is kankerverwekkend,' zei ze.

'Wat?'

'Het water.' Ze stond voor mijn bureau en nam een slokje uit de fles melk die ze 's morgens altijd bij zich heeft. 'Om precies te zijn,' zei ze, 'mutatieverwekkend.'

'Mutatieverwekkend.' Ik zat de cijfers van onze laatste advertentiemaand te controleren. Net als alle andere kranten heeft de *Speaker-Sentinel* nu ook een webeditie, waardoor de cijfers niet tegenvielen – ondanks de huidige staat van de onafhankelijke pers in Amerika was onze positie redelijk solide.

'Dat is iets anders, meneer. Ik weet niet of het echt kankerverwekkend is. Niet alle mutatieverwekkende stoffen zijn natuurlijk kankerverwekkend.' Ze zei het op geduldige toon. 'Maar het is wel alarmerend.'

'Natuurlijk, Trieste. Hoe weet je dat allemaal?'

'Ik heb een test gedaan.'

'Je hebt een test gedaan.'

'Ja.'

Ik nam een slokje van mijn koffie met magere koffiemelk en keek haar aan. Haar blik was neutraal en toch was er die bijzondere geamuseerdheid in haar gezicht. 'Heb je zelf een test gedaan?'

'Natuurlijk.'

'Wat heb je dan gedaan?'

'De Ames-test.'

'O,' zei ik. 'Je vader.' Ik glimlachte al even geduldig. 'De chemicus.'

'Mijn vader heeft niks gedaan.'

'Ga even zitten, Trieste,' zei ik.

Ze ging zitten. Haar broek, van katoen, met een geel geborduurd bloemetje boven de zoom, was op de knieën bijna versleten. Tot nu toe was ze elke dag daarin op de krant verschenen.

'Hoe heette die test ook weer, Trieste?' vroeg ik.

'De Ames-test, meneer. Bedacht door Bruce Ames. Een bioloog.' Toen voegde ze eraan toe: 'Geen chemicus.'

'Mooi. Ik moet je even iets uitleggen: wat de verslaggever doet, is de wetenschapper interviewen die de Ames-test heeft uitgevoerd. De verslaggever voert de Ames-test niet zelf uit.'

'Waarom niet, meneer?'

'De voornaamste reden is dat we geen deskundigen zijn, lijkt me.'

'Het is een petrischaal, meneer, met een voedingsbodem en wat histidine-deficiënte salmonella in een kweek. Daar hoef je geen deskundige voor te zijn.'

'Blijkbaar niet,' zei ik. Een paar verslaggevers achter haar probeerden hun lachen in te houden.

'Waarom zou ik hem dan niet zelf uitvoeren?'

'Ten eerste omdat je je kunt vergissen.'

'Maar niemand anders doet het.'

'Precies,' zei ik. 'En daar schrijf je je verhaal over. Snap je? Dat niemand ons rivierwater test. En jij interviewt de mensen die je dat vertellen.'

'Maar dat is saai,' zei ze.

'Pardon?'

'Dat is saai. En geënsceneerd.'

'Misschien, maar dat is de rol van de pers.'

Ze keek me met haar pesterige glimlach aan. 'Nou, in dat geval,' zei ze, 'verheug ik me erop om het te proberen.'

En dat deed ze. Ze snuffelde rond op de biologieafdeling van het openbare *college*, en van het een kwam het ander: ze maakte een uitstapje naar Buffalo en nog een naar Albany – liftend – en twee maanden later werd dezelfde uitkomst bekendgemaakt door het milieuagentschap in New York: dioxine van de papierfabriek van Cold Creek vijftien kilometer stroomopwaarts. Het was het eerste artikel dat ze schreef en het haalde de voorpagina. Voor de andere verslaggevers viel er niets meer te lachen.

Maar ook na haar grote succes verscheen ze nog bij zonsopgang op kantoor. Dit is een ochtendkrant met een deadline 's nachts en je mag gerust aannemen dat de meeste andere verslaggevers zich tegen zonsopgang nog eens omdraaien voor hun diepste slaap van de nacht. Ik ben zelf een ochtendmens en ik heb altijd hard gewerkt. Maar elke ochtend als ik aankwam, stond Triestes fiets al tegen de paal van de hoge loopbrug over de singel voor ons terrein, met het stuur glinsterend van de dauw. Op een ochtend kort na dat eerste artikel was ik eens een paar minuten later dan gewoonlijk en trof ik haar dwars over de brug liggend aan.

'Daar bent u,' zei ze geeuwend.

'Precies,' antwoordde ik, 'hier ben ik. Sliep je?'

'Dat was niet de bedoeling.'

'Niet de bedoeling om te slapen?'

'Slapen is tijdverspilling, meneer.'

'Dat is een heel ambitieuze uitspraak, Trieste.'

'Het is een heel zuinige uitspraak, meneer. Ambitie is iets anders.'

'Oké, oké.'

Tja, wat moet je anders zeggen tegen een meisje van zeventien dat zulke dingen zegt? De zon was nog nauwelijks boven de boomtoppen uit gekomen, maar scheen al fel. Ik wees. 'Was je hem aan het aanbidden?' vroeg ik.

Er kwam een gekwetste uitdrukking op haar gezicht, alsof ze had verwacht dat ik anders was dan de meeste mensen, ook als haar baas; maar ze gaf geen antwoord.

'Goed dat ik niet met de auto was, meisje,' probeerde ik. Met dit soort sarcastische dreigementen hadden mijn eigen leraren op Dunleavy me aanvankelijk afgeschrikt.

'Ik ben korter dan een as, meneer. Als u me niet had geraakt, was u nog op tijd geweest.' Ze keek op haar horloge. 'Bijna.'

'Ja, maar je schedel is breder dan een half wiel.' Ik weet niet waar ik dat soort weerwoorden vandaan haal, of het moet van die tijd op Dunleavy zijn.

'In dat geval zou u me vast met alle plezier hebben gewekt.'

En ik weet niet waar zij dat vandaan haalt. Ik lachte om haar opmerking en even later lachte zij om de mijne. Maar al moest ik in de tijd dat ik haar meemaakte vaak lachen om wat ze zei – en al reageerde zij ook met een lach –, toch had ik het gevoel dat er veel meer achter stak dan ooit werd uitgesproken. Dat alle losse opmerkingen die ze dat jaar mompelde en alle praatjes en terzijdes waarmee ze mijn plagerijen pareerde, eigenlijk dodelijke oordelen waren over ons beiden.

Mijn vrouw zegt dat ik het me allemaal verbeeld. Dat Trieste me niet beter kende dan willekeurig welke andere zeventienjarige een gezagsfiguur van middelbare leeftijd kent – dat wil zeggen, alleen in relatie tot zichzelf: als beschermer, baas, ouder, misschien als mentor. Al het andere was louter verzonnen. En mijn vrouw heeft veel mensenkennis. Maar ik ben het niet met haar eens. Trieste was buitengewoon intelligent – uitzonderlijk intelligent zou ik zeggen – en de waarheid is vermoedelijk dat zij mij doorzag voordat ik haar doorzag.

Half augustus, vijf volle maanden voor de eerste voorverkiezingen, maakten de kranten voor het eerst melding van Henry Bonwillers voorsprong. De voorsprong bleek uit een peiling van het opinieonderzoeksbureau Harris en was minimaal, maar onmiskenbaar. Vier procentpunten. De economische groei was afgezwakt, de inflatie steeg en president Nixon had, in het nauw gebracht, een loon- en prijsstop afgekondigd. Maar dat was niet genoeg, schreven de commentatoren in het hele land. Ook werden er inmiddels in iedere grote stad vredesbetogingen gehouden. 'Er is dringend behoefte aan verandering,' schreef de *Washington Post*, 'en naar onze mening kan senator Muskie van Maine of senator Bonwiller van New York daar het best voor zorgen.'

Dat weekend had het campagneteam een feest georganiseerd. Er waren zeshonderd mensen uitgenodigd; ik schat dat er bijna duizend kwamen. Gil McKinstrey ging in het zuiden van de staat vijf geslachte varkens en twintig kalkoenen ophalen. Een van de huiskoks maakte glazuur van ahornsiroop en cola en toen de werkmannen arriveerden om de tent op te zetten, vertoonden de varkens aan het spit een stroopbruin craquelé. June Metarey zag persoonlijk toe op alle voorbereidselen. Om een uur of twaalf hoefden we eigenlijk alleen nog de ijskisten te vullen en in onze feestkleren onder de luifel af te wachten.

In de voormiddag kwam boven het bos Noorse esdoorns in het zuiden het eerste toestel aanvliegen, een blinkend wit privéstraalvliegtuig dat zo laag overkwam dat ik het nummer op de staart kon lezen. Het toestel vloog hellend over de tent en dwars over de loods om achter de platanen te verdwijnen op weg naar de landingsbaan. Nog geen minuut later verscheen er nog een. De grond dreunde van het lawaai dat door een gril van de heuvels van vóór het vliegtuig leek te komen uit de richting waarin het vloog. Al snel was er nog een vijftal aan komen vliegen en de palen stonden te trillen toen hun schaduw over de hoge luifel van tentdoek gleed.

Mevrouw Metarey had voor die avond echte barkeepers ingehuurd om Gil McKinstrey te helpen: vier Schotse broers van MacGladdie's Tavern in Islington, die hun eigen zaak die dag hadden gesloten – wat wel iets zegt over het loon dat de Metareys uitbetaalden – en om drie uur moesten ze al flink aanpoten, terwijl het feest op dat moment nog niet eens officieel geopend was. De barkeepers stonden met opgerolde overhemdsmouwen in hun gilet te werken, pakten de flessen bij de hals en mixten met twee handen cocktails, terwijl de vroege, rumoerige menigte van rijke Schotten, Italianen en Ieren zich voor hen verdrong. Omdat Henry Bonwiller nog niet aanwezig was, had een aantal mannen zich rond Liam Metarey verzameld, die op het gazon voor de tent stond.

Toen een tijdje later de menigte in de tent bijna op volle sterkte was – Gil McKinstrey had nog twee bars moeten inrichten – hoorde ik een bekend geronk. Ik liep naar de rand van de luifel en keek net op tijd omhoog om de Aberdeen Red boven de platanen te zien verschijnen. Het toestel vloog zo langzaam dat toen het de daling inzette boven de oprijlaan in de richting van de rijbak en de visvijvers, de buitenste kring mensen naar buiten was gekomen om zelf een kijkje te nemen. Een tweedekker kan zo goed manoeuvreren dat het vanuit een bepaalde hoek gezien lijkt of het toestel bijna stil hangt in de lucht. Dat gebeurde nu ook en terwijl het voor de tent langs vloog, zagen we in de dubbele open cockpit twee mensen achter elkaar zitten. Ze hadden allebei een leren helm op en toen er aan de rand van de menigte gejuich opging en armen omhoog werden gestoken, trok Henry Bonwiller de zijne af en zwaaide ermee boven zijn hoofd. Mevrouw Metarey liet het vliegtuig schuin vliegen en trok ook haar helm af om ermee naar de menigte te zwaaien, en uit de korte stilte die op dat ogenblik viel, en het gewijs, gefluister en het vervolgens aanzwellende gejuich maakte ik op dat de meeste gasten niet wisten dat ze kon vliegen. Ze vloog een rondje boven de tent en maakte een bocht voor de landing, en ik weet niet waarom – het was misschien wel het brutaalste wat ik ooit heb gedaan – maar ik rende naar het pasgemaaide grasveld aan het eind van de rijbak van Breighton, waar ze, zo begreep ik, ging landen.

Nadat ze de Aberdeen Red aan de grond had gezet, liet ze het toestel uitrijden op het heuveltje naast de stallen. Zo had de senator een podium en toen ze eindelijk tot stilstand kwamen, stond ik pal naast hen, in het zicht van de hele tent. Zo jong als ik was had ik het inzicht om niet te proberen senator Bonwiller uit zijn stoel te helpen, maar liep ik regelrecht naar de cockpit om June Metarey bij te staan, al wisten we allebei dat ze een radslag op de vleugel had kunnen uitvoeren als ze dat wilde. Ze schakelde de motor uit, zodat de propeller kon uitdraaien en liet zich door mij bij de hand nemen tot ze op de grond stond. Henry Bonwiller zelf was als een acteur op de onderste vleugel gestapt, leunde tegen de vleugelstijlen en zwaaide. Stemmen gingen op – 'Senator Bon! Senator Bon!' – en doordat ik me naar het gejuich omdraaide, zag ik net niet hoe hij op het gras sprong. Maar direct daarop voelde ik dat zijn leren helm over mijn hoofd gleed en dat mijn hand omhoog werd getrokken. Ik vroeg me af of Christian keek.

'Hoeveel?' zei hij met zijn lage stem.

'Twaalfhonderd,' antwoordde ik zonder mijn hoofd te draaien. De persfotografen zetten hun camera's op een statief. 'Misschien dertien.'

'Mooi, jongen. Mooi.'

De hele middag cirkelden er groepjes mannen om hem heen. Goede bekenden van hem noemden hem nooit senator Bon, maar dat hoorde ik allerlei mensen met gestrekte hals roepen terwijl ze hun glas hieven en over de menigte heen naar hem schreeuwden, joviaal zijn hand schudden en breed lachten, alsof ze hem vertrouwelijk geluk wensten.

Henry Bonwiller zag er op zijn beurt uit als de bruidegom op een bruiloft: een stralend gezicht, praatgraag en bescheiden, met de machtige kaak omhooggestoken als hij lachte om de opmerking van een geldschieter, dan de uitgestoken hand om nog een kandidaat in de coterie te trekken, de knikjes en de geanimeerdheid van het rood aangelopen gezicht vertraagd en verdiept door de aanstaande bevrediging van iets waarin zelfs een tiener brandende, levenslange ambitie kon herkennen.

In de namiddag was ik op een gegeven moment bezig een vat bier op de bar te zetten toen ik een mannenstem achter me hoorde zeggen: 'Die ouwe rotzak zou zich in zijn graf omdraaien.'

Ik liet me op mijn knieën zakken om het vat aan te sluiten. Zodra de tap werkte, leunde Glenn Burrant over de ijston om zijn glas te vullen.

'Wie?' vroeg ik.

'Eoghan Metarey. Degene die dit kasteel heeft gebouwd.' Hij hijgde van inspanning. 'De grootste vrek aan deze kant van het kledingdistrict. Die ouwe rotzak had het geen halfuur volgehouden.' Hij kwam weer overeind en keek naar de mensenmassa. Naast ons stond Gil McKinstrey drankjes te mixen, te schudden en in te schenken, en met twee in elke hand over de bar heen uit te delen aan mannen in dure pakken. Bij het buffet achter hem stond een tijdelijke hulp zo snel als zijn armen bewegen konden vlees van het geroosterde varken te snijden. Er werden borden volgeschept en meegenomen in het gedrang. 'In de politiek zijn twee dingen van belang,' vervolgde Glenn. 'Het eerste is geld.' Hij blies het schuim van zijn bier. 'En het tweede ben ik vergeten.'

'Nee toch?'

Hij trok een gezicht. 'Dat is een citaat, jongen. Een beroemd citaat.' Hij boog zich over de bar om zijn glas nog eens tot de rand toe vol te tappen. 'Maar het zegt alles.'

'Dat zal wel, meneer.'

'Succes slaat telkens een generatie over,' ging hij verder, terwijl hij het bier van de rand nipte. Hij vond een stoel en legde zijn hoofd in zijn nek om een grotere slok te nemen. 'En de andere geeft het uit.'

'Heeft u hem gekend?'

'Wie gekend... Eoghan Metarey?'

'Ja.'

Hij lachte. 'Hoe oud dacht je dat ik ben?'

'Geen idee.'

'Ik ben zesendertig, jongen. Die ouwe lag al onder de zoden toen ik nog bij mijn moeder op schoot zat.' Hij nam nog een slok. 'Maar goed ook,' zei hij.

'Hoezo?'

Hij keek me aan. 'Dat hoef jij niet te weten,' antwoordde hij. 'Althans niet van mij.' Hij bracht zijn glas omhoog en hield het schuin tegen zijn lippen. Maar midden in zijn slok liet hij het glas weer zakken en tuurde naar de mensenmassa achter me. 'Jezus,' zei hij, 'moet je dat zien.'

'Wat?'

Hij wees. Achter mij was een opening in de menigte ontstaan en aan het eind daarvan stond de gebochelde man met zijn twee stokken: Trawbridge.

'Het lijkt wel of de *Times* de ouwe Glenn Burrant achtervolgt,' zei hij.

'Hoe bedoelt u?'

'George Vance Trawbridge,' zei hij, nog eens wijzend. 'G.V. voor jou en mij. De beroemdste politiek commentator van Amerika.' Hij veegde zijn mond af met zijn mouw en trok zijn hemd recht. 'En ook de beste, naar mijn bescheiden mening. Hoofdcorrespondent van de *New York Times*. En hij eet vlees van het spit in Saline samen met alle andere mensen. Hij kan niet eens zijn jas zelf van de hanger krijgen, maar heeft in deze republiek een stevige vinger in de pap bij de keuze van de Amerikaanse president.'

'De gebochelde van Times Square,' zei ik.

Hij spoog zijn bier bijna uit. 'Waar heb je dat vandaan?'

'Hij is hier al eens geweest.'

Hij nam me aandachtig op. 'En hij zal hier nog wel vaker komen, kameraad, als die Bonwiller van jou geluk heeft.'

Daarop zette Glenn Burrant zijn glas neer, stond met enige moeite op, mengde zich in de menigte en liep met uitgestoken hand op G.V. Trawbridge af. Trawbridge schudde zijn hand, nadat hij zijn stokken had verplaatst en zijn opvallend grote hoofd had opgeheven om iets te zeggen dat blijkbaar geestig was. Glenn stond met zijn handen op zijn knieën te lachen en G.V. Trawbridge liet zijn hoofd weer zakken tot het op en neer danste op zijn borst. Toen sloot de menigte zich weer aaneen.

Intussen was het bijna donker en de citronellafakkels werden uit de schuur gehaald. De barkeepers waren op aanwijzingen van Gil McKinstrey begonnen de drankjes aan te lengen met water en de musici waren op het podium geklommen. Ik liep onder de luifel vandaan en ging in de buurt controleren of er genoeg borden op de dienwagentjes stonden en alle vuile vaat van de tafeltjes en stoelen was weggehaald. Maar eigenlijk liep ik rond om de mensen beter te kunnen bekijken. Ik had Christian nog steeds niet gezien.

Om tien uur verliet het plaatselijke strijkerstrio het toneel en kwam het grote Ray White Blues Quintet op. De lange fakkels werden aangestoken en de schaduwen van de wimpels op de tentstokken golfden over het gestreepte dak van de tent. Inmiddels had ik al heel wat gasten gezien die volkomen waren doorgedraaid. In het licht van de tuinlampen zag ik een man in een van de visvijvers stappen om woest spattend naar de overkant te zwemmen; daarna waadde een ander het water in om hem eruit te halen. Overal rondom de tent werd geschreeuwd, werden handen tegen elkaar geklapt en stippelden de vleiers van de senator driftig door drank opgestookte strategieën uit. Zelfs ik zag het. Voor het eerst was ik getuige van de wording van een politicus: hoe het ritueel van onderdanigheid voorafgaat aan de veiling van invloed en de orgie van de uiteindelijke afslachting.

Maar pas tegen middernacht, toen Ray White zelf op de pianokruk sprong en aan een solo op zijn baritonsax begon, gingen alle remmen los. Er stonden paren te dansen op een vrijgemaakte ruimte voor het podium. Achter hen op het gazon brak onder drie gasten op het parkeerterrein een knokpartij uit die binnen een paar tellen weer voorbij was. Ze stapten in hun auto. Klokslag twaalf uur ging er in het westen, boven de Lodge Chief Marker, vuurwerk de lucht in dat de hemel kleurde met regens van rood, wit en blauw en de mensenmassa stroomde naar het grote gazon om te kijken. Intussen had ik Henry Bonwiller helemaal uit het oog verloren. De menigte leek nog te zijn aangegroeid en de barkeepers van MacGladdie's vulden de glazen van de gasten bij zonder ze uit hun hand te nemen. Ik kon amper door het gedrang heen komen.

Op dat moment werd ik door Christian gevonden. Zonder een woord te zeggen kwam ze achter me staan, pakte ze mijn hand en nam ze me mee naar het gazon. Ik draaide me om en keek naar de kleuren in de lucht, maar ze trok me mee langs de stallen naar de achterkant van het huis. Ik had even daarvoor een glas bourbon met ijs gehad, dat Gil McKinstrey me zwijgend had aangereikt, en toen ik achter haar aan de hoek van het grote huis om liep, begon de drank zich te laten gelden. Het gedreun van het kwintet verstomde en door een gril van de akoestiek leek het hele feest verdwenen. Ik hoorde de geluiden van het land weer – onze voetstappen op de ronde rivierkiezels van het pad en het hinniken van Breighton in de stal. Christian had nog steeds niets gezegd. Ik wist intussen dat ik haar maar het best kon volgen als ze zich iets had voorgenomen, maar in combinatie met de drank en de plotse stilte kreeg haar gedrag iets onheilspellends. Een stel konijnen in de struiken schrok van ons en sprong in het flakkerende blauwe en rode licht weg onder de trap.

Ze ging me via de veranda voor naar binnen en de trap op naar het balkon aan de achterkant. We bleven bij de balustrade staan en keken uit over de achtertuin. Van opzij van het huis was toen een ander geluid te horen: dat van kunstaas dat in de visvijver landde. Iemand was aan het werpen. Ik hoorde de zachte plons van de landing, daarna het rukje bij het inhalen. Ze liep naar de hoek: vandaar zagen we de blinkende langwerpige bassins in het veelkleurige licht en de bleke ringen van de drijvende doelen. 'Weet je wie dat is?' vroeg ze.

Ik boog me over de balustrade. 'Je vader?'

'Kijk nog eens goed.'

Ik deed wat ze zei. Vanaf dat hoge punt zag ik dat het duidelijk niet Liam Metarey was. Een man stond woest in de richting van de drijvers te werpen, en elke worp werd voorbereid met twee of drie proefzwiepen in de lucht. Ik had de linkshandige Liam Metarey vaak 's morgens vroeg door het raam van de loods geobserveerd bij het werpen, en hij had een methodische, ongehaaste techniek met drie versnellende fasen waarin de lijn zich ontrolde, die getuigde van zijn training als werper. Maar wie het ook was, hij leek te proberen het aas met brute kracht in één keer naar het uiteinde van de vijver te willen zwaaien. Toen splitste het silhouet in tweeën en verscheen er een kleinere gestalte in het flakkerende licht. 'Het zijn er twee, zo te zien,' zei ik.

'Ja,' zei Christian. 'Die ene is mijn zusje. Maar wie is de ander?'

Ik keek nog eens. Het leek inderdaad Clara's tengere gestalte die nu bij de keien naast de vijver stond. De man voor haar stond nog steeds woest te werpen. Het traject van de lijn was met geen mogelijkheid te volgen, maar gezien zijn bewegingen moest het aas ergens op de oprijlaan twintig meter achter het water terecht zijn gekomen.

'Het is Gil McKinstrey...' zei ik.

Ze lachte. 'Je bent veel aardiger dan goed voor je is, Corey.' Zei ze. Toen betrok haar gezicht. 'En je kent mijn zus nog steeds niet, hè? Kijk nog eens goed.'

Dat deed ik: ik kon het profiel niet onderscheiden. Maar terwijl ik wachtte tot de gestalte zich uit de schaduw van de zwerfkeien losmaakte, geloof ik dat ik Clara zag opkijken naar het balkon waar wij stonden.

'Daarom zal hij nooit winnen,' zei Christian.

'Hoezo?'

'Daarom zal hij nooit winnen. Het feest is nog aan de gang. Denk je dat ze weten dat hij daar is?'

'Is het Henry Bonwiller?'

'Mijn vader staat in de tuin gastheer voor hem te spelen op zijn feest. Hij heeft het zelfs voor hem gegeven. Papa maakt vrienden voor hem. Hij regelt alles. Het hoofd van Goldman Sachs en Lazard Frères staan daar in de tent. Plus Elysis Vanderbilt en Vance Trawbridge. Henry Bonwiller als president. En wat doet Henry Bonwiller? Hij staat hier straalbezopen met mijn zus die stomme vliegen te werpen. Moet je hem zien. Papa's hart zal breken.'

Hoe lang mevrouw Metarey al achter ons stond, weet ik niet. Maar op dat moment zei ze: 'Wees maar niet bang, liefje. Je vaders hart kan niet breken.'

We draaiden ons om. Ze stond in de deuropening. Achter haar reed een garderobemeisje een rek met jassen de dienstlift in. 'Het is een klein hart van leem en water,' zei mevrouw Metarey, die bijna struikelend op een afgebroken hak het balkon op kwam en met de peuk in haar hand een nieuwe sigaret aanstak. 'Het is een heel klein hartje, helemaal ondergedompeld in een mengkom met suiker, bloemblaadjes, selderiestengels en... O hemel! Dat is Clara!'

Ik dacht dat ze dat meteen al had gezien.

'Clara kan wel op zichzelf passen, moeder.'

Maar mevrouw Metarey hinkte al naar de deur terug. 'Liam!' riep ze in de gang. 'Liam!'

Nog steeds denk ik aan die dagen, en soms zou ik ze wel terug willen halen om ze opnieuw te beleven, niet eens zozeer omdat het zo'n opwindende, wonderbaarlijke tijd voor me was, maar meer omdat ik denk dat ik er achteraf iets anders uit zou hebben gehaald, met wat ik nu weet. We hebben zelf drie dochters en zoals ik al zei, is de jongste iets ouder dan ik die zomer, en in haar herken ik van alles: van de nerveuze *wanderlust* van mijn vrouw tot de beleefdheid van mijn vader en het vaste vertrouwen in de toekomst van mijn moeder; maar toen ik die avond met Christian op het balkon stond te kijken en mevrouw Metarey over haar toeren door het huis liep te schreeuwen terwijl ze op haar gebroken hak van de ene naar de andere kant strompelde langs de verlichte deuropening, had ik geen enkele reden om de situatie vanuit het perspectief van ongeruste ouders te bekijken. Wat bezielde mevrouw Metarey om de naam van haar man te roepen? Destijds dacht ik dat ze hem riep om iets te doen, dat ze hem wegriep van de feestelijkheden om naar de vijver te gaan en hun dochter uit Henry Bonwillers ladderzatte greep te verlossen. En als hulp bij hen in huis had ik de neiging een daad te stellen, Clara te gaan halen omdat Liam Metarey dat zou hebben gedaan als hij erbij was geweest.

Het licht in de gang achter ons ging aan. Ik maakte mijn hand uit die van Christian los en deed een paar stappen naar de deur, maar ze had genoeg inzicht in de situatie – ze had ongetwijfeld veel meer door dan ik – om me over het balkon achterna te komen en mijn hand weer te pakken. Ik hoorde mevrouw Metarey binnen nog steeds de naam van haar man roepen, en op haar weg naar beneden klonk haar inmiddels schorre stem door het ene na het andere raam van het trappenhuis. Maar waarschijnlijk besefte ik pas toen mijn oudste dochter veertien was en op een weekend stiekem tegen onze wens in van huis was weggeslopen om met een Greyhound-bus naar een rugby-wedstrijd in Syracuse te gaan terwijl ze tegen ons had gezegd dat ze bij een vriendin ging logeren, waarom mevrouw Metarey strompelend door de gangen de naam van haar man schreeuwde: in haar ogen was het allemaal zijn schuld.

Vanaf de balustrade zag ik dat Clara weer op de rand van de visvijver was gaan zitten. Mijn hand werd nog steeds vastgehouden en uit de stevige greep maakte ik op dat ik een redding wel uit mijn hoofd kon zetten. Onder onze ogen legde Henry Bonwiller de hengel neer, trok Clara aan beide handen op en draaide zich naar de zwerfkei, waar de twee silhouetten in de duisternis versmolten.

Op dat moment keerde Christian zich om en kuste ze me. Ditmaal stond ik wel degelijk klaar. Ik omarmde haar en trok haar tegen me aan. We stonden wat dichter bij de stenen muren van het huis en daar drong de muziek opeens weer door, een verre, getemperde melodie alsof er dempers in de trombones waren geplaatst en de klep van de vleugel half was gesloten; maar ondanks haar verrassende kus en ondanks de mengeling van drank, muziek en de geur van kruit en citronella kon ik me zelfs in mijn verhitte staat niet aan de gedachte onttrekken dat dit een verkeerde, geforceerde afloop was. Ze was onhandig, maar kende geen aarzeling. Ze trok me dichter tegen zich aan. Maar ook toen was het of het niet Christian was die ik kuste. De Christian die ik de vorige keer had gekust – ook die keer, realiseerde ik me, hadden we naar Clara zitten kijken – díé Christian was geamuseerd en enigszins aarzelend, niet uit angst, maar kennelijk op haar hoede door een zekere ervaring. Als een koningin die wijzer is dan haar onderdaan. Maar dit keer was er geen sprake van enige aarzeling. Ik vroeg me af of ze een cocktail van Gil had gekregen. Weer trok ze me dichter tegen zich aan. Na een poosje opende ik mijn ogen en over haar schouder heen zag ik dat Clara en Henry Bonwiller – als zij het waren – één blok vormden tegen het glanzende, vlakke water van de visvijvers.

Toen hoorden we de dreun. Het was een daverend lawaai – het huis zelf schudde ervan – en na een ogenblik van verwarring gingen mijn gedachten in paniek naar de vliegtuigen.

We renden van het balkon naar beneden. Er renden ook al feestgangers in de richting van de schuur, hoewel ik zag dat anderen een andere kant uit gingen in de kring van fakkellicht die uit de tent viel. Churchill blafte. Een aantal mannen had zich bij de stallen verzameld en een van hen sprintte door de rijbak, sprong over de omheining van boomstammen en rende in westelijke richting verder door de velden naar de landingsbaan. Dat alles gebeurde onder het flakkerende rode en blauwe licht van het vuurwerk op de heuvel. Over het plein voor het huis kwam iemand anders met een lantaarn aanlopen. Op het balkon, waar Christian en ik zojuist nog hadden gestaan, waren een paar dienstmeisjes verschenen, die bij de balustrade naar de schuur bleven kijken. Ondertussen ging het feest gewoon door. Er werd gedanst en de band speelde en voor de met fakkels verlichte bars verdrong zich een dichte massa mensen. Hand in hand liepen Christian en ik tussen de ronddrentelende mensen door naar de visvijvers: daar was volgens mij het geluid vandaan gekomen.

Terwijl ik zo rende, in die staat van bezorgdheid en lichte dronkenschap waarin ik naar twee totaal verschillende dingen keek en tegelijkertijd Christians warme hand vasthield, en terwijl in de verte muziek en het zachte ploffen van vuurwerk in de nacht weerklonken, werd ik niet eens gedreven door een gevoel van paniek of plichtsbesef, maar door een intens en onverwacht verlangen dat als een nevel in de warme lucht zelf leek te hangen. Ik greep haar hand nog steviger vast. We renden naar de tuin en zigzagden tussen andere rennende figuren door. Het licht van zaklantaarns flitste heen en weer.

Uiteindelijk troffen we Clara aan bij de ontwrichte deurpost in de hoek van de loods, waar ze een sigaret stond te roken terwijl Henry Bonwiller aan het portier van mevrouw Metareys auto rukte, die halverwege de ingestorte houten wand van het bouwsel tot stilstand was gekomen. Hij probeerde het portier te openen om bij haar te komen. Mevrouw Metarey zat roerloos achter het stuur in het gele schijnsel van het leeslampje, met haar ogen gesloten en haar hoofd tegen de hoofdsteun. Churchill rende er panisch blaffend omheen. Door de botsing was de zijwand als een gordijn rond de Galaxy gevallen; Henry Bonwiller wurmde zich door een gat heen om het portier aan de andere kant te proberen, dat ook niet open wilde. Mevrouw Metarey bewoog niet.

'Moeder heeft de garagedeur gemist toen ze naar binnen wilde,' zei Clara. Ze nam een trekje. 'Wat Church en ik vrij amusant vinden.'

'Maar ook vrij verrassend,' zei Christian. 'Het lijkt erop dat ze de hele garage heeft gemist, of niet?'

'Jezus, hou op jullie,' zei ik. 'Is ze gewond?'

'Nee,' zei Clara. 'Ze dacht blijkbaar dat de deur aan deze kant zat. Church denkt dat ze de gebouwen door elkaar heeft gehaald.'

Ik liep ook om de auto heen om het portier aan de passagierskant te proberen en toen dat niet openging, keek ik naar mevrouw Metarey, die roerloos bleef zitten, met gesloten ogen en haar hoofd achterover. Inmiddels had zich een groepje omstanders gevormd en iemand knipte een lamp aan. De kin van mevrouw Metarey wees naar het plafond en het licht viel op de flauwe hoek die haar hals maakte. Ik rook of er benzine vrijkwam en probeerde mijn hand door het achterraampje te steken, dat een paar centimeter openstond.

Clara liep naar de voorruit en tikte erop. 'Doe het portier van het slot, moeder.'

En dat deed ze, dromerig, alsof ze half uit haar slaap ontwaakte, en Henry Bonwiller kon het portier eindelijk opentrekken. Maar mevrouw Metarey weigerde zijn hulp. Ze stond alleen op, klopte haar jurk af en liep over het gazon terug naar de tent. Opeens stond de garage vol met tientallen mannen, bewakers, tentenbouwers en assistenten van de senator, en even later was meneer Metarey er ook om de schade op te nemen met een zweem van een glimlachje op zijn gezicht, waarna hij Henry Bonwiller bij de arm mee terug nam naar het feest.

———

Op een doordeweekse middag reed ik met mijn echtgenote in een plensbui naar de stad toen we voor ons een vrouw op de weg zagen lopen. Het goot van de regen, zoals dat hier aan de oostkant van het meer vaak voorkomt, maar zo te zien liep ze op haar dooie gemak, alsof ze rustig een middagwandelingetje maakte. Pas toen we dichterbij kwamen, drong tot me door wie het was. Trieste heeft een karakteristieke houding met haar ingetrokken schouders, waardoor ze een klein beetje verlegen lijkt – ook al is dat wel het laatste wat ze is – en van vijftig meter achter haar zag ik die schouders op hun vastberaden wijze door de regen bewegen. Ze droeg een donker regenpak en toen we haar achterop kwamen, zag ik dat het uit vuilniszakken bestond.

Ze had er twee met tape aan elkaar geplakt voor het lijf, nog twee bij wijze van mouwen en een derde paar bij wijze van broekspijpen, die wijd over haar schoenen vielen. Op haar hoofd zat er nog een in de vorm van een regenkap met een brede rand en een flap zoals bij een sjeik, die tot op haar schouders hing. Al met al was het een nogal indrukwekkend kostuum. Mijn eerste impuls was haar te feliciteren – maar zo gaan we gewoonlijk niet om met elkaar om. Toen ik naast haar remde, verscheen haar trage glimlachje.

'De regen aan het testen?' vroeg ik.

'Heel geestig,' antwoordde ze. 'Nee, ik was de jas aan het testen.'

'Wil je een lift naar de stad, Trieste?' vroeg mijn vrouw.

'Nee, dank u, mevrouw,' antwoordde ze. Ze stak haar arm uit en de druppels spatten van de mouw. 'Maar ik zou me vereerd voelen als een van u met me mee wil lopen.' Ze haalde een rol ongebruikte zakken uit haar jas. 'Ik heb er in tweeënhalve minuut nog een in elkaar gezet.'

'Weet je zeker dat we je niet ergens kunnen afzetten?' vroeg mijn vrouw.

'Heel zeker,' antwoordde ze. 'Maar gezelschap is welkom. Als u niet op de plassen let, is het echt heerlijk buiten.'

'Ik denk dat wij de auto maar blijven testen,' antwoordde ik.

———

'Mooi zo, Corey,' zei meneer Metarey toen ik een laagje plamuur op de auto van zijn vrouw stond te schuren, 'je krijgt er al handigheid in, zie ik.'

'Bijna klaar, meneer.'

Hij had mij gevraagd de Galaxy te repareren. De schade viel mee. Ze was alleen maar door een cederhouten muurplaat gereden die daar waarschijnlijk al vijftig jaar stond uit te drogen. De volgende middag had Gil McKinstrey de kapotte platen vervangen door een stel dat er even oud uitzag als het originele en al in dezelfde lichtgroene tractorkleur was geschilderd. De enige ernstige schade die de auto had opgelopen, was een dertig centimeter lange deuk in de voorbumper, veroorzaakt door de kniehoge standpijp naast de muur. Verder was nergens aan te zien dat er iets was gebeurd. Liam Metarey had een uitdeuker vastgezet in zijn ijzeren bankschroef en ik was bijna de hele middag bezig geweest de schade te herstellen. Ik had de schroefgaten geplamuurd en maakte aanstalten om ze in de grondverf te zetten. In een garage in de stad zou de laklaag erop worden gespoten. De deuk had ook in die garage kunnen worden gerepareerd, als dat de werkwijze van meneer Metarey was geweest.

'Mooi, mooi,' zei hij terwijl hij zijn hand over de plek liet glijden waar ik de plamuurlaag in de lak had laten overlopen. 'Je hebt aanleg voor handwerk, net als je vader.' Hij gaf me een schouderklopje. 'En je leest ook nog graag kranten. Dat is een zeldzame combinatie. O ja, als hij klaar is voor de laatste laklaag, wil je het dan even tegen mijn vrouw zeggen?'

'Ja, meneer.'

'Ze zit in de bibliotheek.' Hij haalde een sigaar uit zijn zak, rook eraan en beet er het puntje af. 'Helaas,' zei hij terwijl hij er een lucifer onder hield, 'zit ze niet te lezen.' Hij glimlachte door de rook heen. 'Ik ben bang dat ze op dit moment ook niet in de stemming is om iets van mij te horen. Het is beter als jij het doet. Ze zal de kleur wel willen kiezen. Nu we toch bezig zijn kan er meteen een nieuwe kleur op.'

'Ik zal het zeggen.'

'Dank je, Corey. Dat is erg aardig van je.' Hij kwam dichter bij de auto. 'Mooi werk, vooral het schuren,' zei hij.

Hoewel ik niet precies begreep wat er van me werd verwacht, ging ik later die middag het huis in en vroeg de koks of ze mevrouw Metarey hadden gezien. Ze zeiden dat ze nog in de bibliotheek zat. Ik was niet gewend om daar te komen zonder flessen en glazen voor de bar op het balkon in mijn armen, of minstens de ochtendkranten op hun stokken, maar ik liep de trap op naar de overloop, terwijl ik bedacht wat ik moest zeggen.

Ik vond haar aan de lange leestafel, waar ze naar buiten zat te kijken. 'Neem me niet kwalijk, mevrouw Metarey,' zei ik vanaf de gang. 'Pardon. We vroegen ons af in welke kleur u de auto wilt hebben.'

'Wat?'

Ik bleef op de gang staan. 'Meneer Metarey en ik vroegen ons af welke kleur lak u op de auto wilt hebben.'

'Nou,' zei ze, 'welke kleur zit er nu op?'

'De uwe, bedoel ik. De Galaxy.'

'Ja, ik zei: welke kleur zit er nu op?'

'Eh... Hij is nu zwart, mevrouw Metarey.'

'Maak hem dan maar wit.'

'Goed, mevrouw.'

Ik draaide me om.

'Wacht even,' zei ze. 'Kom eens binnen.'

Ze wenkte me en ik ging naar binnen. 'O!' zei ik. 'Hoi, Christian.'

'Hoi, Corey.' Ze zat in een hoek op de grond. Op de leestafel stond een whiskyglas met een karaf van Liam Metarey ernaast.

'Hoe oud ben je, Corey?' vroeg mevrouw Metarey.

'Zestien.'

'Dat is een mooie leeftijd om het te leren.'

'Moeder...'

'Die lui op het feest, Corey... al die mannen die met hun eigen vliegtuig uit Albany en Boston kwamen – het zijn allemaal haaien...'

'Laat Corey nou, moeder.'

'En we weten allemaal wat Henry Bonwiller is. Ja toch?'

'Dat weet je niet, moeder.'

'Alsjeblieft, schat. Ik zeg alleen wat iedereen kan zien.' Ze wendde zich tot mij. 'Dat zal Corey toch met me eens zijn?'

'Nou...' zei ik.

'En uit New York City niet te vergeten. Voorál die lui uit New York. En natuurlijk de verslaggevers.' Ze nam een slokje. 'Voorál de verslaggevers. Lijkenpikkers, allemaal.'

'Wat kunnen die verslaggevers je nou schelen, moeder.'

'Ze komen hier met z'n allen onze bourbon drinken en onze hapjes eten, maar eigenlijk komen ze om Henry Bonwiller heen cirkelen,' zei mevrouw Metarey. 'Ze ruiken bloed.' Ze snoof in de lucht. 'Van hem en van mijn man. Snap je?'

'Nou...'

'Corey hoeft dat allemaal niet aan te horen.' Ze draaide zich naar mij om. 'Je hoeft hier niet te blijven, Corey. Je hebt vast van alles buiten te doen.'

'Maar ze willen hem niet kapotmaken,' vervolgde mevrouw Metarey. 'Nog niet tenminste. Weet je waarom ze zijn bloed willen zien?'

'Moeder...'

'Sst!'

'Nee, dat weet ik niet,' zei ik.

'Om hem in hun macht te krijgen.'

'Wauw,' zei Christian. 'Een onthulling. Je hoeft hier echt niet naar te luisteren, Corey.'

'Juist,' zei ik.

'Snap je het verschil?'

'Ik geloof het wel.'

'En senator Henry Bonwiller geeft ze genoeg te ruiken, vind je ook niet?'

'Moeder, alsjeblieft!'

'Mijn man zou de eerste zijn om dat te zeggen. Als hij niet zo verdomde loyaal was tenminste. Loyaal aan zijn eigen vijanden. Loyaal aan de haaien.' Ze nam nog een slokje. 'Kom eens hier, Corey.'

'En nu,' zei Christian terwijl ze opstond, 'wordt er een boekje opengedaan.'

Mevrouw Metarey stond op, liep naar de andere kant van de kamer en drukte op een van de hoge lambriseringspanelen en opeens gleed er een verborgen deur open. Ze stapte door de opening en wenkte me mee. Ik keek naar binnen. Het vertrek fungeerde kennelijk als kantoortje, met een bureau en een telefoon en boekenkasten tegen de muren. Maar er stonden geen boeken in. De planken stonden vol pakjes in allerlei soorten en maten. 'Nou moet je mij eens vertellen, Corey,' zei ze, 'wat jij daar nou in godsherevredesnaam van vindt.'

'Het lijkt wel een kantoor.'

Christian kwam achter me staan. 'Het is de kerker,' zei ze. 'Dit zijn de ketenen.'

'Precies,' zei mevrouw Metarey. 'Het is een kantoor.' Ze wees naar de rijen dozen. 'En weet je wat dat is?'

'Nee.'

'Dat zijn cadeautjes.'

'Juist.'

'Van welgezinden,' zei ze. Ze haalde een groot pak in goudkleurige cadeaupapier van de plank. 'Dit is van Dale Vinson. Dale Vinson is de grootste olie- en gasboer van New England. Denk je dat Dale Vinson Henry Bonwiller of mijn man echt welgezind is?'

'Ik zou het niet weten.'

Ze lachte. 'Dale Vinsons is hun geen van beiden echt welgezind.'

'Dat weet je niet, moeder.'

Ze keek Christian doordringend aan. 'Liefje, Henry Bonwiller heeft zijn beulen al genoeg geholpen.'

'Het zijn niet allemaal beulen, moeder. Je blaast het allemaal op.'

'O ja?' Ze trok haar wenkbrauwen op. 'Weet jij wat welgezinde mensen zijn, Corey?'

'Ik geloof van wel, mevrouw Metarey.'

'Welgezinden,' zei ze, 'zijn mensen die wel hun zin willen krijgen.'

Ik lachte.

Christian keek me aan. 'Dat zei opa altijd,' zei ze.

'Precies,' zei mevrouw Metarey. 'Vergeet dat niet. Zonder je grootvader was dit er allemaal niet geweest. Weet je wie Eoghan Metarey was, Corey?'

'Ja,' zei Christian, 'dat weet hij.'

'Hij was een geweldige man,' zei mevrouw Metarey. 'Zonder meer. Hij heeft de kolenmijn gegraven en het spoor aangelegd. Hij wist waar de wereld behoefte aan had en hoe hij eraan moest komen.'

'Corey weet er alles van...'

'Hij leek in geen enkel opzicht op de Henry Bonwillers van deze wereld,' vervolgde ze. 'Dat kan ik je verzekeren. Hij deed wat er gedaan moest worden. Hij zorgde voor de mensen die hem hielpen. Hij was onbuigzaam, hij was streng en hij was principieel.'

'Henry Bonwiller is ook principieel,' zei Christian.

'Laat me niet lachen...'

'In alles wat telt, moeder, echt. Dat geloof ik wel.'

'God... breek me de bek niet open.'

'Dat is al gebeurd, moeder,' zei ze. 'Corey, echt... je hoeft hier niet naar te blijven luisteren.'

'Een van de verslaggevers had het over hem,' begon ik. 'Ik bedoel, over de vader van meneer Metarey, Eoghan Metarey.'

'Denk jij dat dat verslaggevers zijn, Corey?'

'Ik geloof echt dat je nu genoeg hebt gezegd, moeder.'

'Nog lang niet genoeg, liefje.' Ze wees met het pakje naar mij. 'Ik stelde onze gast een vraag.'

'Wie?' vroeg ik.

'Die uitvreters, Corey. Die uitvreters die hun hapjes komen halen. Denk je dat dat verslaggevers zijn?'

'Glenn Burrant in elk geval wel,' zei ik.

'Glenn Burrant,' zei ze en ze draaide daarbij met haar ogen. 'Glenn Brrr-ant,' herhaalde ze met venijn in haar stem. Ze spoog de naam haast uit. 'Denk je dat Glenn Burrant een verslaggever is?'

Ik keek naar Christian. 'Niet dan?'

'Glenn Burrant schrijft wat hem gezegd wordt. Wist je dat niet, Corey?'

'Nee, mevrouw. Dat wist ik niet.'

'Dacht je niet dat Glenn Burrant misschien wel uit is op een baantje bij de nieuwe regering-Bonwiller?'

'Ik zou het niet weten, mevrouw Metarey.'

'Als ik nu de telefoon pak en Glenn Burrant bel, dan schrijft hij precies wat ik zeg in de krant van morgen. Waar of niet, Christian?'

'Moeder, je hebt al heel veel gehad...'

'Ssjt! Ik heb nog lang niet genoeg gehad, dat is het probleem.' Ze wees door de deuropening naar haar glas op de tafel in de bibliotheek en knipte met haar vingers. 'Noem me een vriend van Glenn Brrr-ènt,' begon ze te zingen met een luide, toonloze stem. 'Hij houdt zijn broek niet dicht, die vent...'

En toen plofte ze onverwacht in de stoel neer, legde haar hoofd op het bureaublad en begon te huilen. Ik bleef waar ik was bij de deur. De twee leken verlamd, Christian die bij de boekenkast stond en mevrouw Metarey die voorover in haar stoel zat terwijl haar gesnik geleidelijk wegebde; na een paar tellen vermande ze zich en droogde ze haar wangen met haar mouw.

Toen hief ze haar hoofd op en greep de telefoon. Halverwege het nummer dat ze draaide, stopte ze even om nog eens naar haar glas te wijzen en met haar vingers naar haar dochter te knippen. Christian verroerde zich niet. Ze knipte nog eens met haar vingers en toen ging ik het glas halen en zette het voor haar neer. Christian weigerde me aan te kijken.

In de loop der jaren heb ik vaak genoeg nagedacht over wat er volgde: uiteindelijk geloof ik dat mevrouw Metarey niemand aan de lijn had, dat ze alleen maar wilde doen alsof, al was het maar voor mij – een lakei in hun huis –, alsof zij kon sturen wat er, zoals zij alleen inzag, stond te gebeuren. Ik begrijp niet precies hoe ze het wist en ook niet waarom ze de behoefte voelde iets daarvan aan mij te laten zien, maar ik kan me niet aan de indruk onttrekken dat wat ze daarna deed voor mij bedoeld was. Ik geloof niet dat ze het voor Christian deed. Jaren later kwam ik erachter dat de vader van mevrouw Metarey verkoper was geweest in een herenmodezaak in Arizona – dat was niet wat ik me had voorgesteld – en ik vraag me af of dat misschien heeft meegespeeld in wat ze in mij zag: datzelfde gebrek aan status in ons milieu. Anders begrijp ik niet wat het haar kon schelen.

Ik weet ook niet wat het over Glenn Burrant zegt. Was hij werkelijk een strooplikker? Of wekte hij haar woede omdat hij het juist niet was? Ik ben uiteindelijk mijn geld gaan verdienen met hetzelfde werk als hij en ik zie nu in dat je de burgers met het compromisloos uitziften van de waarheid niet eens een grotere dienst bewijst dan met een gewetenloos dédain ervoor. Dat heb ik niet van Glenn geleerd, maar ik geloof wel dat hij ernaar handelde, en al met al ben ik het nu met hem eens. Hij moet dingen over de campagne van Bonwiller hebben geweten waar de familie zenuwachtig van werd, en hij moet hebben besloten die dingen voor zich te houden. Naar wat er verder mee gebeurde, kan ik slechts gissen. Zoals ik al zei, begint het allemaal te schemeren.

Toen ze klaar was met draaien zei mevrouw Metarey: 'Met mij', en ze pakte het glas op.

'Hier,' zei Christian, 'geef maar...'

Mevrouw Metarey deed geen moeite om de microfoon af te dekken. Ze wees naar de karaf. 'Ik geef het wel als ik nog wat wil, schat.'

'Moeder....'

'Ik wil een verhaal in de krant van morgen,' zei mevrouw Metarey in de hoorn. 'Precies. Morgen.' Ze nam een slokje. 'Dan maak je het langer. Dat zei ik... lánger. Een stuk over Henry Bonwiller en Anodyne Energy. Ja.' Ze schudde haar hoofd.

Het was voor het eerst dat ik die naam hoorde: Anodyne Energy.

Toen zei Christian: 'Dit doe je niet, moeder.' Dat waren haar woorden. Ze draaide zich naar mij om en zei: 'Dit doet ze niet echt.'

'O nee?' vroeg mevrouw Metarey. 'Nee,' zei ze kortaf. 'Niet met zoveel woorden. Alleen laten doorschemeren.' Toen hing ze op. Ze legde doodgemoedereerd haar handen op het bureaublad en keek ons allebei aan. 'Morgen,' zei ze, 'is het begin van het einde. Een rottig oplichtersbedrijfje dat Anodyne Energy heet. Hier heb je er voor het eerst van gehoord. Heb je er hier voor het eerst van gehoord, Corey?'

'Ja, mevrouw.'

'Mooi zo,' zei ze. 'Nou...' ging ze verder, knippend met haar vingers. 'Nou mag je me bijschenken, schat.'

'Noemt ze je schat?'

'Ze had het tegen Christian. Ze noemt mij Corey. Als ze al iets tegen me zegt.'

'En wat gebeurde er toen?'

'Toen ging ik verder met de auto.'

'O, Corey. Er wordt daar een hele poppenkast voor je opgevoerd... Wacht, kijk, hier heb ik een pantalon maat 42. Ik kan hem wel inkorten.'

We stonden samen achter in Brownlee's warenhuis in Islington te zoeken tussen de rekken met broeken in de uitverkoop. Ik hoorde het woord 'pantalon' voor het eerst van mijn leven.

'Mevrouw Metarey doet meestal niet zo, ma. Ze was ergens kwaad over.'

Ze keek me sceptisch aan en hield de broek voor mijn middel. 'Ik snap wel dat het spannend is, lieverd. Maar het is ook zo... zo... Ach, ik weet niet.'

Ze wachtte.

'Cor, lieverd...' zei ze. 'Let eens op. Kijk eens of deze past.'

Brownlee's bestaat natuurlijk allang niet meer. De zaak is net als alles hier luxueuzer geworden. In de jaren tachtig zat Dillard's hier een tijdje en daarna een poosje May's, en in 2003 werd het gebouw gesloopt en kwam Nordstrom, met een ondergrondse parkeergarage en een overdekt atrium met echte bomen en gras. Tegenwoordig kun je beneden groene thee kopen en als je liever een Eriemeer-trui van biologische katoen hebt, is dat ook geen probleem. Maar in mijn jeugd, voor mijn familie, was Brownlee's een deftige zaak.

Het was een gebouw van drie verdiepingen met een lift en op elke etage stond een automaat met gekoeld water die begon te zoemen als je op de knop drukte. De herenafdeling was op de bovenste verdieping, de eerste was voor dames en de begane grond voor de rest, van vishengels tot gordijnen. Bij de kassa's stonden ook altijd kommen met pepermuntjes en als je uit de lift de herenafdeling op kwam, werd je begroet door een heel regiment van kostuumverkopers die je een glas limonade of een kop koffie aanboden. Voordat we die ochtend de deur uit gingen, had mijn moeder haar lippen gestift.

'Koffie voor mij graag,' zei mijn vader toen we in de luchtgekoelde hal kwamen, 'tenzij u ook thee hebt.'

'Ik had het kunnen weten, Granger,' zei de verkoper – het verbaasde me nooit dat mijn vader werd herkend. 'Ik zet even een kopje thee.' Hij draaide zich om. 'En voor mevrouw Sifter?'

'Voor ons niets,' antwoordde mijn moeder met een blik op mijn vader. Ik wist natuurlijk wel wat ze dacht.

Ze nam me bij mijn elleboog mee naar de achterwand, waar de uitverkoopkleding hing. In dit deel van de winkel was het stil. Er waren zelfs geen verkopers in de buurt, maar toen we tussen de rekken door liepen, dempte ze toch haar stem. 'Je krijgt wat je nodig hebt voor school,' zei ze. 'Heus. Maar twee broeken is echt wel genoeg. In ieder geval om te beginnen... Je bent nog in de groei. Je vader zal er waarschijnlijk meer willen kopen. Je moet niet naar hem luisteren.'

'Prima,' zei ik. 'Ik vind twee ook goed.'

'Hij neemt waarschijnlijk het eerste het beste, maar als we even wachten, laat hij ons wel alleen.'

'Goed, ma.'

'En je moet ook overhemden leren strijken. Ik zal er niet zijn om het voor je te doen. Je vader heeft het nog steeds niet geleerd, weet je.'

'Dat hoeft hij niet, ma.'

Ze keek me aan. 'Goed, slimmerik,' zei ze. 'Als er een vlek op komt, moet je hem gewoon in de gootsteen laten weken. In koud water. Je hebt ook onderhemden nodig.'

'Oké,' zei ik. 'Die zoek ik wel.' Toen voegde ik eraan toe: 'Als ze instappers hebben, wil ik wel een paar.'

We begonnen in het rek te zoeken. De meeste afgeprijsde broeken waren lichte zomerbroeken, maar na even snuffelen vonden we een aantal katoenen pantalons en een stel van zware wol die ik kon gaan passen. Ze keek tussen de rijen rekken door. 'Oké,' zei ze. 'Vlug. Kom mee.'

De deur voor de paskamer kwam maar tot mijn schouders en toen ik eroverheen keek, zag ik dat mijn vader nog aan de andere kant van de afdeling in een stapel overhemden bij de kassa stond te zoeken. Uit de stand van zijn hoofd maakte ik op dat hij floot, maar ik kon hem niet horen. Op dat moment kwam de verkoper met zijn thee naar hem toe en ze bleven even staan praten.

'Wat vind je nou eigenlijk van mevrouw Metarey?' vroeg mijn moeder op zachte toon.

'Niets bijzonders.'

Ze keek over de deur van het pashokje heen. 'Je hebt het tegen je moeder, hoor,' fluisterde ze.

'Ik heb je net een mooi verhaal over haar verteld.'

'Maar wat vínd je nou van haar?'

Ik knoopte de eerste broek dicht en opende de deur. 'Ze is aardig.'

'Die is te klein. Probeer die andere eens.' Toen vroeg ze opnieuw fluisterend: 'Drinkt ze altijd zoveel?'

'Dat weet ik niet.'

Ik opende de deur.

'Die zit beter,' zei ze. 'Maar je moet een grotere maat hebben. Hij moet iets te groot vallen.'

Ik ging weer naar binnen en trok een katoenen broek aan.

'Ben je bang voor haar?' fluisterde ze.

'Ma.'

'Stil maar. Er is verder niemand.'

Ik deed de deur weer open. Zo gedroeg mijn moeder zich nooit, zeker niet in het openbaar.

'Alleen,' vervolgde ze, 'lijkt ze me zo onberekenbaar.' Ze sloeg haar armen over elkaar en bekeek me kritisch. 'Die past. Leg maar apart.' Toen voegde ze eraan toe: 'Tenminste, niet heel erg betrouwbaar. Dat is het misschien.'

'Ze is avontuurlijk, ma. Ze vliegt ondersteboven met een vliegtuig.'

Ze bekeek me nog eens.

'Maar Liam Metarey...' Dit fluisterde ze nog zachter. 'Híj lijkt wel betrouwbaar.'

'Dat is hij ook.'

Ze wachtte terwijl ik weer in het hokje de rest van de stapel doorzocht.

'Corey,' zei ze ten slotte. 'Je gaat er niet dood van als je wat tegen me zegt.'

'Ik zég ook wat, ma. Wat wil je nou?'

'Ik wil gewoon graag weten wat er allemaal gebeurt. Zoveel gelegenheid krijgen we daar niet meer voor.'

'Goed dan,' zei ik, terwijl ik een donkere wollen broek aantrok. 'Op meneer Metarey kan ik waarschijnlijk wel rekenen. Bij hem weet je altijd waar je aan toe bent. Bij Christian ook. Meestal.' Ik deed de deur open. 'Clara heeft meer van haar moeder.'

'Zoekt Christian je op?'

'Wat vind je van deze?'

'Die zit goed. Maar probeer ook die andere even.'

Ik ging weer naar binnen.

'Het is maar een vraag,' zei ze.

'Ik weet dat het maar een vraag is. Nou, ja, ik geloof van wel, we zoeken elkaar wel vaak op.'

'Nou, dat is leuk, lieverd.'

'Dank je.'

'Wat vind je ervan?'

'Hoe bedoel je?'

'Van wat je doet. Je vader werkt in hun huizen. Haar vader is kandidaat voor het presidentschap.'

'Hij leidt de campagne.'

'Jij werkt op hun land.'

'We zitten samen op school.'

Ik deed de deur weer open.

'Dat is niks,' zei ze.

Toen ik weer binnen was, zei ze: 'Is er iets tussen jullie?'

'Ma.'

Ze wachtte.

'Nou, misschien wel. Heel misschien. Iets... ik weet het niet. Ik weet het niet zeker.'

'Dat is leuk, Cor. Dat is mooi. Je moet niet denken dat ik er iets tegen heb.'

'Ik dacht niet dat je er iets tegen zou hebben, ma.'

'Maar pas op.'

'Doe ik.'

Ik opende de deur.

'Goed,' zei ze. 'Nou alleen die laatste nog. Ze is een keer 's avonds laat bij ons geweest, hè?'

Ik sloot de deur.

'Een paar maanden geleden,' zei ze.

'O...' zei ik. '... tóén.'

'Je vader zag haar van het dak af springen.'

'Ik dacht dat jullie sliepen.'

'Dat deden we ook, totdat je vader haar van het dak af zag gaan.'

'Nou ja.'

'De lichte broeken zijn goedkoper,' zei ze, 'maar je zult ook wel een donkere nodig hebben.' Toen vroeg ze: 'En Clara?'

'Clara is nooit bij ons geweest.'

'Ik bedoel wat voor iemand ze is. Ze is nooit naar die tuchtschool gegaan, heb ik gemerkt.'

'Nou, mij mag ze in ieder geval niet. Dat weet ik wel.'

'Hoe weet je dat?'

'Daar hoef je geen genie voor te zijn.'

'Maar waarom niet? Ben je onaardig tegen haar geweest, Cor?'

'Ik weet het niet. Ik heb haar nooit iets misdaan. Ik laat haar gewoon met rust.'

'Misschien vindt ze je daarom niet aardig.'

Ik keek over de rand van de lattendeur heen. Ze stond water te drinken uit een van de bekertjes naast de waterkoeler.

'Omdat je haar met rust laat,' zei ze opkijkend.

'Bedankt voor het advies.'

'Het is niet zo gek wat ik zeg.'

Toen ik weer voor haar stond zei ze: 'Kijk, die is mooi.'

We hingen alle andere broeken terug en op weg naar de kassa zei ze: 'Je hebt nog nooit zoveel verteld, Cor.'

'Je hebt nog nooit zoveel gevraagd.'

'Voortaan moeten we zo met elkaar praten,' zei ze. 'Goed? Nu je weggaat.'

'Toe nou, ma. Het is honderdeenenvijftig en een halve kilometer. Meneer Metarey heeft het opgenomen. Ik ben om de haverklap weer thuis.'

'Ja, ja,' zei ze. 'Maar dan is het anders. Je komt straks in een deftige nieuwe wereld en dan heb je ons niet meer nodig. Maar dat is goed, hoor. Ik ben blij dat je iets van de wereld ziet. Je komt er vanzelf wel achter, Corey. Ik ben er blij om. En die broeken zijn perfect.'

'Waarom huil je dan?'

'O,' zei ze. Ze raakte haar wang aan.

'Het hindert niet, ma.'

'O-o, Corey,' zei mijn vader, die met een tas in zijn hand uit een van de gangpaden opdook. 'Heb je iets uit het onafgeprijsde rek genomen?'

'Stil toch, Granger.'

'Ik geloof dat ma verdrietig is omdat ik wegga, pa.'

'Het gaat alleen zo snel,' zei mijn moeder. Ze droogde haar ogen en begon door haar tranen heen te lachen – een van die dingen die me er altijd aan herinnerden dat ze vroeger actrice had willen worden. 'Ach, laat maar,' zei ze met een soort opgewekt snikje. 'Het is stom.' Toen ging ze zitten en om zichzelf weer in bedwang te krijgen bette ze haar gezicht met een zakdoekje uit haar handtas en werkte ze haar lippen bij. Mijn vader ging naast haar zitten en legde zijn hand op haar knie. Daarop boog ze zich naar voren en keek in zijn tas. 'O, nee,' zei ze.

'Hij zei dat hij een paar wilde,' zei hij.

Ze keek me aan.

'Ik zei het alleen maar, ma.'

'Hij heeft ze nodig,' zei mijn vader. 'Hij moet een goed paar hebben.'

'Er is niets mis met zijn zwarte, toch, Corey?'

'Nee,' zei ik.

'Onzin, Anna. Een man moet een goed paar schoenen hebben, wat hij ook doet. Cor, je moeder is bang dat we niet genoeg te eten hebben als we een paar schoenen kopen.'

'Als je vader de boodschappen zou doen, was dat ook zo.'

'Ik heb die schoenen niet nodig, pa, echt niet.'

Maar mijn vader bleek ze al te hebben betaald. Het waren glanzend donkerbruine schoenen; en toen hij die avond na het eten in de woonkamer met meneer McGowar naar de wedstrijd van de Yankees zat te luisteren, zei mijn moeder eindelijk: 'Vooruit dan maar... Kom hier, laat me die deftige schoenen nou maar eens zien.'

Maar ze was zelf al opgestaan en om de tafel heen naar me toe gekomen. Achteraf besef ik natuurlijk dat ze waarschijnlijk al wist wat er ging gebeuren. Ze tikte me op de schouder en toen ik opstond, omhelsde ze me. Daar stonden we dan. Algauw gaf ik het op en sloeg mijn armen ook om haar heen. Maar ik wist dat ze niet eens naar mijn nieuwe instappers keek. Ze hield haar ogen gesloten en zo bleven we staan. Na een poosje liet ik mijn handen langs mijn zij vallen en nog verroerde zij zich niet. Ze leunde tegen me aan met haar armen om mijn schouders en haar hoofd tegen mijn borst, totdat de theeketel begon te fluiten en te schudden. Anders weet ik niet hoe lang ze zo zou zijn blijven staan.

―――

Op de ochtend van mijn vertrek naar Dunleavy maakte mijn moeder me vroeg wakker en nam ze me mee naar de wasveranda achter de keuken. 'Zo,' zei ze. 'Je krijgt maar één les, dus let goed op.'

In de hoek stond haar strijkplank uitgeklapt met een van mijn zondagse overhemden erop.

'Ik dacht dat ik dat had ingepakt,' zei ik.

'Als je dacht dat je het zo op school kon dragen,' zei ze, 'dan vergis je je.' Ze pakte het, schudde het open en legde het binnenstebuiten weer neer. 'Eerst moet je weten waar het van is gemaakt,' zei ze.

Ik keek haar aan.

'Het overhemd,' zei ze. 'Wat voor stof is dat?'

'Ik weet niet... Katoen?'

'Kijk op het etiket, Cor.'

Ik deed wat ze zei.

'Goed,' zei ze. 'Zo. Voor katoen moet je hem hoog zetten. Maak je vinger nat en raak de onderkant aan om te controleren of hij heet is. Zo.'

'Au,' zei ik. 'Heet.'

'Je begint met de boord. En laat het strijkijzer er niet op staan. Dan brandt er een gat in.'

Tegen de tijd dat mijn vader beneden kwam voor het ontbijt had ik de techniek onder de knie: boord, manchetten, mouwen, achterpand, voorkant, in die volgorde – alles binnenstebuiten behalve de mouwen. Mijn moeder keek toe en prees me om de zoveel tijd alsof ik iets wonderbaarlijks presteerde. Ik strijk mijn overhemden trouwens nog steeds op die manier en dat bevalt me prima. En ik zie nog voor me hoe ze die ochtend naar onze achtertuin stond te kijken, met haar vingers tegen haar slaap terwijl ik de mouwen streek.

Toen het eindelijk tijd was om te vertrekken klonken er voetstappen op de veranda en een klopje op de voordeur.

'Hé, Eugene,' hoorde ik mijn vader zeggen. 'Je ziet eruit of je meedoet aan de verkiezingen.'

Gekleed in een kostuum kwam meneer McGowar onze woonkamer binnen. Het was zwart en nauwsluitend en zijn overhemd was, zag ik, keurig geperst. Ik vroeg me af hoe hij aan zulke kleren kwam, en even had ik het idee dat hij met ons mee naar school zou rijden. Toen herinnerde ik me de begrafenis van zijn vrouw tien jaar eerder.

Hij haalde een envelopje uit zijn borstzak. Hij kwam de keuken binnen om het aan me te geven. Mijn naam stond in blokletters op de achterkant geschreven.

'Dank u wel, meneer McGowar,' zei ik.

Hij knikte en wees.

'Hij wil dat je hem openmaakt,' zei mijn vader. 'Hij heeft veel last van zijn stem. Ja toch, Eugene?'

Meneer McGowar knikte heftig.

Ik opende de envelop en las wat erin zat. Toen ik uitgelezen was, zei ik: 'Nogmaals bedankt, meneer McGowar.'

Hij haalde nog een velletje papier uit zijn borstzak en schreef:

GRAAG GDAAN

Hij gaf me een hand – zijn handpalm voelde altijd aan als een uitgedroogde honkbalhandschoen –, draaide zich om en liep terug naar de veranda. Daarmee was ons officiële afscheid voorbij en toen we klaarstonden om mijn vaders plunjezak en de dozen met mijn spullen in de stationcar te laden, stond hij weer op de trap in zijn gewone witte onderhemd en gevlekte werkbroek, met de draad die uit zijn broekzak naar zijn oortelefoon liep. Terwijl mijn vader de dozen in de achterbak van de auto nog één keer verschikte, begon meneer McGowar een steen uit onze voortuin te graven. Ik keek naar hem. Er was iets aan hem dat ik zou missen. Hij was ingespannen bezig met zijn koevoet, maar was ondanks de hitte zo droog als een cactus, net als altijd. Na een poosje gaf hij één harde ruk en had hij de steen in zijn handen. Ik zat op de achterbank en van daaraf leek de steen niet groter dan een grapefruit, maar mijn moeder boog zich opzij om te claxoneren terwijl hij de steen boven zijn hoofd hield. Hij zwaaide toen we wegreden. We draaiden Dumfries in en op zijn spillebenen draafde hij bijna de hele straat door met ons mee, almaar wuivend en lachend, en zijn lange armen zwaaiden in het achteruitkijkspiegeltje tot we bij Kirkcaldy de hoek om sloegen.

'Nou,' zei mijn moeder, die voorin zat. 'Dat was een mooi afscheid. Wat stond er in zijn briefje?'

Ik haalde het uit mijn achterzak en leunde naar voren.

GOETJAAR OP SGOOL GWENSD COREY

'Attent van hem,' zei ze.

'Zo iemand,' zei mijn vader terwijl hij de afslag bij Glenford nam, 'is nog eens een goede buur.'

'Hij heeft mijn naam ook nog goed gespeld.'

'Dan heeft hij extra zijn best gedaan,' zei mijn moeder.

Eerst gingen we bij de Metareys langs, die me hadden gevraagd afscheid te komen nemen voordat we de stad uit reden. Ik kan me nu niet meer precies herinneren wat er op de achterbank van de Plymouth door me heen ging toen we door de korte straten van onze buurt reden en tussen de natuurstenen zuilen hun oprijlaan op zwenkten. Ik had zitten denken aan wat ik achterliet. De gesprekken met mijn moeder. Meneer McGowar en mijn vader met hun honkbaluitslagen. Mijn moeder die neuriënd de zwart-wit geblokte keukenvloer boende. De mensen in Ontario Street als Henry Bonwiller uit het raampje van de Cadillac zwaaide. Liam Metarey bij zijn planken vol onderdelen. Christian.

Ook zag ik de schoonheid van het land waar we reden. Het wuiven van het hoge gras aan de rand van het landgoed, dat na de zomer stond te vergelen; de geel-oranje spikkels op de heuvels waar de eerste esdoorns al begonnen te verkleuren; de ritselende bladeren van de populieren, die blikkerden als muntjes. Ik had mijn nieuwe katoenen broek en instappers aan en mijn moeder had parfum op gespoten. Ik rook het op de achterbank.

Toen we uit de bossen kwamen en Christian op ons zagen staan wachten op de veranda van het landhuis, kwamen mijn gevoelens heel even tot klaarheid en had ik de sensatie dat mijn toekomst weliswaar voor me open mocht liggen, maar dat dit niet lang zo zou blijven. Dat dit een keerpunt in mijn leven was.

Terwijl we het ronde plein met de zomereik op reden, draaide mijn vader zich om en zei: 'Het is goed, Corey. Het was een juiste beslissing.'

Ik weet niet hoe hij wist dat hij dat moest zeggen.

Toen stonden we voor het huis, en Christian en haar moeder kwamen de trap af om ons te begroeten. Mijn bus zou ruim een uur later uit Islington vertrekken. June Metarey gaf mijn vader een hand en stak een arm naar binnen om mijn moeder te omhelzen. Het verbaasde me en ik zag dat het mijn moeder ook verbaasde. Daarna kwam ze naar de achterkant van de auto, want ik was uitgestapt en stond daar met Christian te praten, en omhelsde mij ook. Later heb ik haar goed leren kennen en ondanks haar gecompliceerde karakter was zij in het gezin degene die waarschijnlijk de diepste emoties kende. Meneer Metarey kwam met Clara naar buiten en liep op ons af terwijl zij op de trap bleef staan.

Er hing een weekendtas aan zijn schouder. Hij gaf mijn vader en daarna mijn moeder een hand en kwam over het pad naar me toe. 'Alsjeblieft, jongeman,' zei hij, terwijl hij de tas van zijn schouder liet glijden. 'Een cadeautje. Van ons allemaal.'

'Echt?' vroeg ik.

Hij knikte. 'Die was van mij toen ik op Dunleavy zat. Lang voor jouw geboorte.'

'Dank u, meneer.'

'Niets te danken.'

'Lieve help,' zei mijn moeder.

'Jullie allemaal bedankt,' zei ik, al stond Clara nog op de trap achter ons. Mijn moeder draaide zich om en zwaaide naar haar. 'Dank je wel,' riep ik net toen Churchill om de hoek van het huis kwam draven.

'Kijk,' zei Christian, terwijl ze de tas in mijn handen omdraaide. 'Om te zorgen dat je hem niet kwijtraakt.'

Op het leer dat de twee hengsels bijeenhield waren mijn initialen geborduurd.

'Dank u wel, meneer Metarey. Nogmaals bedankt. Allemaal. Ik zal hem niet kwijtraken, dat beloof ik.'

'Church zegt dat je het niet moet wagen,' zei Christian; de hond blafte.

'Hij is je gegund, Corey,' zei mevrouw Metarey.

'En nog één klein dingetje,' zei meneer Metarey terwijl hij de weekend-tas in mijn handen openritste en op een pakje dat erin zat wees. 'Maar dat mag je pas op school openmaken.'

Daarna ging hij mijn vader nog een hand te geven en toen hij om de auto heen was gelopen, trok Christian me snel naar zich toe. 'Ik zal je missen,' zei ze.

'Ik jou ook.'

'Ik wou dat je niet wegging.'

'Ik ook.'

Ze keek even achterom. 'Bedankt dat je deze zomer hier bij me bent geweest,' zei ze. 'Dag, Corey.' En hoewel we toen nog in het volle zicht van Clara en waarschijnlijk van haar ouders waren, ging ze op haar tenen staan en gaf me een zoen op mijn mond. Ik liep naar de voorkant van de auto, gaf meneer Metarey nog eens een hand, klopte Churchill op zijn warme kop en stapte in.

Een van mijn dochters is nu getrouwd en ze zijn allemaal volwassen, en ik weet niet wat een vader wordt geacht te voelen op de dag dat een kind zijn plaats in de wereld inneemt, maar op de zondagochtend dat mijn eigen dochter voor het altaar stond, voelde ik vooral verlies; niet zozeer verlies omdat ze wegging, maar omdat we zover waren gekomen. Dat ik haar in wezen kon laten gaan. Toen ze klein was – en nog enig kind – werd ze altijd wakker als het nog donker was; dan trippelde ze naar de kamer waar mijn vrouw en ik lagen te slapen en wekte me door met mijn sokken in mijn gezicht te kriebelen – die ik 's avonds van haar op het nachtkastje moest leggen. Daarna gaf ze mijn schoenen aan. Giechelend van pret keek ze dan toe terwijl ik ze aantrok alsof ze een wonderbaarlijke uitvinding van haarzelf waren. Mijn verlies op haar trouwdag bestond er eenvoudig-weg uit dat we uiteindelijk een punt in het leven hadden bereikt waarop ik haar zonder tranen kon laten gaan. Ik kan alleen maar gissen naar de gevoelens van mijn ouders toen ze me voorbereidden op mijn vertrek naar een wereld waar zij geen voorstelling of begrip van hadden.

Ik denk ook aan Liam Metarey. Hij had vanzelfsprekend vele kanten. Hij was een kapitalist en een invloedrijk man – niet alleen in Carrol County, maar ook in Albany en Washington – en hij bezat de kracht en het voorstellingsvermogen om iets te proberen wat weinigen hem ooit zouden nadoen; toch geloof ik ook dat hij in wezen een vriendelijk mens was en dat hij als vader voor zijn kinderen hetzelfde moet hebben gevoeld als ik nu voor de mijne. Ik vraag me tot op de dag van vandaag af wat hem bezielde om mij te helpen. Ik vraag me af waarom hij me naar Dunleavy liet gaan en al die andere dingen daarna voor me deed. Was het alleen maar om redenen van gelijkgerechtigheid? En zo ja, waarom stuurde hij Christian en Clara dan niet naar zo'n soort school? Destijds werden er op Dunleavy geen meisjes toegelaten, maar er waren genoeg andere scholen waarop ze zouden zijn toegelaten – verscheidene op nog geen dag rijden van Saline.

En natuurlijk: waarom had hij Andrew thuis laten komen na zijn tweede jaar? Ik weet dat Andrew niet van school hield en er nooit zijn draai had gevonden. Was dat zijn overweging? Probeerde hij alleen maar efficiënt met zijn kapitaal om te springen? Zag meneer Metarey soms aanleg voor studie in mij, of althans een gedrevenheid die hij niet in zijn eigen zoon zag? Het is allemaal mogelijk en de zaak wordt er nog gecompliceerder op door de wensen van zijn vrouw, die vermoedelijk niet gecharmeerd zou zijn geweest van het idee om hun kinderen weg te sturen.

Maar er zijn nog andere mogelijkheden: probeerde hij, vraag ik me weleens af, mij op gelijke voet te brengen met zijn dochter? Of probeerde hij me juist, zoals ik onvermijdelijk ook weleens denk, bij haar weg te houden?

Maar die vragen kwamen pas later. Toen ik weer instapte, voelde ik me ongekend moedig, een gevoel dat vrijwel geheel door zijn cadeau was ingegeven. Ik hield de leren hengsels van de tas in mijn hand. Ze waren afgezet met een strak gevlochten zwart-met-donkeroranje koord en met driedubbele rijen steken aan de zijkanten vast gestikt. En eronder, tussen mijn cursieve initialen door, kon ik nog net in naaldsteken die van Liam Metarey onderscheiden. Dat had wel iets. Ik liet mijn andere hand over de vakken aan de uiteinden glijden, die van donkerder leren stukken waren gemaakt met hetzelfde gevlochten koord. Toen besefte ik dat er naar me werd gekeken en ik keek weer op en zwaaide. Behalve Clara, die nog op de veranda stond, zwaaiden ze allemaal terug.

Eerlijk gezegd was het als een warm bad. In mijn vaders Plymouth, met de stevige hengsels van de tas in mijn handen, had ik voor het eerst het idee dat ik misschien toch klaar was voor een school als Dunleavy; dat het nieuwe leven dat me was gegeven – me als het ware was opgedrongen – toch geen vuurproef was, geen strenge, raadselachtige toets van mijn karakter maar een open strijdperk met mogelijkheden waarin ik echt kans van slagen had. Het kwam in elk geval door die tas. En ik geloof dat meneer Metarey, die naar ons toe kwam en met zijn hand op het dak van de Plymouth bleef staan alsof hij de ondergeschikte was en mijn vader de baas, precies begreep hoe ik me voelde. Hij stak zijn arm door het achterraampje, lachte zijn geamuseerde scheve lachje en woelde met zijn hand door mijn haar.

'Op het busstation pakken we alles over in de weekendtas,' zei mijn vader, terwijl hij op zijn horloge keek. 'Dank u wel, meneer en mevrouw Metarey. U hebt ontzettend veel voor onze zoon gedaan.'

Al die tijd was Clara boven aan de trap blijven staan, maar op dat moment kwam ze naar ons toe om mijn vader, die achter het stuur zat, en mijn moeder naast hem te groeten. Daarna liep ze naar achteren, waar ik in mijn nieuwe kleren bij het open raampje zat, met in mijn hand nog steeds de hengsels van de tas. Ze keek me taxerend aan. Op het laatste moment stak ze haar hoofd door het raam – het schoot door me heen dat ze mijn schoenen misschien wilde controleren – en fluisterde zo zacht dat mijn ouders haar vermoedelijk niet konden verstaan: 'Ik weet heus wel waar jij mee bezig bent, Corey Sifter.'

Twee

I

MIJN VERTROUWEN IN DUNLEAVY BLEEK VAN VOORBIJGAANDE
aard. Toen we op het busstation in Islington aankwamen, was het al verdwenen en er was geen spoor meer van over toen ik nog geen twee uur later bij de halte van de Greyhound in Highton in New York werd opgehaald
door de schoolauto van Dunleavy, een donkere stationcar met houten panelen en achter het stuur een tuinman met een accent dat ik ten onrechte
voor Engels hield. Ik voelde me inmiddels doodongelukkig.

Ik was al begonnen af te glijden naar de staat van eenzelvige introspec-
tie waar ik de daaropvolgende twee jaar – de daaropvolgende zes jaar
zelfs – last van zou houden: een aarzelende angst die zich van me meester
maakte zodra ik de eigenaardig echoënde natuurstenen gangen van die
school betrad. In het hele eerste jaar zou die tot uitdrukking komen in iets
dat ik algauw ging beschouwen als de tic van een poseur – een weifeling
die me keer op keer overviel als ik onder mijn klasgenoten kwam, laat
staan als ik iets moest zeggen. Ik werd er alleen minder door gehinderd op
het voetbalveld – daar kwam ik tot de ontdekking dat ik een van de beste
spelers van de school was – en op de lange vakanties thuis: als ik in december of mei in Islington uit de bus stapte, gleed de angst weer van me
af als een jas waarvan ik was vergeten dat ik hem droeg.

Stelt u zich de kille, intimiderende aanblik eens voor die een kostschool kan bieden aan een nieuwkomer, en helemaal aan een jongen uit
een andere wereld. De ondoorgrondelijke tradities. De hooghartige ouderejaars. De gebouwen zelf, die op Dunleavy waren opgetrokken uit ruw
gehouwen, donkergrijs natuursteen en vier verdiepingen hoog oprezen
in een vertoon van institutionele ongenaakbaarheid. Immuun voor in-

zet, virtuositeit of overgave. In het hete najaar waren de muren koel en 's winters waren het ijsblokken. Mijn eigen gang liep uit op een wenteltrap waarvan de wand was bekleed met dezelfde donkere natuursteen, en de tienduizenden jongens die in de loop der jaren de trap waren afgedaald, hadden de leuning zwart gemaakt met hun handafdrukken terwijl de treden waren uitgesleten als door een gestage stroom water. Het feit dat de school slechts ons collectieve spoor en nooit dat van een van ons afzonderlijk toeliet, vormde misschien wel het grimmigste aspect van dit oord; en al heeft het jaren geduurd voordat ik tot dit inzicht kwam, in zekere zin voelde ik het waarschijnlijk op het eerste moment op het schoolterrein al aan, toen ik in mijn eentje aan het eind van de halfronde oprijlaan voor het huis van de directeur stond en de tuinman achter me wegreed. Dat gevoel is me altijd bijgebleven.

Op de velden erachter was het rugbyteam aan het oefenen; langs de rand van het bos rende de atletiekploeg als één man zijn afstanden; door een open raam hoorde ik iets dat klonk als een orkest en ik zag strijkstokken bewegen. Ik geloof niet dat ik me ooit zo intens eenzaam heb gevoeld. Nu nog probeer ik die sensatie terug te halen voor onze stagiairs bij de *Speaker-Sentinel*. Een ervaring zoals op Dunleavy, dat dertig jaar geleden weigerde ook maar een greintje van onze manische hoop of onze innerlijke pijn weg te nemen terwijl ons tegelijkertijd dagelijks de historische luister van onze verzamelde voorgangers werd voorgehouden, zal ook vandaag de dag nog even zwaar zijn voor ieder kind dat door zijn ambitie buiten zijn eigen milieu treedt – voor alle Trieste Millbury's in de wereld en ook alle Corey Sifters –, hoe kranig ze dat ook verborgen houden.

Uit het hoofdgebouw kwam een secretaresse, die me binnenliet en naar de wachtkamer bracht; na een hele tijd bij het raam te hebben zitten kijken naar het rugbyteam dat in de eindzone met dummy's aan het trainen was, werd ik eindelijk binnengeroepen door Clayliss, de directeur. Hij wees me een stoel tegenover hem en trok een map uit een stapel. 'Jij bent die jongen van Liam Metarey,' zei hij.

'Nou,' zei ik, 'ik werk voor hem.'

Hij keek me vanachter het bureau met samengeknepen ogen aan.

'Hij is niet mijn vader,' legde ik uit. 'Als u dat bedoelde.'

'Nee,' antwoordde hij terwijl hij nog eens in de map keek. 'Dat weet ik.'

'Ik ben hem dankbaar voor wat hij voor me heeft gedaan.'

'Jongeman,' zei hij. 'Ik heb geen enkele reden om aan te nemen dat dat niet zo is. Maar goed, dat zien we nog wel. Je begint hier in de derde klas. We zullen zien hoe goed je daarop bent voorbereid op de Franklin Roosevelt-school.' Hij schoof de papieren op een stapeltje en sloeg de map dicht. 'De heer Metarey doet tegenwoordig aan politiek, begrijp ik.'

'Ja, meneer. Hij is een van de campagneleiders van Henry Bonwiller.'

'Ik begrijp niet waarom dat zonodig moet.' Hij keek me opnieuw met halftoegeknepen ogen vanachter het bureau aan. 'Je komt in Wilcott,' zei hij ten slotte. 'Tweede verdieping zuid. Je zit bij Highbridge op de kamer. De deuren gaan om negen uur op slot. Niet om tien over negen. Niet om vijf over negen. Als je op roken wordt betrapt – van sigaretten of wat dan ook – kun je naar huis.' Hij stond op. 'Dat is gebeurd met de eerste kamergenoot van Highbridge, mocht je dat willen weten. Duidelijk? Een van de jongens brengt je er nu naartoe.' Hij wees naar de deur. 'Welkom op school, Sifter.'

De voornaam van Highbridge bleek Astor te zijn, een combinatie die ik zelf niet had kunnen bedenken, maar die ik een paar minuten later op het naambordje las toen ik voor Wilcott 318 stond. Ik gluurde door de kier van de deur en zag een bleek, aristocratisch gelaat op het kussen naar het plafond staren. Astor Highbridge. Hij had mij nog niet gezien. Ik deed een stap achteruit totdat zijn katoenen pantalon in mijn gezichtsveld kwam en daarna zijn bootschoenen, die over het voeteneinde van de matras hingen. Hij droeg geen sokken: ik besefte dat ik nog lang niet alle manieren had bedacht waarop ik niet op Dunleavy paste.

Hoewel ik het haast niet over mijn hart kon verkrijgen, bukte ik me op de gang en maakte vegen op mijn nieuwe instappers.

Achter Astor bevonden zich twee raampjes met een boom ervoor en ertussenin hing een poster van Carl Yastrzemski die op een worp wachtte. Ik was blij dat ik Yastrzemski herkende, al moest ik niets hebben van de Red Sox. Ik keek nog eens: de achtergrond was onscherp, maar op de werpplaats stond een linkshandige werper met een blauwe pet op: het zou Sam McDowell kunnen zijn geweest. De Indians hadden die dag vast en zeker verloren. Ik stond voor de kier van de deur te kijken naar het zichtbare deel van mijn nieuwe kamer: een donkergroen kleed met grijze en goudgele spikkels, een doffe koperen prullenbak, de hoek van een bureau met stapels boeken, de neuzen van een paar sportschoenen met noppen. Ik draaide me om. In de gang achter me stonden de namen in oranje letters op een stukje zwart gelamineerd plastic boven de deuren; ik weet niet hoe lang ik daar met de weekendtas van Liam Metarey in mijn hand de namen had staan bestuderen toen ik hoorde: 'Jij bent zeker Corey, hè?'

De deur was open gegaan en hij stak zijn hand uit.

'En jij bent zeker Astor Highbridge.'

'Astor is meer dan genoeg, hoor,' zei hij. 'Kom binnen, beter dan buiten.' Toen voegde hij eraan toe: 'Ietsje.'

Ik hield de weekendtas voor me. De kamer was zo klein dat we langs elkaar heen moesten schuiven. Op een van de bedden lagen geen lakens.

'Dat is het jouwe,' zei hij. 'Voor het geval je je dat afvroeg.'

'Dacht ik al.'

'Nogal grimmig, hè?'

'Gaat wel.'

'Het trekt wel bij, joh. Echt. Ik heb er al twee jaar op zitten. Ik kom niet in aanmerking voor voorwaardelijke vrijlating.'

Dat was mijn kennismaking met Dunleavy.

Later begreep ik dat hij zelfs het beste bed, verstopt achter de deur en dichter bij het raam, voor mij had overgelaten; maar op dat moment was zijn gulheid aan mij verspild. Het was allemaal nog te rauw. Zijn witte overhemd was oud en versleten, en de mouwen hingen los om zijn polsen, maar toen hij een van de ramen wilde open zetten, zag ik dat op de manchetten in kleine lettertjes AH was geborduurd. Ik draaide mijn tas om zodat hij de voorkant kon zien. Ik had uiteraard niet veel zin om hem uit te pakken – niet in het bijzijn van hem of van wie dan ook. Ik wilde vooral alleen zijn.

Astor voelde dat aan, denk ik. Hij zei dat hij net een eindje wilde gaan lopen. Even later kwam hij terug om te zeggen dat het beddengoed in een linnenkamer bij de eetzaal werd uitgereikt en dat hij het met alle plezier voor me wilde meebrengen – een van de vele aardige gebaren die hij in de loop van het jaar zou maken. Ik wilde niet tegen hem zeggen dat de inhoud van mijn tas voornamelijk bestond uit de lakens die mijn moeder had gewassen en die ochtend had gestreken en ik vroeg daarom of ik met hem mee mocht. Toen we over het natuursstenen pad naar de linnenkamer liepen, groette hij een stuk of wat andere, zo te zien oudere leerlingen. Hij vertelde dat hij een broer had die in het eindexamenjaar zat.

'En, heeft Clayliss je vriendelijk welkom geheten?' vroeg hij terwijl we over het gras van het binnenplein liepen.

Ik keek hem van opzij aan.

'Sorry,' zei hij. 'Grapje. Geeft niks. Zo doet hij tegen iedereen.'

'Hij heeft me voornamelijk gewaarschuwd.'

'Niet om vijf over,' zei Astor. 'Niet om tien over.'

'Eén sigaret en je kunt naar huis.'

'Een sigaret of wat dan ook, hè.'

We moesten allebei lachen.

'Dat is met Sturgeon gebeurd,' zei hij.

'Was Sturgeon je kamergenoot?'

'Ja, Sturgeon vond het hier vreselijk. Hij wilde zelf weg. Goed, hè. Ik bewonder die kerel. En ik ben blij met jou in zijn plaats.'

'Bedankt, Astor.' Achter het kantoor van meneer Clayliss bevond zich de waskamer – in de verte zag ik een rij leerlingen buiten staan – en opeens vroeg ik me af of het ophalen van lakens geld kostte.

'Eigenlijk heb ik zelf lakens bij me,' zei ik. 'Mijn moeder heeft ze misschien zelfs wel gestreken.'

'Ach man, neem toch die van de school. Ze gebruiken bleek om de vlooien te doden.' Hij grinnikte. 'Grapje,' zei hij.

'Dacht ik al.'

'Maar het scheelt een hoop moeite, toch?' Toen gaf hij me een klap op mijn schouder en zei nog eens 'Clayliss' met een smalend lachje. We kwamen langs het gebouw van de administratie en hij knikte naar het raam. 'Die Clayliss is echt antiek, hoor.'

Ik viel hem bij: 'Nou, wel vijfhonderd jaar oud.'

'Ja,' zei hij. 'Nou, wel vijfduizendvijfhonderd.'

We waren bij het wasgebouwtje. Met mijn handen in mijn zakken sloot ik aan in de rij.

'Hé, ik moet ervandoor,' zei hij. 'Maar verder gaat het vanzelf.' Hij kwam een stapje dichterbij. 'En maak je maar geen zorgen,' zei hij zacht, 'het schoolgeld dekt alles.'

De kop kwam niet de volgende ochtend, zoals June Metarey had gezegd, maar verscheen pas twee maanden later: in de *Buffalo Courier-Express* van 3 oktober 1971: BANDEN SENATOR-ANODYNE ONDERZOCHT. Een berichtje achter in het nieuwskatern, dat ik in een krant van een week oud op Dunleavy ontdekte. De pagina trilde voor mijn ogen, terwijl voor het raam mijn klasgenoten in rijen over het met rijp bespikkelde gras naar de eetzaal liepen. Eén alinea. Er stond alleen in dat de procureur-generaal van de staat een commissie had ingesteld die de banden van senator Henry Bonwiller met het olieboorbedrijf Anodyne Energy uit Wyoming moest onderzoeken. Dat was alles. Geen naam van een verslaggever. Geen enkel aanknopingspunt waaruit ik kon afleiden dat Glenn Burrant er iets mee te maken had. Ik stond nog steeds in de bibliotheek toen ik de deur achter me hoorde opengaan. Snel sloeg ik de krant dicht en liep de ochtendkou in.

Ik stond op het gazon naast het huis klapstoelen uit te vouwen voor de persconferentie van senator Bonwiller die ochtend, toen Christian buiten adem het grindpad op kwam.

'Daar ben je!' riep ze hijgend. 'Kom, Corey, vlug! We gaan met moeder mee!'

'Waarheen?'

'Een eindje vliegen. In de Aberdeen White. Kom op, Corey... rennen!'

Dit gebeurde op Columbus Day, toen ik voor het eerst thuis was van Dunleavy. Ik had het hele weekend bij de Metareys gewerkt en 's nachts had ik in mijn eigen bed geslapen, en die twee dingen waren zo'n onverwachte verademing dat ik in een roes verkeerde. Het was de herdenkingsdag van de UAW-staking tegen General Motors en Henry Bonwiller zou 's morgens over zijn arbeidsverleden praten; het zou geen echte persconferentie worden, maar onder de kleine tent in de zijtuin klapte ik toch maar een flink aantal rijen stoelen open, voor het geval dat er meer verslaggevers zouden komen opdagen dan meneer Metarey verwachtte.

'Toe nou, Corey!' zei Christian buiten adem. 'Dat is genoeg. Het komt later wel. Straks stijgt moeder zonder ons op!'

De Aberdeen White was het tweede toestel van mevrouw Metarey, een grote, tweemotorige Beechcraft, waarmee ze gasten van de kust ophaalde. Toen ik mijn ouders er later in de keuken thuis over vertelde, zette mijn vader zijn blikje Pabst Blue Ribbon neer en liep naar het raam om het rolgordijn op te trekken en naar de lucht te kijken; mijn moeder, die aan het aanrecht de vaat van het avondeten stond te doen, hield op met borden schoonschrapen en afspoelen. Toen kwam ze naast me aan tafel zitten.

'Vind je niet dat je ons even had kunnen bellen voor je meeging?' vroeg ze.

'Daar had hij geen tijd voor, lieverd,' zei mijn vader.

'En waarom besloten ze zo onverwachts dat je mee mocht?' vroeg ze.

'Ik heb geen flauw idee,' antwoordde ik.

Dat was ook zo. Eigenlijk, doordat Christian me aldoor aan mijn hand meetrok toen we naar het toestel renden, daarna hard aan mijn arm rukte toen we de landingsbaan overstaken en op de bovenste sport van de trap van het vliegtuig bleef staan en zich omdraaide om mijn haar glad te strijken – eigenlijk had ik daardoor de indruk dat mijn komst onderwerp van discussie was geweest. Maar ik zei er niets over tegen mijn ouders. De trap van de Aberdeen White begon opeens te schudden en één motor sloeg aan. Christian haalde diep adem en streek haar rok glad; toen doken we naar binnen.

June Metarey zat in de cockpit. Ze draaide zich om en glimlachte even naar me, maar ging daarna verder met het bestuderen van het klembord op haar schoot. Meneer Metarey zat naast haar en begroette me met een knikje en een opgestoken hand. Ik deed mijn ogen dicht om te wennen aan het schemerdonker en toen ik ze weer opende, viel me op hoe kaal alles was. De wanden waren onafgewerkt: louter metalen panelen met bouten en lasnaden. Het kreeg opeens iets geheims voor me, een fascinerend en onvoorspelbaar facet van het privéleven van de Metareys dat me onverwacht werd getoond. Ik weet niet waarom: waarschijnlijk had ik luxe verwacht. Maar de zitplaatsen, in rijen op metalen rails bevestigd, waren hard en hadden een hoge rugleuning met een heel stelsel van klemmen en gespen voor de gordels. Christian, die achter haar moeder zat, was al bedreven met de hare bezig. Ze wees me de stoel aan de andere kant van het gangpad en ik liep naar voren. Achter ons stond nog een derde rij, maar waar de zesde zitplaats had moeten zijn, was een lege vloerruimte met een deken erop. Naast de deken zat Clara met Churchill op haar schoot. Ze dwong hem te blijven liggen maar ondanks het schemerlicht zag ik dat zijn achterlijf trilde.

'Let maar niet op Churchill,' zei meneer Metarey. 'Hij is gewoon opgewonden. Mijn vrouw denkt dat hij bang is, maar ik ken mijn hond.'

'Hij is als de dood,' zei mevrouw Metarey zonder op te kijken.

'Goed,' zei hij, 'maar als we hem achterlaten, is het nog erger. Dat weet jij ook, schat.'

'Waren er gordels?' vroeg mijn moeder.

'Natuurlijk. Heel goeie. En schouderriemen. Van links en van rechts.'

'De hond zal inderdaad wel bang zijn geweest,' zei ze.

'Die hond heeft in zijn leven meer meegemaakt dan de meeste volwassenen,' zei mijn vader terwijl hij een slokje bier nam.

'Ga daar maar zitten,' zei meneer Metarey, en hij wees naar de stoel die Christian ook had aangewezen. 'Daar heb je onderweg het beste uitzicht.' Hij wees naar de wolkenmassa die in het westen schaduwen wierp op het land. 'Zo te zien alleen een beetje bewolking op de heenweg.'

Door het raampje van Clara zag ik de Aberdeen Red, die zo dichtbij stond dat de dubbele vleugel bijna de onze raakte. De kleur leek doffer dan wanneer het toestel in de lucht was, als een vis die uit het water is gehaald. Nadat ik een tijdje had geworsteld met de ingewikkelde verzameling klemmen op mijn rugleuning draaide meneer Metarey zich om en maakte mijn schouderriemen voor me vast. Het toestel bokte en rechts van me sloeg de tweede motor aan.

Mevrouw Metarey maakte wat aantekeningen op haar klembord, zei iets tegen haar echtgenoot, die op zijn eigen klembord keek, en toen duwde ze zonder verdere omhaal zachtjes tegen de stuurknuppel, alsof ze met de Galaxy achteruit de garage uit reed, en we taxieden de hangar uit, keerden en begonnen direct vaart te maken op de startbaan.

Eerst het donkere gras dat onder ons wegstoof. Toen de brede takken van de eiken. Toen hun kruinen, die zich uitstrekten tot een roestbruine plas waaruit de schitterende esdoorns en de hoogste fijnsparren staken. Toen de heuvels. Toen de diep blauwe lucht. Het zakken van mijn maag. Het geraas van de propellers. Het hellen van het toestel dat koers zette naar het westen, de bocht die ik mevrouw Metarey honderden keren vanaf de grond op de velden had zien beschrijven. Het toestel trok recht en ik kreeg mezelf in bedwang. Het lawaai van de propellers werd een tikje zachter. Het landgoed lag voor ons in de schaduw. Verder was alles overgoten met licht en de vleugels waren nog stralender dan het land. We schokten een beetje en de vleugeltips klapten op en neer. Het metaal donker, toen weer licht. Even later slierten als lichtspoorkogels boven de tips. Toen weer grijze lucht en alles was weg.

'Wolken, Corey,' zei meneer Metarey.

Vergetelheid. Mijn ogen vonden niets om zich op te richten. Het geblaf van Churchill. We stuiterden hard, toen ging het weer gladjes. Toen stuiterden we weer. Het vliegtuig dreunde van het lage ronken van de motoren en erdoorheen klonk het onafgebroken gekef van de hond. Voor het raam verdween de diepte en de dubbele beglazing bracht me in verwarring. Er glinsterden druppeltjes tussen de glaslagen, die ik had verward met bomen in de verte. Helemaal niets voor het oog. Ik kon de propellers amper onderscheiden. We stuiterden nog eens, harder dit keer. Toen nog eens. Churchill begon zacht te janken. Ik hield me aan mijn stoel vast.

'Zet je schrap,' zei Christian.

En toen kwamen we erdoorheen in de zon, die een zee van wit tot aan de horizon verlichtte. Ik geloof echt dat ik het uitschreeuwde.

'O, nee,' zei mijn moeder. 'Wat riep je?'

'Ik weet niet. "Wauw", of zoiets.'

Mevrouw Metarey draaide haar hoofd en glimlachte. Ze slaakte een juichkreet.

'Vrouwenemancipatie,' zei mijn moeder.

Een zee van schitterend wit nu. Mevrouw Metarey juichte nog eens en liet het toestel weer zakken. Even later ging het weer omhoog. En naar beneden. En omhoog. De luchtsprongen van onze schrikwekkende schaduw op de toppen van de wolken. Het inmiddels aanhoudende blaffen van Churchill, die als bezeten rondjes draaide op zijn bed van dekens achter me. Meneer Metarey zelf lachte met zijn hoofd in zijn nek. Hij draaide zich om, keek me met een brede glimlach aan en sloeg me op mijn knie. 'Hé, meneer Sifter,' zei hij, 'niet slecht, hè?'

'Noemt hij je zo?' vroeg mijn vader.

'Hij noemt me Corey.'

'Je zou er gelovig van worden,' zei meneer Metarey, terwijl hij zijn hoofd weer lachend in zijn nek gooide, 'of niet?'

Toen trok June Metarey de neus op en mijn maag zakte weg. We gingen recht omhoog en maakten tegelijkertijd een draai, en net toen ik zeker wist dat we een salto gingen maken, vlogen we weer rechtdoor. Mijn gezichtsveld tolde en kwam tot rust. De horizon voor het raampje was godzijdank weer recht en blauw, en toen vlogen we opnieuw onder het wolkendek door, boven open land dat ik eindelijk weer herkende, in oostelijke richting naar het landgoed van de Metareys. De lome slingers van de Lethe en de Little Shelter Brook beneden. Onze schaduw die in het noordwesten voor ons uit gleed, springend over de rivieroevers en onbesuisd tussen de boomkruinen door schuivend. Algauw zag ik de vormen van de velden die ik kende, de identieke rode windvaantjes die op alle vier de schuren van de Metareys flakkerden, de dubbele strepen blauwe lucht die de visvijvers waren, onverwachts verbrijzeld door een vlucht neerstrijkende eenden. De witte top van de tent voor de pers, waar ik die ochtend de stoelen had opgesteld voor de senator.

Meneer Metarey moest het ook hebben gezien. 'Ik weet niet of er morgen nog iemand komt opdagen,' zei hij terwijl hij zich naar mij omdraaide. 'Maar we willen ons in ieder geval samen met de vakbonden vertonen.' Hij glimlachte. ''t Kan in elk geval nooit kwaad als je naam in de krant komt.'

'Nee, meneer,' zei ik boven het motorgeronk uit. 'Vooral niet nu de president naar Rusland gaat.' Het was niet meer dan een gerucht, maar ik had er op school iets over gelezen.

Hij glimlachte. 'Ik merk dat je daar tenminste iets opsteekt.'

'Ik ben er reuze dankbaar voor, meneer.'

Mevrouw Metarey draaide zich in haar gezagvoerdersstoel om. 'Wil jij het overnemen?'

Ik dacht even dat ze het tegen mij had, maar Liam Metarey antwoordde: 'Alleen als onze gast het goedvindt.'

Toen het tot me doordrong waar ze het over hadden, zei ik: 'Natuurlijk, meneer Metarey, prima.'

'Waar hadden ze het dan over?' vroeg mijn moeder.

'Over het vliegtuig. Ze vroeg of hij wilde sturen.'

'Kan hij dat ook al?' vroeg mijn moeder.

Mijn vader keek op. 'Waarschijnlijk heeft hij dat ding zelf gebouwd, liever.'

Mevrouw Metarey maakte haar gordels los, stond op en kwam tussen ons in achterin staan. Ik keek naar haar zitplaats en zag dat haar man aan een tweede controlepaneel de besturing van haar had overgenomen. Toen keek ik naar Christian, die er kennelijk niet over inzat. En ik eerlijk gezegd ook niet. Meneer Metarey was een van de bekwaamste mensen die ik ooit heb gekend, vroeger en later, en hoe raar het ook klinkt, ik geloof dat ik hem in die situatie evenzeer vertrouwde als zijn vrouw. Misschien wel meer. Ik boog me zo ver mogelijk opzij om te kijken. Hij trok de stuurknuppel met één vinger naar achteren en ik voelde dat we naar het zuiden overhelden.

'Druk achter,' zei mevrouw Metarey achter me. 'Linkerroer intrappen.'

'Komt in orde.'

'Neus omhoog. Rustig. En breng hem erdoorheen.'

Mevrouw Metarey stond achter me en toen ik me omdraaide, zag ik dat ze probeerde de hond te kalmeren, die klaaglijk blafte. Het lukte haar wel zijn bek dicht te houden, maar het geblaf veranderde slechts in een jammerlijk gejank tussen zijn tanden door. Ze hield hem aan zijn nekvel dicht tegen zich aan, zodat zijn snuit in haar borst begraven werd en hij niets kon zien. Het geblaf en gejank stopte daardoor even, maar toen wurmde hij zich weer los en zodra zijn ogen vrij waren, begon hij weer met zijn staart te slaan en op zijn plaats te stappen en te piepen. Ten slotte leek mevrouw Metarey hem in haar greep te bedwingen en ging hij tegen haar aan liggen, met nog altijd af en toe een diepe zucht, maar uiteindelijk begroef hij zijn kop in de kromming van haar arm.

'Zo,' zei Christian, 'wil jij het ook even proberen?'

Clara wees naar de lege gezagvoerdersstoel. 'Vliegen is doodsimpel,' zei ze.

'Wilden ze dat jíj ging vliegen?' vroeg mijn moeder. Ze keek even naar mijn vader.

'Ze maakte een grapje, ma.'

'Gelukkig maar,' zei mijn vader, terwijl hij nog een slokje bier nam. Toen voegde hij eraan toe: 'Ik dacht dat het iets was dat je op kostschool leerde.'

'Lánden, dat is juist lastig,' zei Clara achter me. 'Dat heb ik al zo vaak gehoord.'

'Precies, Corey,' zei meneer Metarey voorin. 'Vliegen is makkelijk. Opstijgen is een fluitje van een cent. En daar boven heb je ruimte zat.' Hij wees uit het raam. 'Maar lánden, dat is lastig. Vliegen met mooi weer? Dat zou je nu vast al makkelijk kunnen. Als je het eens wilt proberen nu we hoog zitten, mag het van mij.'

'Nee, dank u.'

'Verstandig,' zei mijn vader.

'Sst,' zei mijn moeder. 'Laat hem verder vertellen.'

Na een tijdje stond mevrouw Metarey op en Churchill begon weer te jengelen, opgerold in zijn nest van dekens, en sloeg ritmisch met zijn staart op de vloer. Clara aaide hem over zijn kop terwijl mevrouw Metarey tussen ons door liep en haar plaats voor het paneel weer innam. Toch zag ik een uitdrukking van verlichting over het gezicht van haar man glijden toen ze zich weer had ingegespt en met één vinger de stuurknuppel overnam. Ze liet het vliegtuig optrekken, draaide geleidelijk naar het zuiden en zette de landing in. Boven de Little Shelter Brook in de verste hoek van het landgoed liet ze ons tot zo laag dalen dat we over de boomtoppen scheerden, vlak boven de poel die jaren geleden door een beverdam was gevormd, een stille azuurblauwe spiegel waarin we opeens in ons geheel werden weerkaatst op onze vlucht naar het westen.

Ze won weer hoogte en koerste af op de landingsbaan, die ze vervolgens van alle hoofdrichtingen van het kompas benaderde terwijl ze in bochten over de drie hoeken van een rechthoek vloog, en liet het toestel ten slotte langs de lange zijde iets scherper dalen om voor de landing gracieus even op te trekken, zodat de wielen amper op de baan stuiterden. De landing was zo geleidelijk gegaan dat ik helemaal niet bang was geweest, maar het geluid van de motoren die trager draaiden terwijl we over de landingsbaan uitreden, gaf me een gevoel van opluchting dat waarschijnlijk bijna net zo overweldigend was als mijn extase toen we door de wolken heen braken. Ze bracht ons tot stilstand naast de hangar.

'Brave hond,' zei Christian, en ze reikte naar achteren om Churchill te aaien. Hij jankte nog een beetje, kwam naast haar staan en drukte zich tegen haar been. 'Moet je kijken, Corey.'

Meneer Metarey kwam tussen ons in staan. 'Hou hem vast,' zei hij tegen Christian.

Eerst stak hij zijn hand naar achteren om de hond tussen zijn ogen aan te raken, waar hij direct stil van werd, en daarna draaide hij zich om en ontgrendelde de deur. Hij was nog bezig de deur naar buiten te duwen toen een licht waas door de zonnige opening flitste. Tegen de tijd dat de poten van Churchill de grond raakten, rende hij al als bezeten naar de bossen, met zijn voorpoten tussen zijn achterpoten, totdat hij alleen nog een bleek, golvend spook was dat tussen de bomen door sprong.

'Nou,' zei meneer Metarey filosofisch terwijl hij opstond en de trap voor ons liet zakken, 'ik geloof dat hij het toch niet zo leuk vond.'

Mijn vader zette zijn bier neer. 'Om de dooie dood niet,' zei hij.

'O, Corey,' zei mijn moeder. 'Die arme hond.' Ze lachte zachtjes, maar haar gezicht betrok en ze ging aan de tafel zitten en raakte haar hoofd aan zoals ze in die tijd wel vaker deed, en ze wendde zich af om uit het raam te kijken.

Het is moeilijk te zeggen hoe bepalend de vriendelijke houding van Astor Highbridge is geweest voor mijn leven: dankzij het feit dat ik een vriend had op Dunleavy kon ik er blijven en doen wat daarna volgde. Astor, de zoon van een leraar, bleek ook een beursstudent te zijn – de overhemden met monogram waren afdankertjes van een oom. Tijdens het trimester had hij niet aardiger kunnen zijn, maar toch kon ook zijn vriendschap de onzekerheid niet temperen die ik welhaast ieder wakend ogenblik voelde. Een maand lang deinsde ik telkens terug voor de schaduwen van de krijsende zwerm kraaien in de eiken aan de overkant van het binnenplein, die over het gras kwamen aanglijden. In de les zei ik alleen het hoognodige.

Maar toen begon ik te studeren. Zo begroef ik mijn angst.

Het zal wel voor de hand liggen dat juist degenen die zich het minst geschikt voelen, de beste leerlingen worden – want zo voelde ik me en dat werd ik. Qua aanleg behoorde ik beslist bij de minsten van de klas, maar met mijn cijfers hoorde ik van het begin af aan bij de besten. Er zat een jongen in mijn jaar die getallen van drie cijfers uit zijn hoofd met elkaar kon vermenigvuldigen, een andere die alle details van alle veldslagen uit de Burgeroorlog kende, en een Koreaanse jongen uit Brooklyn, de enige met hogere cijfers dan ik, die alles wat we lazen uit zijn hoofd leerde. Maar ik haalde bijna net zulke goede cijfers als hij en betere dan de anderen. Als meneer Burrows, onze geschiedenisleraar, het over de Tweede Slag van Manassas had, noteerde ik de naam en ging regelrecht naar de bibliotheek om er meer over te lezen – en ook over de eerste; als mevrouw Merrilews, onze lerares Engels, een versregel van Emily Dickinson citeerde, nam ik me voor al haar gedichten te lezen. Dat was niet zo moeilijk als het lijkt. Ik had gemerkt dat ik een aangeboren talent had voor snel lezen en ik ben altijd een harde werker geweest. En op dat moment werkte ik aan mijn studie.

Als de bibliotheek 's morgens om zeven uur openging, had ik op onze kamer al een uur boven mijn boeken gezeten. Voor ik naar buiten ging, schudde ik Astor aan zijn schouder wakker en onderweg naar het boekenmagazijn haalde ik in de kantine een geroosterde boterham. Dan had ik een halfuur voordat de eerste bel ging en dat was de enige vrije tijd die ik mezelf dagelijks gunde. Ik ging de stapel kranten die daar werd bewaard bij het raam zitten lezen, terwijl de school buiten voor mijn ogen ontwaakte. De docenten met hun koffertjes die zich over de paden haastten; de bezorgers bij de kantinedeuren, mijn klasgenoten in ongeregelde groepjes. Er ging voor mij iets rustgevends van uit. En er ging iets rustgevends uit van het lezen van de kranten waardoor ik me kon verbeelden dat ik met één been in een verre wereld stond, dat ik met dit alles niets te maken had.

Elke maandag stond de politieke column van Glenn Burrant in de *Courier-Express* en twee ochtenden later verscheen die column in de bibliotheek van Dunleavy. 's Woensdags verheugde ik me er altijd al een beetje op als ik het stille binnenplein overstak, niet alleen omdat het einde van de week eindelijk in zicht kwam, maar ook omdat de column van Glenn me vlug naar die verre wereld overbracht. De *Courier-Express* was een progressieve krant en Glenn kreeg opvallend veel ruimte om actuele kwesties aan te kaarten. In mijn eerste septembermaand op school schreef hij commentaren over geïntegreerde schoolbussen, over de vredesmarsen en over het gevangenisoproer in Attica, en aan het eind van de maand herzag hij zijn overzicht van Democratische kandidaten. Uiteraard was ik van dat artikel bijna door het dolle heen.

De lessen op Dunleavy begonnen om halfacht en gingen door tot halfvijf, waardoor ik 's morgens geen tijd had voor meer dan één krant, maar vanwege de lange schooldagen hadden we ook lang vrij: vijf weken rond de jaarwisseling, nog eens twee halverwege de winter en een zomervakantie die in mei begon. Dat genadige rooster had ik in het begin ontdekt toen ik op een avond de schoolkalender doornam en alle vakanties omcirkelde. Het was een verrassing en een verademing – ik herinner me het gevoel nog goed – en zo ongeveer de enige bemoedigende informatie die ik in die eerste, duizelingwekkende weken kon ontdekken.

Ik had nog nooit zulke dagen gekend. Het ochtendblok van lessen duurde tot halftien, dan volgde een pauze van een halfuur waarin de meeste leerlingen, in lijn met de schooltraditie, naar de kantine gingen voor donuts en koffie. Maar ik ging terug naar de bibliotheek. Van tien tot halfeen duurde het lange blok en daarna gingen we eten. Ik nam mijn bord mee naar onze kamer. Van halftwee tot halfvijf hadden we wis- en natuurkunde en om kwart voor vijf begon sport. Ik voetbalde en na afloop van de training hadden we nog een halfuur pauze voor het avondeten. Het grootste deel van die tijd kon ik me over mijn boeken buigen. En na het eten begon ik pas echt te werken. Ik heb altijd al met weinig slaap toe gekund en het kwam regelmatig voor dat ik van mijn boeken opkeek en de lantaarn van de nachtwacht voor ons raam zag als hij om twee uur 's nachts zijn ronde maakte langs de deuren van de studentenhuizen.

Als ik nu naar Trieste Millbury kijk, zie ik natuurlijk mijn eigen verleden; maar ik weet ook dat ik anders was dan zij. Zij heeft een talent – een gelukkige genetische aanleg waardoor ze begiftigd is met grote vasthoudendheid en grote intelligentie, en ze voelt de aantrekkingskracht niet – voor zover ik weet tenminste – van conventionele gemakken. Comfort. Overvloed. Een beetje luxe. Ik kon, en kan nog steeds, daar niet aan tippen. Ik ben misschien wel net zo vasthoudend als zij, maar mijn intelligentie – en daarmee bedoel ik het povere vermogen dat ik mogelijk bezit om mijn eigen mening te vormen – is vergeleken bij haar gering en de geestkracht van haar scherpe verstand – ambitie, zou ik zeggen, van een intellectuele soort – doet zich in mijn eigen bewustzijn slechts bij vlagen voor. Dat wil zeggen dat ik vanaf mijn eerste dagen op Dunleavy een studiehoofd ben geweest – een heel ijverige, dat wel –, maar zij is nu al een ontdekker; en de ontdekkers zijn degenen die de last dragen. Ik heb het grootste deel van mijn leven genoeg plezier beleefd aan het lezen van de geijkte klassieken van mijn generatie, en ik geef grif toe dat de gedachte aan een glas wijn met mijn vrouw op ons terras achter het huis, waar we dikwijls 's middags onze buurman lager op de heuvel kunnen gadeslaan als hij de planken rond zijn zwembad veegt, in de regel al genoeg is om me de dag door te helpen. Dergelijke burgerlijke beloningen betekenen vermoedelijk niets voor Trieste; en toch geloof ik echt dat ik me vroeger net zo voelde als zij nu.

In de les zei ik alleen iets als het niet anders kon – en dan nog met die kwellende aarzeling –, maar het duurde niet lang of het drong tot het docentenkorps door dat er van mij altijd een antwoord kon worden verwacht. Dat was natuurlijk niet wat ik wilde, want dat trok de aandacht. Daarom antwoordde ik zo kort mogelijk en probeerde ik als het even kon niet te reageren op de complimenten die leraren me tijdens de les gaven.

'Man,' zei Astor op een avond tegen me, 'jij bent echt een raadsel. Wist je dat?' Hij lag in bed, bijna in slaap, en ik zat aan mijn bureau te leren.

'Hoezo?'

'Nou, als ik altijd het antwoord wist – of zelfs maar een paar keer – dan zou je niet lang hoeven aan te dringen.'

'Je weet veel meer dan je denkt, Astor.'

'Dat is aardig gezegd, hoor,' – hij geeuwde – 'maar het is absoluut niet waar. Ik zit hier gewoon mijn tijd uit. Dit bed is aan mij verspild.'

'Je bent de populairste van de klas.'

Ik hoorde dat hij zich omdraaide.

'Maar jij...' zei hij, terwijl zijn stem wegstierf. 'Jij houdt echt van leren.' Hij stompte in het kussen onder zijn hoofd. 'Jij bent net zo'n mysterieuze monnik,' mompelde hij, en een paar tellen later lag hij te snurken.

In die fase van mijn leven was dat inderdaad precies de indruk die ik anderen wilde geven.

Maar in die eerste tijd was alles zo overdonderend dat het al half november was voordat ik op een zaterdagmiddag, toen ik uit het raam keek en een jongen met een weekendtas naar het sportlokaal zag lopen, besefte dat ik het cadeau van meneer Metarey helemaal was vergeten. Astor was naar een rugbywedstrijd en ik had op onze kamer zitten leren. Ik legde mijn meetkundeboek neer. Buiten, achter de gebouwen, zag ik een groep lacrosse spelende jongens met hun sticks in de lucht priemen en sprintjes trekken tussen de zijlijnen. Ik liep direct naar de kast, opende de tas en haalde het pakje eruit dat tussen de gestreken lakens verborgen lag.

Toen ik later getrouwd was en zelf dochters had, raakte ik gewend aan dat soort momenten, momenten waarop het was of de wereld zich terugtrok en tegelijkertijd dichterbij kwam. Terwijl ik met het vergeten cadeau van meneer Metarey in mijn handen naar het geklak van de lacrossesticks en de kreten van de spelers luisterde en af en toe het motorgeronk van de dienstauto's die over het grind van de oprit heen en weer reden, verbaasde ik me erover dat ik zo ver afstond van alles wat daar gebeurde en tegelijkertijd een zekere rust voelde omdat ik er toch deel van uitmaakte. Het leek, geloof ik, wel een beetje op het gevoel dat ik had als ik de krant las. Anderzijds was het misschien gewoon een van de weinige momenten in die hele maand waarop ik er niet van was doordrongen dat ik een buitenstaander was; of misschien kwam het wel door het pakje in mijn hand, dat iets wezenlijks van Liam Metarey zelf leek te bezitten, of tenminste iets van de ruimhartigheid waarmee hij me altijd had bejegend.

Het was groter dan een boek, maar lichter, en zacht. Ik pakte het uit. Er kwam een tweede laag papier tevoorschijn en toen ik die weghaalde, vond ik een vierkant van donkere badstof in hetzelfde jachtgroen als het papier. Een strak opgevouwen badhanddoek. De sombere gedachte bekroop me dat het een soort belediging was en ondanks de opgewektheid van zo-even moest ik onmiddellijk aan Clara denken. Het was of ze bij me in de kamer stond. Ik zag haar sceptische ogen.

Pas toen ik me omdraaide naar de kast om hem aan het haakje te hangen, vouwde ik hem open en zag ik dat het helemaal geen handdoek was maar een badjas. En een mooie ook. Ik schudde hem uit. Hij was lang, had een ceintuur en wijde mouwen met een leren bies en een capuchon die met een koord kon worden strakgetrokken. En dat alles gemaakt van een ruig, dik soort badstof dat ik later nooit meer heb kunnen vinden.

Maar toch: een badjas. Ik was nog steeds verbluft. De weekendtas begreep ik wel, en het feit dat die vroeger van Liam Metarey zelf was geweest – toen hij in deze zelfde gebouwen rondliep – had er onmiddellijk het karakter van een talisman aan verleend. Maar een badjas? Ook al was die van de beste kwaliteit badstof en had hij een ceintuur met een bies van leer, ook al had ik hem nu pas uitgepakt, op een moment dat ik me voor het eerst echt op mijn gemak voelde, toch lag het ding eerlijk gezegd als een steen van teleurstelling op mijn maag. En ik kon nog steeds het gevoel niet van me afzetten dat dit op een of andere manier een toespeling was op mijn eigen kwaliteiten. Weer moest ik aan Clara denken.

Mijn vrouw zegt nu dat ik te veel nadenk. Ik geloof niet dat dat mogelijk is, maar ik geef wel toe dat het altijd mijn eerste impuls is geweest om de negatiefste interpretatie te zoeken. Soms denk ik dat het aan de invloed van mijn moeder ligt, al beleed zij altijd het tegenovergestelde. Maar is nadrukkelijk optimisme niet juist een impliciete erkenning van datgene wat je steeds bestrijdt? Mijn vader was daarentegen van nature geneigd het goede te zien in de wereld, wat de reden is dat zijn instelling wordt gekenmerkt door een welwillend pessimisme. Als het erop aankomt, ben ik waarschijnlijk meer op mijn moeder gaan lijken. Ik had geen gelijk wat de badjas betreft, bleek later. Maar ik geloof niet dat ik ook met de andere dingen geen gelijk heb.

II

De *Buffalo Courier-Express*
Maandag 17 januari 1972

In afwachting van nader onderzoek heeft de politie geen nieuwe informatie vrijgegeven over het lijk dat het afgelopen weekend werd aangetroffen op het terrein van de Silverton Orchards in Saline. Het bevroren lichaam van een ongeïdentificeerde volwassen vrouw werd volgens welingelichte bronnen zondagochtend in de nabijheid van een sloot langs Route 35 gevonden door enkele wegwerkers die herstelwerkzaamheden uitvoerden ten zuiden van het knooppunt Saline-Steppan. Iedereen die over meer informatie beschikt, wordt verzocht contact op te nemen met hoofdcommissaris Larry MacKenzie van het hoofdbureau van politie van de staat New York in Noord-Islington, of met deze krant. De minimum nachttemperatuur in het weekend was -23°C.

III

1972 WAS VOOR DE DEMOCRATEN EEN JAAR VAN VERANDERING. DE Conventie van Chicago in 1968 had onaangename herinneringen achtergelaten. Burgemeester Daleys politie, die met de wapenstok op de menigte insloeg. De nationale garde, die granaatwerpers richtte vanaf de brug van Congress Street. Maar dat zou allemaal niet hebben gehinderd als de verkiezingsuitslag anders was geweest: Hubert Humphrey, de door de Democratische partijtop gekozen kandidaat, leed een verpletterende nederlaag.

301 tegen 191. Dat was de verhouding van de kiesmannen. De meest ongelijke verhouding sinds Roosevelt en Alf Landon. Richard Nixon kwam in het Witte Huis. Robert Kennedy en Martin Luther King waren dood. Het land was in handen van anderen.

Dat is het toneel waarop Henry Bonwiller verscheen toen hij aan het eind van de herfst van 1971 serieus campagne begon te voeren. Als senator had hij natuurlijk zijn portie vijanden gemaakt, maar hij was van meet af aan in staat om louter met de enthousiasmerende toon van zijn stem een menigte voor zich te winnen. Die lage, sonore cadans, als van een sprekende cello. Het was vermoedelijk vooral die stem die hem geschikt maakte voor de nieuwe politiek. In 1972 hoefde een kandidaat voor het eerst in de geschiedenis niet in levenden lijve innemend te zijn: hij hoefde alleen innemend te zijn op televisie.

Je denkt al te snel dat het altijd zo is geweest, maar dat is niet zo. Dat was het jaar dat de mannetjesmakerij voor het eerst voor het grote publiek zichtbaar werd. Het historische moment. De voorverkiezingen in plaats van het achterkamertjesgekonkel. Niet de partijbonzen maar het volk

– met name het volk van Iowa en New Hampshire –ging nu de kandidaat kiezen. Het was een ommekeer in de regels van het spel.

En de Democraten hadden er een nieuw type man voor nodig. Edmund Muskie uit Maine was verre van charismatisch, maar hij was recht door zee voor de camera; in het begin van de winter had hij weer de leiding. George McGovern, uit South Dakota, speelde nog maar een bijrol. George Wallace, die in 1968 dertien procent van de stemmen had gewonnen, was geen uitgerangeerde zuidelijke voorstander van segregatie meer en Humphrey zelf deed ondanks zijn eerdere pak slaag weer mee. Net als Eugene McCarthy en Shirley Chisholm, de buitenstaanders, en Scoop Jackson, die in levenden lijve overtuigend was, maar volgens Liam Metarey het charisma miste voor een echte nationale kandidatuur. Muskie leek degene te zijn op wie het land alle hoop had gevestigd: de degelijke, ernstige Ed Muskie.

Het opinieonderzoeksbureau van Lou Harris was door het campagneteam van Henry Bonwiller ingehuurd om de lacunes in Muskies bereik op te sporen, en bij de strategiebesprekingen gold het inmiddels als een onomstotelijk gegeven dat Henry Bonwiller Muskie in het noordoosten hoogstens kon evenaren, maar in het zuiden, met name de steden in het Zuiden – Virginia, North Carolina, Georgia en Florida – konden we hem misschien verslaan. Dat maakte ik op uit mijn bezoekjes boven als ik van school thuis was, zo om het weekend. Ik was er niet vaak genoeg meer om mijn gewone klussen te doen, maar ik bracht drankjes en borrelhapjes voor de strategiesessies in de bibliotheek boven. Muskie was degene die we moesten inhalen. En Muskie was degene op wie de campagne zich ging richten. Je hoefde maar even in het landhuis te zijn, vooral toen de voorverkiezingen in Iowa naderbij kwamen, of dat allesdominerende feit werd overduidelijk.

═══

Een paar maanden geleden was ik op een middag met mijn vrouw op zoek naar tuinbenodigdheden in het tuincentrum in Islington toen ik een oliejas – het soort regenjas dat hier in stoeterijen en maneges wordt gedragen – in de uitverkoop vond. Het was de laatste in de kleinste maat en het regenseizoen was bijna afgelopen, zodat de jas al meer dan eens was afgeprijsd. Ik betaalde hem en stopte hem in de achterbak, die al zo vol lag met bloempotten en mandjes ontluikende eenjarigen dat mijn vrouw het waarschijnlijk niet eens merkte.

Hoewel oliejassen de laatste tijd in deze omgeving duidelijk een statussymbool zijn geworden – je ziet ze vaak op de achterbank van Toyota Highlanders op het parkeerterrein van de duurdere winkelcentra –, vormen ze bovendien een van de meest praktische kledingstukken die ooit door een mens in elkaar zijn gezet. Het model garandeert dat je van top tot teen bent bedekt en het materiaal stoot water af alsof het er allergisch voor is. In een natte maartse sneeuwjacht kun je er vijftien kilometer in lopen zonder een druppel nattigheid te voelen – en omdat ze voor ruiters zijn ontworpen kun je er ook in fietsen. Maar ze zijn niet goedkoop. Toen ik die avond thuis de jas uit de doos haalde, overwoog ik even om hem af te schuieren zodat hij er gebruikt uitzag. Ik overwoog zelfs om hem gewoon anoniem op het bureau van Trieste bij de krant achter te laten. Maar ze is het type dat navraag doet naar een gevonden voorwerp.

Daarom riep ik haar op mijn kamer voor de bespreking die we met elke stagiaire halverwege de stage houden.

'Mooi werk, dat stuk over dioxine,' zei ik.

'Tijdverspilling,' antwoordde ze. 'Maar toch bedankt.'

'Bedoel je de opdracht? Of wat je ermee hebt gedaan?'

'Het eerste.'

'En dus het laatste.'

'Nou ja, het is best aardig geworden. Maar dat had ik u allemaal ook wel kunnen vertellen zonder naar Albany te liften.'

Zonder er verder een woord aan vuil te maken haalde ik achter me de kopie van de voorpagina vandaan die ik had laten inlijsten. Ik had nog wel alle medewerkers gevraagd er hun handtekening op te zetten. 'Nou, we zijn toch blij dat je het hebt gedaan,' zei ik, terwijl ik haar de lijst over het bureau heen aanreikte. 'Veel mensen waren blij met jouw artikel.'

'Oeps.'

'Laat maar. Ik waardeer je eerlijkheid.' Toen haalde ik de doos onder mijn bureau vandaan en gaf die ook aan haar. Ze nam hem zwijgend aan. Ze opende hem, haalde de jas eruit en paste hem. Hij zat goed.

'Ik snap het al,' zei ze terwijl ze de lange panden gladstreek. 'U dacht zeker dat ik er wel een kon gebruiken?' Ze lachte haar raadselachtige lachje.

'Voor de volgende keer dat je naar Albany lift.'

'Leuk hoor, meneer,' zei ze. Maar toen trok ze de lussen strak en bekeek zichzelf in het raam en ik zag dat ze ontroerd was. 'Bedankt, meneer Sifter,' zei ze zachtjes. En toen voegde ze eraan toe: 'Ik ben er erg blij mee.'

======

'Je zou wensen dat het geen zaterdagavond was,' zei Liam Metarey tegen mij. 'In de hele staat is er geen zaak in landbouwartikelen open.'

We stonden bij de werkschuur naast de oude Massey-Ferguson, die het in de sneeuw had begeven. Het was het begin van de kerstvakantie. Het sneeuwde al sinds de ochtend stevig en pas nu het alweer donker was, werd het minder. In de vooravond had ik de tractor uit de garage gehaald om sneeuw te ruimen maar toen ik hem in de eerste versnelling probeerde te zetten, klonk het of er iets knapte en was de motor afgeslagen. Een versnellingskabel. Dat zei meneer Metarey toen hij een spiegeltje onder de krukas vandaan trok en de motorkap dichtschroefde. Er lag al vijf centimeter sneeuw op de stoel. 'Finaal doormidden,' zei hij. 'Tijd voor de schoppen.'

'Onze buurman heeft een New Holland,' zei ik. 'Eugene McGowar. Zal ik hem even bellen?'

'O, nee,' zei hij. 'De truc is om je kans te grijpen. Dat zou mijn vader hebben gezegd. Kom... dan trekken we dat rotding weer de schuur in en gaan we met de hand ruimen.'

Het had natuurlijk iets raars om in het donker aan zo'n klus te beginnen; het had eigenlijk sowieso al iets raars dat dit zo nodig moest. Maar zoals ik al heb gezegd, hou ik van het gevoel dat lichamelijke arbeid geeft. We keken samen uit over het ronde plein en de laan die naar de platanen omhoogliep. Er zal al een pak van meer dan een halve meter sneeuw hebben gelegen en de sneeuwbanken op de hellingen van de laan op het noorden kwamen tot mijn schouders. Meneer Metarey ging de schuur in en kwam even later tevoorschijn met een paar kettingen.

'Gek, hè,' zei hij terwijl hij er een over zijn schouder legde. 'Dat alles uiteindelijk omgekeerd uitpakt?'

'Hoe bedoelt u, meneer?'

'Dat dat wat iets nodig heeft en wat iets te bieden heeft, worden omgekeerd. Dat jij en ik de oude Ferguson moeten trekken bijvoorbeeld.' Hij gaf mij de andere ketting. 'Maar dat geldt ook voor allerlei andere dingen. Een van de minder bekende wetten van de schepping: de wet van het verdiende loon. Kom, Corey,' zei hij. 'Het zal ons goeddoen. Hier is jouw uiteinde.'

Hij klikte beide kettingen vast aan de trekhaak, ik sjorde de mijne over mijn schouder, we bogen naar voren en begonnen gestaag aan het gewicht te trekken, totdat de tractor eindelijk meegaf en stukje bij beetje achter ons aan de helling op kroop. Vanwege de glibberige ondergrond namen we geen grote passen, maar loodsten we de wielen door hun eigen diepe sporen weer naar boven, totdat het was gelukt de grote machine de heuvel op te slepen en met een hefboombeweging van de achteras over de drempel de schuur in te werken.

'Mooi werk, jongeman,' zei hij.

'Dank u, meneer.'

'En nu,' zei hij, 'de schoppen.'

Ik vermeld dit incident niet om te illustreren wat een noeste werker Liam Metarey was – al was hij dat zonder meer –, maar om te laten zien in wat voor onzekere gemoedstoestand hij destijds vermoedelijk verkeerde, namelijk op het moment waarop hij naar mijn mening zijn noodlottige besluit nam over Bonwillers campagne. Er rustte op hem, ben ik later gaan inzien, een generatievloek – de vloek waardoor zijn familie juist was geworden wat ze was. En nu vraag ik me af of hij die avond in de ban daarvan was.

Er leek eerlijk gezegd geen beginnen aan. Over een lengte van bijna vierhonderd meter voor ons lag een pak sneeuw van meer dan een halve meter dik dat pas onder de dichte takken van de platanen dunner werd. Maar hij zei alleen: 'Tweehonderd meter tot de bomen, kniediep op de meeste plaatsen. Hoeveel scheppen is dat, Corey?'

'Veel.'

'Volgens mijn berekeningen tweeëndertighonderd. Zestienhonderd elk. Tenminste, als we elkaar bijhouden.' Hij glimlachte en haalde de twee breedste sneeuwscheppen van de muur en hing zijn jas aan de haak. 'Althans als we één baan ruimen. De andere kunnen we morgenochtend doen.'

'Weet u het zeker, meneer? Ik kan onze buurman even bellen.'

'De Seneca-indianen deden zulk soort dingen om een visioen te krijgen. Het grote opperhoofd Sagoyewatha.'

We begonnen met het voorplein. Het duurde niet lang of ik had mijn jas uitgetrokken en daarna mijn trui. Naast me had meneer Metarey zijn mouwen opgestroopt. De sneeuwscheppen hadden een breed blad met een korte steel die op schuiven berekend was en niet op gooien, en de sneeuw was nat; toch werkte hij in een stug ritme door. Hij was dertig jaar ouder dan ik, maar al snel had hij op zijn kant van de weg een voorsprong opgebouwd. Toen hij dat zag, kwam hij me aan mijn kant helpen.

Na een paar minuten keek hij op. 'Ik moest aan de presidenten denken,' zei hij.

'Ja, meneer.' Ik was blij met de pauze.

'Ooit gehoord van Isaiah Berlin?'

Ik stapte uit de sneeuw en leunde op mijn schop. 'Geen president,' zei ik. 'Een zanger, geloof ik.'

'Je bent waarschijnlijk in de war met Irving Berlin. De componist.' Hij boog zich weer over zijn schop. 'Ik bedoel sir Isaiah Berlin, de filosoof. Dat is degene die ontdekte dat er twee soorten denkers zijn: monisten en pluralisten – zo noemde hij ze.' Hij werkte ondertussen door en onder het praten ging zijn schop systematisch omhoog en omlaag. 'Even denken – ook wel egels en vossen genaamd. Heb je daar weleens van gehoord?'

'Nee, meneer.'

'De vos weet heel veel. De egel weet maar één ding, maar daar is hij dan ook volledig van doordrongen. Ik heb er eens over nagedacht. Over wat senator Bonwiller is.' Hij onderbrak zijn werk even. 'Vijftig,' zei hij toen hij weer doorging. 'Ken je je presidenten, Corey?'

'Ik dacht van wel.'

'Wie was de eerste?'

'De eerste president?' Ik keek hem aan. 'Washington, meneer.'

'Precies. Washington was een monist. Een egel. En nog charismatisch ook. Dat zijn de grote leiders.'

We waren vijftien meter gevorderd op de oprijlaan. We waren allebei nat van het zweet.

'Een republikein van het zuiverste water, moet ik zeggen. Hij stond vrijwillig het opperbevel over het leger af. Een grootse daad voor een wereldleider. Het was in 1783, maar het geldt nog steeds. Terug naar een leven op Mount Vernon. Het oude Europa was perplex. Een echte egel. Versloeg Adams, Jay, Harrison, Rutledge en Hancock. En niet zo voorzichtig ook,' zei hij. 'Volgende?'

'Pardon?'

'Volgende president.'

'John Adams.'

'Pluralist. Een vos. Versloeg Pinckney, Burr en zijn eigen neef Samuel. En Jefferson, niet te vergeten – net. Niets van het charisma van Washington, maar iemand die de wereld kende. Hij bekeek van alles beide kanten – een ongekend nadeel. Verdedigde de Britse soldaten bij het proces over het Bloedbad van Boston – zo ongeveer het meest impopulaire standpunt dat je kunt innemen. Gewoon omdat hij het zo zag. 1770. En won alsnóg. Leefde volgens de rede. Maakte aantekeningen over alles wat hij zag, zijn hele leven. Een vos in hart en nieren. Geen twijfel aan. Dat keerde zich uiteindelijk tegen hem. Honderd. Gaat altijd zo. Volgende.'

'Jefferson.'

'Pluralist. De grootste vos van allemaal. Filosoof, paleontoloog, speelde viool, architect, wiskundige, codeur. En een paar van de briljantste woorden die ooit zijn geschreven zijn van zijn hand. Maar hij deed er wel drie keer over om te winnen.' Hij rechtte zijn rug en keek de helling af naar de afgeronde contouren van het huis en het land dat erachter in de duisternis opging. '"Deze waarheden houden wij voor vanzelfsprekend:" – luister goed, Corey – "dat alle mensen gelijk zijn geschapen, dat zij door hun Schepper zijn begiftigd met bepaalde onvervreemdbare rechten." *Bepaalde onvervreemdbare rechten*,' zei hij terwijl hij zich weer over zijn schop boog. 'Wat een woorden!' Hij hijgde van inspanning. '"Leven, vrijheid en het streven naar geluk."' Ik hoorde het ritmische schrapen van het blad en de zachte plof van de sneeuw. '"Om deze rechten te garanderen zijn er over de mensen regeringen aangesteld, die hun rechtmatige macht ontlenen aan de instemming van de geregeerden." Aan de instemming van de geregeerden, Corey! Allemaal van Jefferson. Honderdvijftig. We leven in zijn uitvinding. Hij was een pluralist precies op het moment dat het land er behoefte aan had. De grootste uit de geschiedenis. Hij zou het nu in de politiek geen halfjaar volhouden. Niet met Nixon op zijn hielen. Volgende.'

'John Quincy Adams.'

'Wat leer je daar op die school van ons?'

'Madison?'

'Precies. En dan Monroe. Dán Quincy Adams.'

Ondertussen schepte hij verder en het zwart van de weg kwam onder onze voeten weer tevoorschijn. We hadden zo'n veertig meter gedaan. Ik zal niet alles herhalen wat hij zei, maar toen we twee uur later de bomen bereikten, had hij iedere president tot en met Lyndon Johnson besproken en zijn eigen helft van de weg plus waarschijnlijk eenderde van de mijne schoongeschept. Zo had ik hem nog nooit meegemaakt. Hij kende de verliezende kandidaten uit alle presidentsverkiezingen sinds Washington en hij kende de stemverhoudingen in de kiescolleges. Ik had me nog nooit gerealiseerd hoe ver zijn kennis reikte, en evenmin hoe serieus hij zijn werk blijkbaar nam. Ik had me zelfs nog nooit gerealiseerd hoe belezen hij was, bij al het andere dat hij was. Die kant van hem heeft hij me daarna nooit meer laten zien.

Ik kan alleen zeggen dat naarmate we verder kwamen op de oprijlaan, waarbij hij in een ruwe cadans elke vijftigste schep sneeuw aftelde en ik ieder interval met vier of vijf scheppen achteropraakte, ik ook de euforie begon te voelen van dat soort noeste arbeid in dat soort koude weersomstandigheden. Van dat soort stugge volharding in iets dat volgens een stemmetje in mij onbegonnen werk was. Toen we de beschutting van de platanen bereikten, waar het pak sneeuw zo dun was dat er een auto door kon komen, zette hij zijn schop aan de kant en gingen we samen afgepeigerd op het asfalt zitten. Hij zei: 'Corey, Henry Bonwiller gaat deze verkiezingen winnen, verdomd als het niet waar is. Ik heb het gezien in de grafieken van de geschiedenis. Ik heb mijn visioen gehad.' Het sneeuwde niet meer, maar de sluier van sneeuwvlokken die van de overhuiving viel, vormde in het licht van de lampen achter hem een ragdun toneelgordijn. 'Dat probeer ik je te laten zien. De monist wint meestal van de pluralist. En vooral in tijden van onzekerheid. Dat is de wiskundige les van de geschiedenis. En die krachten ballen zich nu samen voor onze kandidaat – de grafieken van onvrede en optimisme snijden elkaar. In november zal Nixon wensen dat hij nooit van Henry W. Bonwiller had gehoord, dat garandeer ik je! En Muskie ook! Die kan de pest krijgen! Wij staan op het snijpunt van de machtige, onbetwistbare historische vectoren. En die staan aan onze kant, Corey! Let op mijn woorden. Ze staan goddomme aan onze kant! En óf we gaan winnen, verdorie! Let op mijn woorden!'

━━━━━

Nu wordt het ingewikkeld.

De eerste week van de kerstvakantie was voorbij, we hadden nog iets meer dan een maand te gaan voor de voorverkiezingen van Iowa. Mevrouw Metarey was met Clara en Christian gaan skiën in Idaho en het was stil op Aberdeen West, vooral 's morgens. Op een van die ochtenden stond ik heel vroeg – het was net licht – de sneeuw van de paden voor het huis te vegen toen Henry Bonwiller in zijn eentje op het landgoed arriveerde. Zelfs Carlton Sample was niet bij hem en in plaats van de Cadillac aan mij over te dragen parkeerde hij hem zelf in de garage, waarna hij snel de trap op liep naar het huis. Hij zag asgrauw. De avond ervoor was het weer omgeslagen – warme sneeuw die zacht en stil was als je buiten stond, zoals ik, maar in steeds dichtere vlokken viel. Liam Metarey liet in de paardenwei Breighton stappen om hem van een verstuiking af te helpen. Ik rende naar hem toe om te zeggen dat de senator er was.

'Hij ziet er ongerust uit,' zei ik.

'Jezus,' reageerde hij, 'het is weekend. Is één gewond dier niet genoeg?'

'Hoe bedoelt u?'

'Zei hij wat hij wilde?'

'Hij groette niet eens.'

Hij keek geschrokken. 'Neem hem even over,' zei hij terwijl hij me Breightons teugels gaf. Hij keek op naar het huis. 'Henry Bonwiller zou zijn beul nog groeten.'

Ik geloof dat ik in die jaren – en daarmee bedoel ik de periode van de zomer toen ik op het landgoed van de Metareys begon te werken, tot het najaar dat ik naar de universiteit ging – ik geloof dat ik in die jaren besefte dat ze losstonden van mijn echte leven, van mijn éígen leven en dat ze vermoedelijk juist daardoor de meest indruk op me hebben gemaakt. Dat moet de reden zijn dat de gebeurtenissen uit die tijd me nog zo helder voor de geest staan, terwijl de rest van mijn jeugd gewoon een waas van alledaagse gewaarwordingen is: natte voetbalvelden, het geluid van de schoolbel, de geur van kalk in de kleren van mijn vader.

Liam Metarey en de senator bleven de hele ochtend in de werkkamer beneden. Ik kon hen aan een tafel zien praten. Op een gegeven moment keek ik naar binnen toen ik in de rijbak stond, en zag de senator wankel uit zijn stoel opstaan terwijl meneer Metarey hem bij zijn elleboog ondersteunde. Het was harder gaan sneeuwen en ik moest eerst een pad vrijmaken voor Breighton, die nerveus was door zijn blessure, voordat ik hem voor het middageten terug kon brengen naar de stal. Inmiddels zaten meneer Metarey en de senator al in de bibliotheek boven.

's Middags werd ik bovengeroepen om een haardvuur aan te leggen en toen ik met een armvol walnotenhout binnenkwam, viel het gesprek stil. Ze keken toe terwijl ik het hout opstapelde. Op de tafel voor hen stond een pot koffie en in de paar minuten dat ik binnen was, dronk senator Bonwiller een volle kop leeg en schonk er nog een in. Toen leunden ze allebei in de kussens. In die fase van mijn werk bij de Metareys werd mijn aanwezigheid zelden opgemerkt, maar op dat moment zaten ze allebei duidelijk te wachten tot ik weer wegging. Er lag een dik pak sneeuw buiten en in de kamer heerste een ijzige kou, dezelfde kou die het huis in de donkerste dagen van de winter uitstraalde. Toen ik weer op de gang stond en de deur sloot, hoorde ik dat ze hun gesprek hervatten.

Een paar minuten later zag ik Liam Metarey buiten naar de loods lopen en er op de Ferguson weer uit komen. Hij reed de oprijlaan af en verdween in de vallende sneeuw.

Tegen vijven die middag, het tijdstip waarop ik naar huis ging, zocht hij me in de loods op. 'We hebben een chauffeur nodig die ons naar Buffalo kan rijden,' zei hij. 'Voor een boodschap.'

'Ja, meneer.'

'Het spijt me als je daardoor je avondeten thuis misloopt, maar Gil is er niet en er is niemand anders die het kan. We eten wel met z'n drieën in Buffalo. Je kunt je ouders binnen even bellen. Maar wel opschieten,' zei hij met een blik op zijn horloge. 'We zijn al laat. En er komt vanavond een vracht sneeuw. We nemen de auto van de senator.' Toen keek hij me aan. 'Er zijn problemen,' zei hij. 'Het spijt me.'

Ik weet niet, en ik zal wel nooit weten, wat Liam Metarey precies van me vond of wat ik voor hem betekende. Maar hij keek me toen recht aan. 'We zitten tot onze nek in de problemen.'

'Ik heb de kop gezien,' zei ik.

Hij keek geschrokken. 'Welke kop?'

'Over de commissie,' zei ik. Ik vroeg me af of ik te ver was gegaan. Na een paar tellen voegde ik eraan toe: 'Anodyne Energy.'

'O dat...' zei hij. 'Was dat onze grootste zorg maar.'

'U kunt op mij rekenen, meneer.'

'Dat weet ik,' antwoordde hij, 'dat weet ik.' Toen woelde hij met zijn hand door mijn haar, zoals hij wel vaker deed. 'We moesten maar gaan. Het spijt me.'

Natuurlijk vertelde hij niet om wat voor boodschap het ging en natuurlijk verwachtte ik niet dat ik dat mocht weten – pas jaren later wist ik te reconstrueren wat er mogelijk was gebeurd. Ik belde naar huis en toen ik even later buiten kwam, zaten zij te wachten in de Cadillac waarvan de motor al draaide. Het begon al donker te worden en de lampen van de veranda en de garage waren allemaal uit, maar het leeslampje in de auto was aan en ik herinner me nog precies hoe ze erbij zaten toen ik haastig naar buiten kwam. Ze leken allebei in het felle schijnsel wel licht te geven: Henry Bonwiller al pratend en gebarend op de achterbank en de luisterende en knikkende Liam Metarey voorin. Het portier aan de bestuurderskant stond al open en ik schoof snel naar binnen. Ik bekeek de auto niet extra aandachtig: daar was geen reden toe. Rond de schoenen van meneer Metarey lag een dun wit laagje smeltende sneeuw op de vloermat en toen ik achteromkeek, zag ik daar ook sneeuw op de vloer en op de rand van de zitting, maar ik stond niet stil bij de vraag hoe die daar terecht was gekomen. 'Zal ik dat even wegvegen?' vroeg ik.

'Nee, nee,' zei Liam Metarey. 'Laat maar zitten.'

'Geen tijd,' zei de senator. 'Rijden maar.'

Het was warm in de auto. Meneer Metarey schoof de sneeuw met de zijkant van zijn schoenen naar de rand van de mat en ik hoorde dat de senator achter me dat ook deed. Toen ik de bocht bij het huis nam, begonnen de voorwielen te slippen, maar ik gaf tegenstuur en de auto trok weer recht. Ik concentreerde me op de weg.

'Rotweer,' zei de senator.

'Daar mogen we wel dankbaar voor zijn, Henry,' beet Liam Metarey hem toe. 'En ook dat we iemand zoals Corey hebben die bij dit weer kan rijden.'

Het was die middag aanmerkelijk kouder geworden. Er lag meer dan vijf centimeter sneeuw op de grond, maar het was droge sneeuw, die door de zware banden van de auto werd weggeperst. Ik reed bewust extra voorzichtig, maar mochten ze sneller willen, dan kon dat. Ik bedacht dat ze de bespreking van die dag misschien wel wilden hervatten en zette de radio aan, die op een jazzzender stond afgestemd, om te kennen te geven dat ik daarnaar luisterde. De zon was bijna onder. We draaiden van het grindpad voor het huis de lange oprijlaan op, die tussen de rijen platanen en het dichte bos van eiken en dennen door liep. De weg lag daar in vrijwel volslagen nachtelijke duisternis, en dankzij de beschutting van de takken was er minder sneeuw gevallen.

Toen we de laan, waarboven de takken van de platanen één dak vormden, achter ons lieten en op het langere, open gedeelte met lagere bomen kwamen, boog Liam Metarey zich naar voren, zette de radio uit en zei: 'Kijk, daar... een buizerd.' Hij wees vlak voor me door de voorruit naar de lucht. 'Die jaagt op ons land. Dat moet een teken zijn.'

'Een roodstaartbuizerd,' zei senator Bonwiller direct op de achterbank. 'Dat is een gunstig voorteken.'

'Zie je hem, Corey?' vroeg Liam Metarey terwijl hij zich bijna dubbelgevouwen naar me toe boog en reikhalzend door mijn raampje naar de lucht wees. Zijn hoofd lag bijna op het stuur. 'Zie je die schitterende staart?'

We bevonden ons midden in het bos. 'Ik kan op dit moment niet kijken, meneer.'

'Prachtig,' zei de senator. 'Kijk toch eens.'

'Dat gaat niet. Maar ik heb er wel vaker een gezien. Ik woon hier al mijn hele leven.' Ik had er direct spijt van dat ik iets over mezelf had gezegd, al was het nog zoiets onbenulligs – niet uit bescheidenheid, maar omdat ik wist dat het Henry Bonwiller geen barst interesseerde. Om het gesprek weer op de buizerd te brengen zei ik: 'Ik zie hem straks bij de bocht wel, meneer.'

'Dan is hij weg,' zei de senator. 'Het is bijna donker. Kijk nu maar even goed, jongen.'

Ik remde af.

'Niet stilstaan,' zei hij. 'Godsamme. Hij vliegt precies boven ons tussen de bomen. Je hoeft verdorie alleen maar je hoofd uit het raampje te steken.'

Ik liet de ruit zakken. Het sneeuwde hard op dit open gedeelte, maar ik hield mijn hoofd buiten het raam en keek naar de lucht. Om hun een plezier te doen stak ik demonstratief mijn hoofd bijna helemaal door de opening. Er vielen dikke vlokken in mijn ogen. Ik zag geen buizerd, alleen een zwevend schuimig wit tegen de donkere wolken.

Wat er toen gebeurde, kan ik met geen mogelijkheid precies reconstrueren. Ik weet nog dat ik het gevoel had klem te zitten. Ik geloof dat mijn arm tegen de bovenkant van het portier vastzat. Ik draaide mijn heupen om mijn arm te bevrijden.

Ik hoorde meneer Metarey zeggen: 'Sorry, jongen.'

Op dat moment schoot het stuur door mijn handen. We raakten van de weg en een tel later gleden we van het steile talud naar beneden. Ik voelde dat ik door de sterke armen van meneer Metarey werd tegengehouden en toen de geweldige dreun onder in de greppel. We slipten over de puinhelling, schoven op onze kant door een sneeuwbank en reden toen stuurloos door het open veld met een boeggolf van sneeuw over de motorkap, totdat we op iets botsten.

Een mokerslag. Gevolgd door stilte. En gesis. Ik opende mijn ogen. Een forse eik rees op boven de punt van de motorkap. Meneer Metarey schakelde de motor uit. Het gesis stopte en we werden omsloten door een spookachtige stilte, maar na een ogenblik hoorde ik de haast geruisloze plofjes van sneeuw op het dak. Hij wreef over zijn voorhoofd.

Zijn stem klonk gespannen. 'Nou, Corey,' zei hij, 'Die buizerd zullen we vanavond vast niet meer zien.' Toen begon hij de sneeuw rond zijn voeten weer weg te schuiven.

'Nou, maar hij was prachtig,' zei senator Bonwiller bijna joviaal. 'Dat kan ik je verzekeren.'

'Alles goed, senator?' vroeg ik terwijl ik me naar achteren omdraaide.

'Dat mag ik hopen, jongen.'

Hij lachte erbij en leek ongedeerd toen hij zijn riem losmaakte en uitstapte. Hij bleef bij de boom staan om de schade op te nemen. 'Allebei de linkerspatborden,' zei hij. 'Voorspatbord alleen in de punt.'

Meneer Metarey stapte ook uit en liet er zijn hand overheen gaan. 'Die moeten allebei worden vervangen,' zei hij. 'Geen probleem. Morgenavond klaar, senator.'

Toen ik eindelijk buiten bij hen kwam staan, begroette Henry Bonwiller me met een klap op mijn schouder. 'Dat was mooi werk, daar,' zei hij. 'Van jullie allebei.'

Dat zei hij. Ik weet het nog.

'Het spijt me wel, meneer. Is alles in orde, senator? Het spijt me, meneer Metarey. Zal ik even naar het huis rennen? Is er niemand gewond? Ik ren wel terug om een andere auto te halen. Ik ben zo terug. Ik haal wel iemand. Het spijt me, senator. Het spijt me heel erg.'

'Nee,' zei Liam Metarey terwijl hij de weg in noordelijke richting af tuurde. 'We blijven hier samen wachten.'

'Moet ik de Chrysler halen?'

En als in antwoord op mijn vraag verscheen er precies op dat moment een paar koplampen bij de noordelijke ingang. Ze flikkerden in de verte, zwenkten en kwamen recht op ons af. Destijds dacht ik dat we enorm geluk hadden.

'Wacht hier maar, jongen,' zei Henry Bonwiller.

We hadden ons alle drie omgedraaid om te kijken. Het leek wel een droom. De verre koplampen zigzagden door de donkere bossen, zodat er lange sporen dikke, kolkende vlokken uit de duisternis opdoken. De lichtbundels, die langzaam de slingers in de weg volgden, werden feller en toen ze uit de laatste bocht kwamen, zag ik dat ze bij de onderhoudswagen hoorden. Achter het stuur zat Gil McKinstrey. Toen ik over het talud omhoogklauterde, zakten mijn benen weg in de sneeuw.

'Kalm aan, Corey,' riep Liam Metarey. 'In dit soort situaties komt het vooral op kalmte aan.'

De auto remde en Gil riep door het raampje: 'Moet er een dokter komen?' Hij hield een stormlamp op.

'Alleen een hete grog, dan is alles weer goed,' brulde de senator terug.

'Ik zal zien wat ik kan doen, meneer.'

En nog voordat de stationcar helemaal tot stilstand was gekomen, zwaaiden de achterportieren open en stapten drie mannen uit met bergingsmateriaal. Ach, wat was ik groen in die wereld, wat was ik naïef. Het was allemaal vreemd en onbegrijpelijk, totdat ze de helling al bijna af waren en ik eindelijk begreep wat er gebeurde: het was helemaal geen bergingsmateriaal, het waren camera-uitrustingen. Van persfotografen die met hun spullen naar beneden klauterden.

Ik had hen weleens gezien, besefte ik, op de feesten van de Metareys. Een van hen was van de *Sentinel*, geloof ik, en een van de *Courier-Express* en de derde was een man die ze alleen inhuurden voor foto's van officiële handdrukken. Henry Bonwiller sloeg me op mijn schouder en sprong zomaar, in zijn gebruikelijke donkere pak met bretels, op de natte motorkap. En daarna leek het allemaal dikke pret. Hij trok zijn jasje uit en bood het mij aan – mijn broekspijpen zaten tot mijn knieën onder de sneeuw – en toen gebaarde hij met zijn grote hand dat ik naast hem moest komen zitten. Ik gehoorzaamde en hij legde het jasje om mijn schouders. De fotograaf van de *Sentinel*, die zijn statief al had opgesteld, keek in zijn toestel en begon af te tellen voor de flits.

In de loop der jaren heb ik over dit ongeluk misschien wel meer nagedacht dan over alle andere episodes in deze geschiedenis, en ik weet nog steeds niet of het plan van meneer Metarey en de senator een weloverwogen gok was of louter de uitkomst was van ambitie, hersenschimmen en de onstuitbare dynamiek van de campagne. In een la van mijn bureau thuis ligt nog steeds een ingelijste foto van de senator en mij op de motorkap van de auto. Het is het origineel van het negatief dat zij vermoedelijk hadden gehouden voor het geval dat ze het nog eens nodig zouden hebben om ergens in te laten afdrukken. Ze zullen hun redenen wel hebben gehad om het zo te doen – het zou het gewenste resultaat hebben opgeleverd, als het ooit zover was gekomen. En ze hadden het veel verder kunnen verspreiden dan alleen in de *Courier-Express*, als het nodig was geweest. Maar zover is het nooit gekomen.

Ik heb nooit meer een andere politicus gekend en ben in mijn leven nooit meer zo dicht bij een historische figuur als senator Bonwiller gekomen, maar op dat moment moet ik haast wel hebben gedacht dat dergelijke evaringen op zekere dag volkomen normaal zouden worden. Ik vatte ieder voorval op als een fabel, iedere mijlpaal als een onverhoopte les in de gedragscode van die nieuwe wereld van de openbaarheid. De senator zat naast mij op de kap, en al leek hij zich niet meer zo op zijn gemak te voelen, hij begon toch grapjes te maken, zoals zo vaak wanneer er fotografen in de buurt waren. Die liepen in de diepe sneeuw voor ons te zwoegen en te zeulen met hun statieven. Eerlijk gezegd vond ik zijn anekdotes helemaal niet geestig, maar ik herinner me dat ik wel hardop lachte, zodat hij het hoorde. Daar schaam ik me nu voor. Achteraf gezien geloof ik dat ik hem ook toen al niet erg mocht, maar in die tijd had ik waarschijnlijk alles voor hem over. Ook voor meneer Metarey, trouwens. De lampen flitsten inmiddels snel achter elkaar. Toen de senator aangaf dat hij nog een overzichtsfoto wilde, pakten de mannen hun apparatuur op en sjouwden ermee verder het bos in. Ik sprong van de motorkap en ging glimlachend naar de camera's tegen de boom staan waartegen ik even daarvoor de auto in de kreukels had gereden.

Liam Metarey had iets grimmigs over zich gekregen en leek er opeens niets meer mee te maken te willen hebben. Hij ging achter de statieven in de duisternis staan. Telkens als het flitslicht doofde, zag ik hem tegen een boom leunen vlak bij Gil McKinstrey, die naast de stationcar naar ons stond te kijken.

'Zo is het genoeg,' riep meneer Metarey ten slotte naar ons. 'Kom, we gaan voordat er tranen gaan vloeien.'

'Straks pissen we nog ijspegels van de kou,' mompelde Gil McKinstrey.

'Tranen die makkelijk komen, zijn een teken van bedrog,' riep Henry Bonwiller terug met zijn operabas. 'Niet van verdriet.' Hij sprak alsof hij voor een menigte stond en keek naar links en naar rechts terwijl een van de fotografen diep in het bos een laatste flits liet afgaan. Met zijn kin gebaarde de senator naar mij, in zijn elegante jasje, en met zijn brede hand wees hij naar de gedeukte bumper van de auto.

'Ze kunnen ook een teken van kou zijn,' zei Liam Metarey die naderbij kwam en me een deken uit de achterbak van de stationcar toewierp. Ik stond zeker te rillen. Ik moet benadrukken dat ik nog steeds niet raar vond wat er werd gezegd – het leek allemaal meer een gemaniëreerd soort Engels toneelstuk met als acteurs niet alleen de senator, maar ook de fotografen, die, nog altijd hartelijk lachend, hun apparatuur begonnen in te pakken onder het toeziend oog van Liam Metarey, Gil McKinstrey en mij. Ik kon de stemming niet peilen. Ik wist alleen dat ik erbij wilde horen.

'Het is niet jouw schuld, hoor Gil,' riep ik ten slotte zo hard dat ik in mijn eigen oren dronken klonk. 'Maar jij bent wel degene die me heeft leren rijden.'

Henry Bonwiller bulderde van het lachen. U kunt zich wel voorstellen hoe dat voelde. En ik hoorde de fotografen ook grinniken. Maar toen keek ik naar Gil zelf, die aan de rand van de lichtkring met zijn kromme schouders bij het portier van de auto stond. Hij hief alleen zijn hoofd even op en keek me aan.

Drie

IK GING IN HAVERFORD STUDEREN, EVEN TEN WESTEN VAN PHILA-delphia. Een maand na mijn achttiende verjaardag werd de dienstplicht afgeschaft en in september 1973 stapte ik met Liam Metareys tas over mijn schouder op het station van Haverford uit de R5 Paoli Local. De woede in het land begon toen al te wijken. Het bloedbad van Kent State lag achter ons. De Democratische studentenbeweging was verleden tijd. Nixon zat in het nauw, maar we hadden ons uit Vietnam teruggetrokken en op de dag dat ik uit de forenzentrein stapte en de straat overstak om een taxi te zoeken die me naar het *college* kon brengen, heerste het gevoel alom dat de jaren van onrust voorbij waren. De bladeren aan de bomen verkleurden. Bij de taxistandplaats zat een schitterende kardinaalvogel te jubelen in de kruin van een iep.

Als ik aan die dagen terugdenk, besef ik dat ze de hefboom vormden waarmee ik mezelf uit mijn opvoeding opbeurde en met mijn opleiding als het ware in de sociale klasse tilde waar ik eindelijk in thuishoorde, al was het zeker niet door geld, dan toch door prestatie. Ik ben er niet trots op en ik schaam me er niet voor. Het is gewoon een feit dat ik met de jaren die achter me liggen inzie. Ik vond het heerlijk op *college*. In Haverford wemelde het van het soort studenten dat ik op Dunleavy al had leren kennen: de nakomelingen van een geprivilegieerde klasse die zichzelf als rebellen beschouwden als ze stuff rookten of spijbelden om frisbee te spelen op de glooiende gazonnen bij de eendenvijver. Ik zal niet ontkennen dat ik me boven hen verheven voelde. Dat is een vreemde uitspraak voor een jongen die zich in de twee jaar daarvoor een charlatan had gevoeld, ook onder de achterblijvers van Dunleavy, maar de jaren of mijn ervaringen op Aberdeen West, hadden me volwassen gemaakt. Ik was door de gebeurtenissen sneller gehard dan de meeste kinderen, en ook wijzer geworden. Op een avond had ik in de eetkamer van de Metareys Melvin Laird gezien – de man die namens Nixon continu kritiek uitte op Henry Bonwillers verzet tegen de oorlog –, aan een uitgebreid, vriendschappelijk diner met de senator. Ik had nog veel meer gezien. Ik kon moeilijk opgewonden raken over het vooruitzicht te spijbelen.

Daarom deed ik precies hetzelfde als op Dunleavy: ik ging studeren. Meteen in het begin leerde ik een meisje kennen van het meisjes-*college* Bryn Mawr. Ik woonde in een studentenhuis – een gebouw van vier verdiepingen met oude houten kozijnen waar je met je vlakke hand een klap op moest geven om een raam open te krijgen – aan de rand van een weelderig, met eiken en esdoorns bezaaid grasveld, dat langzaam afliep naar de eendenvijver. U kunt zich wel voorstellen wat er zich rond de vijver afspeelde in een groep van negentienjarigen die net te horen hadden gekregen dat ze niet naar het front hoefden. Op een avond bij een barbecue daar, toen de meeste mensen versterkte punch dronken uit glazen conservenpotten, leerde ik Holly kennen.

Holly Steen. Ze leek op mij. Ook eerstejaars en de eerste uit haar familie die was gaan studeren. Ze had zich al ingeschreven voor een major Engels met het idee om na *college* rechten te gaan studeren. Ze kwam uit Memphis. Haar vader was monteur bij de Ford-dealer en haar stiefbroer was vrachtwagenchauffeur. Om de studie te betalen werkte zij in de eetzaal en ik in de bibliotheek.

Ernstig als we waren, begonnen wij tweeën ons af te zetten tegen zowel onze jaargenoten als ons milieu. Jongeren luisterden toen naar The Who en Jefferson Airplane, maar Holly en ik namen demonstratief de trein naar de stad om het Philadelphia Orchestra te horen spelen. Ik was nog nooit van mijn leven in een concertzaal geweest. Toen de rest van de campus zich in bussen wrong om in Lancaster Haverford tegen Franklin en Marshall te zien honkballen om de titel, zaten wij weer in de trein naar Philadelphia om de olieverfschilderijen van Thomas Eakins in het Museum of Art te bekijken. Onze vastberadenheid was onvoorstelbaar. Nu doet die me natuurlijk denken aan Trieste – al neemt die onverzettelijkheid bij haar de vorm van krachtdadige originaliteit aan, terwijl de onze, als ik die zou moeten benoemen, iets hongerigs had. Wij hunkerden naar de dingen die de jongeren om ons heen al door geboorte bezaten, jongeren die waren opgegroeid in de wingerdrijke buitenwijken die we door het raam zagen als de trein schokkend en ratelend Philadelphia binnenreed. Ik had dat soort dingen natuurlijk bij de Metareys gezien, maar ik moest vermoedelijk voorgoed van huis weggaan – niet slechts honderdvijftig kilometer ver naar Dunleavy, maar echt naar de andere kant van de staat – voordat ik me vrij en goed genoeg voelde om naar iets daarvan te streven.

Het was geen gemakkelijke tijd om tegen de massa in te gaan, maar ik moet erbij zeggen dat we niet de enigen waren. Er was destijds op Haverford, Bryn Mawr en Swathmore een aantal studenten dat tegen de stroom inging, en algauw hadden we elkaar gevonden. Dat najaar besloten we een groep te vormen, verenigd door het feit dat we onze studie serieus namen. Tijdens mijn hele studie waren we met een tamelijk constant aantal van dertig studenten en we kwamen 's avonds bij elkaar in een van de huizen op de campus om bij een glas appelcider te praten over kunst, muziek en geschiedenis; we organiseerden schijndiscussies tussen negentiende-eeuwse filosofen en brachten mondeling verslag uit van onze bezoeken aan musea en monumenten. We nodigden docenten uit als spreker. Ik geloof dat de meesten diep dankbaar waren – om niet te zeggen dolgelukkig – omdat ze verkeerden in een omgeving van bibliotheken, piano's en onverkorte woordenboeken op standaards.

Holly was onze leidster. Ze was klein en ik weet nog dat haar lengte meespeelde. Ze was niet tenger, maar gedrongen, en als ze iets zei, ging ze amper merkbaar op haar tenen staan en rekte haar hals, en uit haar houding spraken een oprechtheid en gretigheid waardoor ik zeker wist dat iedere jongen die ook maar even met haar praatte, wel verliefd op haar moest worden. Ik voelde me daardoor constant onder druk staan. Toen ik haar zelf leerde kennen, op de barbecue bij de eendenvijver, en ze zich op die speciale manier op haar voorvoeten verhief, wist ik op slag dat ik gevonden had wat ik zocht.

Na het ongeluk met de auto van de senator kon ik de slaap niet meer vatten. Iedere avond lag ik in mijn jongensbed te wachten en iedere morgen knipten mijn ogen open in de duisternis met de herinnering aan panisch geruk aan het stuur terwijl we de helling af doken. We waren al halverwege de kerstvakantie: nog twee weken en ik moest weer naar school. De terugkeer naar Dunleavy had iets opvallend definitiefs voor me en toch had ik me er nog op geen stukken na voor gewapend. En ik had mijn oude vrienden van de Roosevelt-school ook nog niet gebeld. Het drong langzamerhand tot me door dat ik dat ook niet meer zou doen. Zij zouden mij ook niet bellen. Misschien wel nooit meer.

Het gekke was dat er bij de Metareys met geen woord over het ongeluk werd gerept. Clara zou zeker tegen me tekeer zijn gegaan als ze er was geweest en Christian had me misschien getroost, maar ze waren allebei nog met hun moeder aan het skiën. Iedere dag beleefde ik het ongeluk in gedachten opnieuw, en misschien kwam het daardoor dat de details waren gaan vervloeien. Het was natuurlijk stom geweest om uit het raampje te hangen, maar senator Bonwiller had het me bevolen – of niet? Bovendien had het die ochtend even gedooid voordat het weer kouder was geworden: misschien had er ijs onder de sneeuw gelegen. Anderzijds had de auto gemakkelijk kunnen kantelen toen hij over de rand van het talud ging, maar dat was niet gebeurd. Misschien kwam dat doordat ik zo rustig reed toen we van de weg raakten. Maar eigenlijk zou ik het ook hebben geloofd als iemand had gezegd dat we door een volwassen mannetjeshert waren geraakt. In zo'n gemoedstoestand verkeerde ik.

Het allerliefst wilde ik weer aan het werk. Werk hielp tegen alles. Maar naarmate Kerstmis naderbij kwam, was het of Aberdeen West in een soort winterslaap wegzakte – een eigenaardigheid van de Metareys waar ik later mee vertrouwd zou raken – en werd het stiller in plaats van drukker in het huis, zodat alle bijbehorende bedrijvigheid bijna lam kwam te liggen. En hoewel senator Bonwiller ruim een maand later al een fikse vuurproef te wachten stond, leek ook de campagne zich naar elders te hebben verplaatst. Het was stil op het landgoed. Sinds de dag dat ik de auto in de prak had gereden, was ik maar een paar keer voor werk opgeroepen, een keer om een berg brandhout binnen te halen en een keer om in de stal het scharnier van een hek te repareren dat was losgeraakt.

Verder was er kennelijk geen werk voor me. Ik probeerde in de oververhitte voorkamer van het huis van mijn ouders te studeren voor de proefwerken die we moesten maken zodra we terug waren. Elke ochtend belde ik naar het landhuis om te melden dat ik beschikbaar was. Soms belde ik 's middags nog eens. Telkens hoopte ik natuurlijk meneer Metarey te spreken te krijgen, maar dat gebeurde niet. Hoewel ik wist dat hij thuis was – ik had hem in zijn studeerkamer boven gezien – leek hij zich na het ongeluk uit het openbare leven te hebben teruggetrokken; in ieder geval trok hij zich van mij terug. Ik werd er onzeker van.

Als Gil McKinstrey opnam, probeerde ik op mijn gewone, achteloze toon te informeren of hij later iets voor me had, of de volgende dag. Maar telkens was er vrijwel niets. En de rest van de tijd zat ik thuis eigenlijk alleen maar duimen te draaien tot de telefoon zou gaan. Ik denk dat ik mezelf weer wilde bewijzen. Bewijzen dat ik hen niet zou teleurstellen.

Twee dagen voor Kerstmis belde meneer Metarey eindelijk zelf op om te vragen of ik Gil wilde helpen met de lampjes in de Lodge Chief Marker. Tegenwoordig wordt de grote boom natuurlijk met Thanksgiving verlicht, maar destijds werd tot kerstavond gewacht, een ritueel dat niet alleen werd ingegeven door de onmiskenbare zuinigheid van Liam Metarey, maar ook door de zuinigheid van het hele district. Ik ging er gauw naartoe. De verlichting van de Lodge Chief Marker vormde voor de inwoners van de stad een essentieel element in de faam van de familie. Eoghan Metarey had ergens rond de eeuwwisseling de traditie in gang gezet – toen hij Westinghouse had ingehuurd – en voor heel wat oudere families uit Saline was het nog steeds een uitje om op tweede kerstdag onder de verlichte boom kerstliedjes te zingen. Ik moet erbij zeggen dat ik sindsdien soortgelijke situaties heb meegemaakt – waarin arbeiders of de inwoners van provinciestadjes of zelfs de allerarmste bewoners van sloppenwijken in de derde wereld hechten aan een schamel, genadig gebaar van de kapitaalkrachtige klasse, alsof dat alle problemen van rang, rijkdom en rechtvaardigheid overstijgt. Soms vermoed ik dat meneer Metarey er ook zo over dacht. Ik hoorde later van Clara dat hij er ieder jaar aan moest worden herinnerd om de boom te verlichten. Ik denk dat hij het armzalige van het ritueel inzag en het belang dat de inwoners van Saline eraan waren gaan hechten gênant vond.

Toch ging de verlichting ieder jaar aan. Maar uiteindelijk belde hij pas in de namiddag en toen ik door de bossen kwam aanlopen, zag ik dat de boom al met zijn mantel van lampjes was opgetuigd. Gil McKinstrey zat bovenin om er de laatste hand aan te leggen. Ik bleef bij de onderste takken staan. Ieder jaar van mijn jeugd had ik de versiering gezien, maar nog nooit van zo dichtbij: ik zag dat de isolatie rond de stekker herhaaldelijk was gerepareerd en dat hele stukken draad met isolatieband waren omwikkeld. Ook was misschien een vijfde van de lampjes doorgebrand. Dat was natuurlijk typerend voor de bezuinigingsdrift van de Metareys, die me inmiddels vertrouwd was. Maar ondanks zijn sjofele tooi stond de boom zelf al te stralen met lampjes die schitterden in het verflauwende licht.

Eigenlijk durfde ik Gil niet onder ogen te komen. Ik wist dat er een reden was waarom hij me niet belde. Ik sloeg hem door de takken heen gade. De grote spar was twee keer zo hoog als het huis zelf en hij zat op nog maar een lichaamslengte van de top. Hij klampte zich met klimijzers aan de dunne stam vast en boog opzij. Hij slingerde een korte lasso van lampjes in zijn hand een paar keer rond en mikte op de punt van de neerbuigende tak, waar ze bleven hangen. Van beneden, waar ik stond, leek hij een vliegvisser die een lichtgevende snoeklepel in de lucht gooide. Ten slotte riep ik hem.

'Ga maar weg,' riep hij terug. Hij sloeg met zijn handschoenen tegen de stam en er zweefde een wolk rijp omhoog. 'Het is zo koud als de ballen van een putgraver.'

'Is het wel handig om met stroom op die spullen te werken?'

'Dat zou mooi mazzel zijn. Dan wordt het ietsje warmer.'

'Meneer Metarey stuurt me om je te helpen.'

'Hoeft niet.'

'Ik wil best.'

'Hoeft niet,' zei hij nog eens.

De volgende dag zou hij er met zonsondergang bij staan, zo wist ik, als de mensen uit de stad zich in de invallende duisternis verzamelden en wachtten tot mevrouw Metarey de buitenmaatse schakelaar overhaalde die aan de stam was bevestigd. Hij was nu alleen maar aan het testen. De wind was afgenomen, zoals altijd na zonsondergang, maar het waaide nog een beetje en ik kan me wel voorstellen dat het boven in die takken ijzig koud moet zijn geweest: ik vraag me ook af wat er door hem heen ging toen hij vijfentwintig meter boven de grond opzij boog om het zware werk te doen terwijl iemand anders in een jas van vossenbont de volgende dag met de eer ging strijken.

'Zeker weten?' riep ik naar boven.

Maar hij hoorde me niet of vond het onnodig antwoord te geven. Ik draaide me om en liep tussen de bomen door terug naar het huis van mijn ouders.

In die tijd van het jaar maakte mijn moeder altijd merklappen voor al haar zusters en hun gezinnen, en die avond ging ze na het eten op de bank tegenover me zitten met haar borduurwerk. 'Ik weet wat je denkt,' zei ze.

'Hou op.'

'Je denkt op school dat je ons mist, en nu je thuis bent, besef je dat je de school mist.' Ze keek me glimlachend aan. 'Of niet soms?'

'Helemaal niet.'

'O.'

Even later zei ze: 'Je mag best iets vertellen over wat je meemaakt, Cor. Ik bijt niet.'

'Er valt niets te vertellen, ma.'

Toen ging ze verder met haar handwerk. En tot mijn schande moet ik bekennen dat ik er niet tegen kon haar zo te zien met haar dikke pantoffels en de naald die ze op armlengte hield om de draad te kunnen zien terwijl ze 'Vrede op aarde' borduurde. Ik zat al in mijn onderhemd – verder kon ik niet gaan bij ons thuis – en ik had de Metareys die dag al een keer opgebeld, maar toch opende ik de achterdeur, trok de telefoon aan zijn lange koord mee naar de veranda en draaide hun nummer nog eens.

Het was waarschijnlijk even na zessen. Maar door de winterse duisternis leek het later en het vroor hard. Ik zat in mijn onderhemd tegen de deur te wachten op de verbinding. Het toestel waarnaar ik belde, ging over in de lange bijkeuken achter de keuken waar meneer Metarey vaak zat te knutselen en waar Gil McKinstrey was als hij binnenshuis werkte. Ik ging ervan uit dat Gil nog buiten in de boom zat of spullen aan het opruimen was in de schuur, maar als hij opnam, zou ik gewoon naar de volgende dag vragen. En als meneer Metarey opnam, wat ik hoopte, had ik een aantal nieuwe ideeën: een stapel walnotenhout achter de schuur was nog niet gekloofd en ik had in de garage een balk gezien die begon te rotten. Ik overwoog zelfs aan te bieden de doorgebrande lampjes in de boom te vervangen, al had ik geen idee hoe je met klimijzers moest omgaan en wist ik wel dat meneer Metarey me dat nooit zou laten doen. Ik zag mijn moeder binnen naar me kijken.

Maar de telefoon werd opgenomen door Christian. 'Mooi,' zei ze meteen, 'jij bent het.' Voordat ik de kans kreeg om nog iets te zeggen zei ze: 'We hebben vanavond een etentje. Heb je iets te doen?'

Om een of andere reden vond ik het gênant om te zeggen dat we al hadden gegeten. 'Ik dacht dat jullie aan het skiën waren.'

'We zijn net terug. Kun je komen?'

'Een etentje?' In al die tijd dat we elkaar kenden, had ze me nog nooit voor een maaltijd bij hen thuis uitgenodigd. Er leek een grens tussen onze twee families te lopen, die we allebei hadden getrokken. 'Wat voor etentje?' vroeg ik. Ik wist dat ze laat aten. Daar had mijn moeder weleens een opmerking over gemaakt.

'Andrew is jarig.'

'O, is hij dan terug?'

'Nee.'

'O.'

'Nou ja...' zei ze. Ze aarzelde.

'Ja?'

'Hij is uitgezonden.'

'Hij is wat?'

'Hij is weg uit Fort Dix. Eergisteren.'

'Nee toch? Waarnaartoe?'

'Wat denk je, Corey?'

Ik zweeg en dacht aan hem op de zeilboot.

'Wat erg,' zei ik.

'Laat maar.'

Door de deur zag ik mijn moeder haar werk neerleggen.

'Zijn je ouders ongerust?'

'Hij gaat niet de jungle in,' antwoordde ze. 'Hij gaat naar een basis van de geneeskundige troepen. Hij komt niet in de buurt van het front.'

Zachtjes zei ze: 'Ik geloof dat mijn vader dat heeft geregeld.'

'Gelukkig.'

Ik duwde tegen de deur om te controleren of hij dicht was.

'Maar toch,' zei ze.

'Precies.'

'Nou ja,' zei ze na een ogenblik, 'moeder wil ter ere van hem een feestje geven.'

'Nou, ik weet het niet.'

'Hij zou willen dat je erbij was.'

Zodra we hadden opgehangen, rende ik naar mijn kamer boven en trok een corduroy broek aan met mijn nette overhemd, dat gestreken en wel aan een kleerhaakje hing. Toevallig had ik op school voor Christian en voor haar moeder een kerstcadeautje gekocht, dat achter in de kast lag. Ik haalde de pakjes tevoorschijn. Ik weet niet waarom ik er een voor mevrouw Metarey had gekocht – ik betwijfelde of ik het aan haar zou durven geven –, maar toen ik het in een cadeauwinkel bij het treinstation van Dunleavy vond, had het me een goed idee geleken. En terwijl ik me aankleedde, besefte ik direct dat het profetisch was: een medaillon van de heilige Sebastiaan. De schutspatroon van de soldaat. Ik haalde het uit het doosje en het lag tussen mijn vingers te blinken. Sebastiaan was aan een boom vastgebonden, maar hij was nog niet door pijlen doorboord. Dat was een opluchting. Ik dacht dat ze dat wel zou waarderen. Het cadeautje voor Christian was een pompoengele sjaal waar de oudere zus van Astor me op een middag op had gewezen in dezelfde winkel waar ik het medaillon had gekocht.

Toen ik in het landhuis aankwam, zaten ze al aan tafel. De meeste bedienden moeten vrij zijn geweest en ik werd door een van de koks binnengelaten. Hij nam mijn jas met de cadeautjes aan en hing hem op. Het was meteen al een rare situatie. Het was een verjaardagsfeest voor iemand die er niet bij was, daar begon het mee. Het gesprek aan tafel viel stil toen ik van de voordeur door het atrium liep. Ik hoorde mijn eigen voetstappen op de marmeren vloer. Nog twee dagen en het was Kerstmis, maar ze hadden nog geen boom in huis. Dat was het volgende. Niet beneden tenminste, en voor zover ik kon zien ook geen cadeautjes, behalve een ingepakte doos op een lege plaats aan tafel, die ik zag toen ik de eetkamer binnenkwam. Ik begreep dat die voor Andrew was. Ik ging op de plaats ertegenover zitten, waar een bord en een wijnglas stonden.

'Hallo, Corey,' zei June Metarey direct. 'Je ziet dat mijn man niet in Kerstmis gelooft.'

'Hij gelooft er wel in,' zei Christian. 'Alleen niet in de moderne variant. Hoi, Corey.'

'Welkom,' zei meneer Metarey.

'Hallo allemaal.'

'Hoor de engelenbazuinen schallen,' zei Clara.

Toen realiseerde ik me dat ik voor haar niets bij me had.

'Ik zei net dat Kerstmis goddeloze commercie is,' zei meneer Metarey. 'Dat heb ik altijd gevonden.'

'Mooi,' zei mevrouw Metarey. 'Wijn, Corey?'

'En ik zeg dat het niet zo hoeft te zijn,' antwoordde Christian.

'Precies,' zei meneer Metarey. 'Het hoeft niet. En we werken allemaal mee, of niet soms? Christian gaat bijvoorbeeld naar haar nicht in New York.' Hij schonk het wijnglas van zijn vrouw bij. 'Om in de gaarkeuken te werken.' Hij keek Clara aan. 'En Clara helpt volgende week als vrijwilligster in een bejaardenhuis.'

'Vrijwilligster?' vroeg Clara.

'En mevrouw Metarey heeft een mooi bedrag ingezameld voor Sint-Judas.'

'Op de heilige van de hopeloze gevallen!' zei Clara terwijl ze haar glas hief.

'Trouwens,' zei Liam Metarey. 'Bedankt voor je hulp vandaag met de boom. Ik hoop dat Gil er blij mee was.'

'Geen dank, meneer. Ik kon niets doen.'

Ik moet zeggen dat de sfeer helemaal niet zo ijzig was als het misschien lijkt. Iedereen leek zelfs vrij vrolijk – vooral gezien de omstandigheden. Behalve Clara, die zich die avond had opgewerkt tot een onnavolgbaar opgefokte stemming. De anderen zaten kennelijk geamuseerd te praten en Churchill zat op het kleed bij de deur met een rood lint om zijn nek. Zo nu en dan verschenen meneer Metareys vingers op de rugleuning van de stoel van zijn vrouw om met haar haar te spelen. De kok die me binnen had gelaten, stond vlak voor de deur van de eetkamer op de gang naar de keuken. Ik zag hem iedere keer dat ik naar achteren ging zitten.

'Drink je thuis weleens wijn, Corey?' vroeg mevrouw Metarey.

'Dat lijkt Churchill onwaarschijnlijk,' zei Clara.

'Nou, in elk geval mag je hier wel een glas,' zei meneer Metarey. Toen vervolgde hij: 'Er is ook sap.'

'Zal ik sap halen?' vroeg de kok op de gang.

'Ik denk dat hij liever wijn heeft.'

'Wil jij dan een glas rode wijn voor hem inschenken, Clara?'

'Hier,' zei ze, terwijl ze mij de fles gaf.

Op die leeftijd had ik alleen weleens wijn uit een pak gedronken, bij de kalkgroeve. Ik zal het glas tot de rand toe vol hebben geschonken.

'Mooi zo,' zei ze met een blik op mij zodra ik klaar was. Ze hief haar eigen glas. 'Op het onderste uit de kan.'

Christian schraapte haar keel. 'En pap heeft geholpen met weeshuizen in Zuidoost-Azië.'

'Nogmaals: op de hopeloze gevallen!'

'In Vietnam en Laos. Het is verschrikkelijk,' zei meneer Metarey. 'Het ergste voor die kinderen. Ze kunnen alles gebruiken wat we maar kwijt willen.'

'Precies,' zei mevrouw Metarey.

'Dat zijn de dingen die wij altijd rond Kerstmis doen,' zei hij. 'In plaats van nog meer spullen voor elkaar te kopen proberen we iets van al het goede dat wij hebben met anderen te delen.' Hij keek de tafel rond en toen zijn blik op mij viel, knipoogde hij. 'Maar ik geef wel degelijk cadeautjes weg,' zei hij, 'wat de anderen ook zeggen.'

'Kleintjes, pap,' zei Christian.

'Niet allemaal,' antwoordde hij, terwijl hij me nog eens aankeek.

Toen gingen we eten. Het was mals ribstuk, gesneden door de kok. Verder waren er spruitjes en dun gesneden aardappelschijfjes en een soort groente die ik niet kende. Het gaf niet dat ik al had gegeten. Zodra ik iets op had, kwam de kok achter me staan om me nog eens op te scheppen. Ook schonk hij wijn bij. Tegen het eind van het hoofdgerecht stond Churchill op, kwam naar mijn stoel gekuierd en ging aan mijn voeten zitten.

'Het mag,' zei Christian. 'Je mag hem iets geven.'

'Hij wil zijn kerstcadeautje,' zei mevrouw Metarey.

'Heeft hij vrijwilligerswerk gedaan?' vroeg Clara.

'Hij heeft alle cadeautjes ingepakt,' zei Christian.

Ik zag de hond naast mijn stoel naar me opkijken met troebele ogen van verlangen. Ik sneed een klein stukje vlees af en hield het onder tafel.

Hij sloeg met zijn staart op het kleed, maar nam het niet aan.

'Hij heeft het liever extra gaar,' zei Christian.

'Twee slagen betekent goed doorbakken,' zei Clara. En dat deed Churchill toen: hij sloeg twee keer met zijn staart.

Als kind had ik geen hond gehad. Ik wist niet wat ik met het vlees moest doen dat ik naast mijn stoel ophield, daarom hield ik het op een paar centimeter voor zijn snuit. 'Ik weet niet of ik wel een goed doorbakken stuk heb,' zei ik. Met mijn vork in mijn andere hand lichtte ik het vlees op mijn bord op. 'Nee,' zei ik. 'Ik heb alleen half doorbakken.'

'Church,' zei Clara terwijl ze haar hoofd boog, 'kun je misschien overwegen om halfdoorbakken aan te nemen?'

Weer twee slagen.

'Nou,' zei Clara. 'Je hebt hem gehoord.'

'Church is een beetje kieskeurig,' zei Christian. 'Maar het wordt wel tijd, vind ik, dat je zijn ware aard ziet.'

'Zo,' zei meneer Metarey, 'en nu zie je eindelijk de ware aard van mijn meisjes.'

Ik keek hem aan. 'O ja?'

'Pak maar, Church,' zei hij.

In een oogwenk was het vlees uit mijn handpalm geplukt. Toen wandelde de hond naar de deur en ging zijn poten zitten aflikken.

'Zo,' zei Clara. 'Eindelijk,' – ze nam een slokje wijn en zette het glas met een klap op tafel – 'eindelijk zie je de ware aard van mijn vader.'

Het lachje van mevrouw Metarey klonk als een niesje.

'Touché,' zei mevrouw Metarey.

Na het hoofdgerecht bracht de kok een salade binnen. En daarna kwam een schaal vijgen, iets wat ik niet kende. Het eigenaardige was dat de Metareys er met een zekere tegenzin van aten, alsof het vitamines waren, en toen ze eindelijk klaar waren, of althans geen hapjes meer prikten, zette Christian haar glas neer. 'Drie klappen,' zei ze, 'betekent dat het tijd is om And zijn cadeautje te geven.'

'Vier klappen betekent dat hij wil dat Corey dat doet,' zei mevrouw Metarey.

We keken allemaal naar de hond, die niets deed.

'Juist,' zei meneer Metarey. 'Corey, zou je zo vriendelijk willen zijn?'

Hij wees op de ingepakte doos die voor me stond. Omdat de kok mijn glas steeds had bijgeschonken, weet ik niet precies hoeveel ik inmiddels op had, maar ik stond op en liep om de tafel heen naar Andrews plaats. Ik weet ook niet precies hoe ik wist wat ik moest doen, maar ik pakte zonder aarzelen het cadeau uit en legde het pakpapier opzij. In de doos zat een leren jas.

'Van mijn vader,' zei meneer Metarey. 'Die had hij aan toen hij de oceaan overstak.'

'O, lieverd,' zei mevrouw Metarey.

'Ik vond dat And hem moest krijgen.'

Alweer wist ik wat er van me verwacht werd. De jas paste, al zat hij wat krap in de schouders. Hij was van zacht leer met hier en daar wat craquelé, maar nog donkerbruin en soepel, met rijen doffe koperen drukknopen. Ik ging zo staan dat iedereen hem kon zien. Toen trok ik hem uit, hing hem over de rug van de stoel en ging naar mijn eigen plaats terug. Het gezin bleef naar Andrews plaats aan tafel staren. Meneer Metarey knikte.

'Gefeliciteerd, Andrew,' zei Christian.

'Gefeliciteerd, Andrew,' zeiden we allemaal.

'Moge het je altijd voor de wind gaan, And,' zei meneer Metarey.

'Bravo!'

We bleven zwijgend zitten. Churchill stond op, trippelde door de kamer en ging naast Andrews stoel liggen.

'Ligt Vietnam niet in de tropen?' vroeg Clara ten slotte.

Mevrouw Metarey zei: 'De nachten kunnen er koud zijn. Dan kan hij hem aandoen.'

Opeens zei ik: 'Ik heb ook iets voor jou bij me, Christian.'

'Wat aardig van je,' zei mevrouw Metarey.

Ik was niet echt dronken, maar ook niet bepaald nuchter. Ik ging gauw mijn jas uit de gang halen. 'Voor jou,' zei ik, terwijl ik het smalle doosje uit de zak nam en over tafel naar haar toe schoof.

Christian keek om zich heen. Ik zag wel dat ze zich geneerde. Maar toen ze de sjaal uitpakte en ophield, had ik de indruk dat ze er blij mee was. Ze hield hem tegen haar hals.

'Schitterend,' zei mevrouw Metarey. 'Werkelijk.'

'Mooi,' zei Liam Metarey.

'Ja, hè?' zei ik. Ze had hem zo omgeslagen dat hij voor haar sleutelbeenderen een kruis vormde.

Na een poosje vroeg Clara: 'Wie heeft je helpen uitzoeken?'

'Clara...' zei haar moeder.

'Daar zou ik geen antwoord op geven als ik jou was, Corey,' zei meneer Metarey.

'Dacht je niet dat ik hem zelf had kunnen uitzoeken?'

'Nou, eigenlijk niet.' Dat kwam van Christian. 'Nu je het zegt... Nee, dat denk ik niet.' Ze hield haar glas op zodat de kok haar kon bijschenken, en keek me langs het glas over de tafel heen aan. 'Maar toch bedankt. Hij is prachtig.'

'Op een baan in de regering-Bonwiller!'

'Clara,' zei mevrouw Metarey opnieuw.

'Laat Corey met rust,' zei Christian.

'Dat kan ik ook tegen jou zeggen, Christian.'

'Wat wil je daarmee zeggen?'

Clara wendde zich naar mij. 'Heb je niets voor vader meegebracht?'

'Clara Metarey!'

Vreemd genoeg barstte Clara daarop bijna in tranen uit. Ik weet niet waarom. Ik zag ze in haar ogen opwellen.

'Hou je mond,' zei meneer Metarey met zachte stem.

Op dat moment haalde ik het andere doosje uit mijn zak. Ik weet niet wat dat gebaar uiteindelijk voor mijn leven zou betekenen. 'En dit is voor jou, Clara,' zei ik, en ik schoof het over het tafellaken heen.

Ze keek me knipperend met haar ogen aan.

'Wat aardig van je, Corey,' zei meneer Metarey.

'Beter gezegd diplomatiek, pap,' zei Christian.

Clara pakte het. Ze glimlachte nerveus. Haar ogen blonken nog. Toen deed ze of ze het doosje in haar hand woog. Eindelijk opende ze het. De heilige Sebastiaan lag op zijn bedje van watten. Maar het verrassende was dat toen ze de sluiting optilde en de hanger aan de ketting in haar andere hand gleed, de tranen overstroomden en langs haar wangen gleden.

'We zijn allemaal moe,' zei meneer Metarey terwijl hij opstond en om de tafel heen liep om zijn arm om haar schouder te leggen. Churchill stond ook op en drukte zich tegen haar aan. 'We zijn allemaal ongerust over And. Maar het komt allemaal goed, lieverd. And is er volgend jaar met Kerstmis gewoon weer bij.'

Ik keek nog steeds naar Clara. Ze weigerde terug te kijken, maar de tranen waren er nog steeds. Ik besefte dat ik niets van haar af wist.

'Andrew komt veilig terug,' zei mevrouw Metarey.

Clara snikte een keer zachtjes.

'Stil maar, schat,' zei haar vader. 'Stil nou maar, toe.'

Toen ik weer naar Christian keek, zat ze me op te nemen met die opvallende groene glinstering in haar ogen. De kok kwam achter haar staan om haar bord weg te nemen, maar ze ging niet voor hem opzij.

<hr>

De politie ging bij alle vier de plaatwerkerijen in de omgeving praten en het feit dat die gesprekken niets opleverden, is al jarenlang voer voor complottheorieën en koren op de molen van iedereen die nog steeds bij het geringste vermoeden van een misdrijf de oren spitst. Maar de simpele waarheid was dat Liam Metarey en ik de auto van senator Bonwiller zelf hebben gerepareerd. De schade leek groter dan hij was. De motorkap was opgesprongen en er zat nog geen krasje op. Het gesis was afkomstig geweest van het ventiel van de radiatordop. Er zat geen scheur in de radiator zelf of in het motorblok.

We hoefden niet uit te deuken. De volgende morgen stond er een gloednieuwe set voorspatborden verpakt in kraftpapier en omwikkeld met supertape in de schuur klaar, plus een chromen bumper en dubbele koplamp. Toen ik kort na zonsopgang binnenkwam, lagen er drie grote en twee kleinere pakketten op een pallet naast de werkbank. Ik pakte de panelen uit en zag dat ze al nachtblauw waren gespoten. Meneer Metarey en ik hoefden ze alleen nog maar aan het chassis vast te maken. We moesten ook het glas van de richtingwijzers en de lampjes erin vervangen, net als de chromen strip achter de wielopening, maar ook die onderdelen waren allemaal meegeleverd en binnen een uur zat alles eraan. Ik weet niet meer wat Liam Metarey met de oude spatborden heeft gedaan, die bij de botsing behoorlijk waren ingedeukt, en dat zal dus wel een van de vragen zijn waarop iedereen een antwoord zoekt. Maar ik kan daar niet mee helpen. Hij en ik werkten destijds zwijgend en snel zij aan zij. Meestal was hij natuurlijk vriendelijk, maar die dag werkte hij zwijgend door. Ik paste me aan. We spraken bijna geen woord. Pas laat in de middag zei ik zonder erbij na te denken nonchalant: 'Wat waren de onderdelen er snel, ongelooflijk.'

Hij keek mij aan. 'Het vernuft van de Amerikaanse arbeider,' antwoordde hij.

Dat was het enige wat er werd gezegd. Destijds beschouwde ik ons gewoonweg als twee leden van een ploeg die een belangrijke taak hadden uit te uitvoeren; een tijdlang vleide ik me met de gedachte dat hij mij in plaats van Gil McKinstrey had gekozen omdat ik, althans die ene ochtend toen ik mijn uiteinde van de spatborden ophield en hem de moeren en bouten en zijn oude schroefsleutel aangaf, misschien wel de enige op de hele wereld was die hij nog vertrouwde.

Later zag ik natuurlijk in dat hij met zijn zwijgzaamheid mij wilde beschermen.

Toen ik op de avond van 25 januari de gemeenschappelijke ruimte van Dunleavy binnenkwam, zag ik dat meneer Clayliss op de bank met strijdbaar naar voren gestoken kin naar me opkeek. 'Het spijt me, maar ik heb slecht nieuws voor je, Sifter,' zei hij met een pseudo-plattelandsaccent. 'Die vent van jou is onderuit gegaan.' Hij lachte en een paar andere docenten op de banken om hem heen lachten mee. Maar niet allemaal en ook niet de twee andere leerlingen in de hoek bij de deur. Ik liep naar hen toe. Meneer Clayliss wees met zijn kin naar de televisie. 'En niet zo'n beetje ook, volgens mij.'

Even later verscheen Walter Cronkite om met zijn onverstoorbare basstem aan te kondigen dat Edmund Muskie zijn mededingers in Iowa had weggevaagd. Henry Bonwiller was vijftien punten lager geëindigd, nog net voor McGovern. Meneer Clayliss stond op en liep met grote stappen naar de deur. De anderen bleven waar ze waren en enkele leraren keken mij aan. Na een paar tellen draaide ik me om en ging naar buiten. Ik liep over het pad naar de sportvelden achter de beek.

Het was een heldere avond. Bitter koud, maar licht dankzij de opkomende maan. Ik liep ver voorbij het pad naar de diepe sneeuwbanken achter de voetbalgoals tot bijna in het bos. De ranke contouren van de berken voor me markeerden de grens. De school achter me was alleen nog een stel bleekgele ramen tussen de takken. De meeste klasgenoten beseften amper dat er een strijd werd gevoerd om het presidentschap. Ik zag een groepje stoeiend heen en weer rennen door de gang van Wilcott en iets overgooien.

Mijn band met alles wat boven mezelf uitging, hield op te bestaan. Dat besefte ik op dat moment. Dat alles wat me in staat had gesteld de onzekerheid die ik hier voelde te negeren, dat alles wat me erboven had verheven, voorbij was. Vanaf dat moment moest ik mezelf verheffen als ik iets van mijn verblijf daar wilde maken. Ik draaide me om en liep door. De paden glinsterden van het ijs.

Vier

I

Islington Speaker
Zaterdag 29 januari 1972

OVERLEDEN. JoEllen Charney, 29 jaar oud, uit Steppan. De jonge vrouw groeide op in Albion en was werkzaam bij het advocatenkantoor van McBain & Sweeney in Steppan, waar ze tevens voorzitster was van het Optimistenkoor van Carrol County en vrijwilligerswerk deed op scholen. Ze studeerde aan de staatsuniversiteit van New York in Buffalo en ontving een Rotary-beurs. In 1969 was Charney de winnares van de Three-Counties-missverkiezingen en halvefinaliste in de missverkiezingen van de staat New York. De nabestaanden zijn haar ouders, George en Eunice Charney uit Albion. In de Derde Lutherse Kerk in Islington is zij in besloten kring herdacht. Donaties zijn welkom bij het Optimistenkoor van Carrol County.

II

IEDER JAAR GEEFT DE STICHTING SPEAKER-SENTINEL AAN HET
eind van de zomer een diner voor de donateurs. Dat zijn de mensen die
ons helpen met onze stages – we bieden er meer aan dan alleen de stage bij
de krant – en de andere maatschappelijke projecten die we ondersteunen.
Dit jaar werd het gegeven in het landhuis van Clive Wantik, van de kruide-
niersfamilie – 'Ik koop bij Wantik, want ik wil alleen maar Wantik!' – die
ons al jarenlang met een meer dan royale bijdrage steunt. Voor die diners
worden alle stagiairs die we kunnen vinden uitgenodigd, van vroeger en
nu, zodat de donateurs precies kunnen zien waar hun geld naartoe gaat.

Het landgoed van Wantik is schitterend: paardenstallen, een zwembad
met een donkere bodem, een landhuis van natuursteen dat eruitziet alsof
het per schip van een Engels landgoed is overgebracht met het mos er nog
op. Het is op het eerste gezicht nog indrukwekkender dan Aberdeen West
vroeger. Ook in de bloeitijd van het landgoed van de Metareys werden alle
werktuigen onderhouden en kon er landbouw worden bedreven, terwijl
het op dat van de Wantiks nog lastig zou zijn een stapel haardhout te vinden. Laat staan een draaibank. Maar als je de kleedhokjes bij het zwembad
binnenliep, zou je er vast een plank vol dubbeldikke badhanddoeken vinden in een scala van kleuren waar je uit kon kiezen. En dat alles is het bezit
van een man die in dertig jaar tijd is opgeklommen van vakkenvuller bij
een kruidenier in een stadje aan de kust van Jersey. Het diner werd geser-
veerd op met linnen gedekte ronde tafels. Trieste zat aan mijn tafel en telkens als ik keek, zat ze genoeglijk te praten met Isabelle Wantik zelf, die
vermoedelijk degene is die de cheques schrijft.

We troffen het die avond met schitterend weer. Het diner werd buiten op het betegelde terras achter het huis gegeven, waar ook een muziekpaviljoen was met een twaalf man sterk blazersorkest, plus een houten dansvloer en een batterij Polynesisch ogende fakkels waarvan de vlammen de muggen op flinke afstand in de andere helft van de achtertuin hielden. Elke stagiair zat bij een donateur aan tafel en ik was er eerlijk gezegd trots op dat Trieste bij mij zat. De kaartjes kostten vijftienhonderd dollar per stuk en het kledingvoorschrift luidde avondkleding. De meeste meisjes zagen er prachtig uit in een lange jurk – het is een gracieuze leeftijd – en de meeste jongens droegen een tweedjasje.

En dat droeg Trieste ook – een tweedjasje. Visgraat. In de warmte viel het des te meer op, en het deed me eigenlijk wel een beetje zeer – maar het was een mooie avond vol edele gevoelens. En om de waarheid te zeggen had ik niet eens verwacht dat ze enige moeite zou doen. Terwijl de hoornspelers zich door 'Pennsylvania 6-5000' en 'Tuxedo Junction' heen bliezen, was er gazpacho opgediend. Toen de soep werd afgeruimd, stond Isabelle Wantik op om naar de muziektent te gaan en zag ik dat Trieste haar soeplepel leende. Ze legde hem op de hare als om er een soort castagnetten van te maken, waarmee ze zacht op de tafel roffelde terwijl de gastvrouw wachtte tot het ritme van Glenn Millers nagedachtenis wegebde. De band stopte met spelen en de gasten zwegen. Het was warm geweest die middag, maar de hitte was inmiddels getemperd in een waas van seringen en citronella, waarin de laatste vuurvliegjes van het seizoen ronddansten. Isabelle Wantik sprak de gebruikelijke beleefdheden en bedankjes uit en boog even toen haar gasten applaudisseerden. Mijn vrouw zat tussen Trieste en mij in en ik zag haar wenkbrauwen omhooggaan.

Toen de voorzitter van de stichting opstond om een toost uit te brengen, keek mijn vrouw mij strak aan. Ze bewoog haar hoofd even in de richting van Trieste. Ik keek. Trieste hield de castagnetten op haar schoot. Er verscheen een ober met een dienblad om de tafel af te ruimen en toen hij zich naar haar overboog, zag ik dat ze een van de lepels in haar zak liet glijden. Daarna gaf ze hem haar kom, schraapte haar keel en keek verwachtingsvol op toen de voorzitter aan zijn toespraak begon. Ik had zelf mijn lepel nog in mijn hand. Ook in het schemerlicht zag ik nog dat hij van echt zilver was.

'En,' zei ze een halfuur later, toen we van tafel waren gegaan. Ik was naar het gelakte houten podium gelopen waar ze voor stond. 'Gevonden wat u wilde bij Wantik?'

Ze glimlachte. Er waren, zoals altijd, talloze manieren om die glimlach te interpreteren. Ik was niet direct sprakeloos, maar ik wilde me ook niet meteen blootgeven. Ik was helemaal niet van plan haar te beschuldigen. Vlak bij ons zat de trompettist onderuitgezakt op zijn klapstoel een treurige solo met zijn demper te spelen, terwijl op zijn kale kruin de zweetdruppeltjes glinsterden. Trieste stond met haar handen in haar zakken tegen de muziektent geleund en keek onbevangen naar de gasten. Ik moet zeggen dat ze er op dat moment veel ouder uitzag dan ze was.

'Heb je het naar je zin?' vroeg ik.

'Hebt u weleens gewoon zin om iets van zulke mensen te pikken?' antwoordde ze.

'Was dat het?'

'Al dat geld – soms krijg ik gewoon zin om iets te pikken. Hebt u dat nooit?'

'Zo heb ik het eigenlijk nog nooit bekeken. Ze hebben kosten noch moeite voor ons gespaard.'

'Echt niet? Om een of andere reden moet ik er constant aan denken.' Ze haalde haar schouders op, waar het visgraatjasje een beetje om spande. 'Ik vroeg me gewoon af of u dat ook hebt.'

Ze had wijn gedronken, besefte ik. Dat verklaarde het. Er was iets ongeremds in haar stem.

'Als ik er al ooit aan had gedacht, Trieste,' zei ik, 'dan heb ik er in ieder geval nooit naar gehandeld.'

Ze keek me aan. Even zweeg ze, maar toen moest ze lachen. 'Niet slecht, meneer Sifter.' Ze keek weg. 'Ik dacht al dat u het had gezien. Dat was heel opmerkzaam.'

'Waarom geef je hem niet terug?'

Daar dacht ze over na. 'Gewoon over de post met een bedankbriefje?'

'Trieste.'

'Ja?'

'Je kunt hem gewoon even op tafel gaan leggen.'

'Ik heb hem nodig voor mijn verzameling.'

'Je verzameling...'

'Mijn kleine – hoe heet dat – mijn kleine nostalgische verzameling. Mijn kleine juweeltjes van wraak.'

'Wraak waarop, Trieste?'

Ze bestudeerde haar vingernagels. 'Ik ben bij meer dan genoeg van dit soort etentjes geweest. Het zal wel aan mij liggen. Iedereen stopt een zwerver graag iets toe.'

'Wat klinkt dat ondankbaar. Zulke feesten zijn voor een goed doel. Ze helpen jouw doel.'

'Ondankbaar?' Ze lachte in zichzelf. 'Ik weet niet of ik wel in goede doelen geloof,' zei ze met een gebaar naar de tafels. 'En wat is liefdadigheid? Die bestaat volgens mij helemaal niet. Vrijwilligerswerk trouwens ook niet. Vindt u wel?'

'Laten we het bij de lepel houden.'

Ze hield haar handen open. 'Gaat u me aangeven, meneer?'

'Dat weet ik niet.'

'Ik hoop van niet. Dat zou hun denkbeelden alleen maar bevestigen.'

'Niet iedereen denkt zo.'

Ze lachte zacht.

'Wat kan het u schelen, meneer Sifter?'

'Ik vermoed dat ik weet hoe de wereld op jou overkomt. Zo kwam die op mij ook over, Trieste. Ongeveer zo.'

Ze keek me met een vaag, pesterig lachje aan. 'Tja, zo krijg je je trekken thuis.' Toen draaide ze zich om en keek naar de trompettist, die een blik van verstandhouding met haar leek te wisselen terwijl hij met zijn voet meetikte op het ritme van 'Baby Mine'. Ik keek ook.

'Ondankbaar?' zei ze ten slotte met een blik naar de ronddrentelende mensen. 'Het verbaast me dat ú dat zegt, meneer.'

Ik werd wakker van luid geklop. 's Morgens vroeg, de dag na de voorverkiezingen van Iowa. Nog donker. Liggend in bed zag ik Astor in zijn pyjama de kamer door sloffen. Hij rechtte zijn rug en deed een stap opzij. Het hoofd van meneer Clayliss verscheen: 'Telefoon, Sifter,' zei hij bars.

'Pardon?'

'Telefóón, zei ik.'

'Ja, meneer. Is het mijn moeder?'

Op de gang beende hij al ver vooruit. 'Nee, jongen, niet je moeder.' Hij draaide zich niet om. 'En het is ook geen boerderij. Trek je schoenen aan.'

Ik deed wat hij zei en liep hem achterna over het binnenplein en door de overdekte galerij naar het gebouw van de administratie. Hij moest de knoppen van het hoofdslot intoetsen en toen ik achter hem kwam staan, zorgde hij dat ik de combinatie niet kon zien. Toen trok hij ruw de deur open. Op zijn kantoor gaf hij me de hoorn aan en zei: 'Als je zover bent, wil ik hem spreken.'

Ik bracht de hoorn naar mijn oor. 'Heb je het nieuws gehoord?' vroeg Liam Metarey.

'Ja, meneer. Vreselijk. Ik wilde u vanmorgen een briefje schrijven. Het is vreselijk.'

'Sorry?' Hij schraapte zijn keel. 'Het is goed nieuws hoor, Corey.'

'O?'

'Het had niet beter gekund.'

'O nee?'

'Welnee. Tweede plaats in de eerste voorverkiezingen. Dat is helemaal niet slecht. Hij heeft het beter gedaan dan iedereen verwachtte. En zo komt het ook in het nieuws – dankzij een beetje aandringen van onze kant. Neem me niet kwalijk,' zei hij. 'Ik dacht dat je het wist. Het spijt me als dat niet zo was. Het is waarschijnlijk mijn schuld.'

'Nee, meneer, het was mijn eigen schuld. Ik heb nog niet de gelegenheid gehad de kranten te lezen.'

'Jezus, hij heeft Humphrey en McGovern verslagen. Moet je nagaan. Muskie is al maanden de gedoodverfde kandidaat, als je de peilingen volgt. En daar zal hij nog steeds een flinke kluif aan hebben. Maar ik geef je op een briefje dat zij degenen zijn die zich nu zorgen maken. Dat geef ik je op een briefje. Tweede plaats in een staat waar geen mens aan tafel zou aanschuiven bij iemand die voorbij Indianapolis is geboren! Het is oorlog, Corey. Dat trekt de kiezers. En daardoor maken wij een echte, eerlijke kans. We staan in de startblokken.'

'O ja?'

Zijn stem klonk kalmer. 'Die grafieken, Corey,' zei hij. 'De geschiedenis. De vossen en de egels. De geschiedenis is met ons.'

'Ja, meneer.'

'Ik heb je ouders gesproken. Ze vinden het goed als je in het weekend thuiskomt.'

Meneer Clayliss fronste.

'Om aan de campagne mee te werken,' zei meneer Metarey.

'En vindt de school dat goed?'

Meneer Clayliss stond uit zijn stoel op en begon op de punt van zijn bureau een potlood te slijpen.

'Daar zorg ik wel voor,' zei meneer Metarey.

Ik weet nog dat ik me afvroeg waarom hij dat deed. Ik was bruikbaar in en om het huis, maar er waren genoeg andere jongens in Saline die hetzelfde konden als ik. Mijn bijdrage aan de campagne bestond vooral uit chauffeur spelen voor Henry Bonwiller – en dan nog alleen als Carlton Sample niet beschikbaar was – en af en toe een paar auto's wassen. Dat had iedereen kunnen doen en iedereen had de *Globe*, de *Post* en de *Times* over hun krantenstokken kunnen leggen in de bibliotheek, en iedereen had ervoor kunnen zorgen dat er genoeg flessen Glenlivet en Glenfiddich in de bijkeuken klaarstonden. Wist Liam Metarey hoe ontheemd ik me voelde in mijn nieuwe leven op Dunleavy? Had hij het gevoel dat hij mij dat had aangedaan? Bood hij me daarom de kans thuis te komen?

'Ik zou me vereerd voelen, meneer.'

'Mooi zo,' zei hij luid. 'Dat is dan afgesproken.' Toen dempte hij zijn stem. 'Geef me nu die sukkel maar weer.'

'Ja, meneer,' zei ik. 'Een ogenblikje. Hier is hij.'

'Het had er niets mee te maken dat hij medelijden met u had.'

'Hoe weet jij dat nou?'

'Hij wilde u in de buurt hebben.'

'Dat is vleiend. Maar ik weet niet of het klopt.'

'Voor het geval de politie erbij kwam, bedoel ik.'

'Dat is één mogelijkheid, Trieste.'

'Een góéde mogelijkheid, meneer Sifter.'

We waren de laatste twee in het redactielokaal. Op een zondagavond. We waren bezig met de afronding van de maandageditie, de grootste van de week. 'Hij was een fatsoenlijk mens, Trieste.'

'U ook, meneer.'

'Misschien.'

'Een fatsoenlijk mens, meer mag je niet verwachten.'

'Liam Metarey heeft grote fouten gemaakt,' zei ik.

'Ik zei fatsóénlijk, meneer. Niet volmaakt.' Ze glimlachte.

Ik nam een slokje koffie. 'Hoe kom je toch aan die onwankelbare overtuigingen, Trieste? Op jouw leeftijd.'

'Van mijn vader,' antwoordde ze zonder aarzelen. 'Bij mij thuis laten ze je ervan lusten als je geen sterke overtuigingen hebt.'

'Maar jij lust ze rauw, hè?'

'Precies, meneer,' zei ze.

=====

Op Haverford waren Holly en ik vrijwel dag en nacht bij elkaar en in ons tweede jaar nam ik eindelijk samen met haar de bus naar Memphis om met haar ouders kennis te maken. Het was in de paasvakantie. Intussen was ik trouwens sinds de zomer van mijn eindexamen op Dunleavy niet meer voor lange tijd thuis geweest. In mijn eerste studiejaar in Philadelphia was ik met Kerstmis naar huis gegaan, maar alleen voor een paar dagen, en die zomer was ik in een flat op de campus gebleven om in een boekwinkel te werken en de wekelijkse discussiebijeenkomsten die Holly op de campus organiseerde te blijven volgen. Saline was voor mij gewoon te beladen, niet alleen vanwege wat er was gebeurd, maar ook vanwege de persoon die ik op school probeerde te worden.

De Steens woonden in een klein bakstenen huis in een nette straat aan de westkant van de stad. De buurt lag op een helling en liep af naar een vlakte die eindigde bij de Mississippi, en toen we uit de gammele taxi stapten waarmee we van het busstation naar het huis waren gereden, kon je de geur van rivierslib ruiken. Dat had wel iets. Holly snoof ook en trok een gezicht. Toen vermande ze zich en liepen we over het betonpad naar de voordeur. Ze klopte. Er gebeurde niets. Na een tijdje zette ik de tassen die ik droeg neer. Op dat moment ging de deur open.

Het was mevrouw Steen. 'Lieve help,' zei ze. 'Ze zijn er!' Ze zag er stevig uit. Niet echt dik, maar gezet en niet langer dan Holly. Haar gezicht werd grotendeels verzacht door haar bolle wangen en een ingewikkeld kapsel, maar het was breed en hartelijk, en ik herkende er onmiddellijk Holly's trekken in – vooral de diepliggende ogen met hun enthousiaste blik. Ze waren ook net zo beweeglijk als die van Holly en keken naar links en naar rechts op de veranda voordat ze zich op mij richtten, precies zoals die van haar dochter destijds bij de eendenvijver. En dezelfde dwingende bruine irissen. De overeenkomst was werkelijk verbluffend. Mevrouw Steen hoestte hard met haar arm voor haar mond en kwam naar buiten om Holly te omhelzen. Daarna kwam ze verder de veranda op om ook mij te omhelzen. Ze rook naar eten. 'Kom binnen,' zei ze, 'arme schatten, jullie zullen wel moe zijn. Kom binnen, kom binnen.' Voordat ik haar kon tegenhouden, had ze de tassen opgepakt.

Binnen gaf ze me een glas limonade die ze al had ingeschonken – misschien had het daarom zo lang geduurd voordat ze opendeed – en daarna gaf ze me ongevraagd een rondleiding door het hele huis, wat niet lang duurde. Het verschilde niet veel van het huis waarin ikzelf was opgegroeid. Een nette zitkamer. Werklaarzen bij de achterdeur. Een televisie in de woonkamer met twee luie stoelen ervoor, de ene iets mooier dan de andere. Boven het aanrecht in de keuken een ingelijst borduurwerk waarop stond WELKOM IN ONS HUIS. Een boekenkast waarin foto's en borden stonden, maar geen boeken. De slaapkamers lagen aan een gang en ze zette mijn tas in de kamer van Holly's stiefbroer. Op een bed en een kast na was de kamer leeg. Er was geen stoel. Geen kleed. Geen gordijn voor het raam.

Onderweg in de Trailways-bus had Holly me gewaarschuwd: haar ouders hadden geen opleiding gehad, ze luisterden niet naar muziek, ze lazen niet. Haar vader kon nors zijn, haar moeder dom. Ik friste me in het badkamertje op en toen ik weer bij hen in de keuken kwam, was haar vader er ook: hij stond tussen de tochtdeur en de keukendeur met een mok in zijn hand. Hij had een rood gezicht, een kaal hoofd en hij droeg een overall met smeervlekken erop. Het stonk er naar sigaretten. Hij draaide zich naar Holly om en zei: 'Hij is niet zo lang als je zei.'

'Clem, dit is Corey Sifter,' zei mevrouw Steen.

'Aangenaam kennis te maken, meneer.'

Hij nam een grote slok uit zijn mok en zette hem met een klap op tafel. 'Ja, hetzelfde,' antwoordde hij. Toen zei hij: 'Ben voor het eten terug,' en liep de deur uit.

Ik begreep meteen dat het een moeizaam weekend zou worden. De deur sloeg door de dranger dicht en toen ik me omdraaide, zag ik de welbekende, aantrekkelijke vastberadenheid in Holly's ogen. Ze knipperde een paar keer en glimlachte. Haar moeder begon de keuken op te ruimen, die al schoon was.

Als we naar mijn huis waren gegaan, was het misschien anders gelopen. Mijn vader las ook geen boeken – tenminste niet in die tijd – en hij liep ook telkens de deur uit voor klussen, maar ook toen kon hij toch praten met mensen die wel lazen en trad hij hen in wezen onbevooroordeeld tegemoet, een mentaliteit die ik sindsdien vaak heb opgemerkt bij mensen die met hersenarbeid aan de kost komen. De volgende avond had Holly het onder het eten over de tentoonstelling van Eakins die we in Philadelphia hadden bezocht en meneer Steen keek van zijn aardappelpuree op en zei: 'God mag weten waar je het over hebt.'

Dat was veruit het moeilijkste moment van ons verblijf. Toen ik die avond haar slaapkamer binnensloop om bij haar te zijn, lag ze zachtjes te huilen in haar oude meisjesbed. Ik betwijfel of mijn vader wist wie Eakins was. Maar ik weet zeker dat hij dit niet zou hebben gezegd.

De rest van ons verblijf was niet onaangenaam. Op de zaterdag voor Pasen gingen we in het Peabody Hotel theedrinken en naar de eenden kijken, en 's middags maakten we een wandeling langs de rivier. Meneer Steen vertoonde zich niet bij het avondeten en toen het zondag tijd was om terug te gaan naar school, bracht Holly's moeder ons naar de bus. Vlak voor ik instapte, trok ze me naar zich toe en zei: 'We zijn heel blij met je.'

'Dank u, mevrouw Steen,' zei ik.

Nog weken maakten Holly en ik er grapjes over. Toen ze op een avond tijdens een bijeenkomst per ongeluk een pressepapier van de schoorsteenmantel van onze geschiedenisdocent stootte, zei ik tegen haar: 'We zijn heel blij met je' – en toen ik de ficus in haar studentenkamer te veel water had gegeven waardoor bijna al het blad eraf viel, zei ze het ook tegen mij.

'Dank u, mevrouw Steen,' antwoordde ik.

===

De *Chicago Tribune* is een Republikeinse krant – 'Dewey verslaat Truman!' – maar toen ik op een zaterdag met haardhout binnenkwam, zag ik Liam Metarey de krant lezen en er zal me iets aan zijn gezichtsuitdrukking zijn opgevallen. Sinds kort ging ik ieder weekend van Dunleavy naar huis om te werken. In de dagen dat ik daar in huis was, waren er gelegenheden genoeg om belangrijke, vertrouwelijke zaken te zien, maar die middag greep ik mijn kans, voor de eerste en enige keer in mijn leven. Na het middageten, toen hij een ommetje maakte tussen de eiken, ging ik terug om op zijn bureau te kijken.

Het artikel stond niet op de voorpagina, maar de kop wel: 'Staatsonderzoek naar senator van New York.' Het stuk zelf was verstopt tussen de binnenlandse berichten en er stond alleen dat men volgens bronnen bij de politie van de staat New York senator Bonwiller wilde ondervragen in verband met een plaatselijk verkeersongeval.

Daarna bleef het verhaal weg. Ik keek die maand iedere dag de *Tribune* door en alle New Yorkse kranten, plus die van Californië, maar ik zag het niet weer. Bij mijn ouders – en later in de lerarenkamer op school – keek ik elke avond naar Walter Cronkite, maar ook daar werd er met geen woord over gerept. Het haalde in elk geval niet de *Courier-Express*, die ik iedere ochtend in de bibliotheek uitspelde. Het verhaal verdween gewoonweg.

===

'Jongen?' Ik werd wakker geschud. 'Jongen?'

Het was meneer Clayliss weer.

'Jongen. Telefoon voor je, ben ik bang. Weer een telefoontje.'

'Hoe laat is het?'

'Het is laat, jongen. Schiet op. Sst. Kom.'

Dit keer had hij een jas voor me. 'Hier,' zei hij. 'Het is koud buiten.' We gingen de grote trap af en onze voetstappen tikten op het ijs, toen we het gazon overstaken naar zijn kantoor; maar we liepen eromheen naar de achterkant van het hoofdgebouw, waar de woning van de directeur stond. Mijn benen voelden aan als lood. Bij de deur veegde ik mijn voeten op de mat, maar hij maande me op te schieten. Binnen zat zijn vrouw in een kamerjas aan de keukentafel. Er stond een pot thee voor haar en toen ik binnenkwam, schoof ze een dampend kopje naar me toe en wees me de stoel tegenover haar. Ik ging zitten. Het was een porseleinen kopje en er lag een zilveren lepeltje op de schotel. Meneer Clayliss bracht de telefoon van het aanrecht naar me toe en hield de hoorn omhoog. Ik nam hem aan. De klok aan de muur, een berglandschap met pijnbomen als wijzers, gaf 4:32 uur aan. Dat zal me wel altijd bijblijven.

'Cor?' hoorde ik mijn vader zeggen. Zijn stem klonk breekbaar. 'Cor? Ben jij het?'

Vijf

I

IK ZIE HEM VOOR ME, EERDER OP DIE AVOND. OP EEN KLUS IN DE
weer met een avegaar die door een afvoerpijp moet worden gehaald. Hij
fluit onder het werk – 'My Darling Clementine' of misschien 'Bridgit
O'Malley'. Hij sjouwt de motor en de zware haspel uit de kelder van een
huurhuis van de Metareys mee naar boven, draait zich om en glimlacht
als de familie hem op de trap bedankt; dan naar buiten, naar de zijtuin,
waar de gemeenschappelijke standpijp doorloopt naar de straat. ''t Is a
Bright Golden Day on the Meadow.' Vinnige kou in de lucht. Daar wacht
hem nog meer schoonmaakwerk, en hij weet dat hij de avegaar er beter
nog eens doorheen kan halen om de lange wortels die in ieder riool in de
buurt zijn doorgedrongen weg te schrapen. Dat doet hij. Het is al donker.
Een poederlaagje sneeuw licht op onder de maan. Hij laat het blad twaalf
meter vieren tot de regenschaduw van de grote Noorse esdoorn in de
straat. Een paar minuten extra werk, maar de moeite waard. Om deze tijd
krijgt hij toch toeslag – maar ook als hij geen cent kreeg, zou hij het nog
doen. Zo zit hij in elkaar. Mijn moeder zal een bad voor hem klaar hebben
als hij thuiskomt, het maakt niet uit hoe laat – dus hij kan het evengoed
grondig aanpakken. 'Danny Boy', misschien, omdat hij daar lekker weemoedig van wordt. Als hij klaar is, gaat hij even langs Flann's voor een
biertje – het liedje heeft hem ervoor in de stemming gebracht – en hij
praat met de barkeeper, die hij al zijn hele leven kent, en met vakbonds-
mannen aan een tafel, die blij zijn met hun nieuwe contract, en dan gaat
hij naar de telefoon bij de deur. Het wordt wat later: hij is altijd attent in
dat opzicht. Hij heeft een voorgevoel. De tinteling van de winterlucht. De
ondertoon van het liedje.

De telefoon gaat in de keuken over, maar er wordt niet opgenomen. Hij hangt op, stopt er opnieuw een muntje in.

======

Die avond kreeg ze het eerste vermoeden. De gebruikelijke hoofdpijn – ze is er inmiddels aan gewend –, maar dit keer is de pijn er zodra ze opstaat na haar middagdutje. Misschien is ze er wel van wakker geworden. Het is een iets ander gevoel. Lastig te omschrijven. De pijn zit lager en meer aan de oppervlakte, dichter bij haar slaap. Was dat al zo? Ze blijft staan om uit het keukenraam te kijken, naar het oosten. Daar zit haar zoon op school. Hoe moet ze het omschrijven? Haar lichaam voelt aan alsof het niet helemaal van haar is: dingen op een afstand. De maan komt op achter het huis. De klok met de dwergen boven de deur. Ze ziet de wijzers, maar weet niet hoe laat het is. Wat gek. Haar armen die half aan iemand anders toebehoren. Rechts meer dan links. Ze siddert even. Tilt ze allebei op. Ja... rechts meer. Opent haar handen en balt ze tot vuisten. Dat is beter. Tuit haar lippen. Zegt hardop een paar regels die zomaar uit het niets in haar opkomen, uit het toneelstuk van haar middelbare school. Gwendolen Fairfax. *O! Ik hoop dat ik zo niet ben. Dan was er geen kans op ontwikkelingen!* Haar toneelleraar, meneer Ferrari, die aan de rand van het podium staat en uitroept: *Dat ben je wel! Dat ben je wel!*

Ze moet erom lachen. Ze herinnert zich zelfs de tekst van Donny Tarlow, die dikke jongen die pijnlijk verliefd op haar was en altijd dichterbij kwam staan dan nodig. Zijn spijkerbroek rook naar een stal. Hij bleek later veearts te zijn geworden. *Ik ben verliefd op Gwendolen! Ik ben speciaal naar de stad gekomen om haar ten huwelijk te vragen!*

Een veearts!

Ze zou niet tegen de stank hebben gekund.

Dan komt de eerste klap. Het gevoel dat uit haar arm wegtrekt. Een siddering over de schouder en schedel. Dan de flauwte. De vloer die omhoogkomt. Ze probeert rechtop te blijven. Grijpt het aanrecht vast. Gebruik de andere arm, sufferd. Til op! Domoor! Omhoog, Anna Bainbridge. Omhoog! De vloer die haar omvat. Helemaal om haar heen, hoe kan dat nou?

Wangen op het koude zeil. Gek, gek! Hemel, ik word omgerold. Het zwart en wit. De blokken. Een golf die me omrolt.

=======

De uitvaart vond plaats in de parochiekerk St. Jozef, en de Metareys boden de gelegenheid om te condoleren. Ik zal ze daar altijd dankbaar voor blijven voor. De zusters van mijn moeder hadden in de kerk gesproken, net als mijn vader, en ik had op de eerste rij gezeten met wel honderd vrienden achter me, maar ik dacht er niet aan dat ik mijn moeder had verloren, alleen dat ik hén nu allemaal had verloren, dat hun leven op de Rooseveltschool, in de kalkgroeven en op de stranden van het meer, mijlenver af stond van mijn nieuwe leven op Dunleavy en dat het altijd zo zou blijven. Rare gedachten, eigenlijk.

Maar ik weet alleen dat ik geen verdriet voelde. Toen niet. Ik voelde alleen hun blik die op mij was gevestigd.

Glioblastoma multiforme. Dat was de term ervoor. Die ochtend had ik er een bladzijde over gevonden, op ons aanrecht. Ik geloof niet dat mijn vader het zelfs maar had gelezen.

Een hersentumor.

Onder 'Symptomen':

HOOFDPIJN

PERSOONLIJKHEIDSVERANDERING

Uiteindelijk was er een bloeding ontstaan, 's avonds, toen mijn vader aan het werk was. Dat vertelde dokter Leary. Het had waarschijnlijk niet lang geduurd. Een paar minuten misschien. En ze had waarschijnlijk weinig pijn geleden. 'Vergeet dat niet,' zei hij. 'Granger. Corey. Dat moeten jullie niet vergeten.'

Hij was ons komen condoleren, en na die mededeling liep hij weg en verdween in de menigte van jassen.

Clara en Christian stonden naast me. Clara liep heen en weer naar de tafel met eten om een bord met hapjes voor me te halen – toastjes met kaas, garnaaltjes op een prikker, gemberkoekjes. Het was voor het eerst dat ze aardig tegen me deed. Ze bleven allebei bij me in de buurt en mevrouw Metarey deed wat mijn moeder zelf zou hebben gedaan: ze begeleidde me van het ene naar het andere groepje mensen in de salon en raakte even mijn rug aan als ik moest doorlopen omdat het gesprek stokte. Mijn moeder had veel vriendinnen, die ook allemaal waren gekomen en hun baksels en gebraden vlees op de lange tafel hadden gezet. Er stonden mannen van de vakbond bij mijn vader. Daar stond meneer Metarey ook, zag ik – hij week vrijwel niet van zijn zijde.

Aan het eind van de middag, toen de mensenmassa eindelijk was geslonken en Christian, Clara en hun moeder me alleen hadden gelaten, ging ik naar buiten en liep naar de visvijvers. Er was bijna niemand in de tuin. Op het water lag een vliesje vers ijs, zo helder als glas, en toen de achterdeur openging, volgde ik de weerspiegeling van een man in uniform die naar buiten kwam. Hij bleef een meter of wat achter me op het grind staan, maar zei niets. Ik moest me omdraaien.

'Geweldig,' zei ik. 'Je bent terug.'

'Per expresse.' We gaven elkaar een hand.

'Hoe ben je gekomen?'

'C-130. Van Nha Trang naar Fort Drum, met een plaspauze. Vijfdaags verlof. Ik was toevallig in de staat toen ik het hoorde, en ben meteen gekomen.' Hij boog zijn hoofd. 'Gecondoleerd, Corey.'

'Dank je. Goed dat je bent gekomen. Dat je een dag van je verlof hebt opgeofferd.'

'Het is fijn om terug te zijn. Ook lekker om het weer koud te hebben, eerlijk gezegd. Jammer dat het zo moest.' Hij schraapte zijn keel. 'Zorgen mijn zusters nog voor je?'

'Zeker.'

'Niemand in het water gesprongen?'

'Geen sprake van.'

'Geen uitgestoken ogen?'

'Niks mis met de ogen.'

'Ander woord voor rechts?'

'Stuurboord.'

'Mooi zo,' zei hij. 'Dan ben je een stuk opgeschoten sinds ik wegging.' Hij schudde zijn hoofd. 'Ik heb je moeder niet gekend, Corey. Maar het moet een goede vrouw zijn geweest. Dat is duidelijk.'

'Dank je, Andrew.'

Hij sloeg zijn ogen neer.

In het huis zag ik meneer McGowar met zijn steenrode gezicht voor een raam naar ons kijken.

'En hoe is het waar jíj zit?' vroeg ik.

'Ach, niet slecht. Niet slecht.' Hij keek over het ijs uit. 'In elk geval ver van de linies. Achterste geneeskundige basis. Een paar pechvogels in de bedden maar tegen de tijd dat ik ze te zien krijg, zijn ze al gewassen en dichtgenaaid. En verdoofd. Ik zit nu bij de geneeskundige troepen.' Hij haalde zijn schouders op. 'Dat land gaat naar de kloten en iedereen weet het, maar het enige wat ik te zien krijg, zijn witte lakens. Bloed krijg je alleen aan het front te zien.'

Later kwam ik er natuurlijk achter dat hij niet de waarheid vertelde. Tenminste niet de hele waarheid. Misschien omdat de gelegenheid er niet naar was.

Ten slotte gaf hij me een hand bij wijze van afscheid. De deur van het huis ging achter hem dicht om even later weer open te gaan toen meneer McGowar naar buiten kwam. Hij droeg zijn zwarte pak. Ik wilde naar hem toe gaan, maar hij gebaarde met zijn lange handen dat ik moest blijven waar ik was en kwam naar me toe. Zwaaiend met zijn komisch lange armen om zijn evenwicht te bewaren zocht hij zich op zijn lange stelten een weg door de dunne sneeuw, als een prikkebeen die de heuvel af komt. Toen kwam hij op het grind. Het was een stuntelige omarming.

'Hoe gaat het, meneer McGowar?'

Hij opende zijn mond en er kwam een rasperig geluid uit. Hij wees naar zijn keel en schudde zijn hoofd.

'Laat maar, meneer McGowar. Het is al fijn genoeg om even hier te staan en over het land uit te kijken. Mooi, hè?'

Met zijn voet schraapte hij over een eivormige steen die door het grind stak. Hij pakte zijn kladblokje.

JU MOEDR WS OOK MOI

Ik moest lachen. En waarom ik daardoor opeens moest huilen – de enige keer in tien jaar tijd, bleek later – waarom ik daardoor opeens moest huilen, de enige keer tot ik zelf vader werd, zal ik nooit begrijpen.

GIF NIE

Hij stopte het blokje weer in zijn zak en bleef stil bij me staan in zijn rouwkostuum terwijl hij me op mijn schouder klopte en met zijn schoen de steen opwrikte.

=======

'Mag ik je iets vragen, Trieste?'
    'Natuurlijk.'
    'Dus je bent niet van plan om hem terug te geven?'
    'O, daar hebt u nog over nagedacht.'
    'Inderdaad.' Ik koos mijn woorden met zorg. 'Heb je weleens bedacht, eh... Heb je weleens bedacht dat ik me nu misschien afvraag of ik je wel kan vertrouwen?'
    'Juist niet, meneer,' zei ze zonder aarzelen. 'Het bewijst juist dat u me wel kunt vertrouwen.'
    Ik keek haar aan. Daar was die blik weer, die ik-ben-je-één-stap-voor-blik. We waren de enigen op de redactie. Het was over zevenen en ze had haar artikel nog niet af. Ze tikte op de spatiebalk van haar computer.
    'Als ik hem terug zou geven,' zei ze, 'zou u me niets...' Ze keek bijna ongeduldig op. 'Nou ja, ik bedoel, dan zou u me niets kunnen maken, meneer.'
    'Juist, ja,' zei ik. 'Interessant, Trieste. Interessante redenering.'
    'Ik heb erover nagedacht.'
    Ze typte verder.
    'Mag ik je nog iets vragen, Trieste?'
    'Brand maar los, meneer.'
    'Wat vinden de andere kinderen van je?'
    'Welke andere kinderen?'
    'Op school. Wat vinden ze van iemand zoals jij?'

'De kinderen bij mij op school zijn mijn broers en zussen, meneer Sifter.'

Ze typte nog een paar woorden.

'Hoe bedoel je?'

'Gewoon.'

Ik keek haar aan.

'Ik krijg thuisonderwijs,' zei ze. 'Weet u nog?'

'O ja. Dat was ik vergeten. En, hoe is dat?'

'Thuisonderwijs?' Ze nam een slokje uit haar pak melk. Toen schreef ze nog een paar woorden. 'Dan gebruik je de hele buffel.'

'Juist.'

'Het vlees wordt opgegeten. Van de huid maak je kleren. Van de hoeven maak je lijm. Van de tanden maak je een ketting. Zo is thuisonderwijs ook.'

'Interessant.'

'Tot op zekere hoogte.'

'En hoe zit het met, eh... je sociale leven?'

'Bedoelt u – jongens?'

'Nou, onder andere. Ja, jongens.'

'Niet ironisch genoeg. Tenminste de jongens hier niet.'

'Wat bedoel je daar nou mee? Niet ironisch genoeg. Dat zeggen mijn dochters ook.'

'Ik bedoel dat ze met de botte bijl werken, meneer Sifter. Juichen voor de Buffalo Bills. Hengelen naar een afspraakje voor het eindbal. Ik heb jongens opgegeven. Tenminste tot ik ga studeren.'

'O,' zei ik. 'Dus dat wil je wel?'

'Studeren? Natuurlijk.'

'Nou, ik maakte me al zorgen.'

'Waarom?'

'Ik dacht eigenlijk dat jij altijd je eigen weg ging. In alles.'

'Goh, meneer Sifter,' zei ze, 'hoe komt u daar nou bij?' En hoewel het bekende raadselachtige lachje om haar lippen speelde, besefte ik dat ze helemaal geen grapje maakte.

Dit ben ik: een vastberaden, maar stille jongen. Negentien jaar. Ik heb geen geld voor kleren, maar ik draag een oud gilet over mijn overhemd omdat Holly vindt dat ik er dan serieus uitzie. Ik ben lang en mager, en heb haar tot op mijn schouders, net als bijna iedereen. Buiten het gilet bestaat mijn enige andere ijdelheid uit een oud zakhorloge van Sears aan een ketting, waar ik aan voel als ik naar woorden zoek. Holly kijkt verwachtingsvol naar me op wanneer ik dat doe. Behalve mijn moeder heeft nog nooit iemand met zoveel aandacht geluisterd naar wat ik te zeggen heb. De wereld trekt zich terug. We zijn perplex van ons geluk. In de bovenste la van mijn bureau ligt een oud overhemd van mij, waar zij het liefst in slaapt, en het eerste wat ik doe als ze 's morgens niet op mijn kamer is – ik ken verder niemand die nog vroeger wakker is dan ik – is opstaan en aan de boord ruiken. Soms zit er een briefje in de borstzak. We volgen twee colleges samen, geschiedenis en een werkcollege over Europese politiek; bij dat laatste is Holly de ijverigste van de groep – het lijkt wel of ze nog meer heeft gelezen dan de docent. Na het college gaan we een eindje lopen en dan bestaat de wereld uit niets anders dan verre geluiden. Ik denk nog bijna iedere dag aan mijn moeder, en juist op die wandelingen lijkt ze wel het meest aanwezig te zijn. Als ik naar Holly naast me kijk, krijg ik een bepaalde sensatie. Haar woorden en haar hand die mijn schouder of arm aanraakt. We volgen de omheining van de campus en blijven in het groen achter de sintelbaan en het honkbalveld. Zij praat over *The Portrait of a Lady* van Henry James of vertelt waarom Schopenhauer Hegel minachtte, terwijl ik bedachtzaam knik en de zwakke punten in haar redenering zoek. Ik overdrijf niet – zo zijn we. De kreten van het atletiekteam komen voorbij. Als ik blijf staan om naar de bladeren van een zomereik te kijken, blijft zij naast me staan, en als ik zeg dat dit de meest majestueuze boom is uit de schepping, plukt ze een blad en stopt het in haar zak. Dat zou mijn moeder ook hebben gedaan. We blijven even staan zoenen onder de takken. Dan lopen we al pratend over filosofen door. Ze draagt een jurk van spijkerstof en een ander oud overhemd van mij met de manchetten opgerold tot boven haar ellebogen. Ik zie haar enthousiasme en sierlijkheid duidelijk in iedere stap die ze zet, maar wat me werkelijk begint op te vallen is haar vastbeslotenheid. En ondanks de roes en het besef van buitensporig geluk begin ik onderhuids ook een beetje bang te worden. Als we over de golvende helling van dennennaalden en lichtgroen bosgras afdalen, heb ik het gevoel dat we samen in een schuitje zitten, ergens waar niemand ons kan vinden. Om preciezer te zijn: ik heb het gevoel dat zijzelf het schuitje is, en in mijn bangere momenten heb ik het gevoel dat we al ver uit de kust zijn.

Dat voorjaar zit ik op een ochtend tussen de boekenkasten van de bibliotheek te lezen als ik achter me een fluisterstem hoor: 'Probeer je me in te halen?'

Ik heb haar niet horen aankomen. Mijn eerste impuls is te verstoppen wat ik zit te lezen, maar dan wip ik met mijn stoel naar achteren en schuif het stapeltje boeken alleen maar naar de verste hoek van de tafel. Het zijn boeken in een bibliotheekband, die ik van een stoffige plank heb gehaald, allemaal verhandelingen over de Amerikaanse industriebaronnen uit de negentiende en het begin van de twintigste eeuw. Het college geschiedenis dat we samen volgen, gaat over de trek naar het westen, en ik weet dat ze denkt dat ik daarover zit te lezen; daarom vertel ik niet dat ik eigenlijk op zoek ben naar de naam van Eoghan Metarey. Ze is in zowat alles hevig geïnteresseerd, waarom vertel ik het haar dan niet? Waarom leun ik alleen maar naar achteren om haar een kus te geven? En waarom reik ik, als ze haar ogen sluit, over de tafel heen om mijn aantekenschrift op de boeken te leggen?

II

ZE WAREN VAN DE STAATSPOLITIE. IK WEET NIET WAAROM, MAAR
zo was het nu eenmaal. En dat was een opluchting: de staatspolitie was, in
elk geval hier, altijd de vriend van de senator. Ik had er trouwens al een
aantal gezien bij de grote campagnefeesten en een enkele keer bij de ver-
gaderingen; ik had zelfs voor sommigen de auto weggezet. Ik kende hun
donkere uniform met de aangerimpelde schouders en hun hoed met dubbele deuk, de donkere fluwelen bies langs het been. De politieman die mij
ondervroeg, was van mijn vaders leeftijd. Hij ging tegen de werkbank in
de gereedschapsschuur staan, zette zijn ene laars op een stoel en trok
zorgvuldig zijn handschoenen uit. Hij keek me lang aan.

'Dus je kent de senator?'

'Ja, meneer.'

'Kun je vertellen hoe goed je hem kent?'

'Niet heel goed. Ik heb hem weleens ergens naartoe gereden. Meestal in
het weekend. Maar ook weleens op een andere dag. We zeiden niet veel.'

Hij haalde een blocnote uit zijn zak. 'En was hij die dag anders dan anders?'

'Welke dag?'

'De dag waar we het over hebben.'

'Ik heb hem 's middags even in de studeerkamer gezien. Bij meneer Metarey.'

'Is je toen nog iets opgevallen? Deed hij opgewonden? Vreemd?'

Als mijn moeder nog had geleefd, weet ik niet hoe ik zou hebben geant-
woord. Sinds de rouwplechtigheid hadden de Metareys me iedere middag bij hen thuis uitgenodigd. 'Hij leek niet anders dan anders,' zei ik.

'Zat hij te drinken?'

'Sterke drank?'

'Ja, sterke drank.'

'Ik heb hem nooit sterke drank zien drinken. Meestal koffie.'

'Je was een tijdje de chauffeur van Henry Bonwiller... hoe lang ook weer?'

'Ongeveer een halfjaar.'

'Maar je hebt hem nooit een borrel zien drinken?'

Voor het raam stond Gil McKinstrey plakken bevroren modder van de grote achterwielen van de Ferguson te bikken. Na het weekend zou ik weer terug gaan naar Dunleavy.

'Heb je hem nooit een borrel zien drinken?'

'Nee, meneer.'

'Juist.' Met een zwaai haalde hij zijn voet van de stoel. 'Ik hoor dat je een fan bent van de Indians,' zei hij.

'Ach ja.'

'De meesten hier zijn voor de Yankees.'

'Dat zal wel.'

'Hoe schat je hun kansen in?'

'Van wie?'

'De Indians.'

'Nou,' zei ik, 'vorig jaar hebben ze honderdtwee wedstrijden verloren.'

Hij lachte eventjes en stopte de blocnote weg. 'Cleveland – verloren land,' zei hij hoofdschuddend.

'Dat kun je wel zeggen.'

Hij schudde zijn hoofd nog eens. 'Ze hebben een werper nodig, dat is het. Een nieuwe Feller. Jij bent te jong om je Feller te herinneren. Een Feller en een Lemon. Ik kom van buiten Sandusky. Ik zit hier pas tien jaar.'

'Ze hebben ook een slagman nodig. Een nieuwe Shoeless Joe. En ik weet alles van Bob Feller, meneer. En van Bob Lemon.'

Hij glimlachte.

'Misschien komen er nog andere agenten met dezelfde vragen,' zei hij terwijl hij zijn handschoenen weer zorgvuldig aantrok. 'Begrijp je wel? Geef je dan dezelfde antwoorden?'

'Natuurlijk, meneer.'

Hij bleef op de drempel staan. 'Dus hij leek niet anders dan anders en hij had niet gedronken – tenminste, voor zover jij weet?'

'Nee, meneer.'

'Meer vragen heb ik niet, jongen.'

=====

'En nu wenst u dat u andere antwoorden had gegeven.'

'Nou nee, niet direct.'

'Betekent dat dat u echt niet gelooft dat hij het heeft gedaan?'

'Tja,' zei ik. 'Dat is de vraag, hè?'

'Precies.'

'Nou, laat ik je deze vraag stellen,' zei ik. 'Als hij het wel heeft gedaan, hoe had hij dan gewoon zo kunnen doorgaan? Hoe had hij dan kunnen doorwerken? Hij heeft geen enkel blijk van berouw gegeven. Voor zover ik kon zien tenminste. Zou hij er niet door zijn veranderd? Zou hij er niet minstens door zijn gehinderd?'

'Zoals u de man beschrijft, meneer, was hij... een egomaan, zou je kunnen zeggen.'

'Hij was een politicus.'

'Dat hoort bij de profielschets.'

'Het enige wat je eigenlijk kunt zeggen, Trieste, is dat de hele zaak nooit is voorgekomen. Je kunt je twijfels hebben over de redenen. Maar een daarvan zou weleens kunnen zijn dat het nooit is gelukt een zaak tegen hem rond te krijgen.'

'En een andere zou kunnen zijn dat hij veel vrienden had.'

'Hij had ook veel vijanden.'

Daar dacht ze even over na. Ik haalde mijn dubbele boterham tevoorschijn. Kipfilet zonder vel. Mosterd, geen mayonaise. Die ochtend had ik bij de QuickStop ook nog een chocolade-notenbrownie gekocht. Die lag als een cyanidepil onder in de zak.

Na een tijdje zei ik: 'Ik wil alleen maar zeggen dat hij toch zeker iets had moeten laten blijken, wat voor iemand hij ook was en hoe goed hij ook kon acteren? Denk je niet? Misschien geen berouw, maar dan toch schuldgevoelens? Of angst?'

'Angst waarvoor?'

'Dat het zou uitkomen. Dat het allemaal was afgelopen.'

'Dus u beweert dat u niet gelooft dat hij er iets mee te maken had, omdat hij niet bang leek en geen berouw toonde?'

'Nou,' zei ik, 'dat beweer ik eigenlijk helemaal niet.'

'Wat beweert u dan?'

'Dat hij zich misschien gewoon niet herinnerde dat hij er iets mee te maken had.'

Ze draaide zich om en keek uit het raam.

'Sorry, hoor,' zei ze, 'maar hoe kan dat?'

'Toen ik hem daar zag, kon hij amper op zijn benen staan. Het duurde de hele ochtend voor hij weer nuchter was.'

'Dat weet u niet.'

'Ben je weleens dronken geweest, Trieste?' vroeg ik.

'Nog nooit zó dronken.'

'Nou, het komt voor. Het komt heel vaak voor.'

'Daar had ik nog niet aan gedacht,' zei ze ten slotte.

'Ik heb geen idee of het waar is en ik weet ook niet of het allemaal zo is gebeurd. Maar ik geloof wel dat het zo kan zijn gegaan.'

Ze haalde zelf ook haar lunchpakket tevoorschijn – een bekertje zelfgemaakte ahornyoghurt en een perzik in partjes – en stalde alles netjes op het bureau uit. Ik plukte aan de plastic verpakking van de brownie in de zak. Ze keek naar me.

'Eet het toch op, meneer.'

'Ik probeer me in te houden.'

'Dat weet ik.' Ze glimlachte. Toen nam ze een hap. Na een paar tellen zei ze: 'Mag ik u iets anders vragen, meneer Sifter?'

'Natuurlijk.'

'Waarom vertelt u me dat allemaal?'

'Waarom?'

'Ja. Ik ben maar een kind.'

'Geen gewoon kind.'

'Dank u. Maar waarom?'

'Senator Bonwiller is dood.'

'En nu kunt u uw geweten ontlasten?'

'Mijn geweten hoeft niet zo erg te worden ontlast als jij denkt. Hij heeft veel voor mensen zoals jij gedaan. Hoe oud is je vader ook weer – vijftig?'

'Tweeënvijftig.'

'Dan was jij er misschien niet eens geweest als hij niet in de Senaat was gekomen.'

'Bedoelt u wat hij met Vietnam heeft gedaan?'

'Precies.'

'Dan was u er misschien ook niet geweest.'

'Ik was te jong voor de oorlog. Ik had geluk.'

'Ik bedoel wat hij en Liam Metarey voor uw vader hebben gedaan, meneer. Laat staan voor ú.'

In een weekend vol sneeuw gingen Holly en ik naar New York voor een balletvoorstelling. Toentertijd had je 's zaterdags twee voorstellingen, en voor de vroege kregen studenten korting. We namen de trein en toen we de stad in liepen naar het State Theater was het al flink aan het sneeuwen. Alles was gedempt door de sneeuw en er heerste een meditatieve stemming in de stad. Er was weinig verkeer – op Broadway reed bijna geen taxi – en de gebruikelijke rumoerige drukte van de Westside ontbrak. Het was windstil, zodat een eindeloos gordijn van vederlichte vlokken gestaag tussen de gebouwen neerdwarrelde. Ik kon maar een halve straat ver zien. Toen we 45th Street in liepen, sloten de winkels hun deuren al. Het werd snel duidelijk dat er geen sprake zou zijn van een balletvoorstelling. Maar we liepen toch door. Holly droeg een met konijnenbont afgezette muts en had de kraag van haar jas opgezet, die tot haar wangen kwam. Toch zag ik nog steeds de gretigheid in haar stappen en ik keek naar haar gezicht tussen de twee wollen kraagpunten. Ze zag er prachtig uit.

Het zal voor iedereen wel onthutsend te beseffen dat een leven door stom toeval een totaal andere wending kan nemen. In de 63th Street stond één enkele portier handenwrijvend en stampvoetend voor het theater. De voorstelling ging inderdaad niet door. Ik weet nog hoe die portier keek. Een karikaturaal, bijna dierlijk gezicht, met gele tanden van de nicotine en daarboven een snor als een reepje bevroren bont. Dat alles ingeklemd tussen de oorflappen van een soort Russische muts. Een Pool wellicht. Iets Slavisch. Een bizarre engel. Hij verwees ons naar de enige zaak die open was, om de hoek: een café dat Linden's heette.

Zoveel dingen moesten kloppen. Het was een grote gelegenheid van misschien wel vijftig tafeltjes, gesitueerd op een hoek die op beide straten uitkeek. Net toen we binnenkwamen, stond er een stel op van een tafeltje. Eerst nam Holly de plaats die uitkeek op de garderobe, en ik die met uitzicht op Broadway; maar ze stond meteen weer op om van plaats te ruilen, zodat ze naar de sneeuw kon kijken. We verwisselden van plaats. Toen keek ik naar de garderobe, waar groepjes gasten zich van hun hoed en jas stonden te ontdoen, met hun voeten stampten en hun paraplu uitschudden. Om de paar tellen trok er een regiment serveersters vlak voor me langs met borden uit de keuken. De afwassers liepen sjouwend met grote spoelbakken de andere kant uit. Maar opeens was er zomaar een uittocht: de deur ging open, er waaide een vlaag koude wind door de zaal en even verdwenen alle staande jassen en hoeden; en op hetzelfde moment hielden de serveersters op met hun aanhoudende gedraaf van en naar de keuken. Heel even kon ik het andere eind van de eetzaal zien.

Niet dat ik haar onmiddellijk herkende – ze was zo veranderd dat dat eigenlijk niet kon –, maar mijn blik bleef haken. Ze zat alleen aan een tafeltje bij het raam achterin, half van mij af gekeerd. Ze was enorm veranderd. Haar wangen leken vlekkerig van tranen of te dikke make-up, en ze had kort haar. Ik zag haar maar even en toch, nog voordat de kluwen klanten zich weer voor de garderobe verdrong en mij het uitzicht benam, had ik me met een schok gerealiseerd wie ze was.

Ik herinner me mijn reactie nog: schaamte. Ik schaamde me omdat ik daar zat tegenover Holly Steen met haar muts van konijnenbont en haar gretige gezicht. Haar tweedehands handschoenen en haar gemakkelijk gewekte interesse.

We hadden omelet besteld en toen Holly klaar was met eten, stond ze op en zei dat ze naar de wc ging. Ik wilde haar hand pakken en toen ik met mijn elleboog tegen haar kopje stootte, zei ze: 'We zijn heel blij met je.' Daarop zocht ze zich een weg door het gedrang.

Toen ik aan de andere kant van het restaurant kwam, leek Christian niet eens verrast. Ze zei alleen: 'O nee... ik zie er vreselijk uit, hè?'

Ik bleef naar haar staan kijken. Ze zocht iets in haar tasje. Ik had niet veel tijd. 'Je ziet er prachtig uit,' wist ik uit te brengen.

'Dit is juist een moeilijke dag voor me.' Ze haalde een boekje met kaartjes tevoorschijn en scheurde er een uit.

'Gaat het goed met je?'

'Zie ik daarnaar uit?'

'Het is onvoorstelbaar wat je moet hebben doorgemaakt.'

'Het waren inderdaad wel een paar zware járen, als je het weten wilt. Ik had eigenlijk nooit geweten hoe het voelde. Jij?'

'Dat kan ook niet,' zei ik. 'Niemand weet dat van tevoren.'

'Maar we geven volgend weekend een feestje.' Ze gaf me het kaartje. 'Je moet in ieder geval komen.'

Het adres was in de 68th Street aan de westkant van het Central Park. 'Een feestje?'

'Raar,' zei ze. 'Maar waar.'

'Nee, ik vrees alleen dat het moeilijk zal gaan. Ik zit nog in Philly.'

'Met wie ben je dan hier?'

Ze zou haar wel hebben gezien. 'Een meisje,' zei ik. Toen voegde ik eraan toe: 'Van school. Ze is net naar de wc. Hoe is het met Clara?'

'Goed. Ze is bijna verloofd.'

'Met wie?'

'Een kerel met wie ze niet wil trouwen.'

'O, ja. In dat geval... Nou, feliciteer haar maar van me.'

Ze keek op. Ik wachtte af of ze nog iets zou zeggen.

Haar handen lagen in haar schoot en ze bracht haar ene hand omhoog om hem op de mijne te leggen. Toen keek ze weg. 'Nou,' zei ze na een ogenblik, 'je kunt maar beter teruggaan naar je tafeltje.'

―――――

Op een avond liep ik voor het eten naar de eetzaal, maar daar bleek niemand te zijn. Het was mijn eerste zaterdag terug op Dunleavy na de begrafenis van mijn moeder. Misschien kwam het daardoor dat ik die avond op weg naar de eetzaal niet had gemerkt dat er niemand buiten was. En de eetzaal zelf lag er verlaten bij. Ik keek op mijn horloge: zes uur. De anders altijd rumoerige zaal aan de voorkant was leeg en de tafels waren ongedekt, maar in plaats van iemand te zoeken om te vragen waar het avondeten werd opgediend, liep ik in mijn eentje terug naar onze kamer in het studentenhuis. Ik werd op Dunleavy altijd al geplaagd door het gevoel dat ik iets niet doorhad – iets belangrijks dat al mijn klasgenoten met hun geboorte hadden meegekregen –, maar misschien door wat ik net had doorgemaakt, leek ik die avond opeens verlost van mijn gebruikelijke angsten. Ik at een paar crackers uit mijn la en haalde aan het eind van de gang water. Dat was mijn avondeten. Ook boven was er niemand te bekennen. Ik ging bij het raam van onze kamer zitten.

Ik zat er nog maar net toen ik geluiden hoorde. Ze werden harder, toen zachter. Het leek wel muziek. Ze klonken een tijdje en verstomden weer. Ik bleef bij het raam zitten luisteren en aan mijn moeder denken, totdat het tot me doordrong dat het geluid uit de opening van de verwarmingsbuizen kwam. Ik ging op mijn knieën voor het rooster zitten en luisterde. Een koor. Een koor van stemmen.

Even later werd er geklopt.

'Hé, joh,' zei Astor. Hij klopte altijd, ook op onze eigen kamerdeur. 'Dacht je dat het engelen waren?'

'Ik wist dat het geen engelen waren.'

Daar moest hij om lachen. 'Er is zeker niets tegen je gezegd?'

'Nou, nee.'

'Het is nu elke zaterdagavond. Voorjaarssemester, joh.' Hij draaide met zijn ogen. 'De zangvereniging – in plaats van avondeten. We eten beneden, niet in de eetzaal. En we zingen erbij. Traditie van Dunleavy.' Hij rolde weer met zijn ogen. 'Maar iedereen moet meedoen. O'Breece vroeg net waar je was. Maar het valt wel mee, echt. Misschien vind je het wel leuk. Ik vind het zelfs wel leuk. Ik ken de woorden ook, van mijn broer. Je mag mijn tekstboek wel hebben. Meneer O'Breece was vroeger operazanger of zo. De laatstejaars noemen hem meneer Obese.'

'Je heb je kamerjas aan,' zei ik. Inderdaad had hij een blauw-wit gestreepte kamerjas aan.

'O ja, antwoordde hij. 'Vraag me niet waarom, maar we zingen in onze kamerjas. Nog zo'n traditie, geloof ik. Ik heb er ook nog een over voor jou, hoor, als je wilt.'

'Laat maar. Ik heb er zelf een.'

Het is dus wel begrijpelijk wat iemand in mijn positie van Liam Metarey zal hebben gevonden – het is wel begrijpelijk dat ik de man die me opnieuw zijn sterke hand toestak dankbaar was.

Maar die avond begon ik ook voor het eerst iets van mijn moeder te begrijpen. Toen ik in mijn met leer afgebiesde kamerjas samen met vijftig andere jongens van mijn jaar in de gemeenschappelijke ruimte in de kelder werkte aan de tenorpartij van 'Didn't My Lord Deliver Daniel', gingen mijn gedachten voortdurend naar haar uit. Had zij ook hierin de hand gehad? Ik zag haar voor me, zoals ze bij het raam zat met haar vingers tegen haar slaap, al zo lang als ik me kon herinneren. Had ze het al die tijd geweten? En zo ja, was ze dan misschien zelf naar meneer Metarey gegaan? De familie Metarey had altijd goed gezorgd voor de inwoners van Saline, vooral voor iedereen in nood. Daar had ze beslist van geweten. Was dit alles dan op die manier in gang gezet, van het begin af aan?

Ik geloof niet dat ze Liam Metarey ooit rechtstreeks om iets zou hebben gevraagd, maar ze wist wat een enkel woord tegen een man als hij kon betekenen. En die avond kwam de gedachte bij me op dat het allemaal kon – nee, moest – zijn geregeld buiten medeweten van mijn vader. Mijn vader was een trotse man, meer in zijn zwijgen dan in zijn woorden, en zijn zelfstandigheid was de hartstochtelijkste uitdrukking van zijn trots. Daarom had mijn moeder zich misschien gedwongen gevoeld haar noodvoorzieningen in het geheim te treffen en alleen meneer Metarey iets te vertellen, en niet haar eigen man. Eerst mijn baantje op Aberdeen West, toen mijn werk voor de campagne en ten slotte mijn vertrek naar Dunleavy: het was misschien allemaal zo geregeld omdat zij wist wat er komen ging – ook al wist ze niet wanneer – en het weloverwogen vervolg ervan was wellicht stilgehouden om mijn vaders natuurlijke verzet te omzeilen. Daar kwamen mijn gedachten telkens op uit toen ik ergens in het midden stond van de rijen opgewonden jongerejaars met hun kamerjas over hun kleren heen. Als ze mijn vader over het hele plan had geraadpleegd, weet ik zeker dat hij het had verboden. Maar het was stukje bij beetje in gang gezet en hij was – net als ik – op sleeptouw genomen.

Dat semester ontdekte ik dat ik zingen leuk vond. Ik merkte dat ik er ook niet slecht in was – goed genoeg in elk geval om niet bij mijn jaargenoten uit de toon te vallen. Maar er kwam nog iets bij, iets dat te maken had met dat koude vertrek met zijn lage plafond, waar onze stemmen tegen de vier stenen muren kaatsten en samenvloeiden in een stroom van klanken, en toen ik mijn stem in dat meeslepende koor liet opgaan, leek ik eindelijk bevrijd.

———

Het huis was schoongemaakt. Ik zag het direct toen ik de voordeur opende. De kleden waren gezogen, de laarzen van mijn vader stonden op een blad in de hal en op één vaas met een verdord boeket midden op de eettafel na waren alle bloemen weg. Nadat ik mijn tas naar mijn oude kamer boven had gebracht, ging ik naar hem toe. Ik moest gaan zitten en hij liep naar de keuken. Het waren rozen, vliesdun gedroogd. Het was de eerste keer dat ik terug was. Het huis van je jeugd is zonder je moeder niet meer het huis van je jeugd.

Hij kwam terug met de slakom. 'Weet je,' zei hij, 'dat deed ma elke dag.'

'Wat?'

'Een salade maken. Heb jij weleens een salade gemaakt?'

'Een paar keer.'

'Je moet de sla wassen. Dan drogen, anders wordt de dressing waterig. Ik heb er een hekel aan. Maar ik doe het wel. Op keukenpapier. Zo heeft ze het me voorgedaan. Ze heeft me een heleboel voorgedaan, zie je.'

'En dan legde ze het keukenpapier op de vensterbank te drogen,' zei ik, 'om het de volgende dag nog eens te gebruiken.'

'Precies. Dat doe ik nu ook. Kom maar kijken.'

Hij liep weer naar de keuken.

Toen ik achter hem aan kwam, zei hij: 'Daar ligt het.' En hij wees naar de vensterbank.

Daar lag het. Vochtig. Over de bovenrand van het schuifraam gevouwen in de zon.

'Ik gebruik elke dag dezelfde sinds – het gebeurde,' zei hij. 'Dat zou ze fijn hebben gevonden. Het droogt zo goed als nieuw op.' Hij haalde de rol van de plank. 'Merk Scott, zie je wel? Ze kocht altijd Scott. Dat doe ik nu ook.' Haar schort hing nog aan de handgreep van de ovendeur en toen hij de rol keukenpapier had teruggezet, trok hij het schort recht. 'Ik wou dat ik het tegen haar kon zeggen.'

'Zo te zien red je je best, pa. Alles is schoon.'

'Dat doen haar vriendinnen. Ze had veel vriendinnen. Dat merk ik nu. Nooit geweten, eigenlijk. Elk weekend een andere. Zij houden het huis schoon.'

'Niet slecht geregeld.'

'Eigenlijk hoeven ze dat niet te doen. Ik kan zelf wel schoonmaken. Dan heb ik iets te doen, zie je. Als ik niet werk.'

'Wie kookt er?'

'Ik,' zei hij. 'Ondergetekende. Meestal tenminste. Ik leer het wel. Het gaat best aardig. Niet slechter dan pijpen fitten in elk geval – en eerlijk gezegd kook ik liever. Ik heb echte snijbonen gemaakt. Weet je hoe je snijbonen klaarmaakt? Je moet de draadjes afhalen, of hoe dat ook heet. Maar eerst moet je de puntjes eraf snijden. Boon voor boon. Je weet wel, van allebei de kanten. *Tak, tak.* Ik heb er een stuk of dertig klaargemaakt.'

'Dat is een hoop snijwerk.'

'Precies. Dan weet je elke boon te waarderen. En dat deed je moeder iedere avond.'

'Ja, hè? En ze waste ook al onze kleren. En als ik mijn goede overhemd nodig had, streek ze het.'

'Dat van mij ook.' Hij tilde het deksel van een pan en de ruit begon te beslaan van de damp. Ik merkte dat hij tegen zijn gedachten vocht. 'Dan moet je ze koken,' zei hij kranig. 'Voor ik begin zet ik altijd het water op het vuur.'

'En zout erbij.'

'Precies. Ze deed er altijd zout bij. Alles wat ze kookte, was lekker.'

'Ja.'

'Ik mis haar, Cor.'

'Natuurlijk, pa. Ik ook. Maar ik miste haar al eerder. Al toen ik wegging naar school.'

'Ik mis haar iedere dag.' Zijn hand ging naar het fornuis om over de heupflappen van het schort te strijken. 'Jezus,' zei hij, 'moet je mij horen.' Hij snoot zijn neus in een zakdoek. 'Maar dit wordt precies zoals zij het maakte.' Hij pakte de zoutpot. 'Je proeft geen verschil. Ik heb haar kookboek gevonden. Meer heb ik niet nodig. Ik heb het helemaal gelezen.'

'Heb je het hele kookboek gelezen?'

'Weet je,' zei hij, 'ik vond het wel prettig. Op een avond ben ik er gewoon voor gaan zitten.'

'Ik kan het me niet zo goed voorstellen, pa.'

Hij nam een snufje zout, strooide het in de pan en ging toen op de kruk bij het fornuis zitten. 'Wat moet ik anders?' vroeg hij terwijl hij het deksel van een andere pan nam. Er lagen twee koteletten in te bakken, net twee keer Afrika. 'En ik smeer ze in met haar saus.'

'Bruine suiker en ingemaakte tomaten.'

'Precies. En een teentje knoflook.'

'Ze maakte zelf tomaten in.'

'Nou, ik weet niet of ik dat ga doen.'

In de eetkamer schepte hij me op, liep om de tafel heen, legde ook een karbonade en snijbonen op zijn eigen bord en ging zitten. 'Dat zijn ook haar rozen,' zei hij.

Ik raakte de vaas aan. 'Ik heb ze gezien, pa. Ze zijn heel mooi. Ze zijn prachtig. Van wie zijn ze?'

'Echt van háár.'

Ik keek hem aan.

Hij legde zijn servet op zijn schoot. 'Van je moeder.'

Hij schikte alles om zijn bord heen op die voorspelbare manier van hem, alsof hij voorbereidselen trof om een pijp te solderen: hij zette zijn glas bij zijn rechterhand en legde zijn lepel en mes recht.

'Meen je dat?'

Hij keek uit het raam. 'Ze had ze net zelf gekocht,' zei hij. 'Zomaar. De dag voor het gebeurde – dat lieve mens. Gewoon om te hebben. De vaas ook. Gek. Ik zat er laatst aan te denken. Dat soort dingen deed ze de laatste tijd. Je moeder, de vrouw die keukenpapier opnieuw gebruikte.'

'Het is niets voor haar.'

'Ze had nog nooit van haar leven een bos bloemen gekocht, die vrouw. Maar die dag wel. Rozen.' Hij hief zijn glas water. 'Op haar,' zei hij.

'Op ma.'

'We houden van je, Anna,' zei hij. 'We blijven altijd van je houden.'

'Ja, ma. Ik hou van je.'

Toen sneed hij zijn karbonade aan. En ik de mijne.

Hij bracht zijn vork omhoog. 'Nou ja,' zei hij.

'Het geeft niet, pa,' antwoordde ik. 'Het komt allemaal goed.'

========

De volgende voorverkiezingen waren in New Hampshire. Henry Bonwiller kwam telkens weer naar Aberdeen West om met zijn assistenten te overleggen en zijn nieuwe toespraken te repeteren voor daar en voor Florida, dat daarna aan de beurt was. Het was inmiddels half februari. De redevoeringen van de senator werden meestal door verschillende leden van het campagneteam geschreven, onder anderen door een paar professoren van Harvard, die June Metarey elke vrijdagochtend met de Aberdeen White uit Boston ophaalde en 's maandags weer terugbracht; maar ik weet toevallig dat enkele van zijn beroemdste woorden door Liam Metarey persoonlijk zijn geschreven. Toen ik op een middag in de bibliotheek kwam, zag ik hem met zijn draagbare typemachine bij het raam zitten terwijl hij uitkeek over het land. Ik begon de voorraad van de drankkast aan te vullen. 'We leven op de rand van ravijnen van mislukking.' Hij schraapte zijn keel.

'Klinkt goed, meneer.'

'We leven op de rand van ravijnen van haat.' Hij schraapte zijn keel nog eens. Toen lachte hij een beetje schaapachtig. 'De tijd is gekomen om een brug te slaan. Ze te overbruggen? De tijd is gekomen om een brug van hoop te slaan.'

Dat werd natuurlijk de regel uit Henry Bonwillers befaamde rede 'Bruggen van hoop', misschien wel de meest inspirerende toespraak die hij ooit heeft gehouden en die hij op een nattige, winderige middag iets meer dan een week later met zijn hese bariton uitsprak voor een publiek van vijftienhonderd vredesdemonstranten in Manchester in New Hampshire. Hij was die dag verkouden, waardoor zijn stem een dringende ondertoon kreeg, en hij klonk als Roosevelt of Jack Kennedy, of misschien wel Martin Luther King. De perfecte zweem van een ingehouden appèl in een stem die af en toe niet boven een fluistering uitkwam. Nog geen maand later zouden de tweede voorverkiezingen van het land worden gehouden. *Wij zullen samen voorwaarts gaan, door dit prachtige land, over deze prachtige bruggen. We zullen samen voorwaarts gaan, vrienden – we zullen als één man voorwaarts gaan.* Het aanzwellende gejuich van de menigte dat als een golf over de laatste woorden heen spoelde. De hand die in triomf werd opgestoken. Het lijkt nu misschien demagogie, maar destijds niet. Uit het avondjournaal kon je opmaken dat er iets was veranderd. En eerlijk gezegd was dat het moment waarop ik mezelf voor het eerst toestond in onze overwinning te geloven.

Als ik nadien met haardhout, de stokken met de avondkranten of een fles whisky de bibliotheek binnenkwam, trof ik meneer Metarey soms achter zijn typemachine aan. Dan keek hij op en las een paar regels van zijn tekst voor. Hij was zonder meer trots – ik geloof dat hij zichzelf ergens altijd als een boer of monteur bleef beschouwen, ondanks zijn status – en vond de vreemde wending die zijn leven had genomen waarschijnlijk wel grappig, maar ik verbeeld me ook dat hij mij probeerde te laten zien dat ik op zekere dag tot dezelfde soort creativiteit in staat zou zijn, dat ook ik later wellicht de woorden zou schrijven die door een groot man zouden worden uitgesproken. Dat ik misschien zelfs wel in zo'n wereld zou leven, dankzij mijn eigen verdiensten. Zelfs midden in de meest hectische, hoopvolle maand van de campagne had hij dat volgens mij in ieder geval een klein beetje in zijn achterhoofd. Hij vergat me nooit meer erbij te roepen in de woonkamer, waar vierentwintig forse fauteuils in rijen stonden opgesteld en ik samen met de adviseurs het oefenpubliek vormde dat toehoorde als de senator zijn tekst repeteerde. Soms probeerde senator Bonwiller zijn zinnen op wel tien verschillende manieren achter elkaar uit, waarbij hij nu eens zijn stembuiging veranderde, dan weer de volgorde van de zinnen. Hij was een acteur, net als alle politici, maar hij was ook een dichter – hij had gevoel voor de melodie van woorden.

Na Iowa was het campagneteam uitgedijd: de nieuwe medewerkers waren de deserteurs van andere kandidaten, met name Humphrey en Jackson. De Metareys huurden nog eens vijftien kamers voor hen af in het Excelsior Hotel in Islington, en ik moest daar dan soms wel vijf keer in één weekend naartoe rijden. Telkens als ik de oprijlaan van Aberdeen West in sloeg, knikte ik naar de agent van de geheime dienst die toen altijd aan de overkant van de weg in een donkere Mercury Montego zat, en nadat ik de nieuwe medewerkers op het ronde plein uit de auto had gelaten en de auto in de garage had gezet, keek ik naar de overloop boven aan de trap om te zien of er ook een agent was geposteerd bij het hoge palladiaanse raam midden in de gevel dat uitkeek op het omliggende land. Dat betekende dat Henry Bonwiller binnen was.

Het was ook een vast onderdeel van mijn werk geworden om erop toe te zien dat de bibliotheek in de zuidvleugel in gereedheid was voor zijn besprekingen. Dat vertrek, met zijn ladders voor de boekenkasten en zijn hoge, in kleine ruitjes verdeelde ramen, had 's winters het mooiste uitzicht op het hele landgoed – dat later voor een groot deel het Shelter Brook-reservaat werd – gehuld in de verschillend getinte dikke lagen sneeuw tussen de heuvels. De kring van intimi kwam bij voorkeur in de zuidelijke bibliotheek bijeen voor hun weekendbespreking – Liam Metarey en Larry O'Brien van het Democratische Nationale Comité en Morlin Chase' broer Clarence, Tom Watson jr., Domer Flint van IBM, Branch Martin van Lockheed en soms Glenn Burrant of een paar van de andere vertrouwde verslaggevers. Eén keer zag ik zelfs Vance Trawbridge in eigen persoon die, ver naar voren geleund in een fauteuil, op een flinke afstand van de kring een bourbon zat te drinken en op een blocnote schreef die hij bijna tegen zijn gezicht hield. De senator zelf zat in de stoel in het midden, met zijn colbert uit en zijn das los en zijn lange benen voor zich uit gestrekt. Iedere zaterdag bracht ik een mand vol broodjes uit de keuken naar boven en vulde ik de drankvoorraad aan.

Het nieuws dat het nationale begrotingstekort dat jaar groter zou worden dan ooit sinds de Tweede Wereldoorlog was net bekendgemaakt en dat gaf de Democraten nieuwe munitie tegen de president. In de avondjournaals van het hele land gaf Henry Bonwiller Nixon de volle laag. Op de trap van het landhuis stond hij te oreren terwijl voor hem veertig verslaggevers op klapstoelen op het gazon aantekeningen zaten te maken. De lampen van de cameraploegen zetten hem in een staalblauw schijnsel dat er intimiderend uitzag als je in de voortuin stond, maar warm en huiselijk – alsof hij voor een haardvuur stond te praten – als je het op televisie zag. Het plan voor die week hield in dat de senator op dezelfde twee punten zou blijven hameren, welke vraag hem ook werd gesteld: dat de economie stuurloos was en er niemand aan het roer stond en dat de nieuwe cijfers over de schatkist – een tekort van vijfentwintig miljard – het land onherroepelijk ten val zouden brengen.

De opiniepeilers waren tevreden. En dus zei hij het allemaal de week daarop nog eens in Portsmouth, New Hampshire, en daarna in Manchester, Plymouth en Whitefield. Nixon kondigde aan dat hij een eind wilde maken aan gedwongen integratie in schoolbussen: de senator bracht ertegen in dat hij het erfgoed van Abraham Lincoln verkwanselde. Het ging niet alleen om een keuze over scholen, maar om de morele basis van de beschaving. Ook dat vond weerklank. Hij zei het in Concord, Conway en Newport, en nog eens de volgende morgen voor de nieuwscamera's die op de stroomvoorziening waren aangesloten via een inmiddels permanent op het betegelde terras achter de werkschuur geparkeerde dienstwagen.

En in Keene, Walpole en Ossipee deed Edmund Muskie hetzelfde. En op de trap van de rechtbank in Pierre in South Dakota en in ieder gat ten noorden van Nashua in New Hampshire deed George McGovern dat ook. Alle kranten brachten het nieuws. Net als de televisie: Nixon was kwetsbaar.

Drie weken voor New Hampshire diende John Mitchell zijn ontslag in als minister van Justitie en nam hij de leiding van de presidentscampagne over. Toen hoorden we de eerste geruchten over de inhoud van hun aanvalsdoelen in de weken voor de verkiezingen: *drugs, amnestie en abortus.* Er trok een wervelwind van activiteit over het landgoed en er werd de hele dag vergaderd. De Aberdeen White steeg iedere ochtend op. Ik ving flarden van gesprekken op. De tactiek veranderde. Senator Bonwiller moest de president voortaan negeren en zich op Muskie concentreren. Alle Democraten zaten de president nu op de huid, maar wij hadden slechts één rivaal aan wie we moesten denken. Muskie was de man die we moesten verslaan. Daarna zouden we profiteren van de aanvallen van anderen op Nixon. Dat hoorde ik keer op keer als ik de kamers in en uit liep met drankjes, kranten en telegrams: 'Op Muskie concentreren,' zeiden ze tegen elkaar. 'Op Muskie concentreren.'

De *Speaker-Sentinel* haalt zoals alle lokale dagbladen een flink deel van zijn artikelen uit tips. Sommige komen per brief binnen, andere per e-mail

– al weten tegenwoordig zelfs de oudere burgers alles van anonimiteit op internet – en de meeste komen net als vroeger via de telefoon. Het is een ouderwets verschijnsel op de krantenredactie in een provinciestad dat de telefoon nog steeds op ieder uur van de dag en nacht gaat. 's Morgens ben ik degene die de boodschappen bijhoudt. Deels omdat ik als eerste binnen ben en deels omdat ik er nog steeds niet aan moet denken dat ik misschien iets belangrijks misloop. *Esther Harnett gooit haar vuilnis in de container van Burdick.* Dat soort pareltjes noteer ik meestal in het tippenschrift met een kop koude koffie in mijn hand. *Weet u hoeveel onbetaalde parkeerbonnen Gene Short heeft?* Zo nu en dan krijgen we wat interessantere, maar meestal lopen ze op niets uit. *Agent Stanley neemt geld aan van bedrijfseigenaren – als u hem volgt, ziet u het zelf.* (Dat hebben we gedaan: het was niet waar voor zover wij konden zien.) *In Blue Crest Hills zijn geen handgrepen in de badkamers.* (Dat was waar. Onze verslaggever ontdekte een aantal tekortkomingen.) *Brent Nasser van de Roosevelt-school wordt placekicker in de National Football League.*

Die laatste met een foto op de voorpagina van de jongen in zijn zilvergroene Loggers-tenue leverde ons de best verkopende krant van het jaar op.

Dat is de opgave waar we voor staan.

We zijn net als alle andere kranten ook geabonneerd op de nieuwsbureaus, maar een verhaal dat zich binnen een bepaalde straal afspeelt – waar Albany vooralsnog binnen valt – verslaan we zelf. Er zijn niet veel dagbladen meer die dat doen. De meeste leden van onze directie zijn van mening dat de grote concerns daardoor een economische voorsprong op ons hebben – en dat is best mogelijk; maar het alternatief is erger. De oplage die we ondanks Gannett, McClatchy en Murdoch nog hebben, zou niet eens de helft bedragen zonder de naamsvermelding van onze eigen verslaggevers. De mensen in Saline willen de namen zien die ze kennen.

En onze bronnen zouden ook opdrogen. Dat is de andere reden.

Omdat Henry Bonwiller uit deze streek komt, krijgen we ook nog steeds een stuk of wat telefoontjes per jaar over hem. Ik kan niet ontkennen dat de meeste een geintje zijn. Maar ik kan ook niet ontkennen dat ze een aardige graadmeter zijn voor het laatste spoortje woede dat nog steeds door de man wordt gewekt. Degenen die de tijd nemen om te bellen, behoren vermoedelijk tot het gestage stroompje toeristen dat nog steeds naar Carroll County komt om de monumenten die de ondergang van de senator markeren te bezoeken. Van de pelgrims kunnen zelfs een paar hotelletjes bestaan, die hen van onderdak en maaltijden voorzien. Misschien zijn het gewoon amateurhistorici.

Ik had natuurlijk verwacht dat de meeste toeristen kritisch tegenover hem stonden, maar tot mijn verbazing merkte ik dat dit niet het geval was. Integendeel zelfs. De eerste die ik sprak, zat in een pick-up op Route 35 ruim een kilometer ten noorden van de plaats waar vroeger de oprijlaan van de Metareys lag. Het was op een avond dat ik van mijn werk naar huis reed, een jaar of tien geleden. Hij was in de berm gestopt en zat achter het stuur onderuit gezakt, een stevige kerel met een rood aangelopen gezicht.

'Kan ik iets voor u doen?' vroeg ik door het raampje van mijn auto.

Hij ging rechtop zitten en draaide het raam omlaag.

'Dus hier is het meisje gestorven,' gaf hij als antwoord, terwijl hij een kaart op het dashboard uitspreidde. Een New Englands accent: Vermont wellicht. Een verlekkerde uitdrukking. 'Dat zeggen ze.'

'Zeker, meneer. Dat klopt.'

'Ik weet niet waar u staat,' ging hij verder, 'maar zelf ben ik een Democraat – alle verkiezingen sinds Stevenson. Hele familie. Vader. Grootvader.' Hij vouwde de kaart uit en ik zag waar hij hem had gemarkeerd – ongeveer op het punt waar zijn vrachtauto stond. 'Weet u – daar in die auto zijn alle Democraten gestorven. Allemaal, daar in die greppel.' Hij wees. 'Dat zei mijn pa altijd, en ik moet hem gelijk geven.'

'Dat denk ik ook.'

Hij wees nog eens. 'Hij zal wel daar ergens in het bos zijn beland.'

'Misschien. Het is nooit bewezen.'

Hij keek me alleen maar aan. 'Hij zal wel in paniek zijn geraakt,' zei hij. 'Alles naar de haaien. Alles wat hij ooit had opgebouwd. Dat grote huis ook – in Islington toch? Daar ga ik straks naartoe, trouwens.'

'Nou,' zei ik, 'dat is een minuut of twintig rijden.' Ik wees. 'Recht naar het noorden van hieruit.'

De *Speaker-Sentinel* heeft er natuurlijk een artikel aan gewijd. Ik liet mijn verslaggever er posten en in een maand tijd had hij nog een stuk of tien anderen geïnterviewd. Negen van de tien waren Democraten. Je zou verwachten dat juist degenen die het kwaadst op die man waren vóórdat het allemaal gebeurde – hele horden die hem verachtten – de reis hadden ondernomen om het spoor van zijn val te volgen. Of in ieder geval hun samenzweringstheorieën te staven. Maar voor zover ik kon zien, zijn degenen die nog steeds komen, ook degenen die achter hem stonden. Dat zijn degenen die er nog steeds niet overheen zijn.

=====

Ik weet niet of mijn vader een reden had om deze brief een tijd achter te houden of dat hij hem gewoon die winter op een dag vond toen hij het huis zelf ging schoonmaken. Hij zat nog in de dichtgeplakte envelop, met mijn naam in haar krachtige handschrift achterop.

Liefste Corey,

Ik schrijf dit op een mooie warme dag in september met voor het raam alle rijpe tomaten die ik nog moet plukken. Mijn hemel, er zijn er soms zoveel dat ik het bijna niet kan bijhouden. Als het zo warm blijft, maak ik dit jaar wel veertig liter. (Maar waarom zaai ik toch altijd zoveel komkommer? Je vader begint er genoeg van te krijgen, wat vreemd is, vind je niet, voor een man die er altijd van heeft gehouden.)

Ik denk overdag vaak aan je. Het is nu elf uur 's morgens en ik heb net de ontbijtboel in de keuken opgeruimd: ik vind het tegenwoordig lastig om op schema te blijven en eigenlijk hoeft het toch ook niet, als ik tegen het middageten maar klaar ben. Op je rooster zie ik dat je nu bij je eerste Engelse les zit (is dat meneer Burrows of is hij van geschiedenis?). Wat heb je toch een geluk. Ik vond Engels leuk toen ik jong was (ook al heb ik nu moeite met deze brief, je moet blijven oefenen!) en ik was graag actrice geworden (ongelooflijk, hè? Ik! De dochter van een winkelier!) Ik ben benieuwd of je al toneel hebt gehad. Ik vond Tennessee Williams vroeger de beste schrijver aller tijden toen ik *The Glass Menagerie* had gelezen. Ik weet dat je erom moet lachen; niet doen. God weet dat er heel wat Ierse vrouwen vóór mij op het toneel hebben gestaan, de Maureens (O'Sullivan en O'Hara) zijn de eerste die me te

binnen schieten, al zullen hun zoons misschien ook wel om hen hebben ge-
lachen en het duurde nog best een tijd voordat ze werden ontdekt, weet je
nog.

Ik kan me voorstellen dat jij iets belangrijks wordt, een advocaat bijvoorbeeld die de rechtschapenen verdedigt of een arts die de armen helpt, of een
vakbondsman zoals je vader. Ik hoop dat je dat soort ideeën vasthoudt en er
gehoor aan geeft.

Hemel het is al bijna twaalf uur en ik moet de keuken nog schoonmaken
voor het middageten van je vader, ik ben zo terug.

Kijk nou toch wat er is gebeurd. Het is al drie dagen geleden! (Ik leer je vader eenvoudige dingen koken en hij maakt nu graag zelf zijn middageten
klaar wat voor mij natuurlijk veel meer werk is, alsof je een kleuter in de
keuken hebt.) En ik was toch zo moe van het inmaken (vijftig liter tot nu toe,
ik had me vergist!) en ik heb hoofdpijn.

Ik heb dit net overgelezen en ik zie dat ik nog niet ben toegekomen aan
wat ik wilde zeggen, en dat is dat je niet moet vergeten dat ik altijd bij je zal
zijn, waar je ook bent en wat er ook gebeurt. Als je moeilijkheden hebt be-
denk dan wat ik zou zeggen. Werk hard. Raak je gevoel van rechtvaardigheid niet kwijt en blijf aardig en loyaal. Wees gul en behandel mensen eerlijk en blijf ze trouw als ze je nodig hebben ook al krijg je er niet altijd iets
voor terug. Tenminste niet direct. Dat gebeurt later wel, dat weet ik zeker.

Ik weet niet of ik de rest moet vertellen maar ik denk van wel en ik zal in
elk geval nog een brief schrijven om aan je op te sturen. Deze leg ik in de la
met instructies.

Ik denk dat ik niet lang meer heb. Zoiets weet je gewoon. Ik hoop dat ik
me vergis maar ik denk van niet. Alles lijkt gewoon anders nu. Wanneer je
dit leest zul je het wel zeker weten. Dokter Leary kan niets voor me doen en
ik heb hem gevraagd het stil te houden en mevrouw Janeway (van de kleuterschool, weet je nog?) is zelfs met me mee geweest naar Buffalo maar daar
zeiden ze hetzelfde. Honderdvijftig kilometer daarvoor! (Daarom wilde ik
het je vader niet vragen.) Je zult je wel afvragen waarom ik het nooit heb verteld maar op een dag als je zelf kinderen hebt zul je het begrijpen. Je zit nu op
school en het is een geweldige school en een geweldige buitenkans en je
hebt het voordeel van je vaders mooie karakter en nu ook dat van meneer
Metarey en ik weet dat die je altijd zullen bijstaan. Allebei. En ik ook. Altijd.

Ik wou alleen maar dat ik meer tijd had om alle goede dingen mee te maken die je nog overkomen en ook een paar slechte en vooral wat er van je zal
worden en wat voor vader je zult zijn. Er is zoveel te zeggen maar ik ben nu
moe en wat ik vooral wil zeggen is dat je op een dag zult begrijpen waarom ik
het zo heb gedaan, en ik hou van je Corey en ik zal altijd, altijd bij je zijn.

Ik ben niet bang. Dat moet jij ook niet zijn.

Liefs,
Mam

Zes

I

TOEN GING PRESIDENT NIXON NAAR CHINA.
Hij vertrok op 21 februari, precies twee weken voor de voorverkiezingen van New Hampshire. Het Witte Huis noemde het een 'vredesmissie'
en die avond zaten we in de bibliotheek te kijken naar John Chancellor, die
zich plechtig tot de camera richtte en nog een stap verderging: 'een on-
voorstelbare daad', noemde hij het. Geen president had het ooit aange-
durfd.

De volgende ochtend stonden de voorpagina's bol van de artikelen. En
toen van de foto's. Nixon met Zhou Enlai. Nixon in de Grote Zaal van het
Volk. Nixon voor de Rode Garde. En snel daarop kwamen de geruchten.
Een handelsovereenkomst. Volledige diplomatieke betrekkingen aan het
eind van de week. Als ik de krantenstokken naar de werkkamer van meneer Metarey bracht, sloot hij zijn ogen even voordat hij ze aanpakte.
Nixon op de Chinese Muur, lachend in een met bont gevoerde jas. De president en mevrouw Nixon, hand in hand met voorzitter Mao.

En opeens moesten de Democraten zich uitsloven om alleen al in de
krant te komen. Opeens kwam er niemand om de senator op de veranda
voor het huis aan te horen. Er kwam ook niemand voor Muskie of voor
McGovern. Noch voor Humphrey, Wallace of Jackson. Alleen voor Nixon.
De president in de Verboden Stad. De president bij de Ming-graven. De
president glimlachend tussen de eetstokjes die hij in een V boven zijn
bord hield.

Het was ontnuchterend zo snel als alles veranderde. Op Aberdeen
West konden we op niet meer dan een paar verslaggevers rekenen bij een
persconferentie. Als het maar even kon, zorgde Liam Metarey ervoor dat

Henry Bonwiller er in eigen persoon was in plaats van een van de pers-woordvoerders, maar dat hielp niet veel. Twee weken daarvoor had hij nog vijftienhonderd mensen getrokken in een ijzige miezerregen in Manchester in New Hampshire. Nu, tien dagen voor de voorverkiezingen, waren er op een kristalheldere winterdag welgeteld drie verslaggevers bij zijn perscommuniqué. De volgende morgen leidde Muskie volgens de *Union Leader* met twaalf punten en stond McGovern gelijk met ons. Het was stil geworden in het huis. Zonder winst in New Hampshire of iets dat daar dicht in de buurt kwam, konden we het wel vergeten. Het geld zou net zo snel wegsmelten als de verslaggevers. In de vroege ochtend van de geboortedag van Washington reed ik naar het Excelsior om onze laatste gereserveerde kamers te annuleren.

Ik weet nog dat ik later die ochtend naar de bibliotheek ging om meneer Metarey gedag te zeggen voordat ik de trein terug naar Dunleavy nam. Hij zat in een stoel die hij vlak voor de televisie had getrokken. Op het kleine scherm voor hem zat de president naast Zhou Enlai in Peking naar een pingpongwedstrijd te kijken. Iedereen in het land herkende inmiddels Zhous smalle, aristocratische gezicht. De toeschouwers gedroegen zich keurig. Klapten als één man. Zwegen als één man. In de centrale loge leunde de president met een minzame glimlach over de balustrade en applaudisseerde. Het was een ongelooflijk gezicht, zelfs voor mij. Als ik een kiezer thuis was geweest, zou ik stemmen op de man die daar tussen het Chinese volk zat, besefte ik. Ik herinner me dat ik me midden in een lange rally van het scherm afwendde, toen de bal van ver achter de tafel door de Amerikaan in het spel werd gehouden, en tegen meneer Metarey zei dat ik het volgende weekend terug zou zijn om senator Bonwiller te helpen New Hampshire te winnen.

'Ik hoop maar dat het niet de laatste keer is dat we je nodig hebben,' antwoordde hij.

'Ik zal er toch zijn.'

'Natuurlijk,' zei hij. 'Natuurlijk.'

Ik wilde weglopen, maar hij tikte me op mijn arm. 'Moet je kijken,' zei hij wijzend. Op de ene helft van het scherm had de Amerikaan net een uitval gedaan om een bal te redden en op de andere helft had de camera ingezoomd op president Zhou, die zijn hand op de arm van mevrouw Nixon had gelegd. De Chinese speler miste op een of andere manier de bal en Zhou glimlachte en boog zich naar haar over om iets in haar oor te fluisteren. Ze lachte een beetje onzeker. Daarna draaide Zhou zich om en fluisterde iets tegen de president, die weer naar zijn vrouw keek. Toen lachten ze alle drie samen.

'Hij geeft advies voor de voorverkiezingen,' zei ik. Dat was de eerste keer dat ik me een grapje veroorloofde tegenover meneer Metarey.

Hij lachte. 'Op Ma-skie konsentlelen,' antwoordde hij. Hij keek schaapachtig om.

Toen lachte ik ook en later besefte ik dat we nog nooit zo met elkaar hadden gesproken.

'Maar het is nog niet voorbij,' zei hij plotseling terwijl hij de tv uitschakelde en weer aan het werk ging. 'Politiek is geen honkbal, Corey. Dat is de ellende.' Hij sloeg hoofdschuddend een schrift open. 'Het is een rúgbybal,' zei hij en hij sloeg de bladzijde om. 'Vergeet dat nooit. Je weet nooit welke kant hij op stuitert.'

═══

Op een dag zes jaar geleden, een paar weken nadat onze oudste dochter weer terug was gegaan naar de universiteit, realiseerde ik me dat ik alles alleen vanuit het perspectief van Henry Bonwiller had bekeken. Onze dochter zat op de Colgate universiteit van Hamilton in de staat New York en half oktober gingen mijn vrouw en ik haar met onze twee jongere dochters opzoeken. We hadden afgesproken in een koffieshop dicht bij de campus. Ik was net de auto aan het parkeren toen ik opkeek en Andrea tussen de roestbruin verkleurde bomen vandaan zag komen met haar boeken bijeengebonden met van die leren schooljongensriemen uit Franse films, die weer populair zijn onder studenten; ze droeg een blauwe spijkerbroek en een lichte blouse die iets te dun leek in dat weer. U kunt zich wel voorstellen hoe dat voelde. Er was nog een zweem van de zomer in de lucht, maar niet veel. Ze bleef voor het oversteken even wachten – ze had ons nog niet zien staan aan de stoeprand aan de overkant – en liep toen vlak voor een stel fietsers en een oude Kever op zoek naar een parkeerplaats de rijweg op; en toen ik haar als een bosdier tussen de bomen vandaan zag komen in de hoofdstraat vol drukke cafés, kledingzaken en antiekwinkeltjes, waar studenten, gezinnen en groepjes zakenlui in kostuum met hun mobieltjes elkaar op het smalle trottoir verdrongen, werd ik eerlijk gezegd overmand door zo'n intens gevoel van vertedering dat de tranen me in de ogen sprongen.

In mijn jaren bij de Metareys zal ik me waarschijnlijk te zeer hebben vereenzelvigd met de verwachtingen van Henry Bonwiller om er met meer afstand naar te kijken. JoEllen Charney was pas in de twintig toen het gebeurde.

Ik heb er in de loop der jaren met talloze mensen over gesproken. Het is logisch dat het hier geen ongebruikelijk gespreksonderwerp is, nog steeds niet. Bepaalde details zijn bekend. Maar ook die details zijn geschetst en herschetst in kappersstoelen en in de rij voor een kassa, en sommige vermoedens zullen lukraak en in onschuld zijn geopperd, maar andere waarschijnlijk niet. In grote trekken blijft het tot op de dag van vandaag een raadsel.

Ze hebben elkaar waarschijnlijk leren kennen bij een actie om fondsen te werven. Het is ergens half mei. De bomen staan in bloei en zo is ook de stemming. Een lunch om geld in te zamelen voor een van de doelen waar haar familie waarschijnlijk nog nooit van heeft gehoord: het behoud van de beken en bossen in de omgeving, waaraan haar vader niets kan of wil bijdragen ook al mag hij graag jagen. Hij is een arbeider, drijft een 45-tonskraan voor Harburg-Shrewsbury. Haar moeder is secretaresse op een lagere school ten zuiden van Buffalo en een trouw kerkgangster. JoEllen is de eerste die is gaan studeren en daar heeft ze ambitieuze vrienden gemaakt. Misschien heeft zij ook wel ambities – dat weet ze niet precies. Bij de Three Counties-missverkiezing die ze won, moest ze 'Danny Boy' zingen om een knapper meisje uit Fredonia te verslaan, en een paar maanden lang voelt ze zich geweldig en zijn haar oude vriendinnen weer meer in haar geïnteresseerd. Ze heeft wel vriendjes gehad, maar ze beschouwt zichzelf niet als een schoonheid. Ze leeft dan ook een beetje in een roes. Toch is ze in haar hart een gewoon meisje. Ze is door een van die vriendinnen uitgenodigd voor de fondsenwervingslunch en ze is zenuwachtig en een beetje beduusd als ze eindelijk in de Elks Hall staat, waar ze verder niemand kent en die vol staat met gehuurde tafels en plastic boeketten in gigantische vazen. Ze heeft niets bijzonders aan, gewoon haar blauwe jumper over een perzikroze blouse en zwarte flatjes van haar werk. Dan arriveert senator Bonwiller, en om een of andere reden vindt ze dat zo opwindend dat ze hem openlijk aanstaart. Hij staat in een klein clubje oudere heren dicht bij het podium met deze en gene te praten en met zijn grote handen te gebaren naar allerlei komende en gaande mensen; en wanneer zijn blik een ogenblik de hare ontmoet en verdergaat – en terugkomt – moet ze blozen en wendt ze zich af. *Hij weet dat ik hier niet thuishoor.* Ze doet een paar stappen in de richting van de schaal punch en is vaag in de weer met een plastic bekertje, maar als ze zich weer omdraait, kijkt hij nog steeds naar haar. Hij knikt even met een half lachje in haar richting.

De volgende dag belt haar vriendin haar weer op om te zeggen dat ze samen zijn uitgenodigd voor een ander evenement. *Uitgenodigd!* Het gaat om een toespraak die de senator houdt in Morrison, meer dan zeventig kilometer ver weg. Ze kiest dit keer de rode jurk, die ene met de korte rok die ze zelf heeft genaaid voor haar missverkiezing. Er zit een dunne gouddraad doorheen, die de stof doet glinsteren, en waarschijnlijk zou ze hem niet moeten nemen, maar ze doet het toch. Waarom ook niet? Ze lenen de auto van de broer van de vriendin, een Camaro met leren bekleding, en rijden naar de aula van het *college* waar de senator een redevoering houdt over waterrechten en de dringende noodzaak om de nieuwe wetten tegen milieuvervuiling te handhaven, en ze luistert zo aandachtig dat ze zijn cijfermateriaal later voor hem kan herhalen als ze elkaar toevallig bij haar auto op het parkeerterrein tegen het lijf lopen. Hij zegt: 'Fijn te weten dat er iemand heeft geluisterd.'

Ze kan alleen maar blozen.

Een paar dagen later wordt ze in haar eigen flat gebeld door een van zijn assistenten. 'Neem deze keer je vriendin niet mee,' zegt hij.

===

Er is nog een incident dat ik moet vermelden, iets kleins. Een zaterdagavond. Eind februari, bijna halverwege die cruciale periode. Het weer was zachter geworden, maar die avond was er een front aangekomen en Gil had me na het eten gebeld om bij de Metareys de palissades van ijspegels aan de overstekende dakrand boven het terras neer te halen. Ik stond net de laatste in de sneeuwbanken te vegen toen meneer Metarey zelf naar buiten kwam. 'Ga me nou niet vertellen dat we je tegenwoordig de hele avond hier aan het werk houden,' zei hij.

'Ik ben bijna klaar, meneer.'

'Misschien wil je me dan een paar minuten gezelschap houden.'

Het was donker, zo'n uur of acht. Toen ik even ophield met werken prikte de kou in mijn keel, dat speciale ijzerachtige vlijmen van een ouderwetse winter aan het Eriemeer dat ik me zo goed herinner van die jaren; de geur van de ceders was slechts een bitter vleugje in de lucht.

Hij kwam naast me staan op de tegels. 'Ik heb aan je gedacht,' zei hij. 'Hoe gaat het met je?'

Ik keek op. 'Goed, meneer Metarey. Maar ik mis mijn moeder.'

'Dat snap ik, Corey.'

'Maar het gaat wel. Ik word er alleen een beetje verdrietig van als ik erover praat.'

'Sorry,' zei hij, terwijl hij me aankeek. 'Natuurlijk. Dat zal wel.'

Ik bleef staan en leunde op mijn schop. Uit de struiken voor ons sprong een konijn, dat razendsnel een spoor trok door de tuin. Hij legde zijn hand op mijn schouder, maar tilde die weer op om naar het bos te wijzen. 'Grote hoornuil,' zei hij. 'Luister.'

Ik hoorde hem in de verte: *oehoe, oehoe, oehoe.*

We liepen samen naar de rand van het terras, dat uitkeek op het land ten noorden van de visvijvers. Het weggeveegde ijs lag te glinsteren.

'Schitterend 's winters,' zei hij, 'vind je niet? Meer een tekening dan een schilderij.'

Zo had ik het nog nooit bekeken. Er lag een dik pak sneeuw en die middag was er nog een laagje op gekomen, zodat de rij boomkruinen in de verte oplichtte in het schijnsel van de maan.

Na een poosje zei hij: 'Je hebt er toch niets aan overgehouden?'

'Waaraan, meneer?'

'Die avond in het bos. Daar heb je toch niets aan overgehouden, hè? In de auto. Ik realiseerde me dat ik er niet naar heb gevraagd.'

'Nee meneer. Niets.'

'Mooi. Mooi,' zei hij. 'Het zou vreselijk zijn geweest als er iemand gewond was geraakt.'

'Ik heb nergens last van.'

'Toen ik in dienst was,' zei hij, 'heb ik zelf een keer een ongelukje gehad met een Willys-jeep. Het leek toen niets ernstigs – maar op avonden als deze wil mijn nek me er nog weleens aan herinneren.' Hij strekte zijn hals. 'Bijna dertig jaar later. Gewoon een steekje als het waterkoud is. Een kleine herinnering.'

De schaduw van de uil vloog plotseling over de sneeuw; even later zagen we zijn profiel in een van de dichtstbijzijnde eiken, bijna boven in de kruin. Hij had niets in zijn klauwen. We bleven ernaar staan kijken tegen de wirwar van takken.

'Volkomen genadeloos,' zei hij zachtjes. 'Zo is de natuur.' Hij schraapte zijn keel. 'En toch verwachten we dat niet. Of misschien doen we alsof het niet zo is. De bron is alle onbehagen van de mens, zou ik zeggen. Als je het moest benoemen.'

'O?'

Hij keek me van opzij aan. 'Heb je Upton Sinclair al gelezen op die school van ons?'

'Nee, meneer.'

'Nou, als het zover is, zul je er vast van houden.' Hij gooide de rest van een ijspegel weg, die stuk viel op de korstige sneeuw. 'Ook al eet je daarna nooit meer worst.' Hij grinnikte, maar ik zag dat zijn gezichtsuitdrukking veranderde. Hij zette zijn ene voet op het stenen paaltje voor hem, als een cowboy bij een hek, en leunde hoofdschuddend naar voren. Dat deed hij altijd als hij een mooi uitzicht had gevonden. Het leek wel of hij maar een gast was op het landgoed en er niet al zijn hele leven woonde.

'We gaan weer bombarderen,' zei hij opeens. 'Haiphong, Hanoi, alles. We hadden gezegd dat we dat niet zouden doen.'

Dat werd pas een paar dagen later algemeen bekend gemaakt: hij moest ervan hebben gehoord in de campagne. Het bleek de prelude te zijn op het bekende kerstoffensief – dat pas een jaar daarna volgde. Het eerste teken van de meedogenloze tactiek die we zouden toepassen tot we ons eindelijk zouden terugtrekken.

'Het noorden moet worden uitgerookt voordat ze tegen ons kunnen samentrekken,' zei hij. 'Althans, dat is de theorie. Ze hebben tweehonderd-, misschien driehonderdduizend soldaten aan de grens. Dat zijn twintig parate divisies. Zodra wij weggaan, nemen ze het zuiden over. Eén doffe ellende.' Hij kwam overeind. 'Daarom doen we het juist. Het is de enige manier om nog uit dat rotland weg te komen. Alleen zijn we de hele regie verdomme kwijt. We hadden er nooit naartoe moeten gaan. Dat is het trieste. En nu komt iedereen terug.' Hij tikte nog een pegel van de stenen balustrade. 'Iedereen behalve And.'

'Hij zit in een hospitaal,' zei ik. 'Zei Christian tenminste.'

'Klopt. Daar was hij tot gisteren, op een eilandbasis. Maar nu zit hij in de binnenlanden. Meer laten ze niet los. Hij zal het nog druk krijgen.'

'Christian zei dat u dat waarschijnlijk had geregeld.'

Hij keek me aan.

'Dat hij in het hospitaal werd gelegerd, bedoel ik. De geneeskundige post.'

Hij keek weer weg. Ik was bang dat ik te ver was gegaan.

'Het gaat erom wie ervoor heeft gezorgd dat hij werd uitgezonden.'

Ik keek weer naar de tuin, waar de ijspegels die ik had weggeveegd in de sneeuwbank lagen te glinsteren. 'Hoe bedoelt u?'

Hij gaf geen antwoord, maar nu begrijp ik natuurlijk dat hij het over de president had. Ik heb de geschiedenisboeken gelezen: we waren al maandenlang manschappen aan het terugtrekken. De troepenmacht was van een half miljoen in 1969 tot minder dan een vijfde daarvan geslonken. Maar Andrew werd de andere kant uit gestuurd: naar een legerplaats in de buurt van Quy Nhon, ontdekten we later.

'Punt is dat onze man nog niet eens op kop loopt,' zei hij. 'Dit is dus of een schot voor de boeg of...' Hij zweeg.

'Ja?'

Hij keek me aan. 'Ik bedoel eigenlijk dat het ook positief kan zijn. Een goed teken, bedoel ik. Voor ons. Een goed teken voor de campagne. Daar kunnen we ons tenminste aan vasthouden.' Hij trok een gezicht. 'Het is goed nieuws voor de campagne.'

De maan ging weer schuil achter de wolken. Alles leek verder weg – de tuin, de helling, het glinsterende ijs. Pas toen ik zelf kinderen had, begreep ik wat hij moest hebben doorgemaakt.

'Ik hoop dat Andrew veilig is, meneer Metarey.'

'Ik ook, Corey.'

'Ik denk het wel.'

'Dank je. Dat waardeer ik.' Hij haalde zijn voet van de balustrade en keek naar het huis achter ons. Bijna alle lichten waren uit. 'Weet je,' zei hij. 'Je brengt je kinderen groot op de manier die je kent. Je neemt wat je ouders deden, je doet er iets bij van wat volgens jou beter had gemoeten – vanwege de dingen die je gekwetst hebben, onrechtvaardigheden, dat soort dingen – en je probeert je oogappels zo op de wereld te zetten dat die hun niet meer kwaad doet dan nodig. In elk geval niet te vroeg. En dan op een dag besef je dat ze helemaal niet zo anders zijn – ik weet niet – dat ze helemaal niet zoveel verschillen van sommige wilde dieren die je zomaar in het bos had kunnen vinden. De ene is fel, bijvoorbeeld. De ander is rustig. Maar waarschijnlijk omdat hij bang is. Een heeft zijn blik op de horizon gericht. Dat is And – verdomme. En op een dag zie je in hoe stom je bent geweest. Het enige wat je kunt doen, is ze laten gaan. Er zit niets anders op dan te bidden. Ik ben niet gelovig – helemaal niet, Corey. Maar ik bid toch. Voor mijn kinderen – verder niet. Alle ouders doen dat.'

'Ja, meneer.'

'Begrijp je wat ik bedoel?'

'Ik geloof van wel.'

'Toen ik in dienst was, heb ik zelf een tijdje op een geneeskundige basis gezeten. Een vooruitgeschoven post, vlak bij de rivier de Nakdong. Heb je MASH gezien?'

'Met Elliott Gould,' zei ik. 'Ik heb hem gezien toen hij in première ging.'

'Precies. En Donald Sutherland en die televisieacteur – hoe heet-ie? – Robert Duvall. Die is goed. Zo'n plaats waar Robert Duvall in MASH was gelegerd, maar dan aan het front. We noemden het een Bataljons Hulp Post – BHP: Beroerde en Hopeloze Positie. Eén grote brij van bloed en darmen, een hel.' Hij wendde zich van me af. 'Dat was de oorlog in Korea, Corey. Net als in de film. De échte Koreaanse oorlog. En het ergste deel ook nog. We hadden nog geen F-86 en de MiG's hielden huis onder onze luchtmacht. Militairen die net zo gek waren als Duvall. Of bijna. Mijn zevende jaar in dienst, dus ik bungelde niet meer ergens onder aan de rangorde, maar ook toen zag ik vaak twee-, misschien driehonderd man die een slag hadden overleefd. Echt – iedereen hielp. We hebben allemaal van alles geleerd waar we nooit voor waren opgeleid. Ik heb dingen gezien waar ik nog steeds 's nachts van wakker word. Armen die er verkeerd bij hingen. Benen die zomaar waren afgerukt. En dan de brandwonden. Daar hebben we geleerd wat je met napalm kunt doen. Het smerigste wat er ooit door de mens is uitgevonden. In elk geval een goeie kanshebber. En niet alleen soldaten. Ik bedoel de hele bevolking. Moeders en kinderen. Iedereen. Helemaal verbrand. In die oorlog zijn zo'n twee miljoen mensen omgekomen. We moesten triage toepassen. Weet je wat triage is?'

'Nee, meneer.'

'Bepalen of het nog zin heeft te proberen om iemand te redden. Diegenen stuurden we door naar de mobiele operatiepost.'

'Net als in de film.'

'Alleen was het niet om te lachen. Dat kan ik je verzekeren. En dat is wat And nu waarschijnlijk moet doen. Helemaal niet om te lachen. Dat soort beslissingen wil je eigenlijk niet voor je eigen maten nemen, zie je? Beslissen wie er naar het hospitaal mag waar de echte dokters zijn. De rest... Tja... wat viel eraan te doen?'

'Liet u die doodgaan?'

'Láten, dat is het woord, ja. We bewezen ze een dienst, echt waar. Volgepompt met morfine en naar de andere wereld gestuurd – dat ze in vrede mogen rusten. We hadden toen Chaffee-tanks, voordat we de Shermans kregen. Lichte tanks. Van Japan gekregen, omdat dat dichtbij was. Maar de vijand kreeg allemaal nieuwe T-34's uit Rusland. Een tijdlang konden we daar niks tegen beginnen. Het was of je aan de verliezende hand was in een heel slechte rugbywedstrijd. De Zuid-Koreanen stuurden hun mannen ook nog eens het veld in met veel te lichte bazooka's. M-9's – die hadden ze nota bene van ons gekregen. Maakten nog geen krasje op een Russische tank. Zo'n ding stond daar dan de hele middag op een heuvel te schieten. En onze jongens probeerden zich in de bomen beneden te verschuilen. Stond daar gewoon te vuren. Herladen. Vuren. Dan brachten hun maten de ergste gevallen naar ons toe, vaak niet eens op een brancard. Op hun eigen rug.'

'En dan moest u triage toepassen.'

'Eén ding zal ik nooit vergeten: we noemden het "pingpong-ogen". Die tanks hadden 85-millimeter geschut. Daar komt de naam vandaan. Het waren T-34-85's. Grote granaten. Sommige jongens van ons kwamen terug met hun helm halverwege hun schedel. Je moest de stukken eruit pulken om iets te kunnen zien. Maar dat waren nog niet eens de ergste gevallen. Dat waren degenen die binnenkwamen en eruitzagen alsof ze weinig mankeerden, behalve dat ze zich misschien dood waren geschrókken. Ze werden als grote balen rijst binnengebracht en je zag niet waarom. Ik weet nog goed de eerste keer dat ik een jongen zo zag binnenkomen; alleen zijn ogen rolden heen en weer in de kassen. Heen en weer. Zomaar. Geen schrammetje te zien. Verder bewoog er geen spier. Hij lag daar maar op de brancard met zijn kin omhoog en ogen die van de ene naar de andere kant van de tent gingen. Alsof hij verbouwereerd was omdat hij weer tussen andere GI's zat en alleen maar beleefd alle hoeken van de tent wilde bekijken voor hij iets verkeerds zei. Of misschien dacht-ie dat-ie in de hemel was. Ik heb hem natuurlijk naar een helikopter gestuurd voor behandeling. Ze stuurden hem per omgaande terug. Hij haalde het landingsplatform niet eens. Z'n ogen gingen nog steeds heen en weer. "Dat is dóód," zei mijn luitenant. "Daar gaan we geen helikopterruimte aan verspillen." En ik zei: "Hè? En zijn ogen dan?"'

Hij draaide zich naar mij om op het terras en liet zijn ogen heen en weer gaan.

'En wás hij dood?'

'Nee, maar zo goed als. Daarna heb ik er nog een paar zo gezien. Het waren inwendige verwondingen. Bloedingen in de hersenen. Lichaam zag er picobello uit. Maar als de ogen zo bewogen – pingpong, pingpong – moest je ze zelaten gaan. Dat is een van de dingen die ik heb geleerd. Hoe zwaar het ook was. Ze waren niet te helpen. Morfine was onze enige mogelijkheid. "Gods eigen verdoving", zo noemde de legerarts het. Eigenlijk hadden ze dát niet eens nodig, maar je moest ervan uitgaan dat ze zo beter af waren: verdoofd en dood.' Hij ging rechtop staan en keek in de verte. 'Pingpong-ogen,' zei hij. 'Het klinkt als iets grappigs.'

'Maar ook als iets verschrikkelijks,' zei ik.

'Het wás ook verschrikkelijk, Corey. Maar dood laten gaan was dat ook. Toch was dat het enige wat we konden.'

Hij wachtte af of ik iets wilde zeggen. Nu, al die jaren later, geloof ik dat hij van me wilde horen dat hij juist had gehandeld.

Ik zei: 'Dat kan ik me voorstellen, meneer.'

Hij glimlachte haast verontschuldigend naar me en toen betrok zijn gezicht. Hij draaide zich zwijgend om naar de balustrade. We bleven samen staan kijken. Er was een lichte wind opgestoken en ik zag de uil zacht schommelen op zijn hoge tak. Ik denk dat meneer Metarey afwachtte of de uil opvloog. Vanachter de bomen kwam het fluiten van de kolentrein die de brug bij Saline naderde. Ten slotte zei hij: 'Andrew is vrijwillig gegaan.'

'Wat?'

'Hij is vrijwillig gegaan, Corey. Hij was niet opgeroepen – dat zou ook niet gebeuren. Om dezelfde reden waarom hij Dunleavy niet heeft afgemaakt. Hij vond het niet eerlijk.' Hij legde zijn hoofd in zijn nek en keek recht naar de lucht. 'Ik ben er kapot van, weet je dat?' Toen zei hij op resolutere toon: 'Maar ik ben ook trots op hem. En ik weet dat hij op zichzelf kan passen. Heeft-ie altijd gekund. Op zijn zevende heeft hij een keer zijn arm gebroken in de bossen daar.' Hij wees. 'Weet je wat hij deed?'

'Nee, meneer.'

'Van een stok maakte hij een spalk en hij liep naar huis. Geen traan op zijn gezicht. Arm op drie plaatsen gebroken. Met twijgen vastgebonden. Hij kwam ons de spalk laten zien.'

'Ik mag Andrew graag,' zei ik. 'Altijd al.'

'Iedereen mag hem, Corey. Dat is zijn gave.'

'Het is ook uw gave, meneer Metarey.'

Hij keek me aan. Toen legde hij zijn hand op mijn schouder. 'Dank je,' zei hij. 'En ook die van jou. Je wordt hier altijd gewaardeerd.' Hij keek om naar de bossen. 'En trouwens,' zei hij. 'Je hoeft niet steeds te bellen om te zien of er werk is. Gil zegt dat je elke dag belt als je thuis bent. Er is altijd werk te doen, wat mij betreft. Voor jou, bedoel ik, hier bij ons. Als je wilt.' Hij zweeg even. 'Altijd.'

'Ik hou van werken.'

'Dat weet ik. Ik ook.'

'Dank u, meneer Metarey.'

Het konijn sprong weer uit de struiken tevoorschijn en stoof over de sneeuw. Ik keek naar de top van de eik.

'Ik zal je nog eens wat zeggen,' zei hij. 'Ik steun Henry Bonwiller vanwege jullie, vanwege al die jongens. Ik doe dit zodat hij ook voor jóú een einde kan maken aan de oorlog. Niet alleen voor mijn eigen zoon. Begrijp je dat?'

'Ja, meneer.'

'Voor de Noord-Vietnamese soldaten en de Vietcong, bedoel ik... ook voor hen. Net zoals de Noord-Koreanen die we behandelden, jongens en meisjes, voor een groot deel. Maar ook soldaten. Iedereen die de weg naar ons toe wist te vinden. Dat bedoel ik... Dacht je dat zij het niet in hun broek deden van angst? Alle mannen, vrouwen en kinderen in dat land, stuk voor stuk. Niet alleen onze vrienden in het Zuiden. Ik heb het over al die mensen daar in de jungle die doodsangsten uitstaan. Die naar dezelfde maan kijken als wij nu. Al die kinderen die gevaar lopen.'

Op dat moment ging de deur open en kwam Churchill van de veranda gesprongen. Hij rende regelrecht naar de rand van het terras en stak zijn snuit blaffend in de richting van de bossen. Ik weet niet of hij het konijn rook of de uil of iets anders, maar Liam Metarey hoefde alleen naar hem toe te lopen en zijn hand op de smalle witte kop te leggen, die in het maanlicht glansde als ivoor. De hond werd stil.

'Wat zie je dan, jochie?'

Hij bleef naast hem staan met zijn hand op de sidderende kop, terwijl we alle drie naar het land keken. Boven in de eik draaide de uil zich om en we zagen zijn andere spitse oor tegen de lucht.

'Henry Bonwiller is misschien niet volmaakt,' zei hij toen, 'maar over bepaalde heel belangrijke zaken heeft hij de juiste ideeën. Daar gaat het om. Op de allereerste plaats gaat hij een einde maken aan de oorlog. Wat hij verder nog doet, maakt niet uit.' Hij zweeg even. 'Ik heb het over het hogere belang. Honderdduizend levens.'

'Denkt u dat hij een kans maakt?'

'Om te winnen?'

'Ja, meneer.'

'Dat weet ik niet, Corey. Ik dacht eerst van wel. Zeker. Natuurlijk. En nu denk ik dat ook weer een beetje. Maar aan Muskie zal hij van nu af aan een hele kluif hebben. Dat staat vast. En de president doet wat hij kan voor McGovern, daar in South Dakota. Ik wou dat onze man een paar dingen had nagelaten. Maar die zijn nu eenmaal gebeurd. Nou ja,' zei hij. 'Ik denk dat we nog kunnen winnen. Met een beetje geluk.'

De uil riep weer – *oe, hoe-hoe-hoe, oe?* – en van ergens achter het huis antwoordde een andere – *oe, hoe-hoe-hoe, oehoe.*

'Ik ga al dit land weggeven,' zei hij toen.

'O?'

'Mijn vriend Bob Jenkins bij Natuurbehoud – hij heeft me geholpen. Dan kan niemand eraan komen. Het is niet meer dan rechtvaardig.' Hij wees omhoog, een eindje in de verte, voorbij het eerste rijtje eiken. 'Ik heb het trouwens al gedaan. Gisteren. Officieel.' Hij wees naar wat later het Shelter Brook-reservaat zou worden, waar ik tegenwoordig 's middags met mijn vader ga wandelen.

Toen ging hij verder. 'Niet alles,' zei hij. 'Niet het huis en de grond er vlak omheen. Wat daarmee moet gebeuren mogen June en de meisjes en And uitmaken. Voor mijn part maken ze er een pretpark van.' Hij wees om zich heen. 'Ik bedoel het hele stroomgebied in het oosten. Dat is het oorspronkelijke land van mijn vader: tot aan de steengroeven en de mijn. Dat was zijn grondgebied tot zijn laatste dag. Alle eiken, de beek en het moeras met ceders. Dat allemaal,' zei hij met zijn ene hand nog op Churchills kop terwijl hij met de andere naar de heuvels achter de dammen wees. 'Voor eeuwig beschermd als ik doodga. Ik heb het allemaal teruggegeven.'

II

HET WAS EEN OUDE MAAR FRAAIE LIFT MET EEN SCHUIFHEK VAN
ijzer in plaats van een deur. Terwijl ik omhoogging, gleden lampen en
gangtafeltjes voorbij en na de bovenste verdieping kwam nog een trap.
Het appartement was op het dak gebouwd. Een ijzeren deur gaf toegang
tot een terras van bitumen met een paar bomen in potten naast een balustrade die uitkeek op West 86th Street. En daarachter, voorbij een woud
van antennes en watertorens, op een glimpje van de Hudson met erboven
de flauwe lichtjes van New Jersey. Vanaf de voordeur zag ik een massa
mensen.

De zitkamer was klein en het terras ook, en allebei stonden ze stampvol. Net als de twee minuscule slaapkamers en de nog minusculere keuken waar ik op mijn zoektocht doorheen kwam. Maar ik kon Christian
nergens vinden. Er was een verbindingsdeur tussen de slaapkamers,
waardoor het hele appartement een lus vormde, die ik voor de zekerheid
al slalommend een paar keer doorliep. De muren waren behangen met
kleine, kleurige kleden in een soort Zuid-Amerikaanse stijl en een aantal
oningelijste olieverfschilderijen die misschien wel waren gemaakt door
studenten van de kunstacademie – mogelijk waren haar nieuwe vrienden
schilders. Ten slotte gaf ik het op en schonk een glas bourbon in uit een
fles die op een tafel stond. Ik had een stropdas om en een chique wollen jas
aan die Holly in een tweedehandswinkel in Bryn Mawr voor me had gekocht. Ik was te netjes gekleed.

Ik maakte mijn boord los, ging naar buiten en vond een plek bij een
bankje voor de balustrade waar ik mijn jas uit kon trekken. En inderdaad
kwam er een stel artistieke types vlak naast me staan praten over een

Mondriaan-tentoonstelling in het Guggenheim. Ik luisterde naar hun gesprek: ik wilde meteen naar New York verhuizen. Ze stonden dicht bij me en een buitenstaander had kunnen denken dat we bij elkaar hoorden, maar in feite stond ik alleen maar met mijn voet op het bankje over de rivier uit te kijken en me af te vragen waarom ik was gekomen.

Een stem achter me zei: 'Ha, de das weer.'

Ik draaide me om. Het was Clara.

'Ik dacht dat die me deze keer meer geluk zou brengen,' zei ik.

'Nou, dat is vast niet te veel gevraagd.'

We omhelsden elkaar. Ik weet het nog goed, want ik wist niet zeker hoe het zou gaan. De laatste keer dat we elkaar echt hadden gesproken, was op de begrafenis van mijn moeder geweest. Dat was inmiddels twee jaar terug.

Ze zei: 'Christian is er niet, vrees ik.'

'Niet?'

'Het spijt me.'

Ze stond daar maar. Ze droeg een grijze kasjmier trui, net zo een als Holly ook had. Zij was ook iets te netjes gekleed. En parfum: sinaasappelbloesem. Ik nam een slokje bourbon.

'Dat is dan wel een vreemde manier om een feest te geven,' zei ik. 'Of niet?'

'Dat zal wel.' Ze haalde haar schouders op, niet onvriendelijk. 'En jij bent helemaal uit Philadelphia gekomen.'

'Ik moest toch in New York zijn,' zei ik, 'voor iets anders.' Ik probeerde iets te verzinnen. Misschien bloosde ik wel. Ik draaide me om en wees naar de daken. 'Zo... dus dit is niet háár huis?'

'Het is van óns. We wonen hier samen.'

'Is het niet wat klein voor z'n tweetjes?'

'Niet als je de huurprijs weet.'

We werden tegen elkaar geduwd door iemand die van achter ons kwam. 'Wel klein voor tweehonderd mensen,' zei ik.

Ik wilde helemaal niet zo'n soort praatje maken. Dat besefte ik op dat moment. Ze was aardig voor me geweest op de begrafenis van mijn moeder, en op een of andere manier was dat het enige wat me was bijgebleven: haar constante aanwezigheid met een bordje toastjes en een glas ijsthee.

Ik besloot mijn mond te houden, een paar tellen te wachten voor we verdergingen. Op dat moment begon de sirene van een brandweerwagen te loeien en we zwegen terwijl de wagen voorbijdenderde en we het gebouw tot boven op het dak voelden schudden. Zij bleef zwijgen tot lang nadat de brandweerauto voorbij was. We keken samen uit over de stad. Het was een interessante stilte, als de middelste bladzijde van een boek.

Toen ze eindelijk iets zei, klonk haar stem anders. 'Ze heeft het de laatste tijd moeilijk, zie je.'

'Ja, dat kan ik me voorstellen.'

'Vooral op feestjes. Die zijn natuurlijk het ergste. Met alles. Ze hoopte er vanavond te zijn. Als ze had geweten dat je zou komen, was ze er vast geweest. Maar je hebt de uitnodiging niet bevestigd, geloof ik?'

'Nee, het spijt me. Sorry.'

'Ze weet trouwens nooit van tevoren hoe ze zich zal voelen. Het had misschien niets uitgemaakt. Soms is het zus, dan weer zo. Ze was blij je te zien, dat wel.'

Ik keek haar aan.

'Bij Linden's,' zei ze.

'O dat! Ik was blij háár te zien.'

Ze glimlachte. 'Maar een beetje onzeker.'

'Zei ze dat?'

'Ze zei dat je er met je vriendin was.'

'Dat was ook zo.'

Ze trok haar wenkbrauwen op. 'Maar dat gaf je niet toe.'

'Ach,' zei ik knikkend. Mijn glas was opeens leeg.

'Ik geloof eigenlijk dat ze dat heel lief vond.' Ze ging op de armleuning van het bankje zitten. 'Ik geloof dat ze zich gevleid voelde.'

Op dat moment keek ze op en haar trui trok iets op aan het eind van haar sleutelbeenderen. Ik geloof dat er weer een brandweerauto voorbijkwam. Ik gaf geen antwoord. Ze bleef me aankijken. We verroerden ons niet. Ten slotte fronste ze haar wenkbrauwen. Toen draaide ze zich weer om naar de balustrade.

'Ze heeft het moeilijk, Corey. Net wat ik zei. Je herkent haar misschien niet eens als je met haar zou praten.'

'Ik begrijp het wel. Zo was ze ook bij Linden's. Ik herkende haar ook niet. Eerst niet tenminste.'

'Papa zei vroeger altijd: "Als je met zekerheid begint eindig je in twijfel."'

'Wat betekent dat?'

'Precies wat ik zeg.'

De rivier in het westen was een hiaat in het snoer van lichtjes. Beneden in 86th Street zag ik er een zwart schijfje van. 'En Christian begon met zekerheid?'

'Dat denk ik wel.'

'En wat gebeurde er toen?'

'Volgens mij vat ze alles heel zwaar op. Ik ook. Maar zij nog zwaarder, denk ik. Christian is altijd zo geweest. Het zit in de familie, zie je, wat ze nu doormaakt. Ik moet nog steeds aldoor huilen. Maar mijn zusje – voor haar is het veel erger. Ze heeft het niemand vergeven. Ze is in twijfel geëindigd, geloof ik.'

Ik hoorde het hek van de lift rammelen. Vanbinnen begon de bourbon zijn armen uit te strekken. 'Of misschien niet geëindigd,' zei ze toen. 'Maar zo is ze nu.'

'Eigenlijk,' zei ik, 'leek jíj juist altijd degene die met zekerheid begon.'

Ze stond weer op en leunde naast me over de balustrade. 'Dacht je dat?'

De bourbon strekte zich verder uit. 'Nou, in ieder geval,' zei ik, 'was ik altijd – nou ja – bang.'

'Waarvoor?'

'Voor jou.'

'Sinds wanneer?'

'Sinds je erin sprong. Midden in het Eriemeer.'

'O, ja... dat.' Ze raakte haar hals aan. 'Ik wist niet zeker of je het had gezien.'

'Natuurlijk had ik het gezien. Ik stond te kijken.'

Weer zwegen we. Ik hoorde het korte, gedempte waarschuwende getoeter van honderden taxi's op Broadway.

'Eigenlijk,' zei ik, 'vond ik je hard.'

'Dank je.'

'Geen dank.'

Toen het verre, vertragende geraas van trein. De metro die piepend tot stilstand kwam.

Na een tijdje zei ze: 'Dat wist ik wel, Corey.' Ze schudde haar hoofd, nog steeds uitkijkend over de daken. 'En je had gelijk. Ik was ook hard. Ik geloof dat ik me ook hard voelde. En ik wilde dat iedereen dat van me dacht. Het klinkt gek, maar ik vraag me af of ik altijd heb geweten wat er ging gebeuren. Alsof ik me erop voorbereidde.'

'Ik vind het zo ellendig voor jullie,' zei ik.

'Dat hoeft niet. Uiteindelijk heeft dat me juist op de been gehouden. Ik pakte het helemaal verkeerd aan. Maar dat is uiteindelijk mijn redding geweest. Denk ik. Toen alles stopte.'

Ze draaide zich om en keek naar het terras. Er zat geen ring om haar vinger.

'Het klinkt gek,' zei ze, 'maar zo denk ik er nu over. Alles stopte. En mijn zusje en ik denderden verder.'

'Wat vreselijk.'

'Natuurlijk. Dat vindt iedereen trouwens.' Ze stak haar arm op om naar iemand in het gedrang te zwaaien. 'Maar laten we niet zo somber doen.' Ze zwaaide nog eens. 'Ik ben inderdaad met zekerheid begonnen,' zei ze. 'Ik wist zeker dat je me achterna zou springen.'

'Erin zou vallen, misschien.'

'Dat was ook goed geweest.'

'Ik durfde niet bij de rand te komen.'

'Daarom stond ik daar, weet je. Ik wilde je eroverheen helpen.'

'Ik had een stuk taart in mijn hand.'

'Dat had je al neergelegd.'

'Is dat zo?'

'Ja. Aardbeien-rabarber. Niet te zoet. Je moeder kon goed bakken.'

'Dank je, Clara.'

'Precies de goede hoeveelheid boter.'

'Dat je je dat nog herinnert.'

'O, ik zie het nog helemaal voor me,' zei ze. 'Je zette het op een luikhoofd. Vader zag het en zette het in de kajuit. Er spatte water op.' Ze draaide zich naar me toe. 'Ik begon met zekerheid en nu ben ik met zekerheid geëindigd. Kan die combinatie ook?' Ze fronste haar wenkbrauwen weer.

Maar toen verzachtte haar blik. 'Ik mag je wel met een das om, Corey,' zei ze. 'Wist je dat? Dat staat echt goed.'

———

De boze telefoontjes die we op de krant krijgen gaan niet allemaal over Henry Bonwiller. Die krijgen we ook over JoEllen Charney. En geloof het of niet, maar na de begrafenis van de senator kwam er een nieuwe stroom op gang. Vorige week wilde een vrouw me spreken.

'Wilt u weten waar het lijk van dat sletje ligt?'

'Met wie spreek ik?' vroeg ik.

'In de steengroeve.'

Ik wist dat het geen lokaal telefoontje was. Een vaag accent – Georgia misschien, of de Carolina's – en de verkeerde woorden. Om een of andere reden noemt niemand hier uit de omgeving het een steengroeve. Het is óf Kalkgroeve nummer 1 of 2, óf de granietmijn.

'Wiens lijk bedoelt u, mevrouw?'

'U weet best wie ik bedoel. Dat ordinaire grietje van Henry Bonwiller.'

Dat komt doordat al jaren het gerucht gaat dat het lichaam van JoEllen nooit is gevonden. Het gerucht klopt natuurlijk niet. Ze ligt op de North Hall-begraafplaats, bij Pinewood, onder een witte marmeren steen met twee duiven en een vlaggetje erin gegraveerd, en tussen het moment dat ze werd gevonden en de begrafenis lag haar lichaam tien dagen in het lijkenhuis van Islington. Men verbaast zich weleens over die lange tijd in het lijkenhuis, maar dit is een klein district en onze lijkschouwer was toevallig net weg toen ze werd gevonden. Er is aan het eind van die periode nog sectie gepleegd – of je de uitkomst ervan gelooft of niet. En ik weet dat heel wat mensen er wel in geloven.

———

Op de middag van 26 februari – ik weet de datum precies omdat ik de geschiedenis heb nagezocht – was ik in het atrium beneden bezig strategieplannen klaar te leggen voor de nationale pers toen ik gejuich hoorde komen uit de werkkamer boven. Het klonk als de stem van Henry Bonwiller. En even later als meneer Metarey. Daarna ging de deur open en stak de senator zijn hoofd om de hoek. Hij liep naar de balustrade van de overloop, waar de man van de geheime dienst de krant zat te lezen, en keek naar beneden. Toen hij niemand anders zag dan mij zei hij: 'Wel verdorie! Kom boven, jongen, schiet op!'

'Wat is er, meneer?'

'Goed nieuws. Kom hier, voor je het mist!'

Toen ik die ochtend in Dunleavy op de bus naar huis was gestapt, was ik nog bang geweest dat het mijn laatste weekend bij de campagne zou worden. Ik was me er ook op aan het voorbereiden het jaar af te maken en mijn weekends te gebruiken om vooruit te werken totdat het warm genoeg was om te voetballen. Henry Bonwiller stond inmiddels dertien punten achter op Muskie. Aberdeen West was maar voor een fractie van de capaciteit gevuld en de drukte van al die verslaggevers, die een permanente sfeer van hooggespannen verwachtingen hadden meegebracht, was tot bijna niets teruggelopen. Mevrouw Metarey was weg, en Christian en Clara ook, en de meeste campagnemedewerkers waren naar Nashua en Manchester in het noorden vertrokken voor een laatste offensief voordat de meesten ongetwijfeld zouden overlopen naar Muskie of nu misschien wel McGovern. De marmeren hallen galmden.

Ik ging de trap op naar de bibliotheek. Daar zaten alleen meneer Metarey en de senator. Op televisie sprak Walter Cronkite over het aanstaande proces tegen Angela Davis in Californië. 'Zet hem op een andere zender,' zei de senator. 'Het is nu vast op een van de andere.'

Liam Metarey deed wat hij zei. Eerst schakelde hij over naar ABC, waar Harry Reasoner voor een eetzaal in Peking stond te praten.

'Nee, nee, die is het niet.'

'Dat weet ik, Henry,' zei meneer Metarey. 'Ik zoek.'

'Het gaat om Muskie,' ging de senator verder tegen mij. Het was misschien wel voor het eerst dat hij buiten de auto het woord tot me richtte, anders dan om me iets op te dragen. 'We zijn net gebeld. Een of andere prulkrant had een stuk over zijn vrouw. Dat ze rookt en drinkt...'

'Het was de *Union Leader*,' zei meneer Metarey, die bij de televisie stond. Hij koos weer een andere zender. 'De *Union Leader* uit Manchester.'

'Ze zeggen dat Jane Muskie rookt, drinkt en schuine moppen vertelt.

Ha! Ha! Ha!' Hij stootte met zijn whiskyglas tegen mijn schouder en nam een slok. 'Nou, wie niet?' bulderde hij. 'En moet je zien wat die kerel doet.' Hij draaide zich om naar Liam Metarey. 'Al gevonden?'

'Ik zoek nog.'

Op het scherm liep een reclamespot af. Toen verscheen David Brinkley. Het was NBC.

'Godallemachtig,' zei Henry Bonwiller, en hij trok me aan mijn arm tot ik vlak naast hem voor de televisie stond. 'Moet je zien, jongen.'

Het beeld is wazig van de sneeuw – geen ruis, maar echte sneeuw, want er valt die dag zware sneeuw in Manchester. Edmund Muskie staat in de laadbak van een vrachtwagen voor het kantoor van de *Union Leader*, en terwijl de sneeuw om hem heen wervelt, begint hij de eer van zijn vrouw te verdedigen tegenover William Loeb, de hoofdredacteur van de krant.

'Hij heeft het over de drank en de schuine moppen,' zei Henry Bonwiller en hij stootte me nog eens met het glas aan. 'Die Loeb is een klootzak, hoor. Erger dan de matennaaiers van wie hij het hebben moet. Maar Jane Muskie kennende heeft hij wel een vlottere babbel nodig.'

'Sst,' zei Liam Metarey. 'Daar komt het.'

Dan, net als David Brinkley begint te vertellen, lijkt alles senator Muskie opeens te machtig te worden. In de dichter wordende sneeuw is het beeld moeilijk te onderscheiden. De camera komt dichterbij. Hij heeft zich hersteld en schudt met zijn vuist, maar dan gebeurt het nog eens: even verkrampt hij en dan is er geen twijfel mogelijk: hij huilt.

Op de nationale televisie.

'Kom op!' brulde Henry Bonwiller bijna. 'Zag je dat? Zag je dat?'

'Ja, meneer.'

'Hij doet het nog een keer, jongen. Blijf kijken.'

En inderdaad. Eén week voor de voorverkiezingen.

'Haal de whisky, Liam! De beste!'

'Het ziet er inderdaad goed voor ons uit, Henry,' zei meneer Metarey.

Hij wendde zich tot mij. 'Góéd? Dat beestje is rijp voor de slacht. Dat gaat hem de kop kosten, jongen. Direct.' Hij haalde zijn vinger langs zijn keel. 'Verleden tijd. Einde verhaal.' Hij stond op en sloeg meneer Metarey op zijn schouder. 'Laten we drinken op dit mooie resultaat. Geef die jongen een borrel, Liam.' Hij haalde een fles Glenlivet uit de drankkast en schonk een glas in. 'Hier!' zei hij. 'Ga niet gewillig binnen in die goede nacht!'

'Ik geloof niet dat Corey al eens whisky heeft gedronken.'

'Onzin,' zei Henry Bonwiller. 'Op zijn leeftijd dronk ik niets anders!'

'Op president Bonwiller, dan,' zei Liam Metarey.

'Op president Bonwiller,' zei ik hem na terwijl ik mijn glas hief.

'O, wat klinkt dat heerlijk!' bulderde hij. Hij hief zijn glas naar het plafond en volgde het met zijn blik als een man die een visioen krijgt. 'Op president Bonwiller,' zei hij zachtjes. Toen liet hij zijn arm zakken en op dat moment – alsof hij in plaats van een glas een toverstaf in zijn hand hield – begonnen alle telefoons in het huis te rinkelen.

═══

Toen ik die avond klaar was met het neerzetten van de stoelen voor de persconferentie van de volgende morgen – al vermoedde ik dat de meeste onbezet zouden blijven – en naar buiten ging om mijn fiets te pakken, zag ik Liam Metarey in de garage. Hij stond over een met de voet aangedreven slijpsteen gebogen onder een eenzaam peertje een stel asymmetrische beitels te slijpen. Het was laat, tegen middernacht.

'Ben je wel warm genoeg aangekleed voor een ritje door de sneeuw?' vroeg hij zonder op te kijken. 'Je mag wel een rij-jas pakken. Als je wilt.'

'Dat hoeft niet. Ik ben het gewend.'

'Nou, doe voorzichtig.'

Ik bleef even bij de deur staan. Ik voelde me overmoedig. 'De rugbybal is zeker onze kant uit gestuiterd,' zei ik.

'Nou en of,' antwoordde hij. Hij trapte op het pedaal onder het apparaat om het slijpwiel in beweging te zetten, dat op toeren kwam en al draaiend een steeds hogere toon voortbracht in de stille garage. 'Zeker, nou en of,' zei hij. 'Hij is precies in Henry's handen gestuiterd. Het begint er iets beter uit te zien. Heb je de stoelen klaargezet?'

'Ja, meneer.'

'We zullen er morgen wat meer nodig hebben, verwacht ik. Overmorgen in ieder geval. Als ze terug zijn van Muskies begrafenis.'

'Dat hoop ik.'

Hij dompelde een beitel in water en paste hem af tegen de tollende steen. 'Het gekke is,' zei hij, nog steeds zonder me aan te kijken, 'dat onze mensen er niet achter zaten.'

'Waarachter, meneer?'

'Achter dat flauwekulverhaal over Jane Muskie,' antwoordde hij. Hij hield de beitel tegen het wiel en de vonken spatten eraf in de duistere garage. 'Het waren de mensen van de president,' zei hij. 'Het ziet ernaar uit dat iemand van hun kant voor óns werkt.'

=====

Een beverig handschrift, in dunne inkt:

O, Corey. Je zult wel denken dat ik gek ben, omdat ik je uitnodigde maar zelf niet kwam opdagen. (Maar jij hebt niet eens gebeld!) (Ach, nou ja, ook als je wel had gebeld weet ik niet wat ik had gedaan.) Al die dingen! Het is zo stom dat alles gewoon zo moeilijk voor me is. Ik wou dat ik het gewoon van me af kon laten glijden net als andere mensen. Maar ik zit in een pot lijm en sla wild om me heen.

Maar jij, vooral jij... jij moet het begrijpen. Hoe lang heeft het jou gekost om eroverheen te komen? Ben je er wel overheen? Ik geloof niet dat het mij ooit lukt. Wie zijn al die gelukkigen die de gedachten in hun hoofd kunnen beheersen? Ben jij zo iemand? Wie zijn al die gelukkigen met hun hand aan de knoppen? Je zit nu vast in een rokerig café met iemand die je dierbaar is en nu moet je dit briefje verbergen. Het spijt me! Ik moet het misschien niet versturen. (Je zult dus wel zien dat ik het wel heb gedaan! Pas op voor goede bedoelingen.) Maar ik wilde in elk geval zeggen dat het me spijt dat ik er niet was, terwijl jij de moeite hebt genomen om te komen. Clara zei dat ze samen met jou op het dak over de stad heeft staan uitkijken. Ik hou van dat uitzicht. Het doet me denken aan Parijs met al die tuinen en watertorens op de daken. Toen voelde ik me als een hemelschouwer! Weet je nog? Ze zei dat je er leuk uitzag.

Geef me alsjeblieft nog een kans.

xxx, C.

Haar eerste afspraak met de senator is in een nachtclub. In Hapsburg. Vijftig kilometer ver weg. Dit keer zegt ze er niets over tegen haar vriendin en gaat ze met haar eigen auto, een witte Gremlin die ze voor ze weggaat wast, stofzuigt en opfrist met een geurverstuiver. Ze heeft drie miniflesjes wodka bij zich tegen de zenuwen: ze drinkt er een op de oprit voor haar huis en de tweede, met een pepermuntje erachteraan, vlak voordat ze bij de club is, waar hij haar in zijn auto op het parkeerterrein blijkt op te wachten. Natuurlijk is het een Caddy. Ze gaan helemaal niet naar binnen. Ze rijden alleen wat rond en hij is vriendelijk, kalm en waardig – niet zo stijf als ze van een senator had verwacht – en vertelt over de steenmijnen die vroeger in de heuvels lagen en de kans dat IBM op de oude locatie van de mijnen een fabriek komt bouwen. Dan komen ze bij een spaarbekken en zet hij de auto stil. Het is een warme avond en het is een cabriolet, maar hij zet het dak niet open. Dat zou ze ook niet willen. Maar hij haalt een flacon uit het handschoenenvak en biedt haar de fles aan, en ze drinkt eruit hoewel ze al twee miniflesjes op heeft, en dan neemt hij een paar slokken. Er zit daar een senator naast haar. Hij heeft een echtgenote – dat heeft ze uitgezocht.

'Zing eens "Danny Boy",' zegt hij zacht.

Hé, hoe wist hij dat? Maar als ze is uitgezongen, weet ze bijna zeker dat zijn ogen vochtig zijn en stelt u zich eens voor hoe dat voelt. Hij schuift op de bank naar haar toe en begint zelf 'The summer's gone and all the roses falling' half te zingen, half te zeggen, met die stem die wel uit de radio lijkt te komen, zo zoetgevooisd als hij in de laagste registers zingt. Zij valt in met de koorzang.

'Je bent goed,' zegt hij. 'Heb je dat in het Optimistenkoor geleerd?'

'Hoe weet u daarvan?'

'Van een kaboutertje gehoord.'

Het is net een zeepbel die ze in de zon ziet glinsteren. Ze drinkt het laatste miniflesje pas op als ze naar huis rijdt.

Daarna spreken ze nog een paar keer af, meestal voor dit soort tochtjes, met aan het eind een bezoek aan een motel, en algauw slaan ze de tochtjes over en spreken gewoon af in het motel. Zij komt met de Gremlin. Meestal is het motel The Pines, een verzameling chalets verborgen in een bos langs de weg bij Islington. Hij komt een uur of twee later in steeds weer een andere auto en soms is er dan een chauffeur bij – ze kan hem door de kier van de jaloezieën zien, een lange neger die met een chauffeurspet op anderhalve meter van hun raam zit te doezelen. Er is altijd iets te drinken, whisky of wijn, en hij heeft meestal een broodje bij zich, dat hij opeet als ze klaar zijn, maar zelf neemt ze nooit iets. In die fase vindt ze het nog ondenkbaar om in zijn bijzijn te eten.

Dan komt er een dag, een week of drie na het begin, dat hij tegen haar zegt: 'Die klootzak van een Leftwich gaat zich kandidaat stellen voor mijn zetel.' Als ze het later wil opzoeken, weet ze niet hoe de naam moet worden gespeld, maar ze raapt al haar moed bijeen en vraagt het de bibliothecaresse: Louis Lefkowitz is de Republikeinse procureur-generaal van de staat. En inderdaad komt ze dan zijn naam tegen in de krant. Ze komt hem vaak tegen – *procureur-generaal Louis Lefkowitz van New York* – en het is raar, maar ze heeft opeens het gevoel dat ze een vijand heeft. Verrassend genoeg vindt ze dat leuk.

Hún vijand.

Daarna begint Henry Bonwiller over van alles te vertellen: over wie er geld krijgt voor een winkelcomplex en wie er wordt aangeklaagd, over wat er in het nieuwe contract van de lerarenvakbond komt te staan en over de aanpassing van Kennedy Airport zodat er een nieuw soort supervliegtuig kan landen. En hij vraagt haar niet meer om te zingen. Zodra hij binnenkomt, begint hij te praten, ijsberend door het kleine chalet alsof hij zich al lopend en pratend van de ene in de andere wereld probeert te verplaatsen. Zij ligt op het bed aandachtig te luisteren. Na een poosje komt hij naast haar zitten en neemt nog een borrel. Dan gaat zijn hand omhoog om zijn das los te rukken.

Hij heeft de gewoonte om zodra hij is klaargekomen in slaap te vallen. Voor een paar minuten maar. Als hij wakker wordt, eet hij zijn broodje op, kleedt zich aan en gaat weg. Eén keer moest de chauffeur op het raam tikken. Hij had de volgende ochtend een stemming in de Senaat.

Een stemming in de Senaat!

Dan op een dag zegt hij dat hij over iets groots loopt te denken. Later, als hij is aangekleed, zegt hij dat hij er niet alleen over denkt, maar het ook gaat doen.

'Wat dan?' vraagt ze.

'President worden.'

'President van Amerika?' Het is eruit voordat ze zich kan bedenken, als een hond die naar buiten stuift.

Maar hij moet lachen! Hij vindt het charmant. 'Nee, president van de zangvereniging,' zegt hij en hij pakt haar hand om haar in een rondedansje mee te trekken. Als ze eindelijk op het bed gaan zitten, slaat zijn stemming om en vertelt hij iets ongelooflijks. Ze kan niet uitmaken of het gewoon een toespraak is of iets dat hij oprecht meent. Iets dat hij alleen aan háár vertelt. Hij zegt: 'Ik doe het voor de zwarten, de latino's en de Amerikaanse indianen. Voor de arbeiders zoals jouw vader en alle andere vaders die hun zoons naar Zuidoost-Azië sturen zonder dat iemand kan uitleggen waarom. Gewoon uit goedheid en geloof in dit land. Voor de ongehuwde moeder in Chicago die ook nog eens de kinderen van haar zuster opvoedt en het moet doen met wat steun en vijf middagdiensten per week bij de fabriek van Uniroyal in Gary. Dat zijn de mensen die ik ga helpen. Dat zijn de mensen voor wie ik het doe. Die mensen.'

Hij is een held, concludeert ze. Hij wil zijn eigen kracht inzetten om het land te helpen. Die sterke armen, die stem en dat verstand, die haar soms aan een draadje laten bungelen zoals het mobiel bij de tandarts. *Dit heeft hij nog nooit tegen iemand gezegd.* Dat is haar conclusie. En hij keek haar recht in haar ogen zodra hij was uitgesproken. Háár ogen. Zittend op het bed draaide hij zich naar haar om. Het is in haar geheugen gegrift – omdat het eigenlijk iets was dat hij staand moest zeggen, zo mooi was het – en er veranderde iets in zijn gezicht toen hij zijn das strikte en in zijn kraag rechttrok. Kwam het door haar eigen blik? Hoe ze ook haar best doet, ze kan zich met geen mogelijkheid herinneren of ze glimlachte.

III

EEN TIJDJE GELEDEN, NIET LANG NA 11 SEPTEMBER, BESLOOT IK DE ouders van JoEllen Charney op te zoeken. Ik kan de relatie tussen die twee gebeurtenissen niet verklaren, behalve dat de eerste aanleiding voor me was om eindelijk een aantal dingen te doen die ik al jaren van plan was. Toen ik toch in Buffalo moest zijn, ging ik bij hen langs – Eunice en George Charney. Het huis stond op het schrale land tussen Albion en de rivier de Niagara. Het was een kleine, met kunststof panelen afgetimmerde boerderij waar de trekker van een grote oplegger voor geparkeerd stond, terwijl in het hoge gras ernaast een stel graafmachines stond. Ik had van tevoren gebeld. Gezegd dat ik hun dochter had gekend.

Ze ontvingen me achter het huis, waar George lokeenden zat te snijden uit cederhout dat met een kettingzaag in blokken was verdeeld. We gingen in plastic tuinstoelen rond een roestige tafel zitten. Ze leken allebei gezond voor hun leeftijd en toen Eunice opstond om me een hand te geven, zag ik even een glimp van een zekere uitnodigende melancholie in haar ogen – dezelfde rond aflopende oogleden die dertig jaar geleden korte tijd berucht waren geworden. George had het pafferige gezicht en de grauwe huid die je krijgt van een leven van bier en sigaretten, maar zijn trekken haddden nog steeds iets hards. Hij draaide zich om en spoog op het gras.

'Vertel eens waar u JoEllen van kende?' vroeg Eunice.

'Om misverstanden te voorkomen wil ik eerst iets over mezelf zeggen,' antwoordde ik. 'Ik heb vroeger voor Liam Metarey gewerkt.'

George Charney legde zijn houtsnijwerk neer.

'Maar u moet wel begrijpen dat ik hier niet namens iemand zit. Ik heb er dertig jaar geleden voor het laatst gewerkt. En ik heb senator Bonwiller al bijna even lang niet meer gezien.'

'Hij is geen senator meer.'

'Nee, meneer Charney, dat klopt. U hebt gelijk.'

'Hij is gewoon een klootzak van een advocaat.'

Bij het opstaan stootte hij een van de cederhouten lokeenden van de tafel. Hij strompelde naar de zijtuin, waar de machines stonden, en raapte een stok op waarvan de knop ook in de vorm van een eendenkop was gesneden. Hij bleef daar steunend op de stok naar ons staan kijken, en de uit het hout gesneden ogen stonden net zo donker als de zijne.

'Ga verder, jongeman,' zei mevrouw Charney.

'Ik wilde u spreken omdat ik nu zelf kinderen heb,' zei ik. 'Een dochter. Dochtérs, moet ik zeggen. Bijna volwassen. En nou ja, eigenlijk wilde ik u alleen maar mijn deelneming betuigen. Ik weet dat het laat is. Dat was alles, meneer en mevrouw Charney. Ik wilde alleen zeggen dat ik met u meeleef.'

'Dank u,' zei Eunice. Ze reikte over de tafel heen en nam mijn handen even in de hare.

'Is Grange Sifter niet je vader?' zei haar man van de andere kant van het grasveld.

'Ja, meneer.'

Hij deed een paar stappen in onze richting. Ik zag dat het niet zo goed met hem ging als ik dacht. Hij sleepte met zijn ene been, dat hij om zijn stok heen moest zwaaien. Hij hijgde. 'Ik heb samen met je vader aan de sluisdam van Corney gewerkt.'

'De Corney-dam,' zei ik. 'Dat weet ik nog. Dat moet in 1968 zijn geweest.'

'Negenenzestig. Vlak voor ik dit been kreeg.' Hij trok de stoel naar achteren en ging weer zitten. 'Ik kon de hoofddeur van de sluis maar niet dicht krijgen. Ik weet nog steeds niet of hij niet plat gaat als een dronken lor als er een stortvloed tegenaan komt.'

'We denken nog altijd aan JoEllen,' zei Eunice.

'Dat moet wel.'

'We geloven dat ze in de hemel is.'

'Dat weet ik wel zeker.'

Ze keek me recht aan. 'Was er iets dat u ons wilde vertellen?'

Ik keek even naar het eind van de tuin waar, achter de machinerie, een dun bos begon. Toen weer naar haar. 'Nee, mevrouw. Alleen dat ik met u meeleef. Ik wilde mijn deelneming betuigen. Veel te laat.'

'Goed, dank u wel.'

'Nou,' zei ik. 'Ik wil u niet ophouden.'

'Ik mocht je vader wel,' zei George. 'Iedereen trouwens.'

'Dank u. Hij zit tegenwoordig in het nieuwe bejaardenhuis. Er wordt weleens een kaartje gelegd en zo. Hij heeft het er naar zijn zin.'

'Ja, ja. Die heb je nu overal. We zouden er zelf ook wel heen willen.'

'Het was vroeger van de YMCA. Nu heet het Bright Horizons.' Ik lachte. 'Even buiten Saline.'

'O ja? Allemachtig, daar heb ik ook al aan gewerkt, als ik me goed herinner. Ik moest de balken erin brengen, anders voldeed het dak niet aan de voorschriften. Meer dan honderd meter lang.'

'Ik heb die balken gezien. Wat een kanjers.'

'Dat zeg ik.'

'Bedankt dat u bent gekomen, meneer Sifter,' zei Eunice.

Toen stonden we op, en meneer Charney kwam naar me toe om eindelijk mijn hand te schudden en langzaam om het huis heen mee te lopen naar de auto. Een hond van een vuilnisbakkenras kwam mee en bleef dicht bij zijn stok. 'Wat doe je voor werk?' vroeg hij net toen ik het portier wilde dichtdoen.

'Ik werk bij de krant.'

'O,' zei hij. Dat gaf hem kennelijk te denken. 'Welke?'

Ik draaide het raampje naar beneden. 'De krant heet de *Speaker-Sentinel*.'

'Ik lees niet veel. Die is niet van hier, hè?'

'Nee, niet echt. Meer naar het zuiden. Zo'n tachtig kilometer. Islington-Steppan-Saline.'

'Heb ik in elk geval niet aan gewerkt.'

'Het is een eind weg.'

Ik startte de motor.

'Wat doe je daar?' vroeg hij.

'Ik ben de uitgever.'

'De uitgever.'

'Dat wil zeggen dat ik de dagelijkse leiding heb. Tenminste, bij zo'n kleine krant.'

'Zozo? De zoon van Grange Shifter maakt de krant?'

'Ja, daar komt het op neer.'

'Ook toevallig, zeg.'

'Precies. Toevallig,' zei ik.

Hij aaide de hond, boog zich naar voren en leunde met zijn arm op het portier. 'Je was toch niet van plan iets over mijn dochter te schrijven, hè?'

'Nee, meneer. Daar ben ik niet voor gekomen.'

Hij keek naar binnen en ik zag dat hij zijn blik over de zittingen liet gaan, het dashboard, mijn colbertje dat bij het achterraam hing. Toen rechtte hij zijn rug en zei: 'Natuurlijk heb ik verdriet om JoEllen. Als je het weten wilt.' Met enige moeite sloeg hij zijn armen over elkaar en trok een bolle rug, zoals mijn vader en al zijn maten vroeger deden als ze moe waren van het staan. 'Ik snap niet waarvoor je hier bent,' zei hij, 'maar ik heb elke dag verdriet om mijn dochter, als je het weten wilt. Ik mis haar altijd.' Hij boog weer naar voren. 'Denk je dat dat overgaat?'

'Nee, meneer. Dat denk ik niet.'

'Die klootzak heeft haar vermoord. Eunice en ik weten dat. Vraag je je dat weleens af? Waarom doet haar vader d'r niks aan? Ja?'

'Nee, meneer. Daar gaat het niet om.'

'Dat vraagt iedereen zich af. Maar wat kunnen we er verdomme aan doen?' vroeg hij. 'Wat kunnen Eunice en ik er nu verdomme aan doen?'

'Wat moest hij met die tractor?'

'Wat hij moest?'

'Liam Metarey. U zei dat hij op de Ferguson wegging. Die middag in de sneeuw. Toen Henry Bonwiller in zijn werkkamer zat. Zijn roes zat uit te slapen.'

'Ik heb er geen bewijs voor dat hij dronken was.'

'Hij dronk anders wel veel koffie.'

'Je luistert goed.'

'Ik ben journalist,' zei ze met een glimlach. Maar ze bleef me strak aankijken. 'En de tractor?'

'Hoe moet ik dat weten?' zei ik. 'Het is een enorme lap grond.'

'Maar u zei dat hij op de tractor wegging. U hebt het gezien en aan mij verteld. Is het normaal dat iemand in een sneeuwstorm op een tractor het bos in gaat?'

'Ik zag hem alleen maar de oprijlaan op rijden. Ik weet niet of hij het bos in ging. Hij had wel naar de stad kunnen gaan, weet ik veel.'

Ze trok haar wenkbrauwen op. 'Op een tractor?'

===

De volgende dag, precies zoals Henry Bonwiller had voorspeld, was het begin van Muskies einde. Zijn snelle, roemruchte val in de vergetelheid. En een week later eindigde hij in New Hampshire als vierde. Hij werd zelfs door McGovern verslagen. En Henry Bonwiller, die in januari zeventien punten achter had gestaan, eindigde als eerste. Ook dat nieuws hoorde ik in de gemeenschappelijke ruimte op Dunleavy. Dit keer schudde meneer Clayliss zijn hoofd.

De week erna flikte hij het in Florida bijna nog eens. Niemand had hem daar veel kans gegeven, maar met een laatste zetje van gouverneur George Wallace – de gouverneur van de staat ernaast – wist hij de winst net binnen te halen. Hij won met minder dan een punt, bleek later. En het had Wallace bijna al zijn geld gekost. Bovendien versloeg Henry Bonwiller hem overtuigend in de districten rond Miami en Palm Beach, waar het echte geld zat. Die maandag gingen er telefoontjes naar het hele gebied. Meneer Metarey zorgde ervoor dat hij op het omslag van *Life* kwam – met een overall en werkhandschoenen aan op een lichtgroene zaagbok die ik die ochtend had geschilderd en daarna met motorolie en een ketting had bewerkt. McGovern begon inmiddels duidelijk te zeggen waar hij voor stond – op Aberdeen West was hij bekend als een stugge campagnevoerder –, maar zijn kritiek op de oorlog was nog niet zo bekend als die van de senator en hij eindigde ergens achter in het peloton. Er was sprake van dat hij zijn steun aan Bonwiller zou geven in ruil voor het vice-presidentschap. Maar ik geloof dat dat plan al snel sneuvelde. 'Die kerel is zo charismatisch als een deur,' hoorde ik senator Bonwiller op een middag tegen Liam Metarey zeggen toen ik de bibliotheek uit liep. Humphrey bleef op zijn beurt hopeloos achter in Florida. Er was inmiddels ook sprake van dat Muskie het bijltje erbij neer zou gooien.

In Saline waren opnieuw geen hotelkamers meer te krijgen. Alle bedden in het Excelsior en ook alle pensions langs de weg tussen Saline en Steppan waren weer voor de campagne besproken, maar er kwam geen einde aan de stroom politiek medewerkers die zich bij ons wilden aansluiten. De campagneleiding nam speciaal iemand aan om sollicitatiegesprekken te voeren en richtte daarvoor een kamer in de kelder in. Zelfs in het weekend waren er wel een stuk of vijfenzeventig assistenten in het landhuis en degenen die al langer dan een paar weken meedraaiden, knikten elkaar op de gang toe.

Op 21 maart won hij weer, in Illinois, dit keer met een overweldigende meerderheid: 780.000 stemmen. Niemand kon ook maar aan hem tippen. Het was nog iets meer dan zeven maanden tot de algemene verkiezingen. Er landden vliegtuigen uit Washington, New York, Boston en Albany op Aberdeen West, en de gesprekken gingen over een nieuw onderwerp: hoe de president in het najaar kon worden verslagen.

═══

En wat gebeurt er dan met haar? Wat doet dat bijzondere moment met een Amerikaanse senator uiteindelijk met haar? De volgende morgen heeft ze een vervelend gevoel in haar buik. Niet erg. Misschien moet ze gewoon even ontbijten, meer niet. Koffie. Maar daarna is het er nog en als ze het kopje op het aanrecht te drogen zet, voelt ze het weer. Dit keer is het sterker. Een klein steentje. Wrok. Dat is het. Klip en klaar. Wat mankeert haar? Ze heeft haar hele leven geprobeerd anderen te helpen, en hij ook. Wat is daar mis mee? Maar het is er. Ze voelt het weer als ze die avond in The Pines op hem wacht en tv kijkt tot bijna halftwaalf, als ze eindelijk zijn autobanden op het grind hoort. Dat is het dan: een koud steentje onder in haar buik. Ze hoopt dat het niet aan haar te zien is. Als ze het portier hoort dichtslaan, glimlacht ze in de spiegel en gaat na het kort-kort-lange kloppen opendoen.

Het verdwijnt wanneer ze vrijen. Het steentje smelt. Het vloeit terug in haar bloedvaten.

Maar de volgende ochtend, nog steeds in The Pines, blijft ze iets te lang in bed om de krant te lezen, en dan komt het terug. Het begint in haar hoofd en ze kan zichzelf nog dwingen aan iets anders te denken, maar al gauw is het er ook als ze er niet aan denkt; een lichte, zurige flikkering net voordat ze aan een nieuw artikel begint, net voordat ze de warmwater-kraan in de douche opendraait, net voordat ze bij McBain & Sweeney uit de Gremlin stapt om te gaan werken. Het is er als ze 'goedemorgen' zegt tegen meneer McBain en ook als ze glimlacht naar de portier die ze aardig vindt, met zijn kreupele been van de oorlog, een neger zoals degenen die Henry Bonwiller wil helpen. Het is er weer als ze die avond in The Pines zit te wachten.

Ik doe het voor de zwarten, de latino's en de Amerikaanse indianen.

Waarom is ze daar nou zo ondersteboven van? Toch is het zo. En ze schrikt er ook van. Want het gaat maar niet weg. En ze begrijpt het niet. Waarom maakt het haar zo verbitterd dat hij al die mensen wil helpen, die mensen in nood? Louis Lefkowitz zou nooit iets voor zulke mensen doen. En ze haat Louis Lefkowitz. Wat is er dan voor verbitterds in haar dat ze zich telkens zo voelt als Henry Bonwiller zulke moedige, bijzondere dingen zegt? En toch is het er. Dat kille steentje dat in haar vastzit. Het moet aan haar gezicht te zien zijn. Het is er misschien niet echt elke minuut van de dag, maar het komt meteen terug als ze iets uit zichzelf moet opbrengen, een woord of een lachje of zelfs een hand op een schouder – die verbittering komt mee als een vuil soort lijm dat overal aan plakt. Op de ergste momenten – meestal 's morgens – is praten al een hele opgave geworden. Normaal praten en niet laten zien wat ze vanbinnen voelt. Ze controleert haar gezichtsuitdrukking in ruiten, in autospiegeltjes; ze controleert zichzelf in de spiegel van haar poederdoos als ze doet alsof ze een nieuw pak typepapier uit de onderste la haalt. Onder het rijden verzint ze korte gesprekjes. 'Hallo,' zegt ze. 'Goedemorgen.' 'Ook goedemorgen.'

Op een middag hoort ze op haar werk een cliënt in de deuropening bij meneer McBain de naam 'Bonwiller' noemen. Ze gaat rechtop zitten en laat zachtjes een vel papier in de wagen van haar elektrische typemachine glijden. 'Die slijmbal,' zegt de man. Ze verstijft. Doet of ze de brief die ze moet uittypen bestudeert. 'Hoe zo'n kerel zich door iedereen tegelijk kan laten manipuleren, is me een raadsel. De nikkers en de bonden. Plus de oliemaatschappijen. Wat een combi.'

'Nou, dat weet ik nog zo net niet, Frank,' klinkt de professionele stem van meneer McBain uit zijn kamer.

'O nee?' zegt de man. 'Nou, waarom probeert er dan niemand míj te helpen?'

Precíes, denkt ze. Ze draait het vel papier in de machine en begint te typen. En heel even is ze genezen. Waarom probeert niemand háár te helpen?

—————

Mijn vader werkte op doordeweekse dagen door tot het donker werd; daarom haalde Gil McKinstrey me elke vrijdag op van het busstation in Islington. Hij bracht me altijd regelrecht naar het landgoed en niet naar Dumfries Street, wat me goed beviel. Wanneer ik in Saline was, sliep ik uiteraard nog steeds in mijn eigen bed, maar het is waarschijnlijk wel begrijpelijk dat ik liever op Aberdeen West was dan thuis; eerlijk gezegd probeerde ik misschien zelfs wel mijn vader te vermijden, ook al wist ik dat we elkaar in onze nieuwe situatie harder nodig hadden dan ooit. Ik ben niet trots op deze reactie, al zal die wel niet ongewoon zijn.

's Maandags ging er tegen zonsopgang een bus terug, die me precies op tijd in Dunleavy afzette voor mijn eerste lessen, zodat ik soms ook 's zondags thuis bleef slapen. Dan had ik beide dagen op Aberdeen West gedaan wat er moest gebeuren – soms werkte ik op het land, maar meestal deed ik klussen voor de campagne. Mijn vader maakte het ontbijt en het avondeten voor ons tweeën klaar – hij werd er al beter in – en zondagsavonds deed ik mijn was in de machine op onze achterveranda en daarna nam ik mijn twee overhemden en broeken mee naar boven om te strijken. Mijn vader zat meestal in bad.

Op een avond in maart, niet lang na de beslissende overwinning van de senator in Illinois, stond ik voor de strijkplank op mijn kamer toen er een meeuw aan kwam vliegen en voor me op de vensterbank buiten neerstreek. Hij stond op het hout naar binnen te kijken. Meeuwen komen niet vaak zo ver landinwaarts en al helemaal niet zo vroeg in het seizoen, maar

deze wel. Hij hield zijn kopje scheef en keek me taxerend met zijn nieuwsgierige oog aan.

'Ik doe nu twee minuten over een overhemd,' zei ik.

Hij tilde zijn vleugels op en toonde me de onderkant, die zo grijs was als
van een duif.

Ik sproeide water op de boord en liet het strijkijzer in korte, snelle bewegingen tot de naad heen en weer gaan. 'Zie je wel?' zei ik.

Daarop vloog hij weg en ik liep naar het raam om hem na te kijken. Toen
ik hem zag, was hij op onze schutting geland en zat op een staak van een
van mijn moeders tomatenplanten die nog door het rasterwerk van vorig
jaar was gevlochten.

'Je zou tevreden zijn over het strijken,' zei ik. Ik liep van het raam weg
en maakte met een paar snelle streken een van de mouwen af.

Je wordt er al beter in, Cor.

Ik keerde het overhemd om en deed de andere. Even later zei ik: 'Ik ben
echt bang voor mevrouw Metarey, weet je. Je had gelijk.'

Ze is net Clara – dat zei je.

'Ik ben voor allebei bang, ma. Het is net of ze iets weten, of ze weten dat
ik iets weet. Over mij, bedoel ik.' Ik keerde het overhemd binnenstebuiten
en deed het pand met de knopen terwijl ik met mijn andere hand aan de
zoom trok om te voorkomen dat er kreukels in kwamen. 'Clara denkt geloof ik dat ik me in hun familie probeer in te likken.'

Misschien is ze daar bang voor.

'En misschien is het wat jij zei.'

Ben je verliefd op Christian?

'Ik weet het niet, ma. Ze is geweldig.'

Bedoel je daarmee dat je van haar houdt?

'Ik weet het niet zeker. Ze heeft nog steeds iets dat zomaar vervliegt als
je ernaar kijkt. Het is of ze een beetje verdwijnt. Als ik op school zit, kan ik
me haar soms bijna niet herinneren. Ik weet nog wel dat ik haar graag mag
en dat ik graag bij haar ben, maar veel meer kan ik niet zeggen.'

Clara is anders.

'Clara is het tegenovergestelde. Ik ben zelfs bang voor haar als ze er niet
is.'

*Ik denk dat ik wel begrijp waarom. Clara is heftig in haar gevoelens. Mis-
schien wel net als haar moeder.*

'En je had gelijk wat betreft meneer Metarey, ma. Je kunt echt op hem bouwen. Bij alles waar hij voor moet zorgen, denkt hij ook nog aan de mensen om hem heen. Zijn kinderen vooral – maar ook aan mij. Dat is een steun.'

Voor mij ook.

'Er is tussen Christian en Clara een soort rivaliteit vanwege hem, geloof ik. Voor zover ik er iets van snap. Ze willen allebei zijn aandacht. Daarom doet Clara al die rare dingen. En Christian misschien ook – misschien doet ze daarom zo aardig. Soms denk ik dat dat het enige is wat ze in mij zien. Dat ik een manier ben om hun vader te bereiken.'

Ik was klaar met het overhemd en legde het netjes met opgevouwen mouwen in mijn tas. 'Zo,' zei ik. 'Ik heb je nog nooit zoveel verteld.'

—————

Glenn Burrant was – dat moet ik hem nageven – een van de weinige progressieve columnisten die sceptisch stonden tegenover de val van Muskie. Hij uitte meteen zijn twijfel bij de geruchten over Jane Muskies uitspattingen, en een maand later was hij er als de kippen bij om zijn vraagtekens te zetten bij een brief aan de redactie, die kort voor de voorverkiezingen in New Hampshire in de *Union-Leader* was geplaatst en waarin stond dat senator Muskie iets tegen Frans-Canadese Amerikanen had – van wie er bijna een miljoen in de staten van New England woonden. Dit soort stukjes vormde slechts een deel van zijn column, maar ik zat ze na Henry Bonwillers tweede overwinning met een gevoel van onbehagen uit te spellen in de bibliotheek van Dunleavy. De brief aan de *Union-Leader* over Muskie was ondertekend door een zekere Paul Morrison uit Deerfield Beach in Florida, en Glenn Burrant had de moeite genomen hem te zoeken. Zijn artikel eindigde met de woorden: 'Voor zover uw verslaggever heeft kunnen achterhalen, bestaat er geen Paul Morrison uit Deerfield Beach in Florida.'

Die week schreef ik Glenn een brief – de enige keer dat ik dat deed. Ik wilde duidelijk maken hoeveel bewondering ik had voor zijn werk, maar ik wilde hem ook laten weten dat ik de dingen die hij bij onze eerste ontmoeting had gezegd ter harte had genomen: dat voorjaar had ik mezelf tot taak gesteld in de bus van Dunleavy naar huis *A Mencken Chrestomathy* te lezen. Daarom eindigde ik mijn brief met een citaat dat hij wel zou kunnen waarderen, dacht ik, vooral gezien zijn laatste column. 'Een nationale politieke campagne,' schreef ik, 'is beter dan het beste circus dat ooit heeft bestaan, met een massale doop en een paar lynchpartijen erbij.'

Een week later lag er een kaart in mijn brievenbus op school.

Iedereen is zijn eigen hel, stond erop.

=====

Op een zaterdag later die maand was de parkeerplaats leeg toen ik 's ochtends vroeg op het landgoed kwam. Het was wel weekend, maar er hadden op dat tijdstip al een stuk of tien auto's langs het tuinpad moeten staan. Ik liep de zijtrap van het huis op en de deur werd geopend door twee agenten van de geheime dienst.

'Naam,' zei de ene.

'Sifter.'

'Sifter hoe?'

'Corey Sifter, meneer.'

Hij gaf niet eens antwoord. Hij keek op een lijst op zijn klembord. 'Goed,' zei hij. 'Ik zie niet in waarom...' Hij keek me recht aan. 'Maar loop maar door.'

Ik keek even naar zijn metgezel, die knikte. 'Ik moet je fouilleren, jongen.'

De rest van het personeel binnen was verdwenen. Er was iets gaande in de bibliotheek boven. Toen ik beneden rondliep, bekroop me een vreemd gevoel. Alle deuren waren al dicht en het was nog geen zeven uur 's morgens. En de overloop boven aan de trap was gebarricadeerd met een klapstoel, vanwaar een andere agent van de geheime dienst de gang beneden in de gaten hield. Het was niet degene die er anders altijd zat. Ik ging aan de slag in de werkruimte naast de keuken en begon een kist nieuwe telefoons uit te pakken en in elkaar te zetten. Op de begane grond was geen enkele activiteit te bespeuren, afgezien van die van twee andere agenten die telkens om beurten het vertrek waar ik aan het werk was even binnenliepen. Ze deden in een straf tempo constant de ronde door het huis en de tuinen, waarbij de een steeds binnen was als de ander buiten liep. Er waren geen koks in de keuken.

De week ervoor was het Noord-Vietnamese leger, precies zoals Liam Metarey al vreesde, de gedemilitariseerde zone overgestoken en binnen enkele dagen tot dertig kilometer in het zuiden opgerukt. Nixon had vanachter zijn bureau in het Oval Office op televisie gereageerd: Amerika zou niet zwichten. Kissinger had hetzelfde gedaan op een podium in de Rozentuin. Er werden B-52's naar de twintigste breedtegraad gestuurd. Daarna nog verder, tot aan Hanoi. In de haven van Haiphong werden mijnen gelegd. Het zag ernaar uit dat de oorlog precies uitliep op datgene waar meneer Metarey al bang voor was geweest: een grootscheepse strijd waarop vlak voor de verkiezingen een vredesverdrag moest volgen. Er werden nog meer strategen overgevlogen naar het landgoed, maar niemand hoefde uit te leggen wat zo klaar was als een klontje: het eindspel werd in het voordeel van de president gepland.

Toen ik later die ochtend aan de telefoons in het verlaten huis werkte, hoorde ik een ritmisch gedreun in de lucht. Ik liep naar het raam. Vanachter de stal verscheen opeens een helikopter. Hij steeg op, de staartrotor schudde en toen zakte hij weer achter het dak weg. Het was een legerheli, zo een als we vaak op het journaal zagen. Ik liep de veranda op. Daar stond nog een agent.

'Naar binnen,' zei hij.

'Wat is er aan de hand?'

Hij wees naar het huis. 'Naar bínnen, zei ik.'

———

Aan zijn bureau sloeg meneer Metarey een krant aan zijn stok open en schoof hem over de leren vloeilegger. 'Moet je lezen,' zei hij. Ik was haardhout aan het opstapelen.

Ik pakte de krant op, de St. Louis Post-Dispatch. Binnenlands nieuws, 8 april 1972.

'Linksonder,' zei hij. 'Klein. Bij de autoadvertenties.'

Ik keek nog eens, en daar stond het. Veertienpunts kop boven een stopper van acht regels.

ISLINGTON, NY – Senator Henry Bonwiller (district New York) is volgens bronnen ondervraagd in verband met de dood van een vrouw langs de autoweg in de buurt van dit chique vakantieoord aan de oostelijke oever van het Eriemeer. De leiding van de presidentscampagne van Bonwiller onthoudt zich van commentaar en volgens de politie gaat het bij het onderzoek slechts om een voorzorgsmaatregel.

'Geen slechte pokerface, jongen.'

'Pardon?'

Hij pakte zijn pijp uit de asbak en nam een trekje. 'Heb je het gelezen?'

'Ja, meneer.'

'En wat vind je ervan?'

'Het is wel vreselijk klein.'

'Klein, ja... maar het staat er wel.'

'En zijn naam staat niet in de kop, meneer.'

'Inderdaad.'

'En het is vreemd,' zei ik. Ik legde de krant weer op het bureau.

'Hoe bedoel je?'

'Nou, de *Post-Dispatch* is toch een progressieve krant?' Ook toen wist ik al welke redacties aan onze kant stonden – de *Times*, de *Post*, de *Globe*, de *Post-Dispatch* – en welke niet: de *Wall Street Journal*, de *Tribune*, de *Union-Leader*, de *Dallas Morning News*, de *Boston Herald Traveler*. 'De *St. Louis* is dacht ik een sympathiserende krant, of niet?'

'Dat klopt, Corey.'

'Maar het is hetzelfde stukje als in de *Tribune*.'

Zonder te antwoorden draaide hij zich om en keek uit het raam, waar een paar voorjaarssneeuwvlokken onder de brede dakranden dwarrelden.

'Dat dacht ik tenminste, meneer,' zei ik. 'Als ik me goed herinner.'

'Klopt als een bus,' mompelde hij, nog steeds wegkijkend. 'Ergens in februari. Bij het binnenlandse nationale nieuws.' Hij trok de la van zijn bureau open, haalde er een archiefmap uit en bladerde erin tot hij iets vond. Hij keek het even in, trekkend aan zijn pijp. 'Woordelijk hetzelfde,' zei hij.

'Behalve de kop.'

'Precies, Corey. Dat heb jij dus ook gezien. Ze hebben de naam weggelaten, maar de kop is nog altijd een stuk erger. Het is dat ene woord.'

'"Fataal"…'

'En dát was kolonel McCormick,' zei hij. 'Dít is de *Dispatch*.'

'Wat is er aan de hand, meneer?'

'Wist ik het maar. Misschien proberen ze ons nog steeds te beschermen.'

Nog jarenlang bleef ik me afvragen wat hij daarmee bedoelde. Hij trok nog eens aan zijn pijp, maar die was bijna uit. 'Het kan ook een boodschap zijn,' zei hij. 'Voor de goede verstaander.'

Had hij het over de president? Of over de kranten? Lange tijd ben ik ervan uitgegaan dat de familie Bonwiller – en de familie Metarey misschien ook – met haar ijzeren hand het nieuws domweg de kop indrukte, waar het ook maar opdook. Maar nu weet ik dat niet meer zo zeker. Het kan ook nog corrupter zijn geweest.

Anderzijds kan het eerlijk gezegd ook minder corrupt zijn geweest. In mijn werk heb ik sindsdien heel wat veelbelovende aanwijzingen zonder hulp van buiten een zachte dood zien sterven in het geruchtencircuit. Gebrek aan bewijs. Gebrek aan betrouwbare bronnen. Het publiek vergeet dat een gerucht publiceren een doodzonde is voor een krantenman. Dat geldt nog steeds, en het is nog steeds een godsgeschenk voor de politicus die maar één crisis hoeft te overleven. Maar wat er ook is gebeurd, wat Liam Metarey ook bedoelde, ik vind het nog steeds indrukwekkend dat er zoveel maanden lang zo weinig werd onthuld. Was het in feite erger dan ik wist? Had Henry Bonwiller de kranten omgekocht? Was het al met al zo banaal? Doelde hij daarop? Of waren het uiteindelijk Nixons mensen die van verre hun verontrustende invloed deden gelden? Is dát het wat meneer Metarey wist?

Achter zijn bureau nam hij nog een lange trek van zijn pijp; toen keerde hij hem om en klopte hem in de asbak uit. Tegelijkertijd kwam er iets over zijn gezicht – een uitdrukking van plotse, dodelijke vermoeidheid – en terwijl ik naar hem bleef staan kijken, dacht ik een ogenblik dat het huilen hem nader stond dan het lachen. Hij trok een plukje tabak los, vulde de pijpenkop opnieuw en streek een lucifer af. In al die tijd dat ik voor hem werkte, heeft hij me natuurlijk nooit verteld hoeveel hij ervan wist, maar op dat moment, toen hij de vlam bij de kop hield en stevig aan de steel trok – alsof hij tijd nodig had om zijn zelfbeheersing te hervinden – op dat moment was hij daar, denk ik, na aan toe. Ik kan niet verklaren hoe ik dat weet, maar zo is het. Ik herinner het me nog goed. Zijn gezicht stond alsof hij even een masker had afgezet.

'Nou, Corey...' zei hij met de pijp in zijn mond.

Maar toen vervluchtigde die stemming. De pijp vlamde en zijn gezicht klaarde op. 'We hebben een heel nieuw stel vijanden,' zei hij kordaat. 'Dat hoort erbij.'

'Ja, meneer.'

'Maar dat is niet het hele verhaal.'

Hij had het, zo besef ik nu, over niets anders dan wat er net in de strijd was gebeurd. Na Illinois was Henry Bonwiller de onbetwistbare koploper geworden. En hij deed het goed in de peilingen van iedere staat die vanaf dat moment telde: in Pennsylvania en Massachusetts, die aan het eind van de maand moesten stemmen, en in Ohio en Indiana, die niet lang daarna aan de beurt waren. McGovern hield nog stand in het westen en delen van New England, maar niemand – althans niemand van het campagneteam van Bonwiller – gaf hem veel kans. En ondanks de gebeurtenissen in Florida was er van Wallace amper meer sprake. Humphrey hield ook nog vol, maar men ging ervan uit dat het alleen was om invloed uit te oefenen op de conventie. En in iedere streek behalve New England was Muskie inmiddels uitgerangeerd. Die week nog was Henry Bonwiller in een aantal redactionele commentaren aan de oostkust de genomineerde genoemd. Daarover maakte Liam Metarey zich natuurlijk zorgen.

'Zacht wapengekletter,' zei hij.

'Wat zegt u?'

'Zacht wapengekletter.'

Hij luisterde met zijn oor naar het raam. Ik keek ook in die richting, maar het enige wat ik door het glas zag, waren de sneeuwvlokken die in de dwarrelwind onder de dakranden omhoogdansten.

Zeven

WAT IK TE WETEN KWAM OVER EOGHAN METAREY WAS NATUURLIJK voorspelbaar: de geschiedenis van de rijkdom is altijd voos. En zo niet, dan zouden we dat ervan maken. Zodra Holly weg was die dag in de bibliotheek van Haverford sloeg ik een van de boeken open die ik op de tafel onder mijn schrift had verborgen. *The Age of American Barons* door Geoffrey Morris. Ik bladerde door naar het register en vond het lemma: *Madarey, Eoghan J.* Ik had het eerder die ochtend ontdekt: ik had op de verkeerde naam gezocht.

Later kwam ik erachter dat Eoghan rond de eeuwwisseling de spelling zelf had veranderd. Zijn jongere broer Rupert en hij gingen in die tijd uit elkaar en Rupert behield de oude spelling, maar ging naar Canada. Er woont nu nog een hele horde Madareys in het zuiden van Ontario en al hebben ze niet dezelfde naam, de twee takken van de familie hebben duidelijk dezelfde dynamische aanleg: je kunt tussen Ottawa en Montréal tegenwoordig geen twintig minuten rijden zonder een Madareys Restaurant tegen te komen en je kunt – zoals iedereen van Buffalo tot Belleville weet – binnen een straal van honderdvijftig kilometer van Toronto de radio niet aanzetten zonder een reclamedeuntje voor Madareys Cadillac te horen.

Het was een klein lettertype en ik ging met het boek bij het raam zitten om het te lezen. Ik merkte dat mijn ademhaling veranderde. In het lege gangpad achter de rijen boekenkasten schreef ik de passage in mijn schrift over:

Een van de agressiefsten uit die tweede golf was Eoghan Madarey, een Schotse ijzer- en kolenmijnbouwer en latere spoorwegpionier die in 1881 uit Dundee naar de staat New York was gegaan. Net als zijn held en streekgenoot uit Fife, de immigrant Andrew Carnegie, was Madarey op eigen kracht miljonair geworden; zijn fortuin had hij in eerste instantie gezocht in de steenkoolrijke bekkens van noordelijk Nova Scotia. Hij was een gedreven, bij wijlen gewelddadige man, die gedurende zijn lange huwelijk elk van zijn maîtresses een eigen huis gaf. Naar verluidde droeg hij ook altijd een paardenzweep bij zich, die niet voor zijn paarden was bestemd. Hij woonde hoofdzakelijk in Saline in New York, nabij de oostelijke oever van het Eriemeer, maar hij bezat tevens landgoederen in het gehele noorden van New England en Nova Scotia. Hij stond daarnaast bekend om de grandioze feesten in zijn landhuis aan de Hudson, River Flen genaamd, waar hij figuren als John D. Rockefeller, J.P. Morgan en Vincent Astor ontving, en om het feit dat hij een plaatselijke leraar Engels in dienst had, wiens enige taak eruit bestond hem te helpen zijn uitspraak te ontdoen van zijn Schotse accent.

Steenkool was de eerste bron van zijn aanzienlijke rijkdom. In 1898, rond zijn tweeëntwintigste, werkten er bij de Madarey 1 bij Westville in Nova Scotia driehonderd man, die tussen de 90 dollarcent en 1,80 dollar per dag verdienden, en waarschijnlijk nog eens de helft van dat aantal aan jongens, die 75 cent kregen. Dit was vóór de grootscheepse invoering van pneumatische boren en lang voor de uitvinding van machinale mijnbouw, en de enige hulpmiddelen waarmee de bedding werd bewerkt waren pikhouwelen en wiggen. De ruimten werden eerst vanuit het midden uitgegraven, dan werden de zijwanden gestut en gefixeerd. Het was gevaarlijk, vuil werk, wat het nog steeds is, maar de miljoenen tonnen steenkool die jaarlijks door mijnpony's en later stoomtakels naar boven werden gehaald, legden de basis voor de zware industrie van Canada en een groot deel van noordelijk New England, en leverden de vlot verkrijgbare brandstof voor het steeds wijdere elektriciteitsnetwerk in het gebied.

Eoghan Madareys eerste concessie was een opmerkelijke vondst in de Acadialaag. Deze vondst leverde het hardere, zuiverdere antraciet op dat beter geschikt was voor de staalproductie dan de zachtere, minder zuivere bitumineuze kolensoort die in de streek het meest voorkomt. Alhoewel de bedding van Madarey dunner en duurder in exploitatie was dan de uitgestrekte, naburige Pictou-velden, bracht de gedolven steenkool door de grotere kwaliteit ervan een veel hogere prijs op en Eoghan Madarey was nog voor zijn dertigste een gefortuneerd man. (Volgens de schatting van Thornfield bedroeg zijn kapitaal in 1911 achtentwintig miljoen dollar.)

Maar niet lang nadat de Madarey 1 volledig in productie was genomen, braken er moeilijkheden uit. Tijdens onweer in de avond van 11 mei 1900 werd een ijzeren stang boven de mijn door de bliksem getroffen en de lading werd naar de delfruimte geleid, waardoor een kamer vol samengeperst methaangas en kolenstof tot ontploffing kwam. De schacht stortte in en veertien mijnwerkers zaten in de val. Er werd een gat geboord en men hoorde stemmen. De gezinnen verzamelden zich bij de mijningang.

Juist op dat moment was er een patstelling ontstaan tussen Madarey Mines en de Provincial Workman's Association, de mijnwerkersbond die later zou opgaan in de Amalgamated Mine Workers van Nova Scotia. Het ging om een loonconflict. Er was geen staking uitgeroepen, maar die leek wel ophanden. Steeds meer kompels waren thuisgebleven en er waren gewapende bewakers aangetrokken om op het land van de onderneming te patrouilleren. Maar na aanvankelijke successen in de voorafgaande twintig jaar was de vakbond verzwakt door een teruglopend ledental en beperkte financiële middelen. In de Madarey 1 en verschillende andere plaatselijke mijnen waren al veel werkweigeraars vervangen door onderkruipers. Beide partijen waren tot het uiterste getergd.

Het is niet duidelijk wie er in de ingestorte gang vastzaten, maar verondersteld wordt dat het vakbondsleden waren. De bedrijfsleiding van Madarey liet frisse lucht door de verbindingslijn naar beneden pompen, maar weigerde het gebied open te stellen voor reddingspogingen – naar men beweerde uit veiligheidsoverwegingen – en tegelijkertijd werd het verzoek van de vakbond om de loononderhandelingen op te schorten afgewezen. De vakbondsleiders verkeerden in de situatie te moeten onderhandelen met Eoghan Madarey terwijl veertien van hun leden honderdvijftig meter onder de grond vastzaten. Toen vakbondsleden trachtten de opening te vergroten om drinkwater door te laten, werd dat door Madareys bewakers verhinderd, waarbij opnieuw de veiligheid werd aangevoerd en erop werd gewezen dat de vastzittende mijnwerkers bij de drinktroggen van de mijnpony's konden komen, die op iedere galerij aanwezig waren. De vakbond wierp tegen dat de opgesloten mannen daar misschien niet bij konden komen. De leiding weigerde vervolgens eten te laten brengen, mogelijk als onderhandelingstactiek. De volgende dag stemde Eoghan Madarey er persoonlijk mee in om als blijk van zijn 'goede wil' de mannen van water te laten voorzien. De dag daarna, na een loonconcessie van de vakbond, kregen reddingswerkers toestemming een minimale hoeveelheid stokvis en brood in de mijn neer te laten. Maar nog steeds werd er geen begin gemaakt met een tweede schacht.

Op de ochtend van 14 mei 1900, drie dagen na de instorting, haalden arbeiders een hek omver en slaagden erin een wijdere verbindingslijn te maken vanaf een steenlaag die zich nog in een aangrenzende schacht op vijfenzeventig meter diepte bevond, waardoor eten, water en frisse lucht hun maten beneden konden bereiken. Weer verzamelden zich de gezinnen bij de mijningang, maar weer werden ze verdreven door Madareys bewakers met het argument dat ze zich op eigen terrein bevonden. Dit keer confisqueerde de bond gereedschap uit mijnen in de omgeving om een grootscheepse clandestiene reddingspoging te wagen. Maar midden in de nacht van 16 mei 1900 werd een nieuwe explosie gehoord toen een klein groepje mijnwerkers heimelijk, naar het schijnt met hulp van enkele bewakers van Madarey, in de aangrenzende schacht aan het graven was. De reddingswerkers werden daarop door het hele bataljon bedrijfsbewakers weggejaagd en in de kranten wees Madarey de volgende dag opnieuw op de gevaarlijke situatie.

's Morgens bleek de wijdere verbindingslijn zomaar te zijn verdwenen, ofwel beschadigd door de explosie, ofwel – zoals de vakbondsleden lang bleven geloven – welbewust door het bedrijf afgesloten. De contractonderhandelingen werden voortgezet en als onderdeel van een akkoord waarin de vakbond instemde met de schamele loonsverhoging die de mijneigenaren aanboden, gaf Madarey een paar dagen later eindelijk toestemming voor een reddingspoging. Daarbij werden negen van de mijnwerkers uit één afgesloten deel van de schacht levend naar boven gehaald. Maar de vijf uit de aangrenzende holte, die niet bij het water van de mijnpony's hadden kunnen komen, waren inmiddels om het leven gekomen. Het ongeluk werd een strijdleus voor de vakbonden, die in de jaren daarop hun positie opnieuw versterkten. De vijf omgekomen kompels zijn vereeuwigd in de tekst van verschillende liedjes, waaronder 'Westville Number One' en 'The Dark Sixteenth of May', en daarnaast in een kinderliedje dat nog steeds op Canadese kleuterscholen wordt gezongen...

Ik legde het boek neer en keek uit het raam. Het was voorjaar. Holly zou 's middags terugkomen naar de bibliotheek om samen te studeren. Studenten fietsten, frisbeeden of zaten te luieren op de trappen buiten en opnieuw viel me iets op dat me toentertijd net begon te dagen: hoe hard de bevoorrechten hun best moesten doen om de betaalde prijs niet te hoeven zien.

Ik spreek nu natuurlijk ook voor mezelf.

─────

Toen begreep zelfs een jongen zoals ik de bedwelmende grilligheid van de politiek – ik had al een keer gezien hoe Nixon ons alles had afgenomen met zijn bezoek aan China –, maar eind maart en begin april 1972 kon je niet op Aberdeen West komen zonder te beseffen dat er iets essentieels was veranderd. Het was, geloof ik, het moment, na de overwinningen in New Hampshire en Illinois toen de nieuwe peilingen in Wisconsin, Massachusetts en Pennsylvania bekend werden, dat Henry Bonwiller een kritische metamorfose doormaakte. Waarschijnlijk begon hij zichzelf toen voor het eerst te zien als president van de Verenigde Staten.

Denkt u zich dat moment eens in. Tegenwoordig is een van de kenmerken van de politiek dat meestal degenen worden gekozen die goed zijn in campagne voeren en niet degenen die goede leiders zijn; dat ligt voor de hand, maar door mijn eigen levensgeschiedenis heb ik er geruime tijd over nagedacht wat het voor Henry Bonwiller en Liam Metarey zal hebben betekend. Voor een rijzende ster in de politiek heeft macht allereerst te maken met karakter: de combinatie van status en overtuigingskracht die niet louter intimidatie – de primitiefste vorm van macht – voortbrengt, maar ook vleierij – een meer verfijnde vorm ervan. Daarna begint macht een eigen leven te leiden en vloeit niet meer uitsluitend voort uit de persoon, maar ook uit het ambt zelf. Dan moet er een evenwicht worden gezocht tussen de verwerving en de verdeling, tussen het onstilbare verlangen van elke politicus om hogerop te komen en de veelal vernederende vereiste zijn status te moeten aanwenden voor het nut van het algemeen. Daar zet dan ook de corruptie in, want inherent aan macht is de onweerstaanbare drang om zichzelf te bestendigen: er komt altijd een volgende strijd. Maar als die ten slotte niet meer komt, als er eindelijk geen ambities meer zijn om na te jagen, geen rudimentaire idealen meer om als loodster te volgen, dan moet een politicus een metamorfose ondergaan, iets waarvoor hij net zomin aanleg heeft als voor het krijgen van vleugels om te vliegen. Hij moet zijn persoonlijke ambitie omzetten in ambitie voor zijn land. Dat was volgens mij het punt waarop Henry Bonwiller dat voorjaar was aangekomen, toen hij zichzelf voor het eerst echt als president voorstelde. Het is natuurlijk het lot dat uitmaakt wie de overgang kan maken en wie niet. Ik kan me voorstellen dat hij zich dat ook afvroeg.

Ik weet niets meer dan wat ik heb genoteerd over de vreemde gebeurtenissen eerder die maand op het landgoed, maar onwillekeurig vraag ik me nu af of er in de legerhelikopter die een week daarvoor achter Breightons stal landde een afgezant van de president heeft gezeten. John Ehrlichman bijvoorbeeld, of H.R. Haldeman, of misschien wel John Mitchell. De aanwezigheid van de geheime dienst roept zelfs de vraag op of het vicepresident Agnew was die een geheim en tot dusverre onvermeld bezoek kwam afleggen. En als ik moest gissen naar wat er die ochtend plaatsvond, zou ik zeggen dat we niet mogen vergeten dat Henry Bonwiller niet alleen sinds kort Nixons vermoedelijke tegenstander voor november was, maar dat hij bovendien nog altijd een cruciale invloed had in een door Democraten gedomineerd Congres, de grote hinderpaal voor Nixons ambitie, en nog wel in een tijd dat het publiek een verpletterende oorlogsmoeheid vertoonde. En laten we ook niet de technieken vergeten die de president toen al toepaste. De inbraken in Watergate waren nog niet gepleegd, maar de eerste zou binnen een maand plaatshebben en de president had de plannen ongetwijfeld al in zijn hoofd, net als waarschijnlijk Ehrlichman, Haldeman en Mitchell; en de president had in zijn eigen zelfbeeld de grens van het fatsoen die hij al snel zou uitwissen misschien nog maar net overschreden. Wat zou hij onder die omstandigheden van Henry Bonwiller en Liam Metarey hebben gewild?

Ik zou niet de eerste zijn die veronderstelde dat JoEllen Charney zelf voor het Witte Huis werkte. Het is een oud verhaal, zo oud als Samson en

Delila, en ook een oude theorie over Henry Bonwiller, gebaseerd op vijftien jaar van borreltafelpraat, en in de vijftien daaropvolgende jaren klakkeloos uitvergroot op webpagina's. Maar gezien alles wat ik sindsdien over de familie Charney te weten ben gekomen, vind ik dat niet erg aannemelijk. Al met al geloof ik ook niet dat Nixon enige vertrouwelijke informatie bezat over wat zich tussen JoEllen en de senator had afgespeeld. Maar ik weet wel dat George McGovern zich net begon te herstellen van zijn eerste optreden in Iowa en dat Nixon tegelijkertijd net getuige was geweest van de ongelooflijk succesvolle strategie waarmee zijn beulsknechten Edmund Muskie klein hadden gekregen. Deed de president nu juist de volgende zet in de zorgvuldige selectie van zijn tegenstander voor november? De meeste historici zouden zeggen dat Henry Bonwiller met zijn New Yorkse relaties en zijn New Yorkse geld het in een nationale strijd veel en veel beter zou hebben gedaan dan George McGovern. Werd er een deal gesloten? Destijds waren senator Bonwiller en senator McGovern in het land de meest uitgesproken tegenstanders van de oorlog in Vietnam, en Nixon zal met zijn aangeboren sluwheid hebben aangevoeld dat de twee senatoren daardoor niet zozeer bondgenoten tegen hem als wel felle rivalen van elkaar werden. Fellere rivalen van elkaar waarschijnlijk dan elk afzonderlijk van de president.

Uiteindelijk ben ik tot de slotsom gekomen dat Nixon mogelijk wel een afgezant heeft gestuurd onder het mom van diplomatieke onderhandelingen voor een wetsvoorstel, om Henry Bonwiller in een vroege fase te informeren over de escalatie in Vietnam die hij die maand beoogde. Het is geen bijster opzienbarende theorie, maar ten dele vind ik het juist daarom een geloofwaardig idee. De senator zal ongetwijfeld razend zijn geweest over de escalatie, die nachtelijke luchtaanvallen op de burgerbevolking van Hanoi meebracht; maar Nixon zal hebben geweten dat hij zich ook gevleid zou voelen – de tweede vaardigheid van machtige mannen – als hij van tevoren werd ingelicht, omdat het betekende dat Henry Bonwiller voor het eerst werd behandeld als een potentiële president. Bovendien zou de senator hierdoor in het voordeel zijn ten opzichte van George McGovern onder hun collega's in het Congres. Ik moet dan natuurlijk wel aannemen dat er minstens één mol was in de leiding van Bonwillers presidentscampagne, en het is dan ook niet onvoorstelbaar dat berichten over de vorstelijke waardigheid die Henry Bonwillers optreden opeens kenmerkte het Witte Huis zullen hebben bereikt. Nixon zal in de wolken zijn geweest.

Maar dat zijn hypotheses, die eerlijk gezegd bijna nergens op gefundeerd zijn, en ik laat me meeslepen. Belangrijker is het vast te stellen dat Henry Bonwiller in het begin van dat voorjaar aan zijn optreden in het openbaar werkte. Hij trok zich terug in de bovenvertrekken van het landhuis en kwam geen praatjes meer maken met zijn staf; hij stuurde weer lakeien naar persconferenties in plaats van zelf te verschijnen, en de dagelijkse voltallige campagnevergaderingen in de werkkamers beneden en de sessies in de salon waar de toespraken werden herschreven, woonde hij niet meer bij. Er was ook een nieuwe hiërarchie ontstaan binnen de staf. Clarence Chase had een bureau neergezet in de wachtkamer beneden bij de trap en iedereen die Henry Bonwiller of zelfs Liam Metarey wilde spreken, moest eerst langs hem.

Onder deze nieuwe omstandigheden werd er aan het eind van de maand een ander soort feest gegeven door het campagneteam. Dit keer zou het twee dagen duren en er waren minder genodigden, maar de voorbereidingen waren veel zorgvuldiger dan ik ooit had meegemaakt; zelfs een jongen als ik begreep dat de mannen en vrouwen die op het feest kwamen niet zomaar de gewone, rijke aanhang was die bij de andere evenementen aanwezig was geweest, maar de selecte elite die de kandidaat in gedachten had voor een baan bij de nieuwe regering. In mijn tijd bij de Metareys heb ik talloze beroemde en machtige figuren meegemaakt, maar nog nooit zo'n concentratie van zulke lieden als in die twee dagen. George Meany was er en Carl Stokes, Averell Harriman en senator Kennedy, senator Mansfield en zelfs senator Humphrey. Verder Arthur Schlesinger en Betty Friedan, en de befaamde jonge journalist David Halberstam, van wie kort daarvoor een boek was verschenen met de titel *The Best and the Brightest*, dat Glenn Burrant me had aanbevolen. G.V. Trawbridge bevond zich ook onder de genodigden, en ik veronderstel dat beide mannen ermee hadden ingestemd alle informatie vertrouwelijk te behandelen. Ik zag ook Daniel Patrick Moynihan en Shirley Chisholm, en al staan die namen en gezichten me nu nog helder voor de geest, die middag moesten ze me allemaal, behalve Trawbridge, Humphrey en Kennedy, worden aangewezen door Christian, Glenn Burrant of meneer Metarey. Maar ik kan wel zeggen dat ik zonder erop te worden gewezen ogenblikkelijk aanvoelde dat er een heel ander kaliber mensen in de kamer was. En ik moet ook zeggen dat ik nog nooit in een gezelschap ben geweest, en dat ook nooit meer zal komen, waarin verwachtingen en ambitie tot zulke grote hoogte waren opgeschroefd doordat een dergelijke sublieme overwinning binnen handbereik leek.

Maar nogmaals: dat is niet de reden dat ik erover vertel. Door Saline's ligging vlak bij twee grote meren is het stadje berucht om zijn stortbuien in de lente, en aan de vooravond van de bijeenkomst kwam de regen met bakken uit de hemel. De lucht in het noordwesten werd vrijdagsavonds grijs en de hele nacht en volgende dag regende het zonder ophouden. Nooit van mijn leven heb ik zo'n hoosbui gezien. Gil McKinstrey en ik moesten de afvoer van de visvijvers openzetten om te voorkomen dat het water over de dam heen het gazon op stroomde, en 's avonds waren we erop uitgegaan om een hele kudde schapen van een naburige boerderij te redden die naar de hogere grond rond de Lodge Chief Marker was geklommen. Ondanks de langdurige donder die over het water aan kwam rollen en de vele in het donker opflitsende bliksemschichten vormde de regen echter geen ernstige belemmering voor het campagnefeest zelf, dat er zelfs iets spannends door kreeg. De enige die er blijkbaar last van had, was Breighton, die je kon horen hinniken en stampen in zijn stal totdat Gil McKinstrey iets door zijn voer ging doen. Voor de meeste bezoekers was het gewoon een eigenaardigheid van de streek en ik vermoed dat de markante indruk die het thuisland van de senator op hen maakte er alleen maar door werd versterkt. De meesten sliepen toch in het Excelsior en werden rondgereden met in Buffalo gehuurde limousines; bovendien was het evenement zelf eigenlijk meer een serie van tientallen kleinere bijeenkomsten, die allemaal werden gehouden in de reeks kamers aan het eind van de benedengang van het landhuis, op een enkele na, die in de bibliotheek plaatsvond. Je had eigenlijk geen paraplu nodig. Maar die zondag zou Henry Bonwiller om twaalf uur in de tent buiten zijn slottoespraak houden en toen ik die ochtend arriveerde om de stoelen voor de toehoorders klaar te zetten maakte de regen nog steeds een herrie alsof er een emmer grind op het dak van de loods werd uitgestort.

Welk deel van dit alles – van politieke macht, persoonlijk fortuin, de wending van een leven – aan het toeval valt toe te schrijven, is niet te zeggen, maar rond elf uur die ochtend verscheen er in het westen een streepje zilverig licht boven het meer, en even later – echt exact op het moment dat de senator volgens schema zich bij de mensen in de tent voegde – schoof de opklaring over het landgoed. De wereld was vervuld van zonlicht en de grasvelden glinsterden ineens als afzettingen van edelgesteente. Op dat moment merkte je dat er een gevoel van ontzag over deze mensen kwam, hoe ontwikkeld en machtig ze ook waren; en er viel nog iets sterkers te bespeuren: het bijzondere gevoel dat we met z'n allen uitverkoren waren. Er werden lichtzinnige opmerkingen en allerlei grapjes over gemaakt – God was een Democraat enzovoort – maar onwillekeurig dacht je echt dat het iets betekende. Henry Bonwiller sprak uiteindelijk op een middag die op de allereerste scheppingsdag leek, en hij was nog niet uitgesproken en liep nog niet tussen de groepjes op de parkeerplaats en op de voorveranda van het landhuis of de wolken kwamen al vanuit het westen opzetten, de opening trok dicht en het gutste weer van de regen.

Later die avond, lang nadat de laatste gasten waren vertrokken, bedacht ik dat het verstandig was de drainage achter de visvijver te controleren om te zien of die niet was dichtgeslibd. De zon was net onder en toen ik in de gestage regen over de korte aarden dam liep, stuitte ik op iets wat ik aanzag voor een gewond dier dat in de modder onder aan het talud lag – ik moest denken aan de kudde schapen die Gil en ik eerder hogerop hadden gevonden. Midden op de dam gekomen kon ik het in de duisternis beter zien en ik hoorde het zachtjes kreunen. Eerst lag het stil, maar toen ik mijn zaklantaarn erover liet schijnen, begon het te wurmen en te schoppen alsof het in de diepe zompigheid van de modder vastzat en werd het geluid rauwer, alsof het dacht dat ik een roofdier was; en pas toen ik de steile helling van de heuvel afkwam en de lichtbundel er in de gietende regen op richtte, besefte ik dat het iets anders was – helemaal geen schaap. Aanvankelijk kon ik er verder niets uit opmaken.

Het is niet moeilijk om redenen te bedenken waarom ik later journalist ben geworden. Ik ben niet opgegroeid in een ontwikkeld gezin, maar had zelf het voorrecht van een goede opleiding; en hoewel mijn ouders weinig onderwijs hadden genoten, hadden ze er wel respect voor, zoals ze respect hadden voor iedere inspanning die discipline vergde. Ik had als mentor een man met ongeëvenaarde connecties in de wereld, die toch op een of andere manier zijn rechtvaardigheidszin had behouden en wiens leven in hoge mate werd gekenmerkt door zijn geschenken aan de gemeenschap – twee aspecten die in wezen de ingrediënten vormen voor een bepaald soort journalistieke loopbaan. Of ik zou kunnen zeggen dat Holly Steen met de honger en ambitie van haar kennis er iets mee te maken had dat ik mij aan een leven van woorden en papier wijdde. Ik zou al die redenen kunnen geven, maar ik zou evengoed de schrijvers kunnen noemen die ik op Dunleavy voor het eerst las – Dickens, Upton Sinclair en Mark Twain – of die van Haverford – Hegel, Marx en Robert Coles; maar de simpele waarheid is dat het waarschijnlijk komt door het moment dat volgde, waarin ik langs de van water doordrenkte helling afdaalde en zag dat de gestalte beneden geen dier was maar een mens, en nog een tel later dat die mens G.V. Trawbridge was. Als ik de tijd had gehad om na te denken was ik misschien iemand gaan halen, maar ik ging verder naar beneden in de enkeldiepe modder en tilde hem in mijn armen op.

Toen ik jaren later zijn memoires las, kwam ik erachter dat Vance Trawbridge misvormd was geboren maar als volwassene ook nog eens multiple sclerose had gekregen, en ik las over alle tegenslag waar hij in zijn leven mee te kampen had gehad – tegen het eind van zijn loopbaan viel hij bijna elke dag en had hij zo weinig kracht meer in zijn handen dat hij alles met zijn zwakke stem in een dictafoon moest inspreken. Hoewel hij met geen woord rept over dit voorval op Aberdeen West, schrijft hij wel dat juist in die periode de multiple sclerose begon op te spelen en ik kan me voorstellen hoe afschuwelijk het was toen dat gebeurde. Hij moet van de helling zijn gegleden.

Tegen de tijd dat ik hem vond, was hij volledig ondergedompeld in de modder en zijn magere armen en benen beefden. Maar doorweekt als hij was, was hij opvallend licht, niet veel zwaarder dan een kind, en toen ik hem optilde, liet hij zijn hoofd naar achteren vallen in de kromming van mijn elleboog, zoals een kind dat zou kunnen doen. Zijn donkere gezicht keek smekend naar me op. Hij leek slechts half bij bewustzijn en zijn lichaam voelde onrustbarend koud aan.

Ik klauterde weer tegen de glibberige dam op. Hij zat helemaal onder de modder, zodat ik niet eens goed kon zien of hij wel kleren aanhad, maar het regende ondertussen gestaag door en als door een wonder werd hij schoongespoeld en tegen de tijd dat ik vastere grond met grind onder mijn voeten kreeg, waren zijn gezicht, zijn enorme bril, die nog aan het koord hing, en daarna de strepen van zijn seersucker pak weer zichtbaar geworden, en toen we op het gazon achter het huis stonden, kon ik duidelijk het wit van zijn overhemd onderscheiden en het rood van iets dat ik bezorgd voor een halswond hield, maar dat onder het licht van de veranda zijn vlinderdas bleek te zijn, die scheef om zijn boord zat.

June Metarey kwam ons op de trap tegemoet. 'Lieve help,' riep ze uit. 'Wat is er in godsnaam...'

'Ik denk dat hij is uitgegleden.'

'Gaat het, Vance?'

'Het gaat wel, June. Het gaat wel.'

Ik besefte dat ik er niet aan had gedacht iets tegen hem te zeggen.

'Dank je wel, Corey,' zei ze. 'Breng hem maar naar de logeerkamer beneden en ga gauw mijn man halen.' Toen nam ze zijn druipnatte hand in de hare en ik zal nooit vergeten wat ze toen zei. Ze zei: 'In de ogen van God, Vance, hebben we allemaal gebroken.'

Zijn hoofd kwam in mijn armen omhoog. 'Dank je, June,' zei hij. 'Maar ík ben degene met het gebrek. Zo is het nu eenmaal.'

Tegen de tijd dat ik met hem binnenkwam, stonden meneer Metarey en een paar dienstmeisjes al in het atrium met handdoeken klaar, maar waarschijnlijk hadden ze geen van allen in de gaten dat ik hem bijna onder de modder bedolven had gevonden, of dat hij toen ik hem optilde in de meest erbarmelijke toestand verkeerde waarin ik ooit een mens heb gezien. Inmiddels was hij alleen nog maar doorweekt. Vermoedelijk dachten ze gewoon dat hij pech had gehad en vonden ze hem ook een beetje komisch, doordat de stof van zijn pak aan zijn borst plakte en zijn grote hoofd kleiner en schuwer leek, als van een hond die in het water heeft gelegen. Het gebeurde leek misschien nog wel meer op een zegening of een doop dan op de beschamende vernedering die het voor hem moet zijn geweest en die het om een of andere reden altijd voor mij zal blijven.

En toch herinner ik me dit moment ook als een van de cruciale keerpunten in mijn leven, een moment waarop mijn gêne omdat ik zo'n aanzienlijk man in mijn armen hield, tegelijkertijd een soort plichtsbesef en eergevoel in me opwekte waardoor ik me gedreven voelde om op mijn eigen veel bescheidener wijze in zijn voetsporen te treden. Het klinkt misschien vergezocht, maar ik geloof dat er in die ogenblikken iets tussen ons werd uitgewisseld, een erkenning van status, belang en menselijke verplichting, iets dat niet valt uit te leggen maar dat me nog steeds drijft.

Hij werd naar de logeerkamer gebracht. Meneer Metarey bedankte me omstandig en stuurde me naar een van de gastenverblijven buiten om te douchen en kleren van Andrew aan te trekken. Maar voordat ik die avond wegging, werd ik nog een keer binnengeroepen en in de deuropening stond Vance Trawbridge naast senator Bonwiller in een pas geperst kostuum, leunend op zijn stokken alsof er niets was gebeurd. Ik zag Clara in de eetkamer staan.

'Dus jij bent die jongeman,' zei Vance Trawbridge toen meneer Metarey me aan hem voorstelde. 'Dank je wel. Je hebt misschien wel mijn leven gered. Ik zal je goedheid niet vergeten.'

Ik was vreselijk verlegen, deels omdat ik Clara zag kijken, maar ik was nog steeds opgewonden over de gebeurtenissen en zocht naar woorden. Het correcte antwoord zou zijn geweest: 'Geen dank, meneer', of: 'Ik ben blij dat ik kon helpen'. Maar ik zei op mijn vaders minzame toon: 'Beschouwt u het maar als een geschenk van de campagne.'

Iedereen lachte.

Op de een of andere manier bleef het verhaal van de *Post-Dispatch*, net als dat van de *Tribune* eerder, verder onvermeld. Ik zag het nergens anders. Niet in de *Times* van die maand. Niet in de *Washington Post* of de *Courier-Express*. In het landhuis keek ik de *Chronicle*, de *Examiner*, de *Post-Intelligencer*, de *Herald Traveler* plus de *Dallas Morning News* erop na. Op school hield ik nog steeds de *Post*, de *Globe* en de *Courier-Express* in de gaten. Het stond ook niet in de *Speaker* of de *Sentinel*, en de *Post-Dispatch* en de *Tribune* zelf kwamen er ook niet op terug. Het stond in geen enkele krant die ik inkeek – en ik heb er heel wat ingekeken.

'Ze zaten het juiste moment af te wachten voor de genadeslag,' zei Trieste.

'Hoe bedoel je?'

'Ze wilden zeker weten dat de dolk in de juiste man werd gestoken.' Ze maakte aanstalten om op die regenachtige avond weg te gaan en trok haar oliejas aan.

'Op die manier,' zei ik. 'Jij ziet te veel complotten.'

'Of juist te weinig. Het had overal in moeten staan. De volgende dag.'

'Het was toen allemaal anders, Trieste. Je had geen computers. Je had geen internet en geen e-mail. Verslaggevers gebruikten de telefoon. En telex. Jouw generatie begrijpt dat misschien niet. Jouw generatie weet misschien niet eens wat een telex is.'

'Natuurlijk weten we dat wel. Ik tenminste wel.'

'Dan ben jij een uitzondering.' Ik liep naar het raam en zag de regen in de straatlantaarns glinsteren. 'Redacteuren vonden dat verhalen moesten worden geverifieerd,' zei ik terwijl ik het schemerdonker in keek. 'Vóórdat ze werden geplaatst. Er kwam een heel filterproces aan te pas: interviews, getuigen, bronnen, controle. Nog eens controle. En de vraag: is het relevant? Is dit wel níéuws? Die werd nog gesteld.' Ik draaide me naar haar om. 'Of je het wilt geloven of niet.'

'Vindt u dat het niet relevant was?'

'Natuurlijk was het relevant. Maar in die tijd hadden alle kranten eigen verslaggevers. Niet alleen de *Times*. Die werden erop uitgestuurd om hun eigen verhalen te schrijven. Iedereen moest meedoen. En als iedereen moet meedoen kost dat tijd.'

Ze knoopte haar jas dicht en zette de kraag op. 'Dus dat was het volgens u, meneer Sifter?' vroeg ze ten slotte. 'Redacteuren die de bronnen van hun eigen verslaggevers controleerden?'

'Zoals ik al zei, Trieste: je had toen geen internet. Geen e-mailnieuwsbrieven zoals van Matt Drudge. Geen Daily Kos. Geen Andrew Sullivan. Geen blogwereld.'

'Blogosfeer, meneer Sifter.'

'Dank je.'

'Dat gelooft u dus? Zo is het volgens u gebeurd? Het heeft de kranten niet gehaald omdat er toen nog geen blogosfeer was?'

'Ik weet het niet,' zei ik, 'eerlijk niet.'

'Meneer,' zei ze terwijl ze haar hoed opzette, 'ik denk dat u niet genoeg complotten ziet.'

=====

Het gevoel is godzijdank weg, al weet ze diep vanbinnen dat het maar een tijdelijk respijt is. Een dag lang is er niets aan de hand. Maar dan, ja hoor, als ze de volgende avond de drie kantoordeuren afsluit en de uitgaande post van meneer McBain in de brievenbus gooit, is het er weer. De steen. Misschien kan hij die avond bij haar komen en misschien ook niet. Hij zal rond acht uur uit een telefooncel bellen. Meer kan hij niet zeggen. Ze gaat naar huis en warmt een blik tomatensoep op. Om acht uur zet ze de tv aan en kijkt halfhartig naar *Mannix*. Dan ruimt ze de flat op. Om middernacht gaat ze eindelijk slapen.

Die week vertelt ze het in haar wanhoop aan haar moeder: ze heeft een relatie met een man. Met een getróúwde man, zegt ze, alsof dat het grootste deel van het geheim is. Ze zitten in een bakkerij waar je een hele pot thee kunt bestellen. Haar moeder, die in haar eentje met de auto van ruim vijftig kilometer ver moest komen, houdt zoals altijd haar kop en schotel vlak onder haar kin, maar als ze dat hoort, stokt haar adem en zet ze allebei met een klap midden op het tafelkleedje. Het lepeltje rinkelt. Ze zegt: 'Je moet sterk zijn, JoEll, en het uitmaken.'

JoEllen weet dat haar moeder gelijk heeft, ook al heeft ze nog niet de helft van de waarheid gehoord. Ook al heeft ze nog niet een tiende gehoord. *Sterk zijn en het uitmaken.*

Maar dat doet ze niet.

Twee avonden later is ze in het chaletje van The Pines en zit hij zijn broodje op te eten. Ze zegt: 'Waarom komen we nooit eens in een nettere gelegenheid?'

Hij legt zijn broodje neer en kijkt haar aan. Ze is zelf ook verrast.

De volgende dag belt er iemand op om te zeggen dat er een kamer voor haar is gereserveerd in Morley's Inn in Saline.

's Middags rijdt ze ernaartoe. Er staat een groot tweepersoonsbed in de kamer met eroverheen een bruingestreepte sprei met kwastjes aan de hoekpunten. Op beide kussens ligt een chocolaatje. Ze eet het hare op en pakt dat van hem om hem er later mee te verrassen. Dit ziet er beter uit. Een bureau van donker hout in de hoek met chique briefpapier in de la en een zilveren ijsemmer op een roodleren onderzetter. Dit ziet er stukken beter uit.

Maar weer komt hij die avond pas na elven opdagen. Ze heeft het dan al bijna opgegeven. En hij moet direct daarna weer naar huis. Zelf hoeft ze nergens naartoe en dus vraagt ze als ze nog in bed liggen: 'Hoe lang kan ik hier blijven?'

'Net zo lang als je wilt, liefje.' Hij staat op en trekt zijn broek aan. Zijn overhemd. Doet zijn horloge om. 'En je gaat nu ook meewerken aan de campagne,' zegt hij.

'Ik ga wat?'

'Je gaat voortaan meewerken aan de campagne. Kom eens op de bijeenkomsten. Laat je zien met de medewerkers. In het openbaar. Je krijgt er ook nog voor betaald.'

Daar moet ze van fronsen.

'Voor het campagnewerk.'

'Wat moet ik doen?'

'Dat zien we nog wel.' Hij trekt zijn jas aan. 'Je wordt gebeld.'

En zo gaat het. Ze wordt inderdaad gebeld. Ze gaat naar een paar bijeenkomsten in Islington, in een restaurant op de pier dat The Swan heet. Hij zit tegenover haar aan tafel. Er zijn een stuk of zes anderen en nog een paar die komen en gaan. Hij glimlacht naar haar, knikt, maar dat is alles. Ze krijgt een stenobloc, en dat gebruikt ze dan: ze notuleert terwijl zij praten. Het zijn alleen maar data. Een toespraak in het Hilton. Een toespraak in de club van Harvard. Een lint doorknippen bij een paardenrenbaan. Ze maakt een maandkalender en markeert de data. Maar er wordt niet naar gevraagd.

De steen is niet helemaal weg uit haar buik, maar wel bijna. Soms voelt ze hem nog, niet zo erg meer, alleen een koude steek diep vanbinnen. Maar met een paar keer lachen krijgt ze die wel weg. De kamer in Morley's Inn is nu permanent voor haar gereserveerd, onder de naam 'Annabelle English'. Zo af en toe moet ze aan haar moeder denken. 'Je moet sterk zijn en het uitmaken.' Ze weet niet of ze sterk aan het worden is, maar ze denkt van niet. Af en toe gaat ze naar een campagnebijeenkomst en komt in Saline terug om de nacht in haar eentje in het grote bed door te brengen. 's Morgens krijgt ze een schoonheidsbehandeling in het pand ernaast. Dat helpt. Het uitzicht uit het raam helpt ook. De boombladeren en de fontein. De wandelende paartjes. En ook de fles whisky in de zilveren emmer. Het ijs wordt bijgevuld bij het schoonmaken van de kamer. En op een dag ziet ze als ze haar jas in de kast hangt een paar nieuwe jurken aan haakjes – dat is een aangename verrassing – en als ze de la opentrekt, vindt ze ook nieuw ondergoed. Mooi ondergoed. Dat is al heel fijn, maar de week erna hangt er een bontstola als ze de kast opent.

Tja.

Ze weet niet zeker hoe nerts eruitziet. Er zit geen kaartje aan, maar de voering is van zwart satijn. Ze trekt hem aan, het satijn voelt koel aan haar hals. Ze laat hem van haar schouders glijden, strijkt met haar handen over het bont en raakt even haar borsten eronder aan. Voor de spiegel zegt ze: 'Annabelle English.' Ze is mooi. Ze is bijna verbaasd.

Zo komt ze weer een paar weken door. Zo, met de naam en de lingerie, zoals ze eruitziet met één in bont gehulde schouder. En met de whisky, de campagnebijeenkomsten en het hotelpersoneel dat discreet zijn werk doet. Er heerst een waardige rust in het hotel met zijn schemerige verlichting als in een nonnenklooster. De receptionist noemt de naam zelf één keer – 'Goedenavond, juffrouw English' –, maar spreekt haar daarna niet meer aan. Op de punt van zijn revers zit een klein kruisje. Dan belt iemand haar in haar flat om te zeggen dat ze niet meer moet inchecken, maar rechtstreeks naar het restaurant moet gaan. Er is een trap achter de bar. Het is een eetcafé en daar spreekt hij elke dinsdag en donderdag met haar af voor een lunch met nog twee assistenten, die laat komen opdagen en bij hen aanschuiven voor een korte bespreking, totdat hij even knikt en zij de achtertrap weer op gaat naar de kamer. Soms duurt het nog een uur. Ze zit op de rand van het bed te luisteren of ze zijn voetstappen op het tapijt hoort. Een bepaalde glimlach te oefenen.

Overdag is hij gehaast, maar spraakzaam. 's Avonds is hij stil.

Op zo'n avond, een week of twee later, drinken ze meer dan gewoonlijk en trekt zij een van de nieuwe jurken aan, maar opeens is die steen er weer binnen in haar, groter dan ooit – ze probeert even te lachen, maar het helpt niet – en ze laat de stola bruusk van haar schouders glijden. 'Dit doet zo vunzig aan,' zegt ze opeens. Om een of andere reden moet ze aan de receptionist denken. Zijn gevouwen handen. 'Ik heb het gevoel dat ik iets verkeerds doe.' Ze voelt dat ze wordt meegesleept door de drank. Een koord om haar pols. 'Wat we doen is toch niet verkeerd?' vraagt ze terwijl ze dicht bij hem komt staan. 'Of wel?'

'Doe niet zo mal, liefje. We doen gewoon wat mensen doen.'

'Alle mensen?' vraagt ze.

'Ja.'

Hij strikt zijn veters. De stola ligt voor hem op de vloer en hij raapt hem op zonder overeind te komen en legt hem op de stoel. Dan legt hij een dubbele knoop in zijn veters.

'Of wíj in het bijzonder?' vraagt ze. 'Jij en ik?'

Hij kijkt op. 'Goed dan,' zegt hij. 'Jij en ik.'

'Hmm,' zegt ze, en ze gaat naast hem zitten.

'Ik zal binnenkort veel op reis moeten.' Om de een of andere reden zegt hij dat op dat moment. 'Dat is nu eenmaal zo met een campagne.'

═══

Het omslagartikel van het *New York Times Magazine* twee zondagen later was geschreven door G.V. Trawbridge. De eerste alinea:

> De grote presidenten hebben niet zozeer gewonnen door de campagne die ze voerden als wel doordat ze op het juiste moment in de geschiedenis verschenen. Abraham Lincoln kwam in een hoofdstad die korte tijd later zou worden bedreigd door de oprukkende artillerie van Stonewall Jackson. Franklin Roosevelt kwam in een stad die bezaaid lag met de verbrande vodden van het Bonus-leger. Henry Bonwiller, de meest imposante figuur die ooit dit nobele ambt heeft nagestreefd – lijkt zich op te maken een hoofdstad binnen te trekken die bijna is bezweken onder het droeve tij van Vietnam.

Op het omslag zelf stond een foto van de senator die in zijn werkkamer in Washington half voor de vlag stond.

De titel: 'Een regering-Bonwiller.'

Een nieuweling die Liam Metarey niet kende, hing de foto op het prik-bord in de bibliotheek beneden, en ik moet toegeven dat het voor mij een moment van trots was. Maar ik kende Liam Metarey inmiddels goed ge-noeg om aardig te kunnen inschatten wat hij ervan zou vinden als hij het zag. En jawel. Ik was in de buurt toen hij erlangs liep, het knipsel van het bord rukte en met luid geritsel in zijn vuist verfrommelde. Op weg naar buiten gooide hij het in de prullenbak.

U kunt zich wel voorstellen hoe ik me voelde. Op die leeftijd zou ik Liam Metarey naar alle windstreken zijn gevolgd, maar toen dat artikel verscheen, voelde ik me voor het eerst sinds het begin van de campagne ook een beetje belangrijk – omdat ik iets had gedaan dat niet zomaar ie-dere jongen uit Saline zou hebben gedaan. Ik begreep heimelijk dat de stimulerende woorden die G.V. Trawbridge had geschreven iets te maken hadden met mijn daden en dat ik eindelijk een bijdrage had geleverd, hoe indirect ook, aan Henry Bonwillers presidentscampagne.

Toen ik 's avonds de hal beneden opruimde, pakte ik de prop papier uit de prullenbak en stopte hem in mijn zak. En die nacht streek ik het knipsel thuis glad en vouwde het zo klein op dat het in mijn portefeuille paste.

'En is door dat boek uw mening over de oude roofridder niet veranderd?'

'Over wie?'

'Over Eoghan Metarey.'

'O. Zo zouden de meeste mensen hem niet noemen, Trieste. Hier niet, tenminste.'

'Ik vond het juist nog vriendelijk uitgedrukt van mezelf. Ik heb veel er-gere dingen gehoord.' Ze glimlachte weer. Dit keer het geheimzinnige lachje. De ongeopende knop. 'En ik ken dat verhaal al mijn hele leven.'

'Wist je van dat mijnongeluk?'

'Ja, meneer.'

'Dan zit jij zeker in andere cafetaria's dan ik vroeger op jouw leeftijd.'

'Wij maken zelf ons middageten klaar. Wij gaan niet naar cafetaria's.'

'Nou, mijn vader en ik vroeger wel. En waar wij aten, zou je dat soort verhalen niet te horen krijgen. Tenminste niet toen ik klein was. Als mijn vader het levensverhaal van Eoghan Metarey al had gekend, had hij het beslist niet aan mij verteld. En ik betwijfel ten zeerste of hij het kende. Dat ongeluk is in Canada gebeurd. Het waren Canadese kompels. De mensen in Saline lazen toen geen kranten. Zeker geen Canadese.'

'Ik heb het niet over het ongeluk. Maar wat hij daarna deed.'

'Dat snap ik, Trieste. Maar ik geloof niet dat de mensen hier er ooit van hadden gehoord. Het was in 1900. Ze konden niet gewoon de televisie aanzetten.'

'Maar Saline is een vakbondsstad, meneer Sifter. Canadese mijnwerkers verschillen niet van Amerikaanse mijnwerkers. Dode mijnwerkers, tenminste. Het nieuws moet zich hebben verspreid, en volgens mij had het in de krant moeten komen.'

'Tóén was het geen vakbondsstad, Trieste. Wagners wet op het recht van vereniging kwam pas in de jaren dertig. Liam Metarey was degene die de vakbonden toeliet. Dat zou die ouwe zelf nooit hebben gedaan. Waarschijnlijk draait hij zich nog om in zijn graf. En de *Speaker* is ook door Eoghan Metarey opgericht. Vergeet dat niet. Natuurlijk uit eigenbelang, maar hij heeft hem wel opgericht. Denk maar niet dat hij zo'n verhaal in zijn eigen krant zou plaatsen.'

'De persvrijheid is alleen gegarandeerd voor wie een pers bezit.'

'Dat is Liebling,' zei ik. 'Heel goed.'

'U bent verbaasd.'

'Het verbaast me dat iemand van jouw leeftijd zich hem herinnert.'

'Ik herínner me hem niet, meneer,' antwoordde ze. 'Maar ik heb hem wel gelezen. Zou ú het nu plaatsen?'

'Natuurlijk zou ik het nu plaatsen.'

'Hmm,' zei ze. Ze nam een hap van haar muffin. 'Maar veranderde dat niets aan uw mening over de familie?'

'Het was hun gróótvader, Trieste. Van Clara en Christian tenminste. Het was niet iemand die ik kende.'

'En u mocht ze wel dankbaar zijn.'

'Ja. Dat mag ik nog steeds, Trieste. Nog steeds.'

Ik nam weer de trein van Philadelphia naar het noorden en las Camus. Het was april en mijn laatste jaar op Haverford. Een strak blauwe lentelucht en de krotten en kroegen langs het spoor, die allengs plaats maakten voor bossen. Op Penn Station drommen pendelaars die de perrons bestormden. Ik knoopte mijn jas dicht en begon aan de wandeling van vijftig straten naar het centrum. De gebouwen van de binnenstad als standbeelden achter gelapte ramen. De mensenmassa als de mensenmassa voor een keizer.

Op de bovenste verdieping deed Clara open. Er zat nog steeds geen ring om haar vinger.

Toen zag ik het. Ik zag het aan de subtiele grijns om haar lippen toen ze haar zusje ging halen, aan haar preutse manier van zitten, met haar knieën tegen elkaar op de sofa, terwijl Christian en ik samen op de bank zaten. Ik zag het toen ze erop stond Christian en mij die middag alleen te laten.

En dat gebeurde. We gingen weer naar Linden's. Zaten aan een tafeltje achterin. Christian zag er al beter uit. Ze had haar haar laten groeien. Ze had een zomerjurk aan, al was het nog wat kil.

'Wat studeer je?' vroeg ze.

'Engels. Bijvak geschiedenis.'

Ze nipte aan haar kopje.

'Moeder zegt dat je een heel goede student bent geworden.'

'Ach ja. Dat zal wel.'

Zo verliep ons gesprek. Ze had kunstgeschiedenis gestudeerd op Columbia, maar was ermee gestopt. Ze probeerde te bedenken wat ze moest doen. Voordat we onze koffie op hadden, vroeg ik of ze liever een eindje wilde lopen. We wandelden zonder veel te zeggen langs de rand van het park en wezen elkaar op het uitzicht. Een moerbeiboom. Een man die eruitzag als een politieagent op rolschaatsen. De ginkgo's die bescheiden in blad kwamen. Maar na een poosje zwegen we.

Toen we terugkwamen in hun appartement was Clara er weer. 'Koffie?' vroeg ze zodra we binnen waren.

'Net gehad,' zei Christian.

'Ik wil nog wel.'

Clara verdween naar achteren en Christian ging op de bank zitten. Ik nam de stoel tegenover haar. Even later zei ik: 'Ik ga even kijken hoe het met de koffie is.'

Ik stond op en liep naar de keuken. Clara stond met haar rug naar me toe voor het aanrecht gemalen koffie in een filter te schudden. Nadat ze het filter in de pot had gezet, draaide ze zich weer om, leunde tegen het aanrecht en keek op. We hadden niets gezegd, maar daar zag ik het weer. Ze fronste haar wenkbrauwen als om me aan iets te herinneren. Ik knikte. Ze droeg een korte parelketting en een trui waarvan de hals de ketting bijna raakte.

'Nou, Corey,' zei ze ten slotte. 'Church zou zeggen dat het tijd wordt om er iets aan te doen.'

Acht

ALGAUW KOMT ZE ZIJN NAAM VOORTDUREND TEGEN. 'SENATOR Henry Bonwiller (district New York) is vandaag met een wetsvoorstel gekomen om toestemming van het Congres verplicht te stellen voor...', 'Om commentaar gevraagd meldde senator Henry Bonwiller (D-New York) dat hij iedere maatregel steunt die sneller...' Ze zoekt naar zijn naam en die van Louis Lefkowitz. Hun vijand. De krant is iets levends dat rustig op de hoek van de hotelbalie ligt te wachten. Ze vouwt hem vlug op en neemt hem mee naar haar kamer. In november de eerste grote kop: 'Eerste peiling: Bonwiller sterk in Iowa'. Ze spreken inmiddels twee keer per week af, soms drie keer. Maar ze zit ook hele dagen in haar eentje in Morley's Inn, waar ze eet maar nooit een rekening te zien krijgt. Zonnebril. De krant voor zich op tafel gespreid. Haar vriendinnen ziet ze niet meer. Een paar maanden later weer een kop: 'Eerste test nadert, Bonwiller bijna op kop'. Die avond zijn ze weer bij elkaar. Ze heeft in haar eentje een wodka-tonic gedronken in de bar. Het sneeuwt zachtjes.

Het is bijna twee uur 's nachts wanneer hij komt opdagen. Ze wordt wakker als hij de kamer binnenkomt en moet zich in de badkamer opnieuw opmaken. Nog een paar borrels. Ze voelt het koord weer, dat aan haar trekt. Maar dan vraagt hij of ze voor hem wil zingen. 'Bonnie Kellswater' en 'Red is the Rose'. Hij gaat met zijn whisky in de stoel zitten en doet zijn ogen dicht. Dan 'Johnny I Hardly Knew Ye' en bij het refrein daarvan valt hij met zijn fluwelen bas in. Dat doet haar iets. Altijd. Ze vrijen in het grote bed. Hij heeft een zekere gedrevenheid over zich. Naderhand, als hij een aaneengeniet stuk leest, buigt zij zich vanuit het bed opzij om het gordijn open te trekken zodat ze de sneeuw in het licht van de lantaarn kan zien dwarrelen. De beek is bevroren en de waterval is één blok glinsterende ijsspegels.

'Doe dicht.' Hij neemt nog een borrel.

Dat steekt even.

'Ik vind het fijn om te kijken.' Ze trekt haar slipje op, maakt haar bh vast. Op het plein loopt een paar arm in arm. Het is erg laat om nog buiten te zijn, maar ze zijn er wel. Ze blijven onder een lantaarn staan terwijl de sneeuw om hen heen naar beneden dwarrelt als in een glasbol.

Het licht achter haar gaat uit.

'Doe dicht.'

Hij schenkt nog eens in.

Maar als ze heeft gedaan wat hij zegt, trekt ze de punt weer weg en gluurt naar buiten. Het koord weer, dat trekt.

Ten slotte gaat hij rechtop zitten. 'Goed dan,' zegt hij terwijl hij zijn stukken met een klap op de sprei legt, 'dan gaan we naar buiten.'

'Meen je dat?'

'Ik meen het.'

'Maar je moet wel die jurk aan.'

Ze glimlacht. 'Welke?'

'Je weet best welke.'

Ze moet daarvoor het slipje weer uittrekken, maar dat vindt ze niet erg. Ze houdt van die jurk. Hij kijkt toe als ze hem over haar hoofd trekt en zich erin kronkelt. De strakke rode. Ze doet het lekker langzaam, en als ze zover is, komt hij achter haar staan en voelt ze iets voor de rits uit over haar ruggengraat omhoogtikken. Vingers.

Of kussen.

Ze nemen zijn auto. Dat vindt ze ook fijn. Meestal moet zij haar eigen auto nemen, maar dit is veel prettiger. Ze duikt in elkaar als ze de garage uit komen, maar als ze eenmaal Saline uit zijn, zegt hij: 'Ach barst, het is een mooie nacht.' Ze heeft geen idee hoe laat het is. Aan de rand van de stad gaat hij langzamer rijden en neemt een lange teug uit de flacon uit het handschoenenvakje. Het Esso-station vlak bij de autoweg is nog open. Of gaat alweer open voor de ochtend – wie weet hoe laat het is? Hij houdt daar stil, maar wuift de jongen weg die in zijn handen slaand tegen de kou uit het gebouwtje komt. Hij hoeft niet te tanken. Moet alleen naar de wc. Terwijl hij binnen is, neemt ze nog een slokje uit de fles. Als hij terugkomt, heeft hij zijn haar gekamd.

Dat heeft iets vertederends. Iets jongensachtigs.

Hij stapt weer in en zet de fles nog eens aan zijn mond, en zij ook. Dan haalt hij iets uit het handschoenenvakje en trekt haar onder zijn arm naar zich toe. 'Moet je luisteren,' zegt hij. Het is een boekje. Een piepklein in leer gebonden boekje, niet groter dan zijn hand. '"Het vleugje groen blad en droog blad,"' zegt hij op die speciale toon, '"het vleugje kust en donkere zeerotsen, en hooi in de schuur…"' En zo gaat hij een tijdje door in die melancholieke stemming die hem soms overvalt, maar ten slotte legt hij het boekje weg en draait het contactsleuteltje om zodat de verwarming weer aanslaat. Hij zegt: 'Dat was een gedicht. Walt Whitman. Je moet Walt Whitman eens lezen.'

'Dat zal ik doen,' zegt ze. Niemand heeft haar ooit zoiets opgedragen. Ze zal het de volgende ochtend uit de bibliotheek halen.

Ze zit dicht tegen hem aan. De radio is afgestemd op een jazz-zender, bigbandmuziek, en ze laat haar hoofd tegen zijn schouder rusten. Ze rijden de weg weer op en vlak voordat ze op de 35 komen, zet hij de auto aan de kant, maakt de klemmen aan de voorruit los en laat de hemel boven hen opengaan. Uitgestrekt, zwart en bezaaid met sterren, al zweven er nog een paar sneeuwvlokken in. Hij neemt nog een slokje en rijdt de autoweg op.

'Straks bevries ik nog,' zegt ze giechelend.

Ze trekt de stola om haar nek en schuift dichter tegen hem aan. Maar de verwarming van de Cadillac is sterk genoeg en blaast wolken warme lucht over hen heen. Het is zo knus! Alsof je je onder de dekens verstopt.

'Mooi, dan bevriezen we samen,' zegt hij terug. 'Straks bevriezen we!' roept hij naar de hemel.

Maar dat gebeurt niet; de hitte is overweldigend. Het is iets fantastisch. En hier en daar een sneeuwvlok, een tere kristal op haar jurk die een tel in het licht blijft liggen. Na de bocht komt een andere auto hun tegemoet.

'"Ik heb het gepraat van de praters,"' begint hij te reciteren op een trage toon, half fluisterend, met zijn blik op de horizon. '"Het praten van het begin en het einde."' Hij slaat zijn arm om haar heen, trekt haar dichter naar zich toe. '"Maar ik praat niet van het begin of het einde."' Hij kijkt even op haar neer. 'Ook van Whitman.'

'Wat mooi,' zegt ze. 'Wat leuk.'

'"Er is nooit meer aanvang geweest dan er nu is,"' vervolgt hij. '"En nooit meer jeugd of ouderdom dan er nu is. Er zal nooit meer volmaaktheid zijn... dan er nu is."'

Ze haakt haar duim achter zijn veiligheidsgordel en duwt dieper. Wrijft met haar wang tegen haar schouder. Laat dan haar vingers naar beneden dwalen.

'Dat is ook leuk,' zegt hij. Hij haalt diep adem. Ze houdt van dat moment, het begin van opwinding.

'O,' zegt hij met een andere stem.

Ze ziet het gouddraad zacht glanzend oplichten in de rode stof van haar jurk en een nieuwe sneeuwvlok die neerdwarrelt en met een knippering op haar been dooft. De koplampen van de andere auto moeten op hen schijnen. Heel even voelt ze dat hij omlaagzakt in zijn stoel – een klein eindje. Maar dan komt hij weer recht overeind. Ze brengt haar wang naar beneden om over zijn borst te wrijven. Beweegt haar hand ook naar beneden. Laat haar vingers hun werk doen. 'O, liefje,' zegt hij, een rauw gemurmel als ze de wijde bocht voor de Silverton Orchards in rijden. 'Mmmm, liefje.' De lampen van de andere auto schijnen van opzij door zijn raam over hen heen en glijden over haar portier als ze het scherpste deel van de bocht bereiken. Hij rijdt te hard, merkt ze, en ze tilt met een ruk haar hoofd op zodat haar gedachten een ogenblik helder worden en ze nota bene haar moeder voor zich ziet die haar kop en schotel neerzet en zegt: 'Zorg dat je altijd geld bij je hebt voor een taxi.'

═══

Ik heb mijn dochters grotendeels buiten dit verhaal gehouden. Ik heb daar mijn redenen voor, ook al zijn de hoofdpersonen in hen alledrie teruggekeerd. Hoe vaak de openbaring zich ook voordoet, ze is altijd weer een verrassing: dat ons verleden zo wordt herschapen, in stukjes en schaduwen. Onze meisjes heten Andrea, Emma en Dayna. Ik zal ze niet weer ter sprake brengen, behalve om één incident te beschrijven.

We maakten met het hele gezin een boottocht naar Alaska. De Binnenpassage. Het was augustus, vijf jaar geleden. Andrea is de oudste, degene die op Colgate zit, en ik had het gevoel dat het weleens de laatste keer kon zijn dat ze met ons mee op reis ging. In september zou ze aan haar laatste jaar beginnen. Ze was toen twintig en had een vaste vriend in Boston, en Emma had net eindexamen gedaan op de middelbare school, waar Dayna juist naartoe ging. Ik ben in mijn leven niet vaak met vakantie geweest, maar ik wist dat dit het aangewezen moment was.

Clara regelde de boeking en vond een cruise die na het vertrek uit de haven van Seattle in een rustig tempo naar het noorden ging langs Vancouver Island door de Queen Charlotte Sound en met een omtrekkende beweging tussen de Alexandereilanden door naar Juneau. Voor een cruise was het een klein schip, dat meer op wetenschappelijk onderzoek dan op luxe was gebouwd. Dat vonden we allemaal prima. Er zat geen zwembad in, maar om de paar meter hingen er sterke verrekijkers aan haken op de wanden van de brug. De bibliotheek was even groot als de eetzaal en bevatte een benijdenswaardige verzameling vogelencyclopedieën en getekende weergaven van de hele levende natuur van Noord-Amerika, van grizzlyberen tot plankton en mycelia, naast de gebruikelijke boeken van Jack London en Farley Mowat. De hutten waren eenvoudig ingericht zoals op een gewoon schip, met aan de wanden vastgeklonken kooien en handgrepen op de scheidingswanden. Clara en ik hadden samen een hut en de drie meisjes ook.

Vanaf de eerste ochtend dat we buitengaats waren, gingen we een keer of drie, vier per dag voor anker in de monding van een rivier, waar adelaars en visarenden cirkelden, of voor de kust van een van de vele eilandjes. De passagiers van het schip werden aangemoedigd zo'n eilandje te bezoeken met een aan een takel neergelaten motorsloep, waar je vanaf een laag dek bij de boeg in kon stappen. In mijn leven heb ik werkelijk zelden zo genoten als toen ik achter in een zespersoons rubberboot met buitenboordmotor zat naast een bemanningslid van het schip dat de boot door de branding stuurde, terwijl de gezichten van mijn drie dochters en mijn vrouw nat werden van het opspattende zoute water en niet ver weg het gekromde uiteinde van een grijze walvissenstaart op het water sloeg en wegdook. Wanneer de sloepen stil kwamen te liggen en voor het strand dobberden, doken de otters op.

Toen we op een halve dag varen ten noorden van Cape Scott op onze tweede avond aan tafel zaten, kwam er een man van mijn leeftijd naar ons toe. Hij stelde zich voor als Millar Franks uit Vancouver in Canada. Hij was alleen op reis en natuurlijk nodigden we hem uit om bij ons te komen zitten. Hij bleek een bijzonder boeiende reisgezel te zijn. Hij was een natuurkenner, was multimiljonair geworden met zijn eigen onderneming en was maatschappelijke betrokken. Sinds hij zich had teruggetrokken uit het bedrijf in geheugenkaarten dat hij had opgericht, zette hij zich in voor verbetering van de positie van de vrouw in Canada. Dat was natuurlijk bijzonder interessant voor Clara, die nu voor de Bond van Vrouwelijke Kiezers werkt, maar dat bleek nog sterker te gelden voor onze dochters. Millar Franks had een stichting in het leven geroepen die geld beschikbaar stelde voor allerlei projecten: initiatieven gericht op de gezondheid van vrouwen, de opleiding van vrouwen, het lot van vrouwen in de gevangenis. Hij praatte vol enthousiasme over al die zaken, waarbij hij degene die een vraag had gesteld of Clara strak aankeek. Meer dan eens leek hij zelfs zijn eten te vergeten. Bovendien kon hij iedere meeuw en plevier benoemen die aan de kustzijde voor de panoramaramen van de eetzaal cirkelden op zoek naar een hapje eten. U kunt zich wel voorstellen hoe hij aan onze tafel werd ontvangen. Ik mocht hem zelf ook wel. Hoewel ik bedenkingen had, was hij precies het soort wereldse, ontwikkelde vriend dat je op een schip hoopt te vinden.

De volgende dag gingen we voor anker in de baai ten noorden van Port Hardy, waarin aan de zeekant van het schip een school bruinvissen te zien was. In de lucht zwermden talloze soorten stormvogels en alken. Terwijl we in de rij stonden voor de sloepen, kwam Millar Franks bij ons aan dek staan. Toen we bij de ladder voor het lage instapdek kwamen, kregen we echter in de gaten dat er geen ruimte voor hem was in onze boot; maar in plaats van voor die dag afscheid te nemen van Franks stapte Andrea uit de rij en bood aan samen met hem de volgende boot te nemen, die op dat moment met een takel van de boom boven ons werd neergelaten. Er was geen tijd voor discussie: we daalden de ladder af en met ons vieren namen we plaats in onze gezinssloep. Terwijl we over de stille baai schoten, keek ik om naar Andrea en Millar Franks, die in ons kielzog voeren. Ik probeerde me op het water te concentreren, waaruit hier en daar zeerobben opdoken, maar uit mijn ooghoek zag ik hem tegen haar praten, met zijn armen naar de kust gebaren en naar de carrousel van vogels die boven de vloot cirkelden. Ze zat op de rand van hun boot naar hem toe gebogen. Hij was ongeveer van mijn leeftijd, zoals ik al zei. En Andrea had een vriend in Boston, die Clara en ik allebei graag mochten en met wie ze uiteindelijk ook zou trouwen.

Die avond zat hij bij het eten weer bij ons aan tafel en hij bestelde een uitstekende wijn. Clara drinkt niet, om redenen die duidelijk mogen zijn, maar onze kinderen lijken er goed mee om te kunnen gaan, en daarom laten we hen zelf beslissen. Ook Dayna en Emma kregen een glas en we zeiden niets toen Andrea een tweede glas nam. Algauw kwam de naam van Henry Bonwiller ter sprake in een verhaal van Millar Franks.

'Kent u hem?' vroeg Clara.

'Jazeker,' antwoordde hij. 'Een geweldige man. Een grote held van me. De laatste voorvechter van progressief Amerika. Althans wat jullie Amerikanen progressief noemen. Het is iets wat wij Canadezen vanzelfsprekend vinden.'

'Hij is in de Verenigde Staten niet meer zo populair,' zei ik.

'Dat is omdat jullie zo preuts zijn.'

'Preuts?'

'Ja,' viel Andrea hem bij toen ze de blik in mijn ogen zag. 'Wij Amerikanen doen altijd zo preuts als het over politici gaat.'

'Sinds wanneer weet jij zoveel van politiek?'

'Pap...'

'De man heeft een aantal heel dubieuze dingen gedaan,' zei ik. 'En ook een paar betreurenswaardige dingen.'

'Dat weet je niet,' zei Clara.

'Ik heb een heel sterk vermoeden.'

Ze keek me strak aan.

'Het doet er niet toe wat hij in zijn privéleven heeft gedaan,' zei Millar Franks, en gelukkig was hij niet het type dat de reacties van anderen aan tafel opmerkt. 'Henry Bonwiller was briljant. Hij was een idealist. Hij was begaan. En hij was geen watje. Hij was de enige invloedrijke progressieve politicus die jullie ooit hebben gehad.'

'Daar gaat het niet om,' zei ik.

'Jawel,' zei Andrea.

Ik keek naar haar. Over een paar maanden zou ze het huis uit gaan. Ik nam een slokje wijn en bedacht me. Dat is vermoedelijk de echte reden dat ik niets meer zei. Niet om het etentje of onze nieuwe vriendschap met Millar Franks niet te bederven, en niet om de uitdrukking van onverholen afkeuring die zojuist op het gezicht van mijn vrouw was verschenen te vermijden. De werkelijke reden dat ik niets zei, was gewoon dat Andrea waarschijnlijk nooit meer met ons mee zou gaan op zo'n reis. Ze zou misschien nooit meer zo aan tafel zitten, misschien nooit meer zo onbevangen deelnemen aan het gesprek, misschien nooit meer zich onderwerpen aan de zachtzinnige kluisters die wij toen vast en zeker voor haar vormden. Ik slikte mijn wijn in en liet het restje in mijn glas ronddraaien.

Millar Franks oreerde verder over de Amerikaanse progressieve politiek, maar hoewel ik mijn ogen neersloeg, wist ik dat Andrea op me lette. Ze zat tegelijkertijd onmiskenbaar belangstellend naar onze gast te kijken.

Andrea is net haar moeder: toegewijd, wild, koppig. Maar een dergelijk karakter heeft iets onverwacht betrouwbaars, precies zoals bij Clara. Als kind was Andrea degene die ons in verlegenheid bracht tijdens dineetjes. Op haar vijfde zei ze op een avond aan tafel zomaar tegen haar oudtante Helen, die haar dessert zat te eten: 'Jij bent zo rond als een kaas' - een uitdrukking die sindsdien in de familie is gebleven; en op haar negende, een leeftijd waarop de meeste meisjes manieren hebben geleerd, zag ze er nog steeds geen been in om met haar tinnensoldaatjesstem 'Ik vind u niet aardig' te zeggen tegen iedere volwassene die zo dom was om genegenheid jegens haar te veinzen. Dat doorziet ze altijd feilloos. Voor mij als vader is dat eerlijk gezegd een hart onder de riem.

En ik weet natuurlijk van wie ze dat heeft. Daar was ik nu juist het bangst voor bij haar moeder vanaf het eerste moment dat ik haar zag: diezelfde permanente, pijnlijke eerlijkheid. Ik maakte er voor het eerst kennis mee toen ik een nieuwkomer was in het huis van de Metareys, in de tijd dat ik- hoezeer ik ook mijn best deed en wat ik mezelf ook voorhield over mijn nieuwe status - overduidelijk een indringer was in hun wereld, zowel in de ogen van Clara als in die van mezelf. Clara had dat door, maar ook wist ze - eerder dan ik, vermoed ik - dat het niet de aardse gemakken van hun wereld waren waar ik naar verlangde, maar de mogelijkheden die de-ze bood.

En ik weet zeker dat Andrea precies zo zou hebben gereageerd op een parvenu zoals ik. De Metareys hadden zich voorgenomen een president te creëren. Als ik Clara zou vragen wat ze toen in me zag, een jongen die met een schop in zijn hand in een rioleringsgeul zijn eerste woorden tegen haar sprak, vermoed ik dat ze zou zeggen: karakter; waarmee ze waar-schijnlijk discipline zou bedoelen – wat het meest essentiële was dat haar vader ook moet hebben gezien. Het is ook een eigenschap van mijn vader, die bij hem tot uitdrukking kwam in het precieze, smalle randje zilver tussen ieder paar koperen koppelingen dat hij ooit soldeerde, in de exacte rechte hoeken van iedere aangelegde pijp in iedere kelder die hij ooit van leidingen voorzag en in de zorgvuldig met een bezem aangeveegde vloer van iedere plek die hij ooit na een werkdag achterliet. In een andere wereld had dat hem roem of fortuin gebracht en in de zijne bracht het respect van zowel de mannen met wie hij werkte als de mannen voor wie hij werkte.

Dat is de standvastigheid die Clara zag. En het is de standvastigheid die ik nu in Andrea zie.

Mijn vrouw zag echter waarschijnlijk nog iets anders in mij. Soms denk ik dat haar beeld nog steeds wordt gekleurd door de diepe, verlate eerbied voor haar vader die ze later in zichzelf vond. En natuurlijk door het normale verlangen naar hem van iedere dochter. Ik twijfel er niet aan dat Liam Metarey net zo hard zou hebben gewerkt als ik als hij in mijn huis was geboren, en zich net zo ver van zijn afkomst zou hebben verwij-derd als ik; en het is ook duidelijk dat Clara en Christian fanatieker wedij-verden om de zegen van hun vader dan de meeste zusters, zij het iets om-zichtiger. Dat zit er ook bij. Ik geloof nog steeds dat ik toch alleen maar zijn vervanger ben. Liam Metarey was een man die zijn wereldse attenties in een wijde kring om zich heen zaaide, maar de particuliere enigszins binnenhield, waardoor ze zeker voor zijn kinderen des te begeerlijker moeten zijn geweest.

En zo mag ik opnieuw die attenties ontvangen, tweemaal weerkaatst via zijn kleinkinderen. Andrea komt tegenwoordig niet vaak meer langs voor een praatje, maar als ze het doet, is ze volkomen eerlijk. Clara bekeek mij met onverbloemde scepsis vanaf de dag dat ik haar leerde kennen tot de dag dat ik bij hen op het gazon om mijn moeder huilde. Het is het bewijs van een intrinsiek inzicht in wat meneer Metarey zelf – in een ander, ondoorgrondelijker oordeel – moet hebben ingezien: dat je het hart zijn eigen tijd moet gunnen, of het nu gruwelijk of gunstig uitpakt. Op de middag van mijn moeders begrafenis stond Clara mij constant welwillend terzijde in al mijn gesprekken, met haar hand op mijn rug om me voortdurend aan haar aanwezigheid te herinneren – een sterke muur, zoals ik altijd had geweten, waarop ik opeens kon bouwen. Hetzelfde deed ze op onze trouwdag, nog geen tien jaar later.

En nu is het Andrea die dat doet. Ze is niet de vlotste prater van onze kinderen, maar ze is wel degelijk degene die de meest uitgesproken blijken van trouw aan haar vrienden ontlokte, aan meisjes die de halve nacht met haar opbleven voor gefluisterde telefoongesprekken, en aan jongens die regelmatig in de spichtige ceder naast onze veranda klommen om te proberen haar verheven vastbeslotenheid aan het wankelen te brengen. Wat niet veel jongens is gelukt, geloof ik. Net als haar moeder is ze niet bang genoeg voor anderen om dubbelhartig te zijn. En net als haar moeder bepaalt zij wanneer ze je toelaat. Zo is ze altijd geweest sinds het eerste woord dat ze zei.

Die nacht op het schip was de zee nogal ruw en ik sliep licht, maar kort na middernacht werd ik schijnbaar zonder aanleiding wakker en zag ik een gestalte in de zwak verlichte deuropening van onze luxehut staan.

'Ze is niet in de hut,' zei Dayna.

Ik ging rechtop zitten, 'Wat? Wie is er niet?'

'Andrea. Ze ligt niet in haar bed. Ik wist niet zeker of ik het moest zeggen.'

Ik knipte het lampje boven mijn kussen aan. Ik moest werkelijk niet direct aan Millar Franks denken.

'Ze was er wel toen we gingen slapen,' zei ze. 'Maar toen ik wakker werd, was ze weg.'

Ik nam niet de moeite Clara te wekken. De bovenste dekken waren glibberig van de dauw en Dayna en ik liepen ze allemaal af. We keken in de nissen met een bankje voor twee en een boordlamp in een koperen kooi, en door de patrijspoorten van de bibliotheek, de lounges en de kamer achter de brug, waar de passagiers naar de werkende bemanning konden kijken.

Ze was nergens te bekennen. Ik keek over de reling. We waren op drie dagen varen ten noorden van Vancouver en het was volle maan. Het donkere water dat in de boeggolven oprees, glinsterde. Ik wist dat Millar Franks op het bovendek sliep, waar zich twee penthousesuites bevonden aan weerskanten van de gang, vlak bij de kapiteinskajuit.

We liepen ernaartoe. Ik klopte aan. Geen antwoord. Ik klopte niet nog eens. Niet zozeer uit discretie als wel omdat ik besefte dat ik Andrea niet wilde dwingen naar buiten te komen als ze er was. Ik bleef met haar zusje een paar tellen op de overdekte gang staan wachten en toen liepen we terug naar het dek.

Dayna is ons voorzichtige, opmerkzame kind. Anders dan Andrea zal ze een onbekende rustig observeren, als een vogel in het gras, en anders dan Emma zal ze 's avonds nog op de bank in de zitkamer komen liggen om Clara en mij verslag uit te brengen van alle gedachten en gevoelens die ze die dag heeft gehad, alsof we echt haar vrienden zijn en niet, zoals onze Emma schijnt te denken, haar cipiers. Ze doet me weleens denken aan mijn moeder – aan hoe ze was vlak voor haar dood tenminste: nieuwsgierig en constant samenzweerderig en toch, vermoed ik, altijd gesloten. En als ze haar lach laat horen – niet heel vaak, maar ook niet zelden – klinkt die zo klaterend als water. Natuurlijk hoor ik Christian erin.

Emma is ons terughoudende kind. Ze heeft in wezen veel van haar grootvader van moederskant. Ook veel van Liam Metareys bescheiden elegantie en welwillende, milde kijk op de wereld, en veel van zijn omzichtige, onuitgesproken zorgzaamheid. En hoe vreemd het misschien ook klinkt, nu ze ouder is raakt ze vaak even mijn schouder aan, net als haar grootvader vroeger. Hoe kan dat? Om me wakker te maken als ik in mijn leren stoel in de bibliotheek zit te dutten, woelt ze met een hand door mijn haar, en als we afscheid nemen, al is het maar voor even, omhelst ze me altijd eerst, om dan een stap achteruit te doen en nog even haar hand op mijn schouder te leggen. Zij lag ongetwijfeld onbekommerd in de hut te slapen.

Maar hier was Dayna, veertien jaar oud, samen met mij bezorgd om Andrea. Ze was ongetwijfeld voorlijker dan haar leeftijdgenoten doordat ze twee oudere zussen had, maar ze had nog niet de leeftijd waarop ik ervan kon uitgaan dat ze precies begreep waar ik bang voor was. Dat zal wel preuts van me zijn geweest. Achteraf gezien helemaal. Maar toen we die nacht door de gang voor het penthouse terug liepen naar het nevelige bovendek, had ik het gevoel tussen hen in te balanceren en mijn oudste en jongste dochter tegelijk te beschermen.

Natuurlijk dacht ik ook nog steeds aan de zee. We maakten nog een ronde over de gangboorden en ik voelde het onaangename rijzen en dalen van het schip dat in zijn volle lengte heen en weer schommelde op de golven die in zuidoostelijke richting tegen ons aan sloegen terwijl de boot stampend langs de kust naar het noorden voer. Ik liep naar de reling alsof ik naar de maan wilde kijken, maar eigenlijk om een blik op het water te werpen en te zien hoe vervaarlijk het was. Het waaide gestaag, maar niet hard. Geen schuimkoppen te bekennen. Ik pakte een verrekijker van een haak achter ons en richtte op de amorfe duisternis. Verwachtte ik haar hoofd ergens bij de achtersteven te zien dobberen?

Wat ik wel zag, toen ik plotseling iets bedacht en me over de reling boog om de lenzen scherp te stellen op de waterlijn van het schip, waren haar schouder en haar achterhoofd, en haar elleboog over de reling achter een bankje op de achtersteven van het benedendek, waar de sloepen lagen opgestapeld. Toen haar wang, terwijl ze lachte en knikte. Ik wachtte af. Even later een gebarende mannenarm, die naar het water wees.

'Kijk,' zei ik terwijl ik de verrekijker voor Dayna richtte. 'Land in zicht!'

'O!' zei ze. 'Wie is dat bij haar? Is dat meneer Franks?'

'Dat lijkt mij ook.'

'Straks vatten ze kou, pap.'

'Alleen als we geluk hebben, lieverd.'

Nadat ik Dayna naar de hut van de meisjes had teruggebracht, ging ik weer naar buiten en maakte in mijn eentje een wandeling over het dek. De golven deden het nog steeds in een misselijkmakende cadans kantelen en terwijl ik tussen de handgrepen door liep, besefte ik dat de wind ook was aangewakkerd. De wijzers van de windvaan voor de kapiteinsbrug draaiden snel rond en er klonk een zacht zoemen uit het tuig. Als Clara wakker was geweest, had ze zeker gezegd dat ik onze dochter met rust moest laten.

Toen ik via de binnentrap op het lage dek uitkwam, onderbrak Millar Franks geen moment zijn woordenstroom. Zijn gezicht was naar mij toe gewend toen ik door de stalen deur kwam, en onder het praten knikte hij even. Het schip rolde langzaam en ik bleef daar van het zwarte water naar de horizon staan kijken. Andrea zat nog steeds met haar rug naar mij toe bij de reling en keek hem aan. Ze boog zich naar hem toe. Eerlijk gezegd sloeg de angst me om het hart. Ondertussen ging Franks door met zijn verhaal, terwijl hij nog altijd naar iets in zee wees; en op het laaggelegen dek waar ik stond herkende ik opeens in de boordlampen bij de achtersteven een kolkende school witvis in het kielzog van de schroef. Op een gegeven moment raakte hij zelfs haar arm aan.

Op dat moment draaide ze zich om.

Zoals ik al zei, heeft Andrea veel van haar moeder. Waarschijnlijk kwam ze daarom overeind toen ze me zag en al haar gedecideerdheid balde zich samen in de uitdagende houding die ze aannam en die ik zelfs in het schemerdonker herkende. Ze keek me recht aan.

'O, pap,' zei ze. 'Je kunt weer gaan slapen.' Toen voegde ze er zachtjes aan toe: 'Niets aan de hand.'

Heel even bekroop me een aloude angst voor wat ze kon doen. Maar ze draaide zich alleen om en richtte haar aandacht weer op Millar Franks; na een paar tellen draaide ik me ook om en ging weer naar bed.

= = = =

'Oké, maar dacht u ook niet aan wat het betékende?'

'Wat wát betekende?'

'U weet best wat ik bedoel, meneer. Precies wat er stónd. Het fatále auto-ongeluk.'

'Ik was zestien.'

'En ik ben zeventien. Maar ik weet precies wat het betekende.'

'Jij hebt makkelijk praten, achteraf.'

'En dat had u niet?'

'En na drie decennia van sceptische journalistiek.'

'Misschien.'

'Maar goed, Trieste, ik dacht er wel aan.' Ik stond op vanachter mijn bureau en liep naar het raam. 'Maar er gebeurt iets – dat heb ik daarna vaker gemerkt: er gebeurt iets als je bij zo'n zaak betrokken bent. Betrokken bij zo'n leugen.'

'Je begint erin te geloven.'

'Nou... ja.'

'Als ik dat opschreef, meneer Sifter, zou u zeggen dat het een cliché was...'

'Ja, dat zal wel. Misschien wel. Maar toch is het iets dat ik zelf heb ontdekt. En iets dat ik zelf weet. Eerst lieg je. Met iets van angst of zo. Wat ik met mijn zestien jaar al die tijd voelde was waarschijnlijk eerder opwinding. Ja... misschien wel meer opwinding dan angst. Of misschien veroorzaakte de angst de opwinding. Dat was het misschien. En dat hou je een tijdje vol. Iedereen deed dat. Liam Metarey, de medewerkers. Henry Bonwiller trouwens ook, dat weet ik zeker. Ik heb het over een paar dagen. Een week misschien. Maar als je daarmee doorgaat – als de zaak om wat voor reden dan ook telkens weer wordt opgerakeld en je vertelt keer op keer dezelfde leugen en iedereen om je heen ook, dan gebeurt dat gewoon op een gegeven moment – en best wel snel ook, dat is de andere kant ervan. Je gaat erin geloven.'

'Hoe kan dat?'

'Het wordt gewoon de waarheid, denk ik.' Ik keek naar de bijna ondergaande zon. 'Je slaat het tenminste op in dat deel van je hersenen waar de waarheid ligt opgeslagen. Het rustige deel. Het verliest zijn macht. De ramp die je vreesde. Het ligt er als een oude brief die je al honderd keer hebt gelezen.'

'Maar er waren artikelen. Twee stuks.'

'Twee kleintjes. Ze deden er niet toe. We zórgden ervoor dat ze er niet toe deden.'

'En er is dertig jaar lang over gepraat.'

'Dat kwam later. Eerst gebeurden er nog een hoop andere dingen.'

Ze keek me sceptisch aan.

'En het doet er toch niet toe,' zei ik. 'Ik heb het over tóén. Toen er elk moment iemand iets had kunnen zeggen. Het gekke is – dat is ook het interessante – dat ik wel degelijk wist dat er iets verkeerds was gebeurd. Dat wíst ik. Oké, iets vreselijks. En ik wist ook dat ik erbij betrokken was. Een paar dagen lang probeerde ik erachter te komen. Maar vergeet niet dat er niets in het nieuws verscheen. Vrijwel niets. Heel lang niet, in elk geval. En toen nog hadden ze het volgens mij bij het verkeerde eind. Waarschijnlijk pas toen ik was afgestudeerd – ik werkte in New York –, pas toen ik zelf zag hoe de wereld in elkaar zat, begreep ik wat er was gebeurd. Misschien moet ik zeggen hoe sommige ménsen in elkaar zitten. Uiteindelijk werd het me opeens duidelijk. Op een gegeven moment ga je dingen doorkrijgen. Intuïtie. Daardoor leefde ik een tijdje weer in het besef dat ik dicht in de buurt van iets illegaals was gekomen. Nou en? Ik was toen niet van plan er iets over te zeggen. Er was ontzettend veel tijd overheen gegaan. En bovendien had ik niets te zeggen. Wat had ik moeten zeggen? Dat ik een paar spatborden had verwisseld samen met Liam Metarey?'

'Dat er een meisje was gedood.'

'Hoe moest ik dat weten? En jíj weet in ieder geval niet wat er is gebeurd. Dat weet niemand.'

'Gelooft u dat?'

'Ja, dat geloof ik. Maar het punt is dat daar best mee viel te leven. Gesjoemeld wordt er altijd. Noem mij maar een politicus voor wie dat niet geldt. En het is net wat ik zei: ik besefte dat ik betrokken was geweest bij iets dat – ja – verschríkkelijk was. Maar pas toen we Andrea kregen – dat is ons eerste kind –, pas toen we Andrea kregen, drong het echt tot me door. Dat ik betrokken was geweest bij iets – niet dat ik iets had gedáán, maar dat ik betrokken was geweest bij iets – iets dat onvergeeflijk verkeerd was.'

Op een warme zondagmiddag midden in de lente van 1972 sprak Henry Bonwiller in Philadelphia de grootste mensenmassa toe die zich ooit voor een Amerikaanse presidentskandidaat had verzameld. Vijfenvijftigduizend mensen, volgens de *Inquirer*. Die allemaal waren gekomen vanwege de oorlog.

Ik probeer het me weleens voor te stellen vanuit het perspectief van de senator. De gezichten. De schemerende massa wuivende, opeengedrongen lijven. Het golvende geroezemoes van een horde die vanaf Independence Hall komt, zich tot in iedere zijstraat perst en de hoek om verder loopt totdat Washington Square ermee vol staat. En vandaar nog verder reikt. De politie die de laatste barricades opstelt. Radio's. Zwaaiende armen. Geschreeuw. Een zee van petten en jassen. De met de hand beschreven borden en de blauw-witte hoedjes, de blauw-witte Bonwiller-vaantjes; de lange blauw-witte vakbondsspandoeken, die het campagneteam voor alle plaatselijke afdelingen heeft laten bedrukken en die tussen twee stokken overal boven dreven. Als sloepen in een haven. Vredessymbolen. Vlaggen. Gezang. De golven geluid die tegen de Old City Hall, de Congress Hall en de Philosophical Hall kaatsen en tot in de gang bij Henry Bonwiller weergalmen als hij zich naar het bordes begeeft. De stimulerende sensatie van het steeds luidere scanderen als hij de trap opkomt en de deur opent. Doorloopt om het podium te beklimmen. Een ogenblik angstaanjagend, al dat tumult, als van een straaljager in de lucht – zo hard is het echt, het overvalt hem als hij buiten in het licht komt – angstaanjagend hard totdat hij het plotseling begrijpt en bijna even plotseling weet wat het betekent. Een ijzige kilte snijdt door hem heen. Wat het allemaal betekent! En dan is het niet meer angstaanjagend, maar bezielend. Dan – als hij de dubbele rij veiligheidsagenten bereikt en tussen hen door de tribune achter het podium op loopt en naar boven gaat waar het dan van alle kanten op hem af komt: kalmerend. Dat is het. Intens kalmerend. 'Bon! Bon! Bon!' Hij haalt diep adem en steekt zijn vuist in de lucht. En opent hem.

Je hoefde het journaal niet te zien en de kranten niet te lezen om het te weten. Gallup, Harris en Princeton gaven het ook allemaal aan: hij was onstuitbaar. Hetzelfde gedrang in Boston de volgende avond en in Columbus de avond erna. Maar eigenlijk hoefde je hem alleen maar in een menigte te observeren, hoefde je alleen maar een paar kilometer met hem in de Cadillac met open dak te rijden, hoefde je alleen maar een eindje met hem mee te lopen in welke straat dan ook, waar dan ook in het district. Er werd uit ramen geroepen. Auto's bleven staan. Politieagenten salueerden. Ik kan me wel voorstellen hoe dat moet hebben gevoeld.

Maar Liam Metarey – ik vraag me ook af hoe het voor hém moet zijn geweest. Om zo hoog te worden opgestoten op een golf van bijval, wat al bedwelmend genoeg was in de armzalige voorbeelden die ik ervan heb gezien – en toch tegelijkertijd te weten welke dodelijke dreiging er op de loer lag. Je door zo'n catastrofale vloedgolf te laten meevoeren. Jezelf ondanks alles hoger en hoger te laten verheffen. Ondanks alles wat je weet. Zo hoog te komen dat de grond wegvalt.

Een man die een dergelijk ambt ambieert, zal publieke bijval natuurlijk hard nodig hebben om energie uit te putten; maar de ironie wil dat hij natuurlijk immuun moet zijn voor twijfel. Dat is vermoedelijk de reden dat Henry Bonwiller de kandidaat was en Liam Metarey slechts de strateeg. Misschien heeft Henry Bonwiller alles wat er was gebeurd en alles wat ieder mens met een beetje verstand als reactie daarop zou hebben verwacht, uit zijn gedachten gebannen. Maar ik geloof niet dat Liam Metarey daartoe in staat was. Tot geen van beide.

Met Pasen was het vreemd genoeg weer stil geworden in het huis. De meeste medewerkers waren naar Baltimore en Atlanta vertrokken voor de aanstaande voorverkiezingen in het zuiden, en op Aberdeen West liepen niet meer dan een stuk of tien campagnemedewerkers rond. Liam Metarey behoorde om wat voor reden dan ook tot de achterblijvers, hoewel dit het overwinningsuur was voor zijn kandidaat. Ik weet niet of hij uit de gunst was geraakt – ik heb er niets van gemerkt, maar er zal ongetwijfeld altijd een continue strijd om invloed zijn gevoerd in de kring rond de senator – of dat hij gewoon niet nodig was in het nieuwe gebied. Hij gaf zelf toe dat hij weinig verstand had van de zuidelijke staten. Maar het is, denk ik, waarschijnlijker dat hij wist wat er ophanden was. In al die tijd dat ik hem kende, was hij vrijwel onveranderlijk vriendelijk voor me, en uit zijn daden kan ik alleen maar afleiden dat hij iemand was die zich in een ander kon verplaatsen. En als je dit idee tot in het extreme doortrekt, is dat de reden dat hij zijn status in de gemeenschap zo serieus nam. Misschien bleef hij daarom thuis.

Maar ik moet ook benadrukken dat ik in mijn tijd bij de Metareys en de campagne nooit meer van de gebeurtenissen te zien kreeg dan een buitenstaander kon waarnemen – ook al was ik bijna altijd een welkome buitenstaander. Ik zag alleen het huis en alleen die kamers waar ik binnen werd gevraagd. Ik heb nooit expliciet iets over de strategie gehoord. Ik ben nooit getuige geweest van een strijd tussen de hoofdpersonen of zelfs maar een veelzeggend woord van hoon of minachting, hoewel er tijdens de campagne vast en zeker genoeg van dat soort woorden zullen zijn gevallen. Iedere keer dat het huis leegliep, zoals dat zelfs in de spannende eerste fase van de strijd gebeurde, had ik het gevoel dat er een voortijdig einde aan de campagne was gekomen, terwijl die zich natuurlijk alleen maar tijdelijk had verplaatst naar Iowa of New Hampshire, of waar de volgende slag ook maar zou worden geleverd. Er deden vermoedelijk ook andere Liam Metareys mee, net als andere Aberdeen Wests – in het hele land misschien wel. En natuurlijk ook andere Corey Sifters. Het strijdperk van de voorverkiezingen was nieuw in die tijd en de campagnetactiek zal waarschijnlijk keer op keer zijn aangepast. Het waren de jaren waarin de moderne strategie net haar huidige vorm begon te krijgen. Maar het enige wat ik ooit zag, waren de meestal serene beleidsprocessen, de onveranderlijk beschaafde bijeenkomsten in de bovenvertrekken van het landhuis en de geregisseerde optredens voor de pers waarbij Henry Bonwiller voor de camera's stond tegen het decor van de eindeloos uitgestrekte bossen van het westelijk deel van het land van de Metareys. Ik kan niet pretenderen ooit echt te hebben begrepen wat er op de achtergrond gebeurde.

Wel weet ik echter zeker dat pas na het crescendo van triomfen van de senator in Wisconsin (44 procent), Pennsylvania (47 procent) en Massachusetts (51 procent) en zijn overweldigende cijfers in de peilingen in Indiana en Ohio (48 en 52 procent), dat pas nadat we in vijf staten hadden gejubeld om vervolgens vol vertrouwen onze aandacht te richten op Tennessee, North Carolina en West Virginia – dat pas nadat dat alles was gebeurd, op een warme ochtend eind april de telefoon ging in de werkkamer van meneer Metarey boven, waar ik net de erkerramen openzette om te luchten. Hij luisterde even, knikte en hing op. Toen kwam hij naast me staan bij het raam.

'Nou,' zei hij. 'Het is zover.'

———

'Speaker-Sentinel,' zei ik nog eens. 'Sifter.'

Weer was het stil. Ik wachtte. Ik keek op het display voor het telefoonnummer: het kwam me vaag bekend voor. Eindelijk hing ik op.

'Niets?' vroeg Trieste. Ze zat aan het bureau bij de deur een verslag te schrijven over de vergadering van het districtbestuur en het arrestantenregister. De verslaggever naast haar had een deadline voor de voorpagina.

'Verkeerd verbonden,' zei ik.

'Of zich bedacht.'

'Precies. Of zich bedacht.'

Even later ging de telefoon weer.

'*Speaker-Sentinel*. Corey Sifter. Kan ik iets voor u doen?'

Weer niets.

'Het gebeurt wel meer,' zei ik terwijl ik ophing.

'Wat?'

'Dat iemand wacht tot er aan onze kant nog iets wordt gezegd.'

'Of juist niets.'

Even later: de derde keer. Ik nam op maar zei niets. Aan de andere kant hoorde ik geritsel en ademhaling. 'Ja?' zei ik ten slotte. '*Speaker-Sentinel?*' Ik hoorde geschraap alsof iemand met zijn vingernagel over de hoorn krabde. Toen getik.

'*Speaker-Sentinel*,' zei ik. 'Wat kan ik voor u doen?'

Nog meer getik. De ademhaling klonk snel en schurend. Toen realiseerde ik me van wie het nummer was.

'Allejezus,' zei ik. 'Blijf waar u bent...'

Negen

I

OP DE VERANDA VOOR DUMFRIES 410A LAG EEN BRIEFJE:

HIR NAASD

Het eerste wat ik door de open deur zag toen ik naar 410B rende, was de hoorn die van de haak op het kleed lag. Daarna meneer McGowar in de stoel. Pas toen ik binnenkwam, zag ik mijn vader op de bank naast hem. Hij lag in zijn werkkleren en meneer McGowar hield zijn hand vast.

'Hebt u het alarmnummer gebeld?' vroeg ik terwijl ik pa's andere hand vastpakte. Meneer McGowar knikte heftig.

Mijn vader zag eruit alsof hij vreselijk was geschrokken. Althans de ene helft van zijn gezicht. Het oog aan die kant was wijd opengesperd en de mond was vertrokken en aan beide kanten zat zijn haar in de war. Maar het oog aan de andere kant stond kalm en leek normaal naar voren te kijken, terwijl de mond aan die kant stond zoals vroeger 's morgens als hij naar zijn werk ging. Hij draaide zijn gezicht naar me toe en ik wist niet welke kant hij was – de kalme, normale of de kant die panisch leek van angst. Ik keek naar de andere.

'Ik ben het, pa.'

'Wat is er allemaal aan de hand?' fluisterde hij.

'Zeg jij het maar.'

Ik voelde een tikje op mijn schouder.

GEFALLU

335

'O? Wanneer?'

'Wat is er gebeurd, pa?'
     'Jezus.'

FOND M BUITU

Met zijn ene arm duwde mijn vader krachteloos op de kussens – hij duwde, gaf op en duwde nog eens – en na een ogenblik drong het tot me door
dat hij overeind probeerde te komen. Zijn ene arm was lam.
     'Kom maar,' zei ik. 'We helpen je wel.'
     We hesen hem overeind – meneer McGowar aan de ene schouder en ik
aan de andere – en brachten hem naar de stoel. Zijn ene arm hing er slap
bij en toen we hem rechtop zetten, zakte zijn hele lichaam opzij. Hij keek
suffig op. Op dat moment rook ik urine. Ik ging in de badkamer een handdoek halen en meneer McGowar zocht een schone broek. Toen het ons
was gelukt hem die aan te trekken leek er eigenlijk weinig mis met mijn
vader. Het zag er minder erg uit dan ik aanvankelijk dacht. Toen probeerde hij zelf op te staan – hij was redelijk stabiel toen hij eenmaal op zijn benen stond –, maar ik was nog niet gerust op de blik in dat ene oog, daarom
haalde ik nog een handdoek om als kussen te gebruiken en lieten we hem
weer in de stoel zakken. Inmiddels hoorde ik de sirene. Meneer McGowar
wees naar de telefoon. Toen ik die opraapte, bleek de telefoniste nog aan
de lijn te zijn.

Meneer Metarey en ik stonden uit het raam van de werkkamer naar de
paardenkamp te kijken waar Breighton liep te snuffelen aan de opkomende krokussen die uit het gras piepten. Zo bleven we een poosje zo staan.
Uit de houding van dat paard sprak zoiets evenwichtigs en voornaams dat
zelfs Liam Metarey er stil van was.
     'Je kunt je ogen er haast niet van afhouden,' zei hij ten slotte. 'Vind je
ook niet?'

'Inderdaad, meneer.'

Ik wilde de kamer verder gaan opruimen.

'Nee, wacht nog even. Je werkt te hard. Al vanaf het eerste moment dat ik je ken. Blijf nog even naar dat prachtige dier kijken.' Hij trok de gordijnen verder open.

'Het is een mooi paard, meneer Metarey. En rustig.'

'Volkomen tevreden, dat is-ie. Ik vond het waanzin toen June hem kocht. Echt waar. Nu ben ik blij dat ze niet naar me heeft geluisterd. Soms denk ik dat hij er alleen maar is om de spot te drijven met al dat zielige gedoe van ons.'

We bleven nog even kijken.

Ten slotte zei hij: 'Wil je iedereen bij elkaar roepen voor een bespreking?'

'Wat zegt u?'

'Zou je zo vriendelijk willen zijn om dat te doen? Iedereen die er nog is tenminste. In mijn werkkamer.' Hij ging weer achter zijn bureau zitten, nam de in leer gebonden agenda uit de la, haalde diep adem en begon verschillende data te omcirkelen. 'Wanneer de anderen weer terug zijn in het noorden houden we nog een vergadering – maar dan in de grote bibliotheek. Voor iedereen. Ze zullen wel de hele dag komen binnendruppelen, denk ik. Maak er iets moois van,' zei hij. 'Goede wijn. Zeg tegen Gil dat hij de bordeaux decanteert – hij weet wel welke. Goed eten, Corey. Kosten noch moeite sparen. Het maakt nu toch niet meer uit.'

'Ja, meneer.'

Ik liet hem alleen en haalde de stationcar uit de werkschuur om naar de stad te gaan. Er was een hoop te doen. Bij Burdick's stond een rij vrouwen te wachten op de vleesafdeling, maar algauw kwam Ren Burdick zelf van achteren naar me toe.

'Ik hoor dat jullie een hele lading van ons moeten hebben, klopt dat?' zei hij met zijn geslepen Frans-Canadese intonatie.

'Er is een vergadering,' antwoordde ik zo zacht als ik kon.

'Dat heb ik net gehoord, ja.'

Hij nam me mee naar achteren, waar een van de slagers al een paar dampende stukken rosbief in folie stond te verpakken. Hij kwam ook met een stel gebraden eenden aanzetten en drie forse gefileerde witvissen, opgemaakt op schalen met peterselie en vossenbessen. 'Je kunt de wijn ook hier kopen, hoor,' zei hij terwijl hij alles in slagerspapier wikkelde. 'Of niet?'

'Meneer Metarey zei dat ik die bij McBride's moet halen.'

'Geen probleem, hoor. Waarvoor was het ook weer?'

'Dat weet ik niet, meneer Burdick.'

Daarna reed ik naar Cleary Brothers Bakery om broodjes te halen, die net door de jongste van de gezette, opgewekte Cleary's uit de oven werden gehaald. Op de terugweg ging ik langs McBride's voor de dozen witte wijn waar Gil om had gevraagd om naast de bordeaux te schenken. Tegen de tijd dat ik terug was op het landgoed was de middag al voorbij. De ruiten van de stationcar waren beslagen van het gebraden vlees. Ik parkeerde naast de bijkeuken om uit te laden.

Net toen ik de deur van de inloopkoeling in de voorraadkamer dichtsloeg, schoot Gil me aan. 'Je hebt het zeker nog niet gehoord?' zei hij.

'Wat, Gil?'

'Waar die fuif voor is. Zo te zien tenminste.' Hij zat op de grote Manitowoc-ijsmaker met de hakken van zijn laarzen tegen de zijkant te schoppen. Ik realiseerde me dat ik hem nog nooit niets had zien doen. 'Artikel over het meisje,' zei hij. 'Heb ik gehoord.' Hij schudde zijn hoofd. 'Het komt in de krant.'

'Wat?'

'Op de voorpagina, geloof ik.'

'Welke krant?'

'Geen idee.'

Ik rende naar boven. Op de overloop aangekomen zag ik meneer Metarey voorover in de stoel in zijn werkkamer zitten met zijn hoofd in zijn armen op het bureau. Ik klopte niet, maar bleef op de drempel wachten en na een ogenblik keek hij op en wenkte me naar binnen. 'Sorry, Corey,' zei hij.

'Ik heb het net gehoord.'

'Ik had het moeten zeggen. In elk geval iets. Zeker tegen jou.' Hij stond op en keek uit het raam in de richting van Saline. 'Je bent de hele stad door geweest, hoor ik.' Hij grinnikte zachtjes. 'Ik kreeg telefoontjes over een feest. Ik had het moeten vertellen voordat je ging.'

'Waar komt het in, meneer?'

'Nou, wat zou het ergste zijn?'

'Toch niet...'

'Jawel, Corey.'

En het feit dat ik de naam van G.V. Trawbridge niet eens had genoemd en Liam Metarey die ook in zijn antwoord niet noemde, bevestigt volgens mij alleen maar dat we allebei ondanks de dynamiek van een campagne en ondanks onze vrijwel onaantastbare collectieve leugen, al heel lang wisten wat er stond te gebeuren. Wat er moest gebeuren.

'Wanneer?' vroeg ik.

'Overmorgen. Zondag. Ik snap niet hoe hij het zo lang stil heeft kunnen houden.'

'En zijn andere artikel?'

'Tja, ik weet niet zeker wat je bedoelt, maar als je het over dat in het tijdschrift hebt, is het antwoord dat ik niet geloof dat hij ons heeft belazerd. Ik denk dat hij geloofde wat hij schreef.'

Hij keek me aan.

'Het hindert niet, Corey,' zei hij. Hij legde zijn hand op mijn schouder. 'Ook dit waait wel weer over.'

'En de televisie, meneer?'

'Tja, hun bloedhonden zijn ook al aan het rondsnuffelen. Ik verwacht dat we ongeveer tot zaterdagavond hebben om ons te vermaken en dan zullen ze de zaak wel rond hebben.'

'Is het erg, meneer?'

Hij keek me aandachtig aan. Die donkere ogen van hem. Die donkere ogen van zijn vader, en van zijn dochter. Op dat moment was ik me opeens intens bewust van het stilzwijgen dat we zo lang samen hadden bewaard, van de speciale moraal waardoor ons vertrouwen – van hem in mij, van mij in hem – al zo lang vanzelfsprekend was. En ik begreep – of liever gezegd, ik nam me voor – dat het zo zou blijven.

'Dat probeer ik nu juist uit te zoeken,' zei hij ten slotte. 'Hoe erg het precies is.' Hij schudde zijn hoofd en wendde zich af. 'Wat hij precies te weten denkt te zijn gekomen. En van wie.' Hij draaide zich om en keek me vlug aan. Maar meer was het niet: een blik. 'Of in elk geval hoeveel.' Hij liep naar het raam. 'Ik heb mijn eigen mensen er al op gezet, maar ik moet het die lui van Times Square nageven: ze hebben de rijen gesloten. Ze weigeren ook maar iets los te laten tegen onze medewerkers, wie dan ook. Vance belt me niet eens terug. Maar voor zover ik kan zien... is het erg, ja, heel erg. Ik heb er advocaten bij gehaald, maar zij ook. Al veel eerder, mag ik wel zeggen. Behoorlijk vernietigend al met al, zo te horen. Meer dan vernietigend,' zei hij. Hij draaide zich om. 'Dodelijk.'

'Wat zegt de senator ervan?'

Hij lachte zacht. Het klonk in zekere zin opgelucht. 'De senator oefent voor de conventie, Corey.'

Die namiddag begon het landhuis vol te lopen. En laat die avond, toen ik eindelijk naar mijn eigen huis terugging, hoorde ik het daverende gebulder van het campagnestraalvliegtuig dat uit Chattanooga terugkeerde. De volgende morgen begon Henry Bonwiller aan een serie besprekingen in de gastenverblijven. Ik hield me die dag met dezelfde dingen bezig als de dag ervoor: ik draafde heen en weer door de keukens, de schuren en de kelders en door heel Saline en Islington. Alleen begreep ik toen wel waar ik voorbereidingen voor trof: een vreemdsoortig evenement zonder begin of einde, dat de hele dag en de dag erna duurde, waarbij iedereen alleen maar zatter werd, bij de tafels met rosbief en witvis rondhing of van de ene naar de andere vergadering liep. Ik reed nog eens naar Burdick's voor gekookte hammen, hele kazen en nog meer rosbief, toen naar McBride's voor meer whisky, bourbon en wijn, en om de paar uur naar allerhande hotels in Carrol County om chagrijnig kijkende adviseurs en beledigd ogende managers van voorverkiezingen op te halen en weg te brengen. Ik herkende ook een paar medewerkers van andere campagnes. Dezelfde stroeve assistenten van McGovern die na Florida langs waren gekomen, en een vrouw – de enige die ik zag – die diezelfde week in maart in het huis was geweest en nu het blauw-rode speldje van Wallace op haar revers had zitten. En toen ik aan het eind van de gang beneden kwam, ging er opeens een deur naar een zijkamer open waar ik een glimp van Glenn Burrant meende te zien – maar de deur ging net zo plotseling weer dicht. De bijeenkomsten duurden de hele ochtend.

In de voormiddag kwam het bericht dat de campagnebezoeken in North Carolina van de volgende dag waren afgelast.

Toen ik die avond na de auto in de garage te hebben gezet buiten kwam, zag ik Henry Bonwiller in zijn eentje langs de rand van een van de visvijvers wandelen. Op dat moment was ik hondsmoe – iedereen trouwens – en ik bleef naar hem staan kijken, wat ik normaal gesproken niet zou hebben gedaan. Het was laat, kort voor middernacht. Hij had sinds het ontbijt besprekingen gevoerd. Daar stond hij, zo dicht bij het presidentschap, als hij alleen nog één aanval wist te overleven. Zijn imposante silhouet tekende zich af tegen de nog altijd verlichte kamers van het huis. Hij liep langzaam – slenterde meer – en bleef af en toe staan om een steentje te gooien over de langwerpige ovalen van rimpelend water, dat glansde onder de maan die hoog aan de hemel stond.

'Jongeman!' riep hij opeens, en toen hij zich in mijn richting omdraaide, kwam ik dichterbij.

'Ja, senator?'

Hij keek van me weg, naar het water. 'Mooie avond, vind je niet?'

'Ja, meneer,' zei ik terwijl ik nog dichterbij kwam. 'Inderdaad.'

'Op deze mooie avond,' zei hij zo zacht dat ik vlak achter hem moest komen staan, 'worden de definitieve plannen gesmeed om mij onderuit te halen. Weet je ervan, Corey?'

'Jawel, meneer.'

'Om wat ik voor de armen heb gedaan,' zei hij. Hij keek even over zijn schouder. 'En voor de arbeiders, Corey. Dat is de reden. Wat er ook over de rest wordt gezegd.' Hij bukte zich en raapte een steentje op van het pad.

'U hebt veel voor het land gedaan, meneer.'

'Ik weet wat ik heb gedaan,' zei hij. 'Ik weet dat het niet allemaal goed is.' Hij draaide zich om en gooide het steentje, en als door een wonder sprong het over het hele watervlak.

'Mooi gedaan, meneer.'

Hij draaide zich om en nam me aandachtig op, wat hij nog nooit had gedaan. 'Maar weet je,' zei hij, 'ik had een droom van gerechtigheid, en die droom is altijd mijn leidster geweest. Dat is de waarheid. En ik hoop dat die waarheid ooit over me zal worden opgeschreven, ondanks alles.'

Hij stak zijn hand uit en daar, in het maanlicht, gaven we elkaar een hand.

Toen draaide hij zich om en liep het pad af naar het huis.

Ik bleef bij het water staan en ik weet nog dat ik me op dat moment afvroeg hoe het was om iemand te zijn zoals hij. Toentertijd kon ik zijn leven alleen vatten in de hoogdravende begrippen van een jongen. Zijn kracht. Zijn ambitie. Zijn leger aartsvijanden. IJdelheid wordt zo vaak gezien als de kern van degene die erdoor wordt gekenmerkt, maar nu geloof ik, deels door mijn ervaring met Henry Bonwiller, dat het juist een secundaire eigenschap is, meer in de trant van weemoed of joligheid, en dat het in ons eigen belang is in te zien dat ijdelheid vaak gepaard gaat met de beste eigenschappen die de mens kan voortbrengen. Ik heb ijdelheid meer dan eens gekoppeld gezien aan een bijzonder inlevingsvermogen bijvoorbeeld – dat lijkt misschien tegenstrijdig, maar zo was het vermoedelijk in het geval van de senator. Het merkwaardige talent om iedereen, inclusief jezelf, te zien als een vreemde en een vriend tegelijk. Henry Bonwiller werd zonder meer gedreven door de behoefte iets van zichzelf te maken, de almaar groeiende noodzaak zichzelf in de spiegelende ogen van de bevolking uit te vergroten, maar ik geloof ook dat hij in een bepaalde rudimentaire zin wist wat het was om tot de zelfkant van die bevolking te behoren. De buitengeslotenen, de ongeletterden, de armen. JoEllen kon qua prestatie of klasse niet in zijn schaduw staan, maar ze was een hoopvol meisje met de niet-aflatende drang om van alles het beste te maken, niet op basis van een beslissing maar op basis van haar karakter, een meisje dat werd meegevoerd op een golf van vastbeslotenheid die sommigen misschien een hersenschim zullen noemen; en zo bezien had ze volgens mij veel weg van de man die haar vermoordde.

Mijn vader had een beroerte gehad en later verhuisden we hem naar Walnut Orchards, een tehuis vlak buiten Saline. Een bejaardenhuis. En nu slijt hij zijn dagen tussen mannen en vrouwen die hij sinds de kleuterschool kent. Maar meneer McGowar, degene die hij boven alle anderen zou hebben verkozen, wilde niet mee, tenminste niet permanent. Hij was wel met mij meegekomen om mijn vader in zijn nieuwe huis te installeren op de ochtend dat hij van het Lutherse Ziekenhuis in Islington werd overgebracht.

Toen het later die middag tijd werd om naar huis te gaan, nam ik meneer McGowar apart. 'Als u wilt, kunt u hier ook naartoe,' zei ik. 'Echt. Het kan best. Begrijpt u? Wij betalen het wel. Dan bent u dicht bij vader. Het zou u allebei goeddoen.' Ik bestudeerde zijn stoppelige gezicht. Onvermurwbaar als altijd. 'Clara en ik betalen het. Heus, het hoeft u niets te kosten. Ik kan het huis zelfs in de gaten houden.'

Hij hoefde zijn antwoord niet op te schrijven. Hij bladerde een paar velletjes terug in zijn blocnote en hield het op:

PRIEMA IN DUMFRIES

Dus nu is mijn vader daar uiteindelijk alleen. Ik ga iedere maandag, woensdag, vrijdag en zondag bij hem langs en zo om de vier keer ga ik eerst naar onze oude buurt om meneer McGowar op te halen. Met zijn vijfennegentig jaar staat hij er nog steeds op naar de brug te komen en me op te wachten bij de halte waar hij vijftig jaar lang op de bus van de steengroeve heeft gewacht. Maar soms overval ik hem thuis om even te kijken of alles in orde is. 410A is aan een ander gezin verhuurd, maar Eugene komt nog steeds elke avond uit 410B om bij hen naar het journaal te kijken, en er zijn nog zat stenen voor hem in de tuin. Hij is, met andere woorden, nog steeds opvallend kras ondanks zijn leeftijd en zijn longen, of wat hij ook mankeert. Misschien verspilde hij geen energie aan andere dingen.

Mijn vader en hij zijn twee prachtmensen. Uiteindelijk ben ik tot dat inzicht gekomen. Wanneer ik meneer McGowar naar Walnut Orchards breng, gaan ze samen in de tuin wandelen en geen van beiden kunnen ze het laten om dingen in orde te brengen. Een steen die uit het gelid langs de border ligt? Meneer McGowar wipt hem met de neus van zijn schoen op en schuift hem op zijn plaats. Afgeknapte takken die over het pad hangen? Daar komt pa's zakmes tevoorschijn. En ook al is meneer McGowar niet meer zo vaardig met de koevoet als vroeger, een verdwaalde bult in de bodem zal hem nooit ontgaan. In dat opzicht is hij net een hond. Het bloed kruipt waar het niet gaan kan, denk ik. Toen ik klein was, zag hij eruit alsof hij al gepoederd was voor de lijkkist, maar vijfendertig jaar later ziet hij er nog precies zo uit. Het enige wat is veranderd is zijn gebit, dat nu meer de kleur heeft van een oude krant. Voor de rest heeft hij nog steeds de kleur van steengruis.

Mijn vader is daarentegen een heel ander mens geworden.

Op zijn tweede dag daar kwam ik 's middag kijken hoe het ging. Ik wilde niet het verwijt krijgen dat ik overbezorgd deed, daarom had ik hem 's morgens met rust gelaten. Toen ik binnenkwam, was hij niet op zijn kamer. Ik moet ongerust hebben geklonken toen ik bij de balie naar hem vroeg, want de jonge vrouw zei laconiek: 'Het is een bejaardenhuis, geen gevangenis.' Toen glimlachte ze even, misschien om te kennen te geven dat ze het niet zonder humor had bedoeld. 'We houden niet bij waar iedereen zit, meneer,' legde ze uit. 'We verstrekken alleen maaltijden en diensten.'

Ik was bijna overal geweest voordat ik hem vond. Hij zat in de bibliotheek.

'Wat doe je hier?'

'Mag dat soms niet?'

'Ik wist alleen niet dat het je interesseerde. Ik heb overal gezocht.'

'Dan moet je de volgende keer eerst bellen.'

Dat was natuurlijk een verandering – sinds de beroerte.

'Goed, pa, dat zal ik doen.'

'Moet je zien,' zei hij, wijzend naar de muren. 'Ongelooflijk. Ik hoorde van iemand dat dit niet onderdoet voor een universiteitsbibliotheek.'

'Een mooie collectie, zo te zien.'

'Nagelaten door een professor. En volgende week komt er een gezelschap een toneelstuk opvoeren.' Hij wees op de tafel.

'*Hamlet*, zie ik.'

Hij knikte heftig. 'Ik probeer een paar klassieken te lezen,' zei hij. 'Moeilijk, hoor. Maar wel mooi.'

En dat is mijn vader gaan doen. Net als ik op Dunleavy is hij gaan lezen.

Dokter Jadoon, de huisarts hier, zegt dat het geen gebruikelijke verandering na een beroerte is. Mijn vader vertoont nog steeds de lichamelijke sporen van wat er is gebeurd – zijn linkerarm is wat dunner en blijft meestal gewoon in zijn zak, en in dat ene oog heeft hij nog steeds een beetje een verschrikte blik –, maar als je hem aangekleed zag, op iets meer afstand dan van de andere kant van de tafel, zou je misschien niet eens zeggen dat er iets anders is. Het zijn de hersenen die veranderd zijn. De persoonlijkheid. Een groot deel van de dag besteedt hij nu aan boeken. En dan heb ik het niet over *Pride of the Yankees*. Ik heb William Manchester en

Howard Zinn bij hem op tafel zien liggen. Wanneer we naar het graf van mijn moeder rijden, blijft hij met zijn bibliotheekboek in de auto zitten tot ik heb geparkeerd, de portieren heb geopend en ben uitgestapt. Ik overdrijf niet.

Het andere deel van zijn nieuwe persoonlijkheid is zijn voorbeeldige beleefdheid, die... nou ja, verdwenen lijkt te zijn. Niet alle verpleegkundigen zijn fans van hem; dat op zichzelf is al een verandering.

Dokter Jadoon gelooft niet dat het allemaal medisch is.

'De lichamelijke symptomen,' zei hij bij mijn eerste bezoek met mijn vader aan zijn spreekkamer, 'die zijn te verwachten. Het bovenste deel, het gezicht – dat kun je nog een beetje zien, hè? En u zegt dat zijn karakter is veranderd.'

'Vroeger was hij de beleefdste man ter wereld. Zonder mankeren.'

'Dat kan aan de beroerte liggen. Zeker. Enig verlies in de frontale kwab. Een stukje ontremming, begrijpt u wel?' Hij trok aan de uiteinden van zijn strikje. Mijn vader was zich in het kamertje ernaast aan het aankleden. 'Hij laat de teugels een beetje vieren. Ietsje misschien. Ondanks al onze beeldtechnieken valt uiteindelijk moeilijk te achterhalen wat er precies gebeurt – ís gebeurd – in de hersenen, ziet u.' Hij gaf me een hand, waarbij hij me met de andere bij mijn elleboog vastpakte. 'En wat de overige veranderingen betreft, meneer Sifter – als ik zo vrij mag zijn, denk ik dat hij dat misschien allang wilde. Altijd al, ziet u.' Zijn glimlach was oprecht. 'Lézen, bedoel ik. Léren.' Hij hield de deur open en manoeuvreerde me hoffelijk, maar doeltreffend naar buiten. 'Hij heeft nu gewoon de tijd.'

'*Speaker-Sentinel.*'

'Spreek ik met meneer Sifter?'

'Dat klopt.'

'Córey Sifter?'

'Ja, mevrouw.'

'Met Eunice Charney, meneer Sifter.' Ze zweeg even. 'De moeder van JoEllen.'

Ik sprak met haar af bij Cleary Brothers, dat nu onderdeel is van een keten in Burlington in Vermont, waar ik met de auto naartoe ging. In de bar staat een groot Italiaans espressoapparaat en in de achtertuin staan een stuk of zes sienabruine parasols. Onder een daarvan zat ze met een gebloemde hoed op en ik herkende haar direct, ook al zag ze er niet zo goed uit als de vorige keer. De gelijkenis met haar dochter was echter nog steeds treffend. De tachtigjarige uitgave van een beroemde schoonheid.

Zodra ze me zag, zei ze op die zachte toon van haar: 'Dank u.'

'Het is het minste wat ik kan doen.'

Ze keek vanonder de rand van haar hoed op toen ik dat zei.

Ik ging zitten. 'Het is wel warm hier,' zei ik. 'Voor deze tijd van het jaar.'

'U vraagt zich af waarom ik u heb gebeld.'

'Ik vond het plezierig van u te horen, mevrouw Charney.'

'George is gaan vissen op het meer hier vlakbij. Tenminste, redelijk vlakbij. Dat kan-ie gelukkig nog. Een van zijn maten heeft een bootje – die heeft zijn geld anders besteed dan George. Zeg maar Eunice. Als ík over het geld was gegaan, hadden wij ook een eigen bootje.' Ze nam een grote tas op haar schoot en begon erin te zoeken. 'U hebt werk te doen,' zei ze. 'Dat begrijp ik.'

'We hebben geen haast. Kan ik u nog iets aanbieden?'

'Ik heb al thee.' Ze wees naar het kopje en bracht het naar haar lippen. Ze hield het vlak voor haar kin en nam een slokje.

'Hier heb ik wat foto's,' zei ze. Ze zocht nog eens in de tas en legde een stapeltje op tafel.

Het waren knipsels. Senator Bonwiller naast Hubert Humphrey, zo te zien bij een jaarmarkt ergens in de staat. Een krant van veertig jaar oud. Vergeeld. Senator Bonwiller met een rodeohoed op voor een menigte in Saline, sprekend voor een staande microfoon. De grijstonen en het zwart die in het midden van de bladzijde tot één donkere tint waren vervloeid en de inkt die aan de randen volledig was verbleekt; maar toch iets minder oud, zag ik. Ze streek de vouw glad en legde er een ander knipsel op. Senator Bonwiller die op de voorbank van de Cadillac zat te zwaaien. Dezelfde avond, leek het. Ik boog me eroverheen om het beter te zien.

'Dat dacht ik al,' zei ze.

Ik keek op.

'Laat nog eens kijken.' Ze schoof haar hoed opzij en nam me op. 'Ik herkende u meteen toen ik ze tevoorschijn haalde.'

'Ik zat op de middelbare school.'

'Dat vroeg ik me al af.'

Meneer Metarey had me aangenomen voor klussen op het landgoed. Mijn vader werkte ook voor hem, net zoals iedereen in de stad. Ik bracht mensen met de auto weg, dat was een van mijn taken.' Ik wees. 'Dat is de Cadillac van de senator. Ik zat zeker achter het stuur toen die foto werd genomen.'

'Dus u was zijn chauffeur?'

'Van senator Bonwiller?'

Ze gaf geen antwoord.

'Soms wel, mevrouw Charney. Maar niet heel vaak.'

Ze nam nog een slokje. Hield het theekopje weer dicht tegen haar kin, alsof het haar moest warmen. Toen nog een slokje. Liet het bezinken. Keek me aan vanonder haar hoed. 'JoEll hield van zingen,' zei ze.

'Is er iets speciaals waarmee ik kan helpen?'

'Ze had ook een mooie stem. De stem van een engel. Ze stond altijd "Danny Boy" te zingen in de kelder voordat ze 's avonds met haar vriendinnen uitging. Leuke kinderen, allemaal. Ze was heel sociaal, voordat ze ze allemaal opgaf voor hem. Toen ze op de middelbare school zat, had ze haar kamer daar beneden – dat wilde ze zo, vraag me niet waarom. Ook al hadden we een mooie kamer voor haar boven. Een heel mooie. Maar ze wilde onafhankelijk zijn. Altijd al. Ik hoorde haar altijd boven in de keuken zingen. Maar ik raakte eraan gewend. Het is vreselijk, maar ik moet toegeven dat ik er niet altijd bij stilstond wat een wonder kinderen zijn. Dat was zij ook. Een wonder. Zo mooi.'

'Ik kan het me voorstellen, mevrouw Charney.'

'Natuurlijk. U hebt dochters. Hoeveel ook weer?'

'Drie.'

'Hoe oud?'

'Ze zijn al volwassen. Het huis uit.'

'Ik had er één,' zei ze. 'Héb.'

'Ik weet niet meer dan anderen, mevrouw Charney.'

Ze zette haar kopje midden op tafel. 'O nee?'

'Ik heb dezelfde vragen als iedereen, mevrouw. Geen sterveling weet het zeker – daar ben ik van overtuigd. Ik was zo nu en dan senator Bonwillers chauffeur, maar die nacht niet.'

Ze keek op. 'Welke nacht?'

'De nacht dat het gebeurde.'

'Waarom zegt u dat het 's nachts is gebeurd?'

'Dat zegt iedereen, mevrouw Charney.'

Ze keek weg. 'Er is nooit iets bewezen,' antwoordde ze. 'Er is zelfs niet bewezen dat ze in de auto zat. Als dat al niet kan worden bewezen, wat valt er dan nog te bewijzen?'

'Dat weet ik niet, mevrouw.'

'Ze zeggen dat ze is doodgevroren. Dat ze gedronken had. Dat mijn dochter had gedrónken. Dat ze zomaar in haar dooie eentje in die bossen terecht is gekomen. Ze snoof. 'Die bossen liggen anderhalve kilometer van de dichtstbijzijnde zijweg, meneer Sifter. Toen tenminste.'

Ik zweeg.

'Zat ze in de auto?'

Ik gaf geen antwoord.

Er begon iets te trillen onder haar ogen. 'Meneer Sifter,' zei ze vlak. 'Ik ben haar moeder.'

'Ik weet het niet zeker, mevrouw Charney.' Ik keek weg. 'Maar de mogelijkheid bestaat dat ze erin zat, denk ik.'

'Dat soort dingen kunnen ze met een autopsie achterhalen. Ik weet zeker dat ze zoiets kunnen zien, of niet?'

'Er is autopsie gepleegd.'

Ze keek me abrupt aan.

'Het spijt me,' zei ik zachtjes. 'Heus, ik wilde het niet erger maken.'

'Hebt u mijn dochter gekend?'

Naast de tafel strekte zich een web van mos uit tussen de terrasstenen.

'Hebt u JoEll gekend?'

'Nee, mevrouw. Dat niet.'

'Nooit gesproken? In al die tijd dat u zijn chauffeur was?'

'Nee.'

'Nou, ze was een mooi meisje.' Ze keek naar het punt op de grond waar ik naar zat te kijken. 'En lief. En ze hield van zingen. Maar ze had geen kapsones. Ook niet na die missverkiezing – die ze nog gewonnen heeft ook. Ze was er geen steek door veranderd. Ze heeft een keer verteld dat ze iets had met... een getrouwde man. Een getróúwde man. Meer zei ze niet. Helemaal geen kapsones. Verder heeft ze er nooit iets over gezegd. Ook niet tegen haar vriendinnen. Al die aardige kinderen die haar uit die situatie hadden kunnen helpen, of haar hadden kunnen waarschuwen. Of gewoon zouden hebben gemerkt dat ze die nacht niet thuis was gekomen, toen ze in dat veld lag,' ze beet op haar lip, 'moederziel alleen.' Maar ze rechtte haar rug. 'Híj zal wel tegen haar hebben gezegd dat ze haar mond moest houden.'

'Daar zou u weleens gelijk in kunnen hebben.'

'En hij was ook degene die alles daarna heeft geregeld.'

'Misschien.'

'De autopsie.'

'Ik weet het niet, mevrouw. Echt niet.'

'Weet u, George heeft nooit om haar gehuild. Ik weet niet waarom, maar hij wil niet dat ik dat zeg.' Ze schudde verdrietig haar hoofd. 'Zo zijn mannen zeker. Maar ik weet dat het zo is. Hij weigert een traan te laten voordat er recht is gedaan. Recht gedaan aan JoEll, meneer Sifter. Mijn man heeft gezworen dat hij tot het laatst toe zal volhouden. Eerlijk gezegd betekent dat niets voor mij. Maar voor hem betekent het om de een of andere reden heel veel. Des te erger voor George volgens mij. Maar het is wel belangrijk. Ik wou dat hij er wél om kon huilen. Dat helpt misschien.'

'Ik kan me indenken hoe hij zich voelt.'

'O ja?'

Ze keek me aandachtig aan. En het was of de welgemanierdheid van een heel leven zomaar van haar afgleed. Ze nam me van top tot teen op. Ten slotte keek ze me recht in de ogen, zonder enig blijk van wat ze daarin zag. De meest kritische blik van intens wantrouwen waarmee ik ooit door iemand ben bekeken.

Na een tijdje wendde ze zich af. Zei wat ze nog te zeggen had zachtjes, terwijl ze over de schutting naar het terras van het restaurant naast het onze keek. 'Ik ben mijn hele leven Democraat geweest,' zei ze. 'George ook. Maar wat moest hij met mijn dochter?' Ze raakte haar hoed aan. 'Getrouwd nog wel. Zo'n hoge piet. Hij had kunnen krijgen wie hij maar hebben wilde. Filmsterren. Modellen. Maar hij wilde JoEll. Waarom, dat is het enige wat ik vraag. Wat wilde die walgelijke man van mijn lieve JoEll?'

════════

Mijn vader is al zijn hele leven goed met zijn handen en dat is natuurlijk niet anders nu hij zijn dagen slijt zoals tegenwoordig. Hij heeft drie verschillende beroepen uitgeoefend in de werkploegen van Liam Metarey en had met gemak nog een vierde aangekund. Niet alleen was hij loodgieter, viel hij in als elektricien en was hij goed in beton storten – geen gemakkelijk werk, ook niet vlug even te leren –, maar hij was ook al vanaf zijn wilde jaren als tiener een heel behoorlijke timmerman. Als je in die tijd in dit land van houtzagerijen een hut of een meubelstuk wilde bouwen, hakte je eerst zelf een boom om. Hij wist hoe je een stam met een tweehandige zaag grof op maat moest brengen, moest bijwerken met een stel zware zoetschaven en het geheel aan elkaar moest spijkeren tot een staketsel dat je in de oudere huizen in de omgeving nog wel ziet, maar dat met de opkomst van multiplex in onbruik is geraakt. Ik bedoel maar dat ik zijn gedrag in zijn huidige woonomgeving begrijp, al kan ik het niet echt goedkeuren.

Bijvoorbeeld: toen de afdelingsassistente, mevrouw Milton, op een ochtend een tijdje geleden zijn raam wilde openzetten, bleek het te klemmen door de vochtigheid en mijn vader sprong op van zijn bed – waarop hij in een bundel middelbareschoolpoëzie had zitten lezen – om haar te helpen. Ik was hem met Clara komen halen voor ons tweemaandelijkse bezoek aan het graf van mijn moeder, waar hij nooit zin in heeft – ik vraag me weleens af of hij zich schaamt voor de eenvoudige steen – en toen het raam vast bleef zitten, zag hij kennelijk zijn kans schoon. Hij liep vlug naar mevrouw Milton toe en pakte het schuifraam beet.

Niks mis mee, precies wat je kunt verwachten van een man van zijn generatie. Het was echter niet zo'n soepel glijdend kunststof geval met dubbel glas dat je in de meeste bejaardenhuizen ziet, maar een oud dubbel raam met een houten hor en een voorzetraam. Walnut Orchards is, anders dan de meeste complexen met een dergelijke naam, echt een boomgaard geweest – niet alleen van walnotenbomen maar ook van kersen- en perenbomen – en de vleugel waar mijn vader slaapt, was vroeger de inmaakruimte. Het is een gebouw met een groen puntdak met zichtbare daksparren en witte overnaadse planken zo lang als een half rugbyveld, en een rij van dit soort ouderwetse ramen met een zwarte bies. Door de lengte, het aantal en de lage plaatsing van de vensters lijkt het op een uitzonderlijk lange, luxueuze en mooie paardenstal. Als zulke ramen klemmen, zijn ze alleen haast met geen mogelijkheid open te krijgen.

Maar niet voor mijn vader, ook al is hij eenentachtig. Hij rukte er een paar keer aan, begon er toen tegen te slaan, eerst met de palm van zijn goede hand, toen met zijn schoen, daarna met de poëziebundel en vervolgens met de paperbackeditie van Norman Mailers *The Time of Our Time*, waardoor het kozijn een beetje kraakte zonder dat het raam echter in beweging kwam. Ten slotte nam hij zijn toevlucht tot de stalen egaliseerder, die tot het moment dat hij tot ieders stomme verbazing zijn multifunctionele zakmes uit de zak van zijn pyjamabroek haalde, aan het voeteneinde van zijn bed vastgeschroefd had gezeten.

Daarmee wrikte hij de pennen aan weerskanten van het kozijn los en het raam viel sierlijk achterwaarts in zijn handen. Maar toen was er niets meer tussen ons en de buitenlucht en blijkbaar was dat voor mevrouw Milton aanleiding om haar vriendelijke houding te laten varen en regelrecht naar het alarmkoord te lopen, waardoor op Walnut Orchards net zo'n zwaailicht voor de kamerdeur wordt geactiveerd als op een ouderwetse politieauto. Ook gaat er een bel in het kantoortje een eindje verderop. Ze zal misschien hebben gedacht dat hij wilde ontsnappen.

Het alarm is waarschijnlijk bedoeld voor medische noodsituaties en ik nam me voor de directie te vragen wat er mocht worden verwacht van de jongeman met neuspiercing die een paar minuten later arriveerde in rode enkelhoge All-Stars en een T-shirt met de tekst GEZAGSGETROUW? Inmiddels had mijn vader de rest van het lijstwerk verwijderd en haalde hij een geknapt koord uit het binnenwerk. De verpleegkundige ging sloom in een stoel naast Clara zitten en keek toe. Mijn vader trok aan het geknapte raamkoord en hees het roestige oude ijzeren gewicht aan het uiteinde als een aal uit een emmer naar boven. Het was warm die dag en al snel kon de airconditioner van de kamer de hitte niet meer aan die door het open raam binnenkwam, maar mijn vader was net een oude hagedis die had liggen wachten tot hij was opgewarmd. Hij begon 'Whiskey in the Jar' te fluiten terwijl hij het touw weer vastknoopte.

'Dat is een wurgstrik, schat,' legde ik zakelijk aan Clara uit. Het was of we inmiddels allemaal hadden geaccepteerd wat hij deed en we zagen ook allemaal dat het perfect ging.

Hij hield op met fluiten. 'Nee, niet waar,' reageerde hij geïrriteerd. 'Jezus, het is gewoon een simpele schuifknoop.' Toen voegde hij eraan toe: 'Goh, wat zijn mijn knokkels stijf.'

'Dat is het niet,' zei ik. Ik wendde me tot Clara. 'Het is een wurgstrik.' Dat was het ook. Een simpele schuifknoop heeft één lus minder. Dat had ik allemaal van mijn vader geleerd.

'Cor,' zei Clara.

Ik moet erbij zeggen dat ik me de laatste tijd zorgen begin te maken over zijn geheugen. Meer dan anders. Niet dat hij dingen vergeet – dat doet iedereen hier blijkbaar –, maar dat het nu onmogelijk lijkt hem te corrigeren. Er lijkt een kleine homunculus vol opgekropte ergernis in zijn hersenpan rond te dolen, en zo was hij vroeger toen ik jong was helemaal niet. Ik weet zeker dat tot de beroerte alle dagen van zijn tachtig gezonde jaren zonder uitzondering werden gekenmerkt door hard werken, zelfbeheersing en beleefdheid.

'Godsamme,' zei hij toen hij nog een paar minuten met de knoop en het gewicht bezig was geweest, 'een wurgstrik?'

'Heb je de medicijnen voor je vingers genomen die je van dokter Jadoon hebt gekregen?'

'Godsamme,' zei hij nog harder. 'Een wurgstrik?'

Ik had geen keus: 'Ik zei toch, pa,' zei ik, 'een simpele schuifknoop heeft een lus minder.'

'Cor...'

'Krijg de klere.'

'Cool,' zei de verpleegkundige.

'Pa,' zei ik, 'hoe wil je die pennen er nu weer in krijgen?'

'Kolere,' antwoordde mijn vader, en hij tastte achter zich alsof de hamer daar op de grond lag.

De slome uitdrukking was verdwenen van het gezicht van de verpleegkundige, die als een leergierige student in zijn stoel naar voren gebogen zat. Ik besefte dat hij aan zijn eigen situatie dacht en zich afvroeg of de huidige patstelling met zijn vader – te oordelen naar de neusring en het shirt – net als de mijne blijkbaar gedoemd was een leven lang te duren.

Maar ik laat het verder voor wat het is. Ik wil alleen nog vermelden dat de rest van wat mijn vader zei verhit was. Na een paar minuten probeerde ik afstand te nemen, een truc die me godzijdank gemakkelijker afgaat nu ik ouder ben, maar mijn vader hield nog een tirade. Die ging over de kwaliteit van het moderne hout, het inferieure gereedschap dat tegenwoordig in grote warenhuizen wordt verkocht en de krenterigheid van de onderhoudsmanagers van Walnut Orchards. Toen de verpleegkundige om sommige van zijn schimpscheuten moest grinniken, verwelkomde mijn vader hem meteen als bondgenoot en ik kon blijven staan wachten tot hij eindelijk moe werd – eerst van zijn eigen opmerkingen en even later van het raam, dat hij ten slotte tegen de muur zette.

Inmiddels was het bijna te laat om nog naar de begraafplaats te gaan, maar ik zei er niets van. Het was onthutsend hem zo te zien, maar ik wist dat hij het me altijd zou blijven nadragen als ik het raam weer in het kozijn zou plaatsen en zou proberen hem te laten opschieten. Ik was ook van plan geweest hem een nieuwtje te vertellen dat Clara en ik hadden gehoord, maar ik zag in dat dat nu eveneens moest wachten. Het was een nieuwtje over Aberdeen West.

=====

Die zondag plaatste de *New York Times* het fameuze artikel – het stuk dat G.V. Trawbridge later zijn tweede Pulitzer Prize zou opleveren. Het stond op de voorpagina, boven de vouw. Ik zag de krant op de ontbijttafel in het gastenverblijf liggen, door Liam Metarey persoonlijk naast Henry Bonwillers zwarte koffie en toast gelegd. Inmiddels heerste er op het landgoed een dusdanige stemming van verbijsterde verslagenheid dat ik gewoon naar de senator toe liep en over zijn schouder het begin ervan meelas. Na een paar tellen stond hij op, liep naar het raam en begon met een marmeren ei te spelen. Hij keek uit over het land. Achter de paardenweiden reed Gil McKinstrey op een tractor over de dam en terwijl Henry Bonwiller de machine achter de heuvel zag verdwijnen, had ik het idee dat hij ook zijn ambities zag vervliegen. Er werd niet op mij gelet. Er werd niets gezegd.

353

BUFFALO, NY, 23 april – De afgelopen weken zijn er beschuldigingen geuit betreffende de dood van JoEllen Charney, een secretaresse op een advocatenkantoor in Islington in New York, die op het tijdstip van haar dood een buitenechtelijke verhouding zou hebben gehad met de New Yorkse senator en koploper voor de Democratische nominatie, Henry Bonwiller. Mejuffrouw Charney, die in december werd vermist, werd kort voor de voorverkiezingen van Iowa dood aangetroffen in een pak ijs in een appelboomgaard op de grens van het terrein van het campagnehoofdkwartier van senator Bonwiller.

Een onderzoek van de politie van de staat New York eerder dit jaar heeft niet tot een tenlastelegging geleid, maar bronnen hebben bevestigd dat de zaak is heropend door het FBI-kantoor in Buffalo en dat het nieuwe onderzoek zich richt op senator Bonwiller. Een eventuele tenlastelegging kan tegen de zomer worden verwacht.

Later die ochtend vertrok de senator. Ik stond op de oprijlaan toen het campagnestraalvliegtuig steil boven het huis opsteeg en naar het zuiden helde. Altijd weer schrok ik van het donderende geraas van het vliegtuig, hoe vaak ik het ook hoorde, en telkens na het vertrek leek de speciale stilte opnieuw over de omgeving te vallen, alsof het land zich zuiverde. Eerst kwam het gezang van de vogels terug – het viel niet uit te maken of ze waren gestopt met tsjilpen of dat ik ze gewoon niet meer kon horen; daarna kwam het verre gesputter van de tractor, toen het tikken van een hamer en het volgende geluid in het aanzwellende trio was het geblaf van Churchill. Het allerlaatst kwam altijd het gemurmel van de wind, hoog in de platanen, het ritselen van die grote bladeren dat voor mij nog steeds het meest typerende is voor dat landgoed en die tijd. Ik stond onder de zomereik en vroeg me af wat er gebeuren ging.

Later die dag werd ik opnieuw ondervraagd. Ik moet de eerste zijn geweest die werd benaderd, want de agent kwam direct naar me toe nadat ik zijn zwarte Mercury Marquis in de garage had gezet. Ik liet net de emmer met sop vollopen om de auto te wassen toen hij in de deuropening verscheen. Hij hield een legitimatiebewijs op. 'FBI,' zei hij. 'Ik heb een paar vragen.'

'Ja, meneer.'

Ik dompelde de spons in het water en sopte de motorkap af.

'Een paar dingen maar, Corey.'

Ik was jong genoeg om me erover te verbazen dat hij mijn naam wist.

'Ja, meneer.'

'Als je dat eens neerlegde?'

'Neem me niet kwalijk.' Ik liet de spons in de emmer vallen. Er stonden een stuk of zes schragen op een stapel bij de deur tegen de muur waar hij tegenaan leunde, en ik haalde er een af en ging tegenover hem zitten. Het was een forse kerel en zijn donkerblauwe uniform rook naar wasmiddel. Hij hees zijn broek op, die blijkbaar niet goed zat, en haalde een notitieblokje uit zijn borstzak. 'De senator, senator Bonwiller,' zei hij. 'Kon hij volgens jou goed rijden?'

'Kon hij goed rijden?'

'Naar jouw mening.'

'Volgens mij heb ik hem nooit zien rijden.'

Hij schreef iets op.

'Hoe is zijn stemming de laatste tijd?'

'Net als altijd.'

Hij keek me aan.

'Optimistisch,' zei ik.

'Dat is mooi. Optimistisch.'

Weer schreef hij iets op.

'Heb je hem weleens zien drinken?'

'Of ik dat heb gezien?'

'Dat vraag ik. Ik heb gehoord dat je hem nog nooit hebt zien drinken.'

'Nee.' Ik keek voor me. 'Nooit.'

Hij glimlachte. 'Dat is ook mooi, hè? Je hebt Henry Bonwiller nooit een borrel zien drinken.' Hij klapte de blocnote dicht. 'Meer hoef ik niet te weten. Voorlopig tenminste.'

Hij stak de blocnote in zijn borstzak, ging rechtop staan en terwijl hij zijn broek op zijn heupen hees, liep hij naar de deur. 'Ga maar weer verder met de auto,' zei hij.

Zodra hij weg was, ging ik weer met de emmer en de spons aan de slag. Toen haalde ik de was. Ik zoog de banken en de vloerkleden en ik klemde een nieuw boekje tolwegcoupons aan de zonneklep. Daarna ging ik naar buiten en keek vanaf het begin van de oprijlaan over de tuinen uit. Ik zag hem met zijn blauwe uniform in de bijkeuken zitten, in een stoel naast het raam tegenover Gil McKinstrey.

Ik ging weer naar binnen en doorzocht de auto. Er lag een penning in het handschoenenvak. Daarop stond: Amerikaanse Geheime Dienst – ministerie van Financiën.

Later die middag liep ik naar het huis en ik bleef onder Liam Metarey op de trap staan om de glimmende Mercury na te kijken die over de oprijlaan tussen de bomen wegreed.

'Een zaklantaarn en een wollen muts in het handschoenenvak,' zei ik. 'Een paar tabletten tegen maagzuur. Een penning. Geheime dienst.'

Hij keek me vanaf de bovenste tree aan. 'Geheime dienst?' vroeg hij. 'Echt waar? Geen FBI?' Over zijn gezicht gleed een treurige glimlach.

'Nee, meneer. Ook geen papieren. Niets over u of de senator. Koffiekopjes en bonnen en dat soort rommel onder de stoelen, meer niet.'

'Dank je, Corey.'

'In de achterbak alleen een reservewiel,' vervolgde ik. 'En een paar alarmpijlen.'

Hij keek weer naar de oprijlaan, waar alleen nog een lichtpuntje in de voorruit te zien was dat tussen de bomen door bewoog. Toen gaf hij me een klopje op mijn schouder. 'Nou,' zei hij, 'toch goed gedaan, hoor.'

Hij keek me ernstig aan.

En nu nog staan de tekens op die penning me helder voor de geest: vijf punten rond een zeshoek binnen een zeshoek, en de blokletters. Maar pas bijna twintig jaar later, toen ik voor een krant in Boston schreef, stuitte ik op een feit dat ik me van de middelbare school had moeten herinneren: de geheime dienst werkt voor de president.

Toen ik op een middag op weg was naar mijn vader zag ik vanaf de weg dat de kranen eindelijk in beweging waren gekomen.

'Mooi,' zei hij toen ik bij hem kwam. 'Laten we gaan kijken.'

'Ik heb het over de kranen bij de Metareys, pa. Bij Aberdeen West. Wat ik je laatst vertelde aan de telefoon. Ze gaan er een winkelcentrum bouwen, weet je nog?'

'Ik weet best waar je het over hebt. Laten we even een kijkje nemen.'

De rit ernaartoe alleen al was een hele opgave. Het verkeer in die richting komt tegenwoordig al twee uur voordat de fabrieksfluiten 's middags klinken op gang en is nog drukker door de herhaaldelijke verbetering en verbreding van de autoweg, wat natuurlijk alleen maar meer verkeer aantrekt. Bij de afslag Steppan-Saline gingen we van de weg af. Er staat nu een drive-in van Starbucks naast een Comfort Inn, en een servicestation voor vrachtwagens met een Hardee's restaurant aan de ene kant en de pompen van Mobil, Citgo en BP aan de andere. Toen ik klein was, was er maar één pompstation in de stad, van Esso. Ik stopte bij een van de nieuwe om te tanken en mijn vader tijd te gunnen om te wennen. Hij bleef in de auto zijn dichtbundel zitten lezen.

Overal dreunde het van de stationair draaiende motoren van grote trekkers. Voor ons lag de boomgaard waar het lijk van JoEllen Charney, toch nog niet zo heel lang geleden, was gevonden, maar er was niets te zien waaruit bleek dat er eens fruitbomen hadden gestaan of dat een mooie vrouw daartussen aan haar eind was gekomen. Het enige wat je zag, waren geparkeerde auto's en erachter geparkeerde vrachtwagens. De zwerfkeien die de overgrootvader van meneer Silverton met een paar paarden en een ketting uit de grond had gesjord om er zijn blauwsparren en zilversparren te planten – en de grote steenmassa's als zijn eigen kleine Stonehenge rechtop te zetten – waren allang omgevallen of neergehaald en weggesleept.

Boven de bomen waren de gieken van de kranen goed te zien, verkort en weer langer als ze draaiden. Het waren er twee, die allebei stevig doorwerkten maar geen van beide kalm genoeg bewogen om met een slopersbal te slingeren. Om tijd te rekken probeerde ik de auto's te tellen op het klaverblad achter ons, maar het was onbegonnen werk. Daarom telde ik alleen maar de grote trekkers, en zelfs dat aantal was gigantisch. Vroeger reikte het grondgebied van de Metareys helemaal tot hier bij de weg en eindigde het bij de bomen en de appelkraam, waar je geld in een aan een paal opgehangen spaarpot moest doen om te betalen. Nu wordt de tol van de autoweg bijgehouden met een elektronisch oog en loopt de snelweg langs een handvol kleinere en grotere steden waarvan het grondgebied toen ik jong was nog niet eens in cultuur was gebracht.

We legden de laatste kilometers zwijgend af. Toen we bij de afslag naar de oprijlaan van de Metareys kwamen, legde mijn vader eindelijk zijn boek weg en zei: 'Tegen de logica ervan valt niets in te brengen,' alsof hij er al met zijn gedachten bij was vanaf het moment dat we op weg waren gegaan. Hij wees met zijn hand naar het voorstedelijke vergezicht.

'Nee,' zei ik. 'Dat is zo.' Er was een nieuw verkeerslicht voor een nieuwbouwwijk aan de andere kant van de autoweg, en we wachtten op het groene licht. 'Bereid je toch maar voor.'

'Ik ben voorbereid,' zei hij.

We reden de oprijlaan op, die voor de zware machines van een dikke laag grind was voorzien, reden onder de platanen door en kwamen tussen de bekende stenen poort uit.

'Mijn hemel,' zei hij.

Met een scherpe bocht zette ik de auto in de berm stil.

'Jezus.'

Overal op het landgoed lagen de eiken op het gras.

De kranen slingerden erboven heen en weer, met grijze vormen die als afgehakte olifantspoten in hun grijpers bungelden. Op de grond duwden bulldozers met hun blad enorme boomstronken de helling van het gazon op naar een klemhaak, waarin ze door twee mannen met hanenpoten en borgpennen werden vastgemaakt. Daarna begon de kraan te brullen en tilde ze de lucht in.

'Mijn hemel,' zei hij nog eens.

'Mijn hemel, zeg dat wel.'

De gieken droegen om beurten hun lading rakelings over de voorveranda naar het grasveld waar ik vroeger auto's had geparkeerd, en ten slotte naar de oude oprijlaan met de stenen ommuring waar Christian en ik 's morgens vaak hadden gezeten. Achter ons stond een rij vrachtwagens klaar en een andere groep werkmannen begeleidde het hout ernaartoe. De laadbak was precies breed genoeg voor twee stammen en met de derde was hij vol. De bestuurders schakelden en reden onder de platanen weg.

'Je zei toch dat hij het had beschermd?'

'Dat heeft hij ook gedaan, pa. Maar niet alles. Dit deel hebben ze jaren geleden verkocht, voordat Clara en ik zijn getrouwd. Dat weet je toch?'

'Aan een natuurbeschermer, dacht ik.'

'Die heeft het zeker weer doorverkocht.'

Overal klonk het gedreun van dieselmotoren en het gejank van kettingzagen, waarmee weer andere mannen in een hoogwerker de overgebleven takken te lijf gingen. Er waren, schatte ik, minstens vijftig eiken geveld. Maar tientallen andere stonden nog overeind. De kleinste takken werden door arbeiders in een hakselaar gestopt en de hakselmachine spuwde zijn uitwerpselen in een afgedekte vuilniswagen, die na een paar minuten over een ander pad wegjakkerde, maar dan in oostelijke richting door de bossen. Ik kon ze volgen door de stofwolk die boven de bomen hing. Even later was er een andere voor in de plaats gekomen.

'Wat zonde,' zei mijn vader.

'Meneer Metarey controleerde altijd de bast van iedere boom. Sommige waren wel vier meter in omtrek.'

Hij sloot zijn raampje.

'Hij behandelde ze als mensen,' zei ik.

'Ja,' antwoordde hij. Hij keek opzij. 'Ik weet nog dat we onder die grote moesten graven.'

Ik deed mijn raampje ook dicht. En eerlijk gezegd voelde ik, toen we daar bij dat helse tafereel zaten dat zich bijna bedaard voor ons ontvouwde, toch een ogenblik de luister van het landgoed terugkeren. Zonder het geluid leek de balans van de strijd anders uit te vallen. Het grote huis stond er nog, al bladderde de verf in lange repen van de dakrand en was er een scheur verschenen in een hoek van het dak van de veranda, onder de vroegere werkkamer van meneer Metarey – waarschijnlijk door een kraan. Het was vreemd de lange zuidelijke muur in dit ongenuanceerde licht te zien, nu de façade was ontdaan van de vlekkerige schaduw waardoor het huis drie verschillende eeuwen lang was koel gehouden; maar het feit bleef dat het er nog stond. Ik geloof niet dat ik overdrijf als ik zeg dat het er uitdagend uitzag. En met al die gevelde bomen leek het land eromheen alleen maar uitgestrekter, alsof het ook deze aanslag kon absorberen – niets dan een voorbijgaande tegenslag – en toch zou zegevieren.

'Alles moet in iets nieuws veranderen,' zei mijn vader toen, 'in iets vreemds.' Hij schudde zijn hoofd. 'Dat heb ik net gelezen.'

'Wie zei dat?'

'Longfellow.'

Aan de grote vlekkerige platanen bij de rondweg waren ze nog niet toegekomen, net zo min als aan de diepe bossen eromheen, behalve waar de nieuwe bouwinrit was uitgehakt; de bossen bestonden uit esdoorn en grove dennen en de snelweg ging nog steeds schuil achter die dennen. De kranen brulden en de schaduw van hun zwaaiende arm schoof over de heuvel voor ons, terwijl de opgetilde stammen zelf donkere japen vormden toen ze boven het vroegere, uitgestrekte gazon van blauwgras zweefden waar Henry Bonwiller ooit zijn persconferenties had gehouden. Op mijn vaders gezicht lag slechts een ijzige uitdrukking – ik wist niet of het zijn oude zelfbeheersing was of zijn nieuwe woede – maar ikzelf moest mijn ogen drogen. Ik weet best dat de wereld moet veranderen. Maar ik moest ze toch drogen. Mijn vader keek weg. Achter het huis maakte een trio grondverzetmachines korte metten met de lange dam die eens de visvijvers had omzoomd. En voor mijn ogen kroop een bulldozer naar Breightons vervallen paardenstal, waar Christian en ik meer dan dertig jaar geleden voor het eerst hadden gezoend. Hij testte hem eerst met de shovel – een vreemd zachtzinnig gebaar – en duwde hem toen in één hoop omver.

Mijn Camry ziet er nieuw uit en natuurlijk kwam er na een paar minuten een voorman op ons af. Ik geloof dat ik hem herkende – een jongen die op de Roosevelt-school een klas hoger had gezeten dan ik – en ik geloof dat hij mij misschien ook wel herkende, maar vanwege de tranen op mijn wangen en het tafereel voor onze ogen geneerden we ons allebei. Ik draaide het raampje omlaag.

'Jullie weten zeker wel dat jullie hier niet kunnen blijven staan,' zei hij rustig.

SENATOR BESCHULDIGD! Zo luidde de kop in de *New York Post*.

De *Daily News* was kernachtiger: BYE-BYE, BON!

De *Times* vervolgde zijn primeur met KAMP BONWILLER PERPLEX NA ONTHULLING. En de *Wall Street Journal*, waarvan de koppensnellers toch al niet voor vrienden van de senator hadden kunnen doorgaan, keek al vooruit: DEMOCRATEN STRIJDEN OM OPVOLGING VAN BONWILLER.

Maar Henry Bonwiller gaf geen duimbreed toe. De volgende middag kwam hij met een verklaring:

De recente aantijgingen in de pers met betrekking tot de tragische dood van een toegewijd medewerkster van de campagne voor Bonwiller als President, mejuffrouw JoEllen Charney, berusten op fantasie. Als de feiten bekend zijn, zal senator Bonwillers naam van alle blaam worden gezuiverd. Intussen blijft senator Bonwiller strijden voor de werkende man en vrouw, vrouwen zoals mejuffrouw Charney zelf.

Toen gaf hij een feest.

Hij koos 1 mei – de vooravond van de verkiezingen in Indiana, Ohio en Washington, en drie dagen voor het begin van een serie voorverkiezingen in het Zuiden. 'Internationale dag van de arbeid', zei hij tegen Liam Metarey. 'De symboliek kan hun niet ontgaan.' Ze zaten naast elkaar in een rieten schommelstoel op de veranda voor het gastenverblijf van de senator met twee glazen whisky op het tafeltje tussen hen in. Ik was binnen aan het opruimen.

'Het is ook Mayday,' zei meneer Metarey. 'Dáár zullen ze hun pijlen op richten.'

De senator keek hem even aan.

'Het noodsignaal, Henry. Mayday.'

'Kan me niets schelen. De vakbonden zullen achter me staan. Alle arbeiders van het district zullen er zijn. Maak er iets moois van. Net zo mooi als het eerste. Echt authentiek.'

'Met alle respect, senator, waar ze behoefte aan hebben is een persconferentie. Geen feest.'

Henry Bonwiller barstte in lachen uit. 'Daarom ben ik nou de senator, Liam, dacht je niet? Want ik weet dat de mensen hier behoefte hebben aan een feest. Ook de verslaggevers.'

'Goed, senator. Het zal wel lukken, als het per se moet.'

'Het moet. En het moet een groot feest worden. Met Ray White weer. Net als de eerste keer.'

'Ik zal zien of hij kan.'

'Dat is hem geraden.' Hij dronk zijn glas leeg en haalde een sigaar uit zijn borstzak. 'Na alles wat ik heb gedaan. Herinner hem er maar aan.'

'Senator,' zei meneer Metarey, 'ik denk dat de meeste mensen in het land, vooral iedereen van de pers – eh, laat ik het zo zeggen, Henry: ze moeten wel achterlijk zijn als ze niet wisten waar het allemaal waarschijnlijk op uitdraait.'

'Liam,' zei de senator, 'laat dit aan mij over.' Hij stond op en boog zich naar het raam om naar binnen te turen, waar ik de vloer stond te vegen. 'Corey!' zei hij bars, 'hoeveel hebben we er de vorige keer van eten en drinken voorzien?'

'Op het eerste feest, meneer?'

'Allemachtig,' gromde hij, 'hoeveel?'

'Een stuk of duizend, geloof ik, senator – zo'n duizend gasten. Zo ongeveer. Als ik me goed herinner.'

'Maar nu ben je aangeschoten wild, Henry,' hoorde ik meneer Metarey zeggen. 'Als ik het zeggen mag. Toen werd je in alle kranten de koploper genoemd. Maar kijk nou wat ze nu zeggen, met alle respect.'

De senator was bij het raam weggegaan.

'Die hufters zeggen dat ik ermee moet kappen.'

'Precies, Henry.'

'De haaien ruiken bloed, nou en of. Dat heb je helemaal goed gezien.' Ik was opgehouden met vegen om naar hen te kijken. Hij snoof aan de sigaar, die hij heen en weer rolde tussen zijn vingers. Toen beet hij het topje af. 'Maar het is mijn bloed,' zei hij kortaf. 'Niet dat van jou.'

'Nee, maar...'

'En ik ben degene die het bloeden gaat stelpen.' Hij spoog het topje uit. 'Corey!' riep hij nog een keer, 'Hoeveel waren het ook weer de vorige keer?'

'Een stuk of duizend, meneer.'

'Dank je,' riep mener Metarey.

'Ze ruiken bloed. Ja, ja. Een schandaal, nou en of. Alle kranten vallen over me heen. Als bloedhonden op een spoor. Volkomen meedogenloos. In dat geval,' zei senator Bonwiller terwijl hij zijn aansteker openklapte, 'zou ik op twééduizend rekenen.'

'Senator,' zei Liam Metarey, 'ik voel me verplicht het te zeggen, maar naar mijn mening is dit een ernstige vergissing.'

II

'HET VIEL HAAR OP DAT U ZEI DAT HET 'S NACHTS WAS GEBEURD.'

'Inderdaad.'

'Maar hoe wist u dat eigenlijk?'

'Jij wordt nog eens een goede verslaggeefster, Trieste.'

'Dank u.' Ze glimlachte. 'En u wordt een goede bron.'

Ik moest lachen. 'Maar het antwoord is dat iedereen daarvan uitgaat. Als het overdag was gebeurd, had iemand het gezien.'

'Misschien.'

'Waarschijnlijk, Trieste. Vrijwel zeker.'

'Maar ze ging er verder niet op in?'

'Trieste, haar dochter – haar enig kind – is gestorven. Dertig jaar geleden. Als je in haar schoenen stond, zou je rust willen vinden. Eigenlijk denk ik dat ze alleen maar iets aardigs over JoEllen wilde horen. Meer niet. Daarom wilde ze met me praten, Trieste – niet om iets te achterhalen. Ze had die foto's gevonden van mij achter het stuur. Dat wil zeggen dat ze alle spullen uit die tijd nog eens heeft bekeken. Ze wilde waarschijnlijk gewoon nog eens iets over JoEllen horen. Dat ik haar had horen zingen of dat ik haar misschien wel aardig vond. Misschien dat ik haar in die tijd had gesproken en dat ze gelukkig was.'

Ik heb haar toen gezien, JoEllen, met haar hoed en haar zonnebril in Morley's Inn.

'Gelukkig,' zei ik terwijl ik me naar het raam keerde. 'Althans als ze bij hem was. Dat zou belangrijk zijn geweest voor haar moeder.'

Op een middag een paar maanden later ging ik met mijn vader en meneer McGowar het graf van mijn moeder bezoeken. Het was eind oktober en de bonte kleuren langs de snelweg maakten plaats voor het winterse panorama. De tekening in plaats van het schilderij. In de verte konden we door de kalende bossen de glinstering zien waar de Little Shelter Brook afbuigt naar de rivier, en daarachter, in hun volle omvang, de grijze en witte wijken die zich tegenwoordig over de meeste heuvels tussen ons en Buffalo uitstrekken. Mijn vader had zijn boek neergelegd, misschien omdat meneer McGowar mee was. Het was *Let Us Now Praise Famous Men*. Ten zuiden van de stad, waar de twee gele kranen nog boven de horizon uitstaken, zei hij: 'Laten we even kijken hoever ze zijn.'

'Ik dacht dat we naar ma toe gingen.'

'Die gaat niet weg,' zei hij. Even later: 'Sorry.'

'Geeft niet, pa. Waarom wil je het nog eens zien?'

'Gewoon.'

'Het zal alleen maar erger zijn.'

'Natuurlijk. Het wordt koud. Voor de winter willen ze de fundering hebben gelegd en de leidingen erin hebben. Eugene,' zei hij, 'vind je het goed als we vandaag niet naar Anna gaan?'

Het schrijfblokje verscheen.

PRIEMA

Tegen de tijd dat we de toegangsweg naderden, stond de zon laag boven de bomen. Door de kale bossen aan de overkant van de weg zag ik onze oude buurt, met de gevels van donkere baksteen en de steile mansardedaken. Mijn vader en ik kijken zelden meer die kant uit als we er op de 35 voorbijkomen, en om de een of andere reden praten we er nooit over. In de huizen wonen nu de tijdelijke werknemers van de grote elektronica-assemblagebedrijven die langs de snelweg zijn gebouwd. En meneer McGowar natuurlijk. Die middag had ik hem bij de vroegere bushalte opgehaald.

Voor en achter ons draaiden vrachtwagens het grindpad naar het landgoed op. Zo om de dertig meter stond er in de berm een bord met VERBODEN TOEGANG en bij iedere opening in het hek hing een bord van de vakbond. Maar ik wist dat we geen last zouden krijgen: in het hele district is er geen loodgieter of elektricien die niet de straat zou oversteken om mijn vader te groeten, en geen bouwploeg die hem werk zou weigeren.

En inderdaad stond er een bewaker bij de hoofdingang, maar mijn vader sprong uit de auto en wandelde de helling op om hem te begroeten. Ik kon hen achter het raam van het wachthuisje samen zien lachen.

Het blokje verscheen:

NG STEETS N KLETSMIJR ALSIE WIL

Toen hij terug was, reden we een helling op die er de vorige keer dat we kwamen kijken nog niet eens was geweest – een berg aarde waar met zware bulldozers een strakke rechthoek van was gemaakt met precies de juiste helling, waardoor de bouwput vanaf de weg onzichtbaar was. Ik geloof dat we nog in de buurt van de oude ijzeren hekken waren, ergens waar het asfalt vroeger plaatsmaakte voor riviergrind. Het hoge portaal van platanen was verdwenen en de aarden wal waar we tegenop reden, ging over in een dertig meter brede, vlakke dam met grind.

'Zesbaans,' zei mijn vader. 'Niet slecht.'

We konden de zware machines horen.

'Oké, pa, meneer McGowar – jullie zijn gewaarschuwd.'

Toen waren we boven.

Even later verscheen de hand van meneer McGowar tussen ons in.

WAU

'Dat bedoelde ik nou.'

Een gloednieuwe wijk daar op de vlakte voor ons. Winkels. Een lage, uitwaaierende verzameling. Compleet met daken van donkere pannen en een glazen toegangsarcade. Tientallen in een gevarieerde aaneenschakeling. Allemaal aan elkaar gekoppeld tot één langgerekt bouwwerk met rijzende en dalende daken als in een Amsterdams straatgezicht, terwijl het toch één gigantisch gebouw was van wel vijfhonderd meter lang. We bleven er een tijdje van bovenaf naar kijken.

'"Zwijgend,"' zei mijn vader. Hij nam zijn Yankees-pet af en legde die op zijn schoot. '"Op een bergtop in Darien."'

Erachter, waar vroeger waarschijnlijk de oostelijke bossen stonden, lag het parkeerterrein. Plaats voor een paar duizend auto's en een vijftal toegangswegen die er in van bovenaf goed zichtbare, symmetrische slingers naartoe liepen. De helft nog van steenslag. Van de plaats waar we stonden zagen we een vijftal ploegen stratenmakers verspreid over de uitgestrekte vlakte, net huifkarren op de prairie, die een donker spoor van vers beton achterlieten. En aan de overkant van een smalle, aangelegde singel erachter de huizen. Rijen achtereen, die zigzaggend over de heuvels naar de boomgaard liepen.

'Er is niets van over, pa.'

'Nee.'

Midden in een van de binnenplaatsen lag een vijver met een rand van beton en van bovenaf zagen we het zeegroen gekleurde water erin, en een fontein die net begon te spuiten toen we stonden te kijken. Een paar mannen in een onderhoudshuisje ernaast stonden de toevoer te regelen. Ik had het vermoeden dat op de plaats waar zij stonden vroeger de visvijvers hadden gelegen. Achter hen ging het plaveisel weer over in steenslag, en de ene colonne betonmolens werkte naar een andere toe, die achteruit werkte. Een laadplatform was al bijna af.

Ik hoorde het omslaan van een blaadje.

OPUN MET THANGSGIVN

'Godallemachtig,' zei mijn vader, 'we waren hier pas nog – wanneer was het? – kortgeleden. Toen waren ze nog maar net de bomen aan het kappen.'

'Zes weken geleden, pa.'

MUSCHIEN KRST

'Hij is snel,' zei mijn vader. 'Dat moet ik hem nageven. En nog op zondag doorwerken ook. Vraag me af wie het is. Vakbondsklus, dus hij betaalt er in elk geval wel voor. Een Ier uit de stad, wedden? Uit Buffalo. Keihard.'

'Oké, afgesproken.'

'Er is niks van over,' zei ik. 'Alles is weg.'

'Helemaal.'

Achter ons kwamen twee zware vrachtwagens aanrijden, die de grond deden dreunen terwijl het stof van hun vrachtzeil waaide toen ze ons in een lage versnelling passeerden en aan de afdaling begonnen. De vrachtwagens reden over de ring van toegangswegen totdat ze op een bepaald punt allebei het parkeerterrein op draaiden en hun laadklep openzetten. Er achter verschenen bleke banen vers grind.

Meneer McGowars hand kwam weer naar de voorbank en wees.

NIET HEELMAAL

'Niet helemaal wat?'

WEG

Hij wees nog eens.

IJK

Ik keek. En ja, een paar honderd meter naar het oosten, waar de hoofdtoegangsweg zich verbreedde tot iets wat leek op een rivierdelta van asfalt – en waar, zo drong tot me door, eens het huis had gestaan –, daar stond hij.

De eik.

Zonder blad. Maar hij stond nog overeind.

Toen we op de ringweg kwamen, was hij achter de gebouwen verdwenen. Maar rijdend over de rondweg, om het steeds wisselende landschap van daken en de gelederen van geparkeerde vrachtauto's heen, vingen we er af en toe een glimp van op, al wist ik inmiddels niet eens meer of het wel was wat we dachten dat het was. Maar toen kwamen we een bocht door en stond hij daar weer met zijn kruin die boven het ronde plein voor de ingang uitwaaierde.

'Pa,' zei ik toen we uitstapten. 'Meneer McGowar. Jullie wisten het.'

'Hij is mooi,' antwoordde mijn vader. 'Dat moet je toegeven. Statig.'

De stam stond midden op het plein, zodat het aankomende verkeer zich onder de takken moest splitsen.

'Vakbondswerk,' zei mijn vader. Hij wees ernaar met zijn kin. 'Voor het grootste deel tenminste. Meer werk dan het lijkt, dat kan ik je wel vertellen.'

'Het lijkt zo al behoorlijk.' Ik zag dat hij iets kleiner was dan levensgroot, maar van een afstand zou je dat niet zeggen.

BRONS

'Versterkt met beton, Eugene. Gasbeton.' Hij wees naar de onderste takken die zacht glansden als karamel. 'Helemaal uit Pittsburgh gekomen met alles erbij. Het moet een hele toer zijn geweest.'

'Het is een prachtig gedenkteken,' zei ik. 'Maar waarvoor?'

'Dat is een filosofische vraag, jongen.'

'Precies.'

'Nou, jij bent de filosoof. Ik weet alleen dat het een allemachtig ingewikkelde constructie is. Zoiets zie je niet veel hier. Geen plaatselijke inschrijvingen... dat garandeer ik je. Zal wel met lucht lichter zijn gemaakt. Tjonge,' zei hij hoofdschuddend. 'Zoiets deden we in mijn tijd niet.'

DAGT T NIET

'In mallen gegoten,' vervolgde hij. 'Speciale bewapeningsstaven, niet eens veertiggraads. Lange stukken. Waarschijnlijk met de computer ontworpen. De enige reden dat er beton is gebruikt is om de staven vast te houden, als je het mij vraagt. De staven houden het brons vast.' Hij tikte tegen zijn honkbalpet. 'Maar niemand heeft het gedaan.'

'Wat gedaan?'

'Mij iets gevraagd.' Hij glimlachte. 'Hij is gemaakt door een vrouw uit Vermont. Die heeft het staal helemaal daarnaartoe laten vervoeren om het te buigen. Echt, Eugene... een vrouw. Ik weet niet hoe ze het geflikt heeft, maar het is gelukt, tak voor tak. Het enige deel dat geen vakbondswerk is, trouwens. En ook zo hierheen gebracht. Ik weet niet hoeveel beton er in die takken zit, maar in de stam zit een hele vracht. En hij heeft ook wortels.' Hij nam zijn pet af en hield hem tegen zijn borst, als een speler tijdens het volkslied. 'Dat moest wel, anders valt-ie om.'

'Maar geen bladeren.'

'Heeft-ie niet nodig.'

'En jij wist er alles van.'

'Iedereen weet ervan, in ieder geval waar ik woon. De rest heb ik een kwartier geleden gehoord. Van de bewaker. De zoon van Murph Mills.'

Ik keek hem aan. 'De zoon van Murph Mills?'

'Die heeft zijn vakbondskaart. Hij werkt zich op.'

Ik keek hem nog eens aan. Zijn gezicht was uitdrukkingsloos.

'Dit is het einde van onze beschaving, pa. Dit is het einde van een manier van leven.'

'Ach, schiet op.'

'Het is een nepboom.'

'Het is een standbeeld. Een monument van brons.'

'Die kerel is genadeloos, pa.'

'Klopt. Je hebt gelijk. Genadeloos. Een rommelaar. Een dief. Een Ierse kaper.' Hij liet zijn knokkels kraken. 'Maar ik zie wel tweehonderd man aan het werk.'

Daar dacht ik over na.

SCHOT

'Dubbel of niets, Eugene,' zei mijn vader. Hij tilde zijn pet op en haalde zijn vingers door zijn haar. 'Maar je hebt er een hoop mankracht voor nodig. Een hoop mannen aan het werk. En er zit een hele hoop brons in dat ding.'

'Nou en?'

Maar hij had kennelijk geen zin om erop door te gaan. 'Nou,' zei hij. 'Je moet toegeven dat hij er hier behoorlijk krijgshaftig bij staat. De laatste der Mohikanen.'

Het was bijna donker, maar in de verte waren de stratenmakers nog bezig. De betonmolens maalden hun vracht en pasten de verhoudingen aan, en zo nu en dan, als er gepompt werd, begon de motor hoger te janken. We staken de weg over naar de arcade. De ploegen werkten in paren en haalden elkaar in, zodat het afwerkteam de ene lading kon gladstrijken terwijl het gietende team de volgende uitstortte. Ze waren goed. Zelfs ik kon dat zien. Ik zag dat een van de teams minstens vijf meter stortte in de tijd dat wij tot halverwege de ene wand van winkels waren gekomen. Meneer McGowar liep voorop met zijn verende tred met hoog opgetrokken knieën.

Lopend langs de façade konden we hier en daar naar binnen kijken, waar een stuk verduisteringspapier van een raam was los geraakt, en zagen we nog meer spuitende fonteinen onder het met glas overdekte atrium en een reeks loopbruggen die in een boog over een vermoedelijk kunstmatig aangelegd beekje liepen. Op het parkeerterrein floepte een rij natriumlampen aan.

'Wat vind je ervan?' vroeg ik.

'Het ziet ernaar uit dat ze een krappe deadline hebben.'

ALLUS NEP

GEEN GRANIT

'Inderdaad, Eugene.'

'Nee, ik bedoel dít. Wat ze doen.'

'Wat vind jij?' vroeg mijn vader, terwijl hij bleef staan om me aan te kijken. 'Ik weet eerlijk gezegd niet wat ik ervan moet denken. Het is nu eenmaal de vooruitgang. Die is altijd half crimineel. De Grieken zeiden hetzelfde over hun centrum – hoe-heet-het-ook-weer.'

Verderop, waar het trottoir zich verbreedde tot de ingang, kwamen we binnen de lichtkring van de lampen en ik zag dat er spikkeltjes zaten in het plaveisel, waardoor het glinsterde. Voor ons zagen we fietsenrekken, metalen bankjes en minibinnenplaatsen met verhoogde plantenbakken in het midden. Er stonden jonge esdoorns in paren, recht overeind gehouden met stormlijnen. Ik merkte een aflopend stuk land links op en plotseling kreeg ik het gevoel dat we op de vroegere aarden wal van Breightons rijbak liepen, iets ten zuiden van het hoofdgebouw en zo'n honderd meter de flauwe helling op die eindigde bij de overloopdammen.

De visvijvers waren diagonaal op die dammen uitgegraven, waardoor ze niet op de opkomende of ondergaande zon waren georiënteerd. Nu zag ik dat het binnenplein net zo was aangelegd.

'Maar zeg nou eens,' zei hij zacht, 'wat vond je er vróéger van?'

'Hoe bedoel je: wat ik er vroeger van vond?'

'Nou...' zei hij. 'Je weet wel...' Hij gebaarde naar het hele gebied. 'Wat vond je ervan toen dit allemaal het eigendom was van één man?'

We liepen door.

'Dat was ook zo, pa,' zei ik na een tijdje. 'Dat weet ik.' Ik zweeg even. 'Maar je had toen een maatschappelijke verantwoordelijkheid. Eoghan Metarey zorgde voor een hele stad. Liam Metarey trof voorzieningen voor de volgende generaties.'

'Ja, ja. Maar toch – het is wel een gigantische hoeveelheid land voor één familie.'

'Het heeft een publieke bestemming gekregen.'

'Gedeeltelijk. Laten we het maar niet hebben over wat Hobbes ervan had gevonden.' Hij draaide zich naar mij om. 'Maar dat...' – hij wees nog eens – 'dat is rechtstreeks aan de ontwikkelaar verkocht. In zijn geheel.'

We liepen weer zwijgend verder.

WIES HOBS

Na een stilte zei mijn vader: 'Een filosoof, Eugene. Een somberaar. Maar wel een realist.' En tegen mij: 'Voor het geval je het niet had gemerkt, ik heb wat bijgelezen over die dingen.'

'Dat had ik gemerkt, ja.'

'En op deze manier heeft iedereen er tenminste iets aan,' vervolgde hij. Hij zweeg abrupt. 'De Acrópolis,' zei hij. 'Dat was het. Ik las dat de Grieken het een verschrikking vonden. Althans behoorlijk wat Grieken.'

'Noem jij dit algemeen gebruik?'

'Nee, het is een schande. Maar ik zit er weleens over na te denken.' Hij ging weer sneller lopen. 'Op mijn ouwe dag.'

Er komt de laatste tijd iets over hem als hij rond zonsondergang buiten is, een primitief soort ongetemdheid gevolgd door een vlaag van onuitgesproken melancholie, en ik zag dat het bijna zover was. Dokter Jadoon heeft me ervoor gewaarschuwd. Ik heb het zelf een paar keer meegemaakt, en waarschijnlijk had ik hen alle twee meteen naar huis moeten brengen. Het was bijna donker en het begon koud te worden. Maar in het spookachtige licht van de natriumlampen zag mijn vader er extra broos uit: ik weet niet waarom dat me weerhield. Hij liep om een schraag heen het donkerder gedeelte op dat de vorige dag was gestort, en toen meneer McGowar besefte dat ik niet van plan was in te grijpen, sprong hij er zomaar overheen. Er zat voor mij niets anders op dan te volgen. Vergeleken met mijn vader nam meneer McGowar lange, soepele stappen. Naast ons liep een pad van steenslag en onder het lopen keek meneer McGowar er met een spiedende blik naar. Misschien kwam het door het contrast, maar van achter hem zag ik mijn vader scherper dan me lief was: de te wijde mouw van zijn overhemd om zijn lamme arm en de scharminkelige schouder. De met de riem bijeengetrokken broek. De strammetred. Ik zag het liever niet. Trotse mannen hebben een krachtveld.

Bij een bankje aan het eind van dat gedeelte – binnenkort waarschijnlijk een bushalte – ging mijn vader eindelijk zitten, maar toen hij omkeek, zag ik in zijn gezicht alleen iets stil peinzends. Meneer McGowar nam de plaats naast hem.

'Dat ziet er mooi uit,' zei mijn vader tegen hem. 'Vind je niet?'

PRAGTIG

Inderdaad, dat moet ik toegeven. De wazige sterren die net verschenen. Damp die boven de molens kolkte. De twee kampementen van betonstorters in de verte, die oplichtten in de lege vlakte. De glanzende bronzen takken van de eikenboom die in de duisternis achter hen hingen.

'Ik heb ons werk altijd mooi gevonden, Eugene,' zei mijn vader toen. 'Wist je dat? Op een diepzinnige manier mooi. Zo helder. Graniet. Tin. Zilver. Zo tastbaar en concreet. Lood. Antimoon. Goed verwarmen, droog houden, kiepen... en het werkt. De hoeveelheid inschatten, de plaat uitstorten... en het werkt. Je weet de breedte, meet de drukbalk. Klaar, de hele zooi. Stelletje ouwe lijken zoals jij en ik, die onze machtige piramide bouwden. We waren niet te stuiten.'

'Het ís prachtig, pa. Behoorlijk indrukwekkend.'

'Mooie besteding van een leven. Dingen bouwen.'

'Dat was het. Dat is het.'

Ze zaten met z'n tweeën weer naar het werk te kijken.

'Nou ja,' zei mijn vader abrupt, 'ik zit erover te denken om te gaan schilderen.'

TUVEEL VOORBRIJDNG

'Olieverf, Eugene.' Hij wees naar de spookachtig verlichte ploegen. 'Kunst,' zei hij. 'Schoonheid. Dat is het enige wat overblijft als je gewrichten je in de steek laten.'

'Goed, pa.'

'En Gaelic. Het heeft me altijd interessant geleken om Gaelic te leren. Voor het geval ik terugga.'

'Gaelic, pa. Oké.'

Zijn gezicht betrok. 'Nou waarom verdomme niet?'

Toen pakte hij zijn pet, legde hem tussen hen in op het bankje en zich draaiend om op zijn goede arm te leunen liet hij zich stram op de grond zakken.

Ik was als eerste bij hem en tegen de tijd dat ik hem onder zijn ene oksel had, had meneer McGowar hem onder zijn andere vast. Maar het enige wat mijn vader zei was: 'Jullie staan in mijn licht.' Hij schudde zich los. 'Allebei.'

'Wat doe je, pa?'

'Iemand moet zeggen dat zijn mengsel te nat is.'

Hij had zijn sleutelring in zijn hand. Meneer McGowar was weer op het bankje gaan zitten.

'Pa, wat ga je...'

'Vroeger kon ik die rotjongens wel vermoorden.' Hij kwam op handen en knieën omhoog en knikte in de richting van de ploegen. 'Ze wachtten tot ik naar huis ging. Die jongens van Duffy. Vic Connors. Ze wachtten tot ik 's avonds afnokte en thuis ging eten. De broertjes Blair, die lamstralen.'

Meute wolven, allemaal. Een van de redenen dat ik ermee ben gestopt.' Hij maakte moeizaam een sleutel los. 'Maar nu zijn die kleine rotzakken daar aan het werk.'

Voor het nageslacht: ik keek niet.

Maar meneer McGowar wel. Hij bleef glimlachend op het bankje zitten. En telkens als een van de molens stilviel, hoorde ik het gekras.

In de verte waren de silhouetten van de werkploegen in de weer. De shovels. Het schuurbord. De hoge rubberlaarzen. Mijn vaders donkere gestalte voor me, als een man in gebed.

Toen het krassen eindelijk ophield, kwamen meneer McGowar en ik naderbij. Mijn vader veegde zijn sleutel af. Hij haalde een klein zaklantaarntje aan een ketting om zijn hals tevoorschijn, wat me niet verbaasde, en scheen op het plaveisel:

De filosofen hebben de wereld slechts verschillend geïnterpreteerd.
Het komt erop aan hem te veranderen.

'Wat is dat?'

'Een uitspraak.'

Meneer McGowar grijnsde als een aap.

Ten slotte boog mijn vader zich voorover en schreef, nog één keer driftig krassend:

September 1971

'Pa?' fluisterde ik.

Hij was bezig de sleutel weer aan de ring te prutsen. 'Wat is er?'

Ik legde mijn hand op zijn schouder. Die voelde koud aan onder zijn overhemd. 'Gaat het nog?'

Hij gaf geen antwoord, maar ging op zijn hurken zitten, als een vanger, en toen voelde ik dat er iets op de rug van mijn vingers kwam te liggen. Net oud, brokkelig touw, maar verrassend warm. Het kan zijn geweest dat mijn vader alleen maar steun zocht om niet te vallen. Dat was het waarschijnlijk. Toch bleef ik zo staan. Meneer McGowar wendde zich af.

'Je hebt behoorlijk zitten lezen,' zei ik. 'Dat is toch van Marx?'

'Klopt,' antwoordde hij. 'Ja, ik heb inderdaad veel gelezen.' Toen voegde hij eraan toe: 'Ik snap nu waarom je ervan houdt.'

=====

'Het lijkt wel een indianendorp,' zei meneer Metarey zachtjes.

Het was 1 mei, vroeg in de ochtend, en ik had net een pallet met klapstoelen van de hooitakel gehaald om naar buiten te dragen voor het feest van de senator. 'Wat, meneer?' zei ik.

Hij hield zijn hoofd schuin. 'Daar op de vlakte.'

Hij wees. Op het gazon achter het huis werd de grote paviljoentent opgezet en het doek werd door de stokken omhooggestoken in een rij punten die in het tegenlicht leek op een dorp van tipi's. Ook hing er de rook van houtskool boven de horizon en in de lange schaduw van een van de eiken, waar de varkens aan het spit draaiden, schoten speren van vlammen omhoog. Het was een fascinerend gezicht.

'Alsof ze het terug komen halen,' zei hij.

'Het ziet er inderdaad eng uit, meneer Metarey.' Ik kwam naast hem staan bij de deur. 'Goed dat we nu leven.'

'Dat mag je wel zeggen.' Hij kwam de schuur binnen, maar bleef met zijn voet haken en zocht steun tegen de deurpost. Ik liep langs hem heen om de kabel rond de pallet met stoelen los te maken.

'Toen het al van mijn vader was, waren er nog indianen, zie je,' vervolgde hij. 'Misschien wel een stuk of dertig. In de heuvels in het oosten. Tonawanda Seneca, als ik me niet vergis. Van de oude Federatie van Irokezen. Mensen waar de regering niets van wist. Die hun eigen tradities in ere hielden.'

'Wanneer was dat, meneer?'

'Achttiennegenenzestig, geloof ik. Ongelooflijk, hè?' Hij keek naar de grond. 'Zo lang hebben we het met zijn tweeën in totaal, Corey. Zesenzeventig jaar. Mijn vader en ik. Niet slecht, moet ik zeggen. Volgens de Grote Wet van de Irokezen moest je bij iedere – hoe heet het? – iedere beraadslaging bedenken wat die zou betekenen voor de zevende generatie.' Hij schudde zijn hoofd. 'Tot nu toe hebben we hier op dit stuk drie generaties gehad. Vier als je mijn grootvader meetelt.' Hij wees achter zich. 'Hij heeft een paar jaar in de schuur van Gil gewoond voor hij stierf. Dat was voordat het huis werd gebouwd. Maar toch – ik geloof dat we er heel behoorlijk mee om zijn gegaan.'

'Het is prachtig land, meneer. Zoiets vind je nergens anders volgens mij.'

'Dank je, Corey. Weet je, toen mijn vader uit Fife hier kwam, was hij zes jaar en zijn eigen vader was een jaar of drieëntwintig. Weet je wat mijn grootvader voor werk deed?'

'Nee, meneer.'

'Vroeger in Tayport was hij smid, maar hier was hij contractarbeider. Je weet toch wat dat is?'

'Niet precies.'

'Dat soort dingen leer je zeker niet op Dunleavy? Dat is dan een mooie les voor op de dag van de arbeid. Het betekent dat hij een schuld had bij de man die hun overtocht had betaald. Zeven jaar heeft hij gewerkt alleen om de reis af te betalen. Maar mijn grootvader zei altijd dat het de beste ruil was van zijn leven.'

Ik merkte dat hij de oprijlaan in de gaten hield, waar de eerste auto's arriveerden. Op dat tijdstip zaten er alleen maar de helpers voor die dag in, en de bestuurders reden de brede laan af om een paar honderd meter achter de garage te parkeren zodat er dichter bij het huis genoeg plaats overbleef voor de genodigden. Meneer Metarey zweeg, maar ik bleef als vastgenageld staan in de hoop dat hij verder vertelde. Hij had nog nooit tegen mij over zijn familie gesproken.

Hij wendde zijn blik van de oprijlaan af. 'En mijn eigen vader was onderdeel van het contract,' zei hij ten slotte. 'Extra. We schrijven 1881. Hij werkte hele dagen, vanaf zijn zesde. Voor hun weldoener. Naast het werk dat hij thuis deed omdat mijn grootmoeder nog in het oude land was. Kreeg hij een opleiding? Niet noemenswaard. Hij was een klootzak, hoor – maar ik weet nog dat hij Grieks leerde toen ik klein was en Engelse spreekvaardigheid oefende. Toen hij ouder was, had hij altijd een Engelse leraar in dienst, louter en alleen voor zijn uitspraak. Maar het is hem nooit gelukt om zijn accent helemaal kwijt te raken.' Hij schudde zijn hoofd nog eens. 'Zo waren die kerels, zie je. De besten althans. Erop gebrand vooruit te komen.'

'Indrukwekkend, meneer.'

'Ja, hè? Hij heeft zich uit de naad gewerkt om Amerikaan te worden.'

'En dat is gelukt, zou ik zeggen.'

'Op zijn dertiende was hun schuld afgelost, Corey, en binnen een jaar hadden hij en mijn grootvader de ijzerwinkel geopend. Ze verkochten landbouwgereedschap aan de andere Schotten en Ieren die op het land in de omgeving kwamen wonen. Ik heb het over gemechaniseerd landbouwgereedschap. Spullen van de Nieuwe Wereld. Aangedreven dorsmachines en stoomploegen. Sommige zijn nu nog te gebruiken.' Hij keek op naar de takel aan het puntdak van de hooizolder. 'Eigenlijk doe ik dat ook nog,' zei hij, 'ja toch?'

'Er is nog nooit iets beters bedacht.'

'Zo kun je het ook stellen.' Hij lachte. 'En datzelfde jaar lieten ze mijn grootmoeder en mijn ooms overkomen. Binnen tien jaar hadden ze een oliebron in Saskatchewan in het noorden. En de antracietmijn in Cape Breton. Allemaal in Canada opgebouwd. Even later gingen ze met Rockefeller mee in zijn boot op de Long Island Sound. John D. Rockefeller, bedoel ik. Een schoener met vijf masten, ik heb er foto's van gezien. In 1901 was het, geloof ik. En in 1921 was mijn vader degene die een jonge senator van deze staat overhaalde om zich kandidaat te stellen voor het gouverneurschap van New York. Hij is altijd een Democraat geweest, mijn vader. Heeft zijn verleden nooit verloochend. Zo gaat het niet altijd, hè?' Hij keek weer naar de oprijlaan. 'Weet je wie die senator was?'

'Nee, meneer.'

'Franklin Roosevelt.'

Op dat moment verscheen, als geroepen, de donkere Cadillac van Henry Bonwiller. Hij kwam onder de platanen vandaan en reed langzaam over het midden van de toegangsweg. Het dak was dicht, maar toen de auto een ploeg arbeiders passeerde die de stormlijnen van de paviljoentent stond te spannen, boog de senator zich uit het achterste raampje om te zwaaien en ook toen hij de lange bocht om was en de mannen weer verder gingen met hun werk, hield hij zijn hand omhoog alsof er zich daar een hele menigte had verzameld. Carlton Sample zat achter het stuur. Hij reed met statige snelheid, maar zodra hij de auto voor het huis tot stilstand had gebracht, sprong hij eruit en liep snel om de auto heen om het achterportier open te houden. Naast me verstijfde meneer Metarey. Ik had mevrouw Bonwiller maar één keer gezien, op de dag dat de senator zijn kandidatuur had aangekondigd, en nu zag ik alleen haar donkere jas en de achterkant van haar getoupeerde kapsel toen ze vlug met Carlton Sample de trap op liep en in het huis verdween.

Even later stapte Henry Bonwiller uit en stak zijn armen omhoog om nog eens te zwaaien, waarna hij zich omdraaide en ook met grote stappen de trap op liep, net zo overtuigend alsof het de dag was waarop hij tot president was verkozen. Ik observeerde het gezicht van meneer Metarey. Als ik het moest omschrijven, zou ik zeggen dat het bang stond.

'"Hij gaat rond als een brullende leeuw,"' zei hij zacht, '"zoekende wie hij zal verslinden."'

'Ik ga de rest van de stoelen halen.'

Hij draaide zich weer naar me om. 'Ik weet dat allemaal,' zei hij, 'omdat ik erover heb gelezen. Kun je je voorstellen hoe het is om over je vader te lezen in een geschiedenisboek?'

'Dat lijkt me leuk, meneer.'

Hij nam me even op en lachte nog eens. Een kort, verrast gegrinnik, dat klonk alsof de lucht uit een ballon ontsnapte. 'Je hebt gelijk. Het zou leuk moeten zijn. Kom, dan halen we die stoelen naar buiten.'

Ik bukte me om de pallet van de hooitakel weg te schuiven en op dat moment, toen hij zijn hand uitstak om me te helpen, rook ik de alcohol.

Het was nog nooit voorgekomen. Misschien aarzelde ik even.

'Ze komen allemaal,' zei hij, 'omdat ze denken dat Henry Bonwiller zich vandaag uit de strijd terugtrekt.'

Ik waagde een gokje. 'Doet hij dat dan niet?'

'Nee, dat doet hij niet, Corey. Hij is de hele nacht opgebleven om een strijdlustige toespraak te schrijven. Dat weet ik omdat ik vanaf drie uur vanmorgen met hem aan de telefoon heb gezeten. Ik dacht dat ik hem dit keer wel kon overtuigen, maar nee. Hij denkt dat hij het wel redt. We houden ons aan het oorspronkelijke plan.'

Ik ving nog een vleug alcohol op.

'Ze komen allemaal voor de executie, Corey.'

'Hoe bedoelt u?'

'Onze gasten. In één ding heeft Henry in elk geval gelijk. Als ik ook maar een greintje mensenkennis bezit, dan kunnen we een flinke meute verwachten.'

'Zal ik de stoelen uit de noordelijke opslag halen?'

'En hij heeft Ray White ook weer ingehuurd, net zoals hij zei. Jezus, het had gewoon een persconferentie moeten worden, verdomme. Een korte toespraak en een uitgetypte verklaring en dan naar zijn advocaten om te overleggen. Maar we staan varkens te roosteren. We hebben de hele voorraad van Grant's en McBride's opgekocht en Gil is naar Islington voor meer.' Zijn gezicht betrok even, maar toen vermande hij zich. 'Nou ja, we kunnen het wel gebruiken, denk ik zo. Of Henry heeft gelijk en voelt de moderne mens exact aan, of we hebben straks de hoogste rekening aller tijden voor een lynching door de pers op r&b.'

'Weet Ray White wat er aan de hand is?'

'Iedereen in het land weet wat er aan de hand is, Corey. Het deugt niet – het deugt absoluut niet. Henry begrijpt niet wat er gaat gebeuren. Hij denkt dat alles overwaait als we een stel verslaggevers een leuke dag bezorgen.'

'Misschien komt het nog goed.'

'Natuurlijk, uiteindelijk wel. Dat is zo ongeveer mijn enige troost.'

Net op dat moment kwamen twee campagnemedewerkers over het grasveld aandraven om hem te spreken en uiteindelijk bleken dat de laatste woorden te zijn die meneer Metarey tegen me sprak. Ik ging verder met de pallets met stoelen en een paar minuten later arriveerden de eerste bussen. Daarna kwamen er de hele ochtend aan een stuk door bussen onder de bomen vandaan, die hun passagiers op het voorplein lieten uitstappen en vervolgens de lange weg naar het lage terrein achter de dammen af reden om daar te parkeren. De AFL-CIO stuurde een buslading vakbondsleden uit Rochester en de Teamsters kwamen met een eigen colonne vrachtwagens, die toeterend met hun luchthoorns over het plein reden. De Mijnwerkers en de UAW hadden ook een behoorlijk bataljon afgevaardigd; en zelfs Council '82, de bond van politiemannen, kwam in uniform opdagen om te helpen het verkeer te regelen. Kort daarna arriveerden de eerste journalisten in bussen die de campagneleiding naar de luchthaven van Buffalo had gestuurd. Zo kwamen de meesten. Even later verschenen de ondersteuningstrucks die met lopende motor bleven staan terwijl de televisieploegen hun camerakarren naar het westelijke grasveld reden en de verslaggevers voor de live-uitzending begonnen te repeteren met hun opgemaakte gezicht uit de zon. De honderden gewone gasten stroomden al van de parkeerterreinen naar de tent terwijl de plaatselijk ingehuurde hulpen nog bezig waren karren met kratten drank uit de achterbak van de onderhoudswagen naar de blokken ijs achter de garages te duwen; een man die ik niet kende, reed met Gil McKinstreys auto en wachtte niet langer dan nodig was om de ene vracht voorraad uit te laden en het tuinpad weer af te rijden voor de volgende.

Tegen elf uur 's morgens had Gil met zijn ploeg uit de stad een stuk of vijf bars opgezet in de paviljoentent. De gewone burgers en vakbondsleden verzamelden zich er in kluitjes omheen terwijl aan de andere kant van het grote gazon in een kleinere tent, waar obers met dienbladen rondliepen, de politici, organisatoren en vakbondsleiders met de verslaggevers praatten. Liam Metarey stond erbij. Net als Milton Shapp, de gouverneur van Pennsylvania, en Roy Wilkins van de burgerrechtenbeweging NAACP – later hoorde ik dat Jimmy Hoffa er ook was geweest – en verscheidene rechters en adviseurs van buiten de staat die ik weleens in het landhuis had gezien. Het was een imposant gezelschap, maar zeker niet het imposantste dat ik er ooit had gezien.

Rond het middaguur was de tent vol en had de menigte zich verspreid over de heuvel achter het podium. Een flink deel bestond uit verslaggevers, zo'n driehonderd in totaal, en er waren ongeveer evenveel politiek medewerkers en campagnemensen; maar de rest waren ofwel aanhangers ofwel vakbondsleden ofwel gewoon inwoners van Saline en Steppan, die de senator had uitgenodigd om zijn aanhang op te kloppen, en zij verdrongen zich rond de geroosterde varkens aan het spit of stonden nog in groepjes rond de bars.

Ik moest Liam Metarey gelijk geven: het deugde gewoon niet.

Toen ik op een gegeven moment het huis in liep, trof ik in de woonkamer een man aan die de uit schildpad gesneden asbakken oppakte en onderzocht, en een andere die voor de grote stenen schouw stond en de hoogte met zijn arm probeerde te meten. Twee vrouwen bekeken in de gang beneden de rijen foto's aan de muur en de lange Perzische loper. Ik betwijfelde of een inwoner van Saline of Steppan, of zelfs van Islington, zo brutaal zou zijn geweest, maar in de hal onder het voorname portret van Eoghan Metarey hing nog een groepje rond en alleen zijn blik weerhield hen er waarschijnlijk van zich verder in het huis te wagen. Er leek een onuitgesproken grens van fatsoen te zijn overschreden.

Volgens de plannen moest de menigte na het geroosterde varken warm worden gemaakt door een paar plaatselijke politici – er zouden obers met drankjes rondlopen – en zou daarna de senator het woord nemen. Hij zou dan twintig minuten praten en op de aantijgingen ingaan, maar vervolgens snel overschakelen op de oorlog, en tijdens zijn toespraak zouden de medewerkers een verklaring uitdelen. Er was geen gelegenheid voor vragen. Dat had de senator zelf bepaald, zo begreep ik: na afloop van zijn redevoering zou hij naar Chatanooga vertrekken om de indruk te wekken dat de campagne gewoon doorging. En als hij de volgende dag wakker werd, zou hij, naar hij hoopte, zien dat de *New York Times*, de *Tennessean* van Nashville, de kranten van Hearst en Ridder, en de drie avondjournaals hem gunstiger waren gezind. Na zijn vertrek zou Ray White gaan spelen en werden de mensen uitgenodigd tot in de avond te blijven.

Ik volg de politiek nog steeds en het blijft me verbazen dat journalisten, politici en al die lui die in mijn vak tegenwoordig 'opinieleiders' worden genoemd, nog steeds met een paar welgekozen cadeautjes en welgekozen reisjes, met een paar welgekozen drankjes, welgekozen zangers en de juiste achternamen te paaien zijn en dat de burgers zich op hun beurt met miljoenen tegelijk nog steeds braaf achter hen scharen. En het is alleen maar erger geworden. Henry Bonwiller is nu uit de openbaarheid verdwenen en ik weet bijvoorbeeld dat nog maar weinig jongeren van de leeftijd van mijn dochters weten wie hij was. Of dat hij een cruciale rol heeft gespeeld in de terugtrekking van onze troepen uit Zuidoost-Azië. Of dat hij geld beschikbaar heeft gesteld voor de milieumaatregelen waardoor het Eriemeer en het Michiganmeer konden worden schoongemaakt. En de wetten op de volksgezondheid waardoor een zwangere vrouw in onze staat nog steeds, ook als ze geen geld heeft, voor haarzelf en haar kind de beste medische zorg ter wereld kan krijgen. En zonder enige listigheid zal waarschijnlijk niemand een machtige positie verwerven. Maar het verbaast me nog steeds te zien, wat ik in de loop der jaren herhaaldelijk heb meegemaakt, dat één persoon zoveel idealisme voor de publieke zaak en zoveel meedogenloosheid in privézaken in zich kan verenigen.

Toen de lunch bijna was afgelopen, vroeg een van de assistenten van de senator me een krat half om half gevuld met wodka en bourbon en een doos mixdrankjes naar de zuidelijke bibliotheek boven te brengen. Dat betekende dat er een vergadering voor een later tijdstip was belegd. Ik vroeg me af wat het inhield, omdat de senator zelf dan al op weg zou zijn naar Tennessee. Gingen medewerkers de bakens verzetten? Werd er verraad overwogen? In die fase van het feest was er nog drank in overvloed en ik vulde een krat met mixdrankjes en een blad met hapjes uit de bijkeuken. Terwijl een van de politieke sprekers uit de staat het podium beklom, bracht ik het allemaal op een keukenkarretje naar boven. In de bibliotheek gekomen liet ik de deur dichtvallen en toen ik me omdraaide om de drank neer te zetten, zag ik meneer en mevrouw Metarey op de bank zitten tegenover een man die ik niet herkende. Hij zat in een stoel met een opengeslagen blocnote op zijn knie.

'Hallo, Corey,' zei mevrouw Metarey.

'Neem me niet kwalijk, ik wist niet dat er hier iemand was.'

'Dit is onze vriend Joe Campbell, Corey,' zei mevrouw Metarey. 'Van het federale bureau van moordzaken.'

'June...' zei meneer Metarey.

De man keek even naar mij en toen weer naar meneer Metarey.

'Hij vermaakt zich uitstekend op ons feest. Nietwaar, meneer Campbell?'

'June.'

Ik opende de deur en duwde het karretje weer naar buiten. Terwijl ik de deur achter me dichttrok, hoorde ik de man zeggen: 'De keus is aan u, meneer.'

De gesprekken die zich om me heen afspeelden toen ik me buiten tussen de opeengedrongen lijven door een weg baande naar de bar, hadden inmiddels een rauwe ondertoon gekregen. Ik moest het tegen iemand zeggen. Ik dacht aan Christian en zelfs aan Clara, en toen ik gouverneur Shapp in een groepje vlakbij zag staan, overwoog ik heel even om het aan hém te vertellen; maar uiteindelijk kreeg ik Gil McKinstrey te pakken, die in een blender ijs stond te vermalen.

'Er is iets gaande,' flapte ik eruit.

'Wat is er?' antwoordde hij geïrriteerd terwijl hij de blender omkeerde om de bladen schoon te maken.

'Meneer Metarey zit boven in de zuidelijke bibliotheek.' Ik begon te fluisteren. 'Ik geloof dat de FBI bij hem is.'

Hij zette de blender aan. Hij liet hem draaien en boog zich naar me toe. 'Twee dingen,' zei hij. 'Ten eerste kan meneer Metarey alles aan wat op zijn weg komt. En ten tweede: hou je mond.' Hij knikte in de richting van het kluitje verslaggevers aan de andere kant van de bar.

We werden opzij geduwd door mensen die zich verdrongen om dichter bij de drankjes te komen. Welke keus werd Liam Metarey gelaten? Werd hem gevraagd de senator te dwingen terug te treden? Lagen de zaken zo? Werd hij onder druk gezet om zich tegen hem te keren? Om als getuige op te treden in ruil voor vrijwaring van straf? En als hij dat niet verkoos te doen, verspeelde hij dan zijn eigen vrijwaring?

Op dat moment veranderde het geroezemoes van de menigte van toon en toen ik me omdraaide, zag ik dat gouverneur Shapp zich naar de voorkant van de tent begaf. Milton Shapp was destijds favoriet bij de vakbonden en vier jaar later zou hij zich zelf verkiesbaar stellen voor het presidentschap, dus toen hij door het gangpad naar het podium liep, kreeg hij talloze handen te schudden. Mevrouw Metarey en de meisjes hadden inmiddels op de eerste rij plaatsgenomen en ik zag Christians rozerode jurk en de bovenkant van Clara's donkere hoed. Naast hen zaten twee tieners, in wie ik de zoons van senator Bonwiller herkende. Gouverneur Shapp bleef staan om ook hun een hand te geven en Christian zag er mooi uit toen ze opstond; maar hij had zich nog niet omgedraaid of ze ging alweer zitten. Ik denk dat ze er verlegen van werd. Rondom hen gingen flitslampjes af. Ik zou er waarschijnlijk ook verlegen van zijn geworden.

Gouverneur Shapp liep daarop de treden naar het spreekgestoelte op; maar toen hij er eenmaal stond, hield hij geen toespraak. Hij pakte alleen de microfoon, introduceerde Henry Bonwiller met een paar zinnen en deed een stap opzij voordat de senator hem voor een camera de hand kon schudden.

Dat was vermoedelijk wel het veegste teken dat we konden krijgen.

De senator was ondertussen met zijn vrouw aan zijn zijde door een opening achter het podium binnengekomen en terwijl Milton Shapp snel de trap afdaalde, kwamen ze hand in hand naar voren. Bij het spreekgestoelte aangekomen hieven de Bonwillers hun armen omhoog naar de menigte, met halfdichtgeknepen ogen voor de druk flitsende lampen. Mevrouw Bonwiller was lang en tenger en een paar jaar jonger dan de senator. Ze stamde uit een oud geslacht van politici uit het zuiden – haar vader was ambassadeur geweest ten tijde van de regering-Johnson – en ik zag dat ze dapper haar best deed zich te beheersen, maar wat ik me vooral herinner van dat moment was niet haar geknakte elegantie of het flauwe aanspannen van haar kaken, maar datgene wat me opviel toen ze hun in elkaar geslagen handen tussen hen in omhooghielden: dat ze iets weg had van JoEllen Charney. Het waren de ogen en de mond.

Het applaus hield lang aan. Ik weet nog dat het me verraste hoe lang het duurde – en me zelfs even een hart onder de riem stak toen ik de tent rondkeek en zag dat het niet alleen werd gedragen door de gewone vakbondsmensen die bijna een kwart van de stoelen bezetten, maar ook door de vele inwoners van Saline en Steppan, die zo te zien nog een kwart bezetten en ook nog in groten getale buiten op de gazons stonden. Het geluid was nog lang niet weggestorven toen er een medewerker verscheen om mevrouw Bonwiller van het podium af te helpen, waarna de senator naar het spreekgestoelte liep en het applaus met zijn opgeheven hand moest bezweren. Hij begon aan de toespraak waar Liam Metarey me voor had gewaarschuwd.

Te oordelen naar de reactie van de tientallen leden van de pers die ik kon zien, moet het een enorme verrassing voor hen zijn geweest. Hij was nog geen vijf minuten bezig of sommige verslaggevers begaven zich al naar de telexen in de garage. Ik liep zelf naar het plein voor het huis en tegen de tijd dat hij was uitgesproken, naar de achterste rijen had gezwaaid en met verende tred naar de hoofdingang van de tent beende, stond ik al op een paar stappen van Carlton Sample en de Cadillac. De flitslichten volgden hem naar de oprijlaan. Bij mij bleef hij staan, draaide zich naar de camera's om en gaf me een hand, alsof ik een pas overtuigde stemgerechtigde uit het kiesdistrict was.

'Onderschat,' fluisterde hij.

'Pardon?'

'Het waren er zeker vijfentwintighonderd, zo niet meer.'

'Minstens, senator. Misschien wel drie.' Ik liet mijn stem dalen. 'Meneer, meneer Metarey is...'

'O, geweldig!' Hij lachte breed terwijl de camera's klikten. Hij fluisterde weer: 'Drieduizend mensen in een stadje half zo groot als een stel vlooienkloten.'

Hij draaide zich naar Carlton Sample om, die het portier voor hem openhield, en op dat moment zag ik dat mevrouw Bonwiller en hun twee zoons al in de auto zaten. 'De kiezers kun je niet tegenhouden,' zei hij. 'Nietwaar?' Toen trok hij zijn colbert uit, rolde de mouwen van zijn overhemd op en terwijl de flitslampjes achter hem in een duizelingwekkende finale oplichtten, kroop hij op de achterbank en stak nog eenmaal zijn hand op naar de menigte.

Pas nadat Carlton Sample met hen was vertrokken, vond ik het vel papier op het grind. De auto was eroverheen gereden.

Later heb ik natuurlijk gehoord dat hij veel mensen had betaald om te komen, duizenden dollars uit de campagnekas, zo bleek; maar om niet alle aspecten van de man te vergeten – om niet alleen maar stil te blijven staan bij zijn onbesuisdheid en zijn bijna onverwoestbare ijdelheid, om niet het grote, Democratische streven en het gedreven idealisme over het hoofd te zien – om niet uit het oog te verliezen wat voor iemand hij nog meer was, volgt hier wat er op het stuk papier stond. Denk aan zijn schitterende stem:

Dames en heren. Leden van de pers.

Vandaag zijn wij verwikkeld in een strijd op leven en dood, een van de meest /~~heroï~~ *WEZENLIJKE*
~~sche~~ van onze tijd. Vergeet niet het belang van dit tijdperk. We zijn verwikkeld in een dodelijk gevecht.

Niet alleen in de jungles van Zuidoost-Azië, maar ook in eigen land.

In alle dorpen. In alle steden.

(PUNT) In het hele land.

We strijden om het vuur van de Amerikaanse democratie aan te wakkeren.

Om verder te bouwen op het genie van Thomas Jefferson en James Madison.

Om het mededogen van Abraham Lincoln te doen herleven.

(ZACHT) En het stugge fatsoen van Franklin Delano Roosevelt.

Om de moed van onze pioniers te hervinden.

Evenals de moed van mijn vriend en mentor, John F. Kennedy. *GEDURFD*

Om onze eigen toekomstvisie te vormen, die even groots, ~~en ontzagwekkend~~ en egalitair is als die van Lyndon Johnson en De Grote Samenleving.

Ik herhaal: De Grote Samenleving.

(LANGZAAM) Terwijl we ons best doen om de tragische oorlog in Vietnam te beëindigen.

Maar op dit moment zijn er mensen aan de macht die trachten voorgoed

Voorgoed

Verandering te brengen in de fatsoensnormen die onze mars voorwaarts altijd hebben gekenmerkt.

Om de strijd en het geduld die de maatstaf van ons verleden waren, te loochenen.

(WACHTEN)

En opnieuw de maatstaf zullen worden van onze toekomst,

Als we de weg naar de vrede inslaan.

U BENT ALLEN

Vrienden. Een jonge vrouw is tragisch verongelukt. ~~velen van u zijn~~ op de hoogte van het nieuws.

Een intelligente en fatsoenlijke jonge vrouw, die ik kende van mijn campagne.

Een vrouw die zich onvermoeibaar inzette voor de zaken waar zij voor stond. Voor de zaken waar wij allemaal voor staan.

Eerlijkheid. Vrede. Rechtvaardigheid.

Ik sta hier voor u, medeburgers.

En ik vraag om een moment stilte om haar te gedenken.

(WACHTEN)

Dames en heren, ik ben ervan beschuldigd betrokken te zijn geweest bij deze tragedie.

386

Maar ik had er part noch deel aan.

Ik ben beschuldigd in geruchten en kletspraatjes. Mijn naam is door achterklap en insinuaties verbonden met een tragedie, maar als ik er ook maar in de geringste mate bij betrokken was geweest, dan had ik ogenblikkelijk mijn ontslag aangeboden en me uit de strijd teruggetrokken.

Dat mag de bevolking van deze staat van mij verwachten.

Dames en heren, ik ben me iedere dag bewust van het vertrouwen dat u in mij stelt, ik ben me bewust van mijn verplichting dat vertrouwen gestand te doen en standvastig...

Meer heb ik niet.

De meeste mensen zullen nu in die hele toespraak waarschijnlijk niets anders zien dan de retoriek van het eigenbelang. Maar nu ik meer over Henry Bonwiller weet, vermoed ik toch dat het meer was dan dat, ook al werd die rede in een desperaat moment uitgesproken en stond hij, naar mijn overtuiging, bol van de leugens. Volgens mij was hij in feite de uitdrukking van een fundamentele overtuiging die hij nooit heeft laten varen: het diepgewortelde besef van wat het is om uitgesloten te zijn van de rijkdom van dit land – een overtuiging die net zo wezenlijk was voor zijn karakter als voor dat van Liam Metarey, al was dat gevoel bij geen van beiden gerechtvaardigd en was het bij de senator verhuld in een verwrongen, ongenadig narcisme. Vervolgens riep hij in zijn toespraak de kiezers op om over zijn moeilijkheden heen te kijken, waarna hij overging tot een litanie van beschuldigingen aan het adres van de president van de Verenigde Staten. Hij sprak bijna twee keer zo lang als Liam Metarey had voorzien en beschuldigde Nixon van schandelijke manipulatie van het politieke proces. Ik zag verscheidene verslaggevers sceptisch het hoofd schudden – van Watergate had nog nooit iemand gehoord – en hun glas leegdrinken. Op dat moment besefte ik dat ze hem niet zouden sparen.

Maar hij liet niet af en stak de loftrompet over zijn eigen voorstellen tot beëindiging van de oorlog, de opbouw van een stelsel van genationaliseerde gezondheidszorg, het aanbieden van studiebeurzen in ruil voor gemeenschapsdienst in parken en steden. En tot slot kwamen, op een vaste, bedaarde toon uitgesproken, zijn beloften nooit te zullen buigen voor de machinaties van zijn politieke vijanden, zijn werk voor idealen als rechtvaardigheid, gelijkheid en vrede nooit te zullen staken en zijn kandidatuur nooit te zullen intrekken.

Een paar minuten nadat Carlton Sample met de vier was weggereden, klonk het gebrul van het straalvliegtuig van de campagne boven het land en even later klom het blinkende toestel steil de lucht in. Het trok recht en maakte een bocht naar Chattanooga in het zuiden. Ik wist dat hij als alles goed liep met de pers de volgende dag naar Raleigh-Durham zou gaan, en als het daar ook goed ging naar Charleston in West Virginia; en dan naar Omaha in Nebraska en Lincoln. Ray White was net met zijn saxofoon op het podium verschenen en keek door een opening achter in de tent het toestel na dat in het namiddaglicht wegvloog, met zijn hand in een soort saluut boven zijn ogen. Toen liet hij zijn hand zakken en blies de eerste, zachte klanken van 'We Shall Overcome', en na een paar tellen vielen de drummer en bassist in en even later de ritmegitarist en ten slotte de pianist, die om beurten een solo speelden en een stuk toevoegden. Aan het eind van het nummer, als het ritme overgaat in onverbloemde bayou, konden heel wat mensen zich letterlijk niet meer inhouden en begonnen ze te dansen.

Het was een bemoedigend moment. Zelfs de verslaggevers, die in de rij stonden voor de telexen, de radiotenten en de camera-installaties, konden het niet laten zich om te draaien om te luisteren toen de grote musicus zijn eerbetoon speelde. Laten we immers niet vergeten dat de senator op dat moment waarschijnlijk meer had gedaan voor burgerrechten en de arbeiders dan ieder ander in de geschiedenis van het Congres. Maar toen het nummer was afgelopen en Ray White aan 'Evelyn Brown' begon in een trage ballade-uitvoering, liepen de verslaggevers weer weg. Het gekke was dat de inwoners van Saline en Steppan ook begonnen te vertrekken, misschien in navolging van de pers of de politiek assistenten, van wie velen nog een nachtelijke rit met de bus naar Tennessee voor de boeg hadden. Na afloop van dat laatste nummer keek Ray White naar de gestage stroom vertrekkende mensen, stak zijn hand op om zijn band tot zwijgen te brengen, verruilde zijn altsaxofoon voor een tenor en begon aan zijn eigen melancholieke uitvoering van 'America, the Beautiful'.

Op dat moment begaven Clara en haar moeder zich naar de zijkant van het podium. Ze overlegden over iets en terwijl Ray White nog bezig was met de laatste ijselijk hoge noten van het slot, ging Clara het trapje op en liep zelfverzekerd naar het midden van het podium om iets in zijn oor te fluisteren. Hij knikte en zodra ze opzij was gegaan, begon hij aan een opzwepende versie van 'Curly Dog Eats'. Ik vermoed dat ze tegen hem had gezegd dat hij het tempo moest verhogen, maar al boog Ray White zich dubbel over zijn saxofoon en liet zijn drummer een boog van zweetdruppeltjes over zijn drumstel vliegen, de mensen bleven weglopen. Ze stonden in rijen langs de zijkanten van de tent, op het pad en op de brede weg naar de wachtende auto's en bussen en terwijl ik ernaar stond te kijken, voelde ik mijn allerlaatste hoop vervliegen. Er stonden nog tientallen kratten drank in de schuur en er hingen nog drie varkens aan het spit te braden. De band speelde nog een vrolijk nummer. En een dansnummer. En nog een. Tot slot eindigde hij, wellicht in de wetenschap wat het allemaal betekende, met hun grootse, droevige elegie 'Goodbye, Goodman Joe'. Hij was een trots mens, die Ray White.

De achtergestelden van dit land hebben zich in het verleden systematisch tegen hun voorvechters gekeerd en uit de wijze waarop de arbeidersklasse uitgerekend de politici die hen konden helpen in de steek hebben gelaten, blijkt vermoedelijk nog wel het duidelijkst de primaire rol van emoties in de politiek. De grote neergang van de partij van Roosevelt, die in de tijd van Henry Bonwiller inzette, was niet het gevolg van het feit dat Democraten logische argumenten voorrang gaven boven ethische, maar simpelweg van het feit dat ze zich bleven vastklampen aan de overtuiging dat argumenten überhaupt een rol speelden. Terwijl Ray White op het podium de laatste trage noten van 'Goodbye, Goodman Joe' blies, die tot een ademtocht wegsterven, zag ik dat de drummer zijn stokken liet zakken en in hun foedraal opborg terwijl hij droevig naar het slinkende publiek keek. Even later legde ook Ray White zijn instrument neer, knikte ten afscheid en liep het podium af.

Als ik iets heb geleerd van mijn tijd met Henry Bonwiller dan is het wel dat massapolitiek in de eerste plaats een emotionele strijd is, een primitief gevecht dat eerder charismatisch en dierlijk is dan ethisch of beredeneerd, en toen ik Ray White langzaam het trapje voor al die leeglopende rijen stoelen zag afdalen, had ik het vage voorgevoel, dat ver uitreikte boven mijn ervaring en inzicht, dat ik getuige was van meer dan het echec van slechts één politicus. Er waren hooguit nog driehonderd mensen over, verspreid over de tent en het gazon.

Toen de tijdelijke hulpen ongeveer een halfuur later begonnen op te ruimen was het terrein bijna leeg. Algauw arriveerden de tentenbouwers voor de stokken en het doek en terwijl zij in hun dieplader wachtten tot de stoelen waren weggehaald, kwam Carlton Sample in zijn groene chauffeursjasje om de vrachtwagen heen rijden en parkeerde de Cadillac van de senator voor het huis; hij stapte uit en begon tot mijn verbazing de opruimploeg te helpen. Hij pakte een vuilniszak en liep tussen de tafels door om lege bekertjes en vuile servetten te verzamelen. Ik had hem nog nooit met iets zien meehelpen. De zak hing over zijn schouder, waardoor de panden van zijn jasje opzij werden getrokken, en hij keek telkens achterom naar het huis. Op een gegeven moment liep hij zelfs weer naar de auto, liet de zak van zijn schouder glijden en begon met zijn pet de portiergrepen op te poetsen. Maar daarna ging hij weer verder met afval ophalen. Ik schaamde me een beetje toen ik hem zo zag. Hij zal hebben geweten wat er in het verschiet lag.

Ik zal dat ook wel hebben geweten. En ook ik ging opruimen. Alle stoelen moesten terug naar de schuur en ik begon ze in te klappen en op de verrijdbare pallets te stapelen. De wind was inmiddels gaan liggen, waardoor het warm en onaangenaam klam was geworden, en terwijl ik systematisch het achterste deel van de tent probeerde af te werken en de stoelen met een schop tegen de achterpoten in rijen plat op de grond liet vallen, had ik voor het eerst van mijn leven het gevoel dat ik de fut niet meer had voor mijn werk. Ik voelde me verslagen. Ik stapelde twee pallets vol, maar liet de rest van de stoelen op het gras liggen en bracht één lading naar het huis.

Ik moet bekennen dat ik waarschijnlijk op zoek was naar meneer Metarey. Hij had nog nooit zo vertrouwelijk met me gepraat als die ochtend, en ondanks de dingen die ik in de bibliotheek had gehoord, hoopte ik misschien, met de onnozelheid van een kind, dat ik dat eerdere moment met hem kon terughalen – ook al wist ik dat hij gedronken had. Ik hoopte dat hij me toch nog eens in vertrouwen zou nemen, of in elk geval net zo vertrouwelijk met me zou praten – niet per se over de episode in de bibliotheek, maar over alles wat er was gebeurd. Over Henry Bonwillers fabelachtige opkomst en zijn felle verdediging daarna. En nu zijn vermoedelijke val. Over alles wat zich zo openlijk voor mijn ogen afspeelde en toch zo raadselachtig bleef. Maar de enige die ik vond, was mevrouw Metarey, die achter het huis vandaan kwam.

'Hé, Corey,' zei ze terwijl ze wankelend bleef staan. 'Je verraste me. Ik zie dat onze gasten naar andere feestjes moeten.'

'We zijn alles aan het opruimen.'

'Och, laat maar,' zei ze. Ze barstte in lachen uit. 'Alsjeblieft, ga toch iets leuks doen. Dat ga ík in elk geval doen. God weet dat ik heb gedaan wat ik kon. Er is niets meer aan te doen.'

'Is alles in orde, mevrouw Metarey?'

Ze keek me aan.

'Met meneer Metarey,' zei ik.

'Lieve hemel!' antwoordde ze en ze gierde haast van het lachen. 'Ga nou maar iets leuks doen.'

Ga maar iets leuks doen. Ik moet zeggen dat dit extra bevreemdend klonk uit de mond van een vrouw die zich even daarvoor in de bibliotheek in het bijzijn van een vermoedelijke FBI-agent zo had gedragen als zij. Maar waarschijnlijk zal zij net als de rest van de menigte het gevoel hebben gehad dat alle fatsoensnormen waren opgeschort. Dat had ik eerlijk gezegd ook en juist daardoor kon ik er dan ook mee ophouden. Ik reed de pallet met stoelen naar de zijkant van de veranda en liep door de voordeur naar binnen. Ik geloof ook dat ik er toen niet meer aan twijfelde of het allemaal was afgelopen.

Vanaf de muur in het atrium keek de grote kapitalist met zijn kanarie strak op me neer. De twee paar somber onderzoekende ogen. Ik keek op en staarde terug. Ik had nog nooit de moeite genomen het doek goed te bekijken, besefte ik. Op het tafeltje bij de elleboog van Eoghan Metasey stond een glas ijswater met een glinsterend waas van condens – de legendarische vaardigheid van de schilder was zichtbaar in de glanzende druppeltjes die, zoals ik zag toen ik dichterbij kwam, niets anders waren dan volmaakt geschilderde grijze maansikkeltjes. Ik merkte ook voor het eerst op dat er een handje munten haast onzichtbaar tussen de knoesten van de tafel lag en dat op de schoorsteenmantel op de achtergrond een schitterend opgemaakte porseleinen schaal met vis stond.

Maar op dat moment voelde het als een merkwaardig bittere teleurstelling dat het allemaal heel gewoon was geworden voor mij. Ik dacht aan de mensen die ik eerder op de dag had gezien en die er met openlijke verbazing naar hadden staan kijken.

Om de een of andere reden besloot ik naar boven te gaan. Ik was wel honderd keer die trap op gelopen, maar nu probeerde ik het als een nieuwkomer te doen. Als iemand die het gewicht van een van de gebeeldhouwde asbakken voelde. Christians kamer lag pal bij de overloop en toen er geen reactie kwam op mijn kloppen, ging ik naar binnen en duwde de deur achter me dicht. Ik keek aandachtig rond. Op het bed lag de zeegroene Turkse sprei met het gouden stiksel en op de richel van de lambrisering stond haar rijtje votiefkaarsen en het Afrikaanse beeldenpaartje van een knielende man en vrouw. Door de ruiten van de openslaande deur keek ik naar het stenen balkon waar we een paar keer hadden staan zoenen onder de takken van de grote moeraseik waarvan het prille blad net was uitgekomen – kleine, lichte varianten van de handen met hun sierlijke vingers die 's zomers op haar raam tikten. Ten slotte liep ik naar het raam en zette het open. Mijn herinneringen leken zo ver weg.

Daar stond ik toen ik het geluid van de Aberdeen Red hoorde. Eerst de motor die op toeren kwam, vervolgens zachter ging lopen en opnieuw sneller begon te draaien toen het toestel de bocht naar de startbaan maakte; even later verschenen de dubbele vleugels boven de bomen. Het toestel trok recht en helde over naar het westen, in de richting van het meer. June Metarey had iets ongrijpbaars, besefte ik, net als Christian; iets dat vervluchtigde als je het probeerde te begrijpen. Maar Clara was toch ook haar moeders dochter, zoals Christian de dochter van haar vader was, en daar begon me voor het eerst iets te dagen dat ik nu uit ervaring weet: dat niet alleen onze ouders op een cryptische manier in ieder van ons verstopt zitten, maar dat wij net zo cryptisch in hen versleuteld zijn en dat we in beide richtingen kunnen kijken als we de geheimen van onze kinderen en onszelf willen zien.

Het vliegtuig vloog weg over de bossen van de Shelter Brook, met de vleugels zo vlak boven de heuveltoppen dat ze er af en toe geheel tussen verdwenen. Ze vloog recht op een ver doel af. Moest al die vrijheid een mens niet te veel worden? Als ik mevrouw Metarey was, waar zou ik dan naartoe gaan? Naar New York? Naar Montana? Naar Canada? Van alle privileges die ik in dat huis had gezien en van alle luxe van die wereld was dit misschien wel de zuiverste vorm, en de enige vorm die me altijd volkomen vreemd is gebleven. Niets kon haar waar dan ook van weerhouden. Zij allemaal konden door niets worden weerhouden.

Algauw was het toestel niet meer dan een donker streepje in een schijfje witte lucht aan de horizon. Maar daar, net waar het zou zijn verdwenen, ging het opeens omhoog en kwam weer recht te liggen. Ik bleef lang genoeg bij het raam staan om te begrijpen dat het was gekeerd. Het kwam weer terug. Over de contouren van het hele land waren de bossen in blad gekomen en de bedekking was een lichtgroene zee die slechts werd verduisterd door de golvingen van de heuvels en de langwerpige, voortglijdende schaduw van het vliegtuig. Het drong tot me door dat ik het nog nooit zo laat in de middag had zien vliegen.

Ik liep de gang weer op. Ik realiseerde me dat ik niet eens wist uit wat voor familie June Metarey kwam en toen ik de lange rijen foto's aan de muren bekeek, bedacht ik dat ze misschien wel op weg was geweest naar haar familie. Misschien was dat haar bestemming geweest, totdat ze bij de horizon van gedachten was veranderd en de neus van het vliegtuig weer in de richting van het huis had gedraaid. In de gang naar de bibliotheek bekeek ik de foto's een voor een aandachtig – foto's die ik tientallen keren was gepasseerd op mijn weg naar boven met krantenstokken, drankjes en haardhout. Nu zag ik dat ze kennelijk allemaal van de familie Metarey waren; ik zag er niet een bij van June Metarey zelf als kind – ik zocht naar iets dat wellicht leek op een boerderij in het westen – en niemand die familie van haar had kunnen zijn. Opeens herinnerde ik me haar woorden in de bibliotheek over Eoghan Metarey – van wie ze alleen door haar huwelijk familie was –, woorden van diep respect waardoor ik tot dat moment, besefte ik, had gedacht dat ze het over haar eigen vader had gehad.

Ik weet niet wat June Metarey vond van alles wat er zojuist was gebeurd met Henry Bonwiller. Ze was ambitieus, dat weet ik zeker. Ik vermoed dat ze nog ambitieuzer was dan haar echtgenoot en dat zij beter dan wie ook de gevaren ervan inzag omdat ze zo'n goede antenne had voor dat soort aspiraties. Maar ze was er ook niet de persoon naar om op te geven. Ze leek, om redenen die ik nooit zal kennen, zo lang zo dicht tegen de wanhoop aan te hebben geleefd dat de slagschaduw daarvan voor haar vermoedelijk niet leek op het vallen van de nacht, zoals het meneer Metarey moet zijn voorgekomen, maar gewoon de normaalste zaak van de wereld was. Henry Bonwiller had wel eerder moeilijkheden overwonnen. Hij had een geducht leger aanhangers: hij zou ze weer overwinnen.

Maar als de vader van dochters geloof ik niet dat Liam Metarey – wiens dochters dezelfde leeftijd hadden als mijn jongste nu – ook zo koelbloedig had kunnen blijven.

Bij de deur van de bibliotheek bleef ik staan omdat ik besefte dat Gil McKinstrey zich waarschijnlijk afvroeg waar ik was gebleven. Toch wilde ik naar binnen. Daarom was ik immers het huis in gelopen: om meneer Metarey te zoeken. En hem te helpen. Maar de hoge, met de hand bewerkte dubbele deuren voor me waren gesloten en voor het eerst in mijn tijd daar durfde ik niet aan te kloppen. Stel dat hij nog binnen zat met de FBI? Stel dat hij zich onder druk tegen de senator had gekeerd? Of een kant van zichzelf had laten zien die hij nooit aan mij – nooit aan wie dan ook – wilde tonen?

Ik putte moed uit mijn verlangen. Mijn verlangen om nog eens met hem te praten. Als er een agent binnen was, kon meneer Metarey misschien iets aan mij doorgeven om tegen zijn vrouw of de senator te zeggen. Of hij kon rechtstreeks iets over de situatie zeggen. Anderzijds, als hij alleen was, en ik vermoedde dat hij dat intussen was, en als hij na alles wat er die dag was gebeurd toch ontspannen was, dan had ik mogelijk kans op nog een gesprek met hem. Misschien kon hij iets zeggen over wat er was gebeurd.

Maar nee, op dat moment drong Gil McKinstreys gedempte stem tot me door: 'Corey?' riep hij, 'Corey Sifter!'

Ik keek uit het raam boven de trap achter me en zag hem op het grindpad naast de hooischuur staan. 'Corey Sifter!' riep hij bars. 'Waar zit je in jezusnaam, jongen?' Hij sloeg met zijn hand tegen zijn heup, zoals wanneer hij Breighton riep. Toen verdween hij in de stal.

Ik klopte vlug op de deur van de bibliotheek en toen er geen reactie kwam, duwde ik de deur open. Het vertrek was leeg. Dat was natuurlijk een teleurstelling. Maar toen ik uit het raam keek naar de tijdelijke hulpen, die druk bezig waren op het grasveld, werd ik overrompeld door gevoelens van teleurstelling en verwarring over mijn eigen ongewone nalatigheid. Naast het feit dat in de afgelopen paar minuten de volle omvang van het dreigende debacle voor de familie vagelijk tot me door was gedrongen, was ik er niet op voorbereid hoe diep het me allemaal raakte. Ik moest er even bij gaan zitten. Ik trok een stoel naar de middelste tafel.

Op het vloeiblad voor me stonden een paar vuile etensborden en wijnglazen, en werktuiglijk begon ik ze te verzamelen om mee naar beneden te nemen. Naast de borden lag een stapel boeken. Ik weet niet waarom, maar ik spreidde ze op de tafel uit.

Ik ben de journalistiek in gegaan, zoals ik al zei, om redenen die me op Dunleavy en Haverford het diepst hebben beïnvloed. Op beide scholen bloeide mijn liefde voor boeken op – allereerst die van Mark Twain. Maar algauw van Dickens, Dostojevski en zelfs Hegel, en later van A.J. Liebling, James Agee, Jacon Riis en H.L. Mencken. En toen ik die laatste ontdekte, voelde ik me er waarschijnlijk des te meer toe aangetrokken door mijn sterke herinneringen aan Glenn Burrant en G.V. Trawbridge. Maar dat is niet alles. Na verloop van tijd raakte mijn generatie haar wilde haren kwijt en gingen mijn kennissen van Haverford het bedrijfsleven en de advocatuur in, net als hun vaders; en sommigen hebben ongetwijfeld het plan opgevat zich kandidaat te stellen voor een staatsambt, het Congres of zelfs het presidentschap. Dat alles is voor mij altijd ondenkbaar geweest. Ik heb eerder dan de meesten de ambitie leren kennen – echte ambitie – door mijn tijd bij de Metareys. En dat is nog een reden waarom ik doe wat ik doe.

Ik begon de titels op de tafel door te nemen. Onderwijl hoorde ik Gil McKinstrey weer roepen. Mijn naam klonk zwak, maar de irritatie in zijn stem was onmiskenbaar en ik stond op en sloop naar het raam, totdat ik hem weer onder de hooitakel zag staan. Hij haakte er een pallet met stoelen aan en riep nog eens, maar hij keek de andere kant uit, naar de tent. Op dat moment verscheen de Aberdeen Red boven de bomen en ik zag het toestel boven hem overhellen en in de richting van de landingsbaan draaien.

Toen ik weer van het raam wegliep om me voor Gil te verstoppen zag ik toevallig dat een van de boeken op tafel *The Jungle* was van Upton Sinclair, waar meneer Metarey het een keer over had gehad. Uiteraard werd mijn verlangen om hem te spreken er alleen maar sterker door. Daarom duwde ik de rest van de stapel opzij, nam het boek in mijn handen – het exemplaar dat nu bij mij op mijn kantoor ligt naast *Newspaper Days* van Mencken – en liep naar de deur aan de andere kant van de kamer waar de hoge lessenaar stond. Ik wilde alleen maar indruk op hem maken. Of gewoon als vriend met hem omgaan. Hem laten zien dat ik de generositeit die hij me had betoond werkelijk enigszins waard was. Ik sloeg het leren omslag open op de standaard en begon – heel even – te lezen.

Ik stond dus met mijn rug naar het raam toen het gebeurde en zag er niets van. Ik hoorde het alleen maar.

Maar ik weet nu dat je je in zo'n geluid niet kunt vergissen.

Eerst het vlugge, versnellende gebrul van de motor, toen de mokerslag. Het bureau schudde. Daarna: stilte. De inslag vond plaats in de tweede rij eiken en lariksen aan de andere kant van de paardenkamp, nog geen vierhonderd meter van de landingsbaan. Ik rende naar het raam en rukte het open. Meteen was er de rookpluim. Een gruwelijke zwarte kolk die loodrecht opsteeg boven het windstille land. Direct daarop werd de ban van stilte verbroken en verdrongen door zacht geknetter. En een tel later door een serie snel opeenvolgende explosies. De opbollende wolk steeg kolkend hoger, plotseling doorstoken door twee hoog oplaaiende torens van vlammen die boven de takken uit schoten. 'Gil!' schreeuwde ik. 'Het is mevrouw Metarey!' Ik rende naar de oostelijke ramen en gooide ze open. 'Het is de Aberdeen Red! Het is de Aberdeen Red!' Toen rende ik al schreeuwend de andere kant uit, de deur uit en de trap af door het huis. Ik hoorde anderen ook roepen, maar er kwam geen antwoord, alleen maar meer kreten en het geluid van de rennende voeten van het personeel, en een van de dienstmeisjes die in de gang zei dat meneer Metarey volgens haar naar de stad was gegaan. Ze pakte de hoorn van de wandtelefoon en probeerde te draaien, maar kennelijk werd het haar te machtig en ze zakte op een stoel in elkaar. Ik rende naar de studeerkamer van meneer Metarey in het achterhuis om hem te zoeken en daarna naar de vergaderzaal beneden. Vervolgens sprintte ik de verandatrap af naar de bossen, al die tijd zijn naam roepend.

Hoe dringt tot iemand door wat nooit wordt uitgesproken? Door welk samenstel van gebaar en erkenning, door welke nuances van houding of toon worden we de duistere, onduidelijke bedoelingen gewaar van de mensen om ons heen? De eerste echte woorden die Liam Metarey ooit tegen me sprak – 'arbeid maakt vrij' – schoten me met een schok weer te binnen toen ik ze zes jaar later weer tegenkwam op mijn eerste reis naar Europa, en ze maakten alleen maar opnieuw duidelijk dat onze werelden – onze levens – totaal niet zijn wat ze lijken. Dat wij allemaal, hoe moeilijk het misschien ook te aanvaarden lijkt, niets anders doen dan een koers volgen die al vroeg in ons leven is uitgezet. June Metareys politieke inzicht had haar – had hen beiden – heel ver gebracht, maar juist haar onheilsprofetieën, die eerder een kwestie van karakter leken, bleken uiteindelijk een kern van waarheid te bevatten.

De zwarte rookpluim verspreidde zich al over het land. Binnen een paar minuten kwam de enige brandweerwagen uit Saline door de poort jakkeren, maar toen hij over de dam het beboste laagland op reed, bleek de weg niet breed genoeg om hem door te laten. De brandweermannen namen alle slangen samen in één bundel en renden ermee door het bos. Maar nog kwamen ze er niet bij. Ze riepen in hun radio, al was het evident dat ze niets konden uitrichten: tegen de tijd dat ze de open plek bereikten, was het vliegtuig één kolkende massa vlammen en bijtende zwarte rook die boven zichzelf uitdijde en de hemel afdekte. In de invallende duisternis wierpen de twee hoog oprijzende oranje tongen dansende schaduwen op de bomen. Er bleef maar rook uitstromen. Geen mens kon er zelfs maar in de buurt komen – ik weet het, want ik heb het geprobeerd. De eikenbomen dicht bij de plaats van de ramp waren totaal opgebrand en de stinkende wolk steeg inmiddels bulderend op uit het midden van zijn zelfgeschapen open plek. In een kring eromheen stonden lariksen waar de naalden van waren verschroeid.

Ik bleef op dertig meter afstand staan. De rook steeg almaar op als een enorme zwarte berg, die een plafond boven ons legde en zich over de hemel uitbreidde. Er hing een smerige stank van kerosine en verbrand rubber. Het werd donker en nog even en het zou wel nacht lijken. Telkens als ik keek, wist ik dat ik het gruwelijke, helse graf van mevrouw Metarey zag, en toch kon ik mijn ogen er haast niet van afhouden. Je verstand kan zoiets afgrijselijks niet bevatten. Het leek zich allemaal voor een venster van vertekenend zwart glas af te spelen, en in de mensenmassa van verwarrende figuren en afnemend licht keek ik van links naar rechts. Ik geloof dat ik op zoek was naar Christian en Clara. Ik zeg 'ik geloof' omdat ik het echt niet weet. Ik was op het idee gekomen dat het nu mijn taak was hen te helpen, maar ik had al moeite om één feit tot me door te laten dringen, helemaal dit feit. Ik draaide me telkens weer om naar het brullende, kolkende midden. Zo reageren mensen nu eenmaal, ontdekte ik. Tenminste, zo reageerde ik.

Toen vatte om een of andere reden de gedachte post dat ik gereedschap moest hebben om het struikgewas weg te kappen en ik ging abnormaal geconcentreerd op zoek. Er waren inmiddels nog meer brandweerauto's gearriveerd en toen ik een kapmes tegen het wiel van een daarvan zag staan, pakte ik het en nam het mee naar de rand van de open plek. De uit het vuur oplaaiende tongen kwamen inmiddels minder hoog, maar het was nog steeds verblindend in de duisternis en er rees nog steeds rook uit omhoog. Op tientallen plaatsen waren ook de struiken en het gras in brand gevlogen en netwerken van lage vlammetjes liepen kriskras over de paden tegen de heuvel op in een flakkerende doolhof van rood en oranje, als lava die uit de aarde opwelt. Maar het waren onbeduidende brandjes: sommige brandweermannen liepen er zelfs dwars doorheen. Ik begreep natuurlijk wel dat een kapmes niets uithaalde. Toch bleef ik met dat ding in mijn handen staan. Ik besefte zelf ook dat mijn verstand niet goed werkte, maar kennelijk kon ik de discipline niet opbrengen om er iets aan te doen. In iedere gestalte die in donkere kleren in het flakkerende licht bewoog, zag ik Christian en Clara, en telkens als er iemand de heuvel af kwam rennen, zag ik meneer Metarey. Toen ik in de helse massa keek, zag ik op een gegeven moment zelfs het zwarte skelet van June Metarey in de schoudergordels boven de cockpit hangen; even later zag ik het over de vleugel tussen de lage tongen van blauwe vlammen klauteren en op de grond springen. Ik schudde mijn hoofd om helderheid te krijgen. Ik weet zeker dat de tranen in mijn ogen stonden.

Het was duidelijk dat er niets herkenbaars meer over zou zijn tegen de tijd dat het vuur was uitgewoed, en op dat moment kwam Gil McKinstrey op de Ferguson uit de schuur met een kar vol kettingzagen om samen met de brandweerlieden verderop tussen de kleinere berken een opening te maken. Ik deed direct met hen mee, en inderdaad hielp het om eindelijk iets te kunnen doen. Mijn gedachten werden iets helderder. Het kostte geen moeite om buiten de rook te blijven, die nog steeds snel opsteeg maar zich pas boven de boomtoppen verspreidde. We zaagden een wig in de stammen zodat ze van het midden weg vielen en even later hadden we een hele ring weggekapt. Op dat moment viel er weinig meer te doen dan staan toekijken. Een grafkrans van flakkerende blauwe vlammen slingerde rond de donkere kern. Er stonden een paar dienstmeisjes bij de schuur en toen ik opkeek, zag ik in het schijnsel van het zwaailicht op een brandweerwagen dat ze huilden.

Ik draaide me om naar de bossen. Op dat moment liet Gil McKinstrey opeens zijn kettingzaag vallen en liep hij de heuvel op. Een tel later zag ik de koplampen van de Chrysler door de poort naderen. Toen begon ik pas echt te huilen. Als een kind dat zich weet te beheersen tot zijn ouders thuiskomen. En tot mijn schaamte moet ik bekennen dat ik – om een even kinderlijke reden – zielsgraag degene wilde zijn die het aan meneer Metarey vertelde. Ik rende in zijn richting, al zag ik door mijn tranen heen bijna niets meer. Ik probeerde de ene man voor te zijn om de andere te vertellen dat zijn vrouw zojuist was omgekomen. Maar Gils vertekende gestalte was al over de dichtstbijzijnde dam heen en na nog een paar stappen bleef ik domweg aan de rand van het bos staan en droogde mijn ogen, zodat ik tenminste zag hoe hij door Breightons paardenkamp rende, over het hek sprong en toen met een sukkeldrafje het uiteinde van de laan bereikte waar de auto tot stilstand was gekomen. Hij boog zich naar de voorruit en opeens ging zijn hand naar zijn gezicht. Hij moest steun zoeken op de motorkap. Carlton Sample kwam achter het stuur vandaan en even later ging het achterportier open en stapten eerst Christian, toen Clara en daarna June Metarey op het grind uit.

En mijn vraag is: hoe wist ik dat, één tel daarvoor?

Ik denk weleens aan zijn laatste momenten. Hij zal de wind hebben gevoeld, de brede zee van eikenbomen hebben zien naderen. Toen hun takken. Hij zal de prille, lichte blaadjes hebben opgemerkt. Die allemaal wapperden in de aankomende luchtverplaatsing. Kijkt hij ernaar? Heeft hij zijn ogen open? Ik denk van wel. Ik zie hem neerdalen in hun sidderende omhelzing, de punten die eerst over de vleugels strijken om ze dan te omsluiten. De rand van het blad van de rode eik is gesplitst in uitstulpingen die in een punt uitlopen en diezelfde lob is bij een witte eik afgerond; en het blad van de zwarte eik verschilt van dat van de rode slechts door de variabele grootte. Het grootse, ondoorgrondelijke werk Gods. Ik zie zijn armen gestrekt in de open cockpit. Ik zie hoe hij met zijn gespreide handen de lucht doorklieft. Schreeuwt hij? Ik denk van niet. Ik denk eigenlijk dat hij zwijgt. Zwijgt wanneer het groen losraakt en van alle kanten over hem heen regent. Zwijgt wanneer zijn zorgen worden afgeworpen, eerst in de opwaartse druk en dan in het breken van de eerste zware takken. Zwijgt wanneer het land van zijn vader met het tere gras vol kiemende esdoorns omhoogkomt om hem op te vangen.

Tien

ALS WE OP VLAK TERREIN KOMEN, BEGINT MIJN VADER OPEENS hoofdschuddend te lachen. Dan zegt hij: 'De Eiken.'

'Ja?'

'Zo wordt het genoemd.'

'Wat?'

'Dat nieuwe geval. Het winkelcentrum.'

Hij praat nu iets makkelijker doordat we de heuvels achter ons hebben gelaten. We zijn weer beneden na ons vaste tochtje naar het Shelter Brook-reservaat, dat dankzij Liam Metarey beschermd gebied is geworden. Iedere week wandelen we langs een slingerweg de korte helling op die uitzicht biedt over het laatste stukje onbebouwd terrein tussen de oude Silverton Orchards en Saline.

'Nou,' zeg ik, 'van die lui kun je inderdaad alles verwachten. Het verbaast me alleen dat ik het niet had gehoord.'

'Maak je niet dik.' Hij draait zijn voet omhoog om een steentje uit zijn schoenzool te halen. 'Jij bent maar een krantenman.'

Hij wrijft in zijn handen en laat ze dan op zijn knieën rusten.

'De laatste die iets te weten komt,' zeg ik.

'De laatste die iets te horen krijgt, in elk geval.' Hij zit nog steeds voorovergebogen en grijnst. Dan komt hij overeind. 'Zo gaat dat nu eenmaal tegenwoordig,' zegt hij. 'Het hele geval wordt in het geheim gebouwd. Zelfs degenen die eraan werken moeten hun mond houden. Tenminste, als ze de volgende morgen nog werk willen hebben. Een kant-en-klaar cadeautje. Voor kerst.'

We lopen weer verder. Zijn conditie is redelijk, maar de heuvels vallen hem de laatste tijd zwaarder. Vroeger deden we er drie of vier. Nu doen we er twee, soms maar één.

'Die bewaker vertelde het toen we naar binnen gingen,' zegt hij. 'De zoon van Murph Mills, wist je dat?'

'Ik weet het, pa,' zeg ik. 'Dat heb je al verteld.' We zijn vlak bij het parkeerterrein. Hij kijkt onder het lopen naar de grond, zoals altijd tegenwoordig, zonder dat hij iets speciaals zoekt. In wezen een vredige gelaatsuitdrukking in het lage namiddaglicht. Een beetje slaperig misschien. Een zweem ongerustheid. 'Pa,' zeg ik, 'hoe oud zou de zoon van Murph Mills nu zijn?'

'Hmm.' Hij zet zijn Yankees-pet af en krabt zich met de klep op het hoofd. Dan, alsof hij zich eindelijk iets herinnert, mompelt hij: 'Jezus.'

'Je bedoelt misschien de kleinzoon van Murph Mills.'

'Wat maakt dat verdomme uit?'

En de rest van de weg leggen we zwijgend af.

═══════

DIENST FORENSISCHE LIJKSCHOUWING VAN CARROL COUNTY

East Lake Street 146, Steppan, NY 10045

Sectierapport

NAAM: Charney, JoEllen Marie   **SECTIENR.**: A72-11

GEB.DAT.: 19-1-1945   **STERFDATUM**: 16-12-1971 – 24-12-1971

LEEFTIJD: 26   **SECTIEDATUM**: 27-1-1972 09.30 uur

GESLACHT: V   **ID.NR.**: 37GH24

PATH.-AN.: Fitzpatrick   **ARTS/MED.DOSS.**: 0172-37924

TYPE: F.L.

DIAGNOSE:

1) Hypothermie
   A. Glucose in glasvocht 84,5 mg/dl
   B. Acute maagulcera
   C. Diffuus erytheem
   D. Acute pancreatitis
2) Hoofdwond
   A. Kneuzing van schedelhuid, rechterslaap, oppervlakkig
3) Verwondingen aan spier- en beenderstelsel
   A. Fractuur, linkerpink, distale falanx
   B. Fractuur, linkerpink, proximale falanx

Toxicologisch onderzoek:

Bloedalcohol: 1,4 promille

Toxische substanties in het bloed: niet waargenomen

KLINISCH-PATHOLOGISCHE CORRELATIE: doodsoorzaak van deze zesentwintigjarige blanke vrouw is hypothermie door ongeluk als gevolg van door alcohol veroorzaakte ataxie en val.

Door

Dr Clyde R. Fitzpatrick,
Patholoog

bsc/27-1-1972

Pas een paar weken later zegt mijn vader als we na een ander uitstapje op weg zijn naar huis: 'Waarom vroeg je me dan niet naar dat jaartal?'

'Welk jaartal?'

Hij kijkt uit zijn raampje, zodat alleen de achterkant van zijn honkbalpet voor mij zichtbaar is. 'Het jaartal dat ik in het beton heb gekrast. Ik weet best dat het niet 1971 is.'

We zijn vlak bij Walnut Orchards. Het is een prachtige omgeving: een serie lage, voor elkaar schuivende heuvels in zigzaggen opgestuwd toen de gletsjer zich de eerste keer door het bekken perste, zodat de schaduwen van de in elkaar overlopende dalen in strepen over de lage horizon liggen.

'Ik moet toegeven,' zeg ik, 'dat ik een beetje ongerust was.'

'Waarom zei je dan niks?'

'Daarom juist, denk ik.'

Daar moet hij over nadenken. Althans, zo lijkt het. Hij kijkt nog steeds uit het raampje.

We zijn bij de grens van het Shelter Brook-reservaat, een verrassend grote lap grond, zelfs voor de Metareys – het grootste beschermde gebied in het westelijke deel van de staat. De noordkant loopt van het eind van de oude Silverton Orchards tot op een paar kilometer van de plaats waar mijn vader nu woont. Ook enkele gepensioneerde boeren die aangrenzende percelen bezitten, hebben stukken grond afgestaan of toestemming gegeven voor de aanleg van paden op hun areaal, dat tot hun dood in hun bezit zal blijven, zodat je vandaag de dag meer dan vijfhonderd kilometer kunt wandelen als je alle slingerende grindpaden afloopt. Je gaat tegenwoordig over hoge houten loopbruggen over de Little Shelter Brook en je kunt gebruikmaken van verborgen wc-hokjes opzij van de paden en op de heuveltoppen even uitrusten op een metalen bankje. Vanaf sommige van die bankjes kun je de rode pannen van het puntdak van de Target-winkel en het golvende blauw van NABO op het bord van de CINNABON-bakkerij bij De Eiken zien, en op de bankjes aan de noordzijde hoor je de vrachtwagens op de 35; maar vanaf andere kijk je vijftig kilometer ver uit over niets dan grasland en heuveltoppen en in de weilanden kun je op nog geen twintig meter van je vandaan hele hertenfamilies observeren die als meisjes op hoge hakken op de grazige oevers staan.

Hij heeft zich nog steeds niet van het autoraam afgewend. 'Jij en dokter Jadoon,' zegt hij vlak.

'Wat is er met ons?'

'Jullie proberen me telkens te betrappen.' Hij draait het raam een eindje naar beneden en gooit het steeltje van de wilde appel die hij op onze wandeling heeft geplukt naar buiten. 'Jullie allebei. Ik weet hoe jullie werken. Als je maar even de kans krijgt, test je mijn geheugen. Kijken wat die ouwe kan. Ik ben niet seniel, hoor. Denk je dat ik het niet doorheb?'

'Nou, dit keer was ik daar niet mee bezig, hoor.'

'Waarmee?'

'Met testen.'

'Vanmorgen,' zegt hij, 'zat ik de *People's History of the United States* te lezen.' Hij draait zich om. 'Howard Zinn. Ben je nou tevreden?'

'Ja, pa. Volkomen tevreden.'

'Weet je welk jaar het was?' Hij neemt een hap van het appeltje en trekt een zuur gezicht.

Ik moet even nadenken. 'Nee, dat weet ik niet,' zeg ik ten slotte.

Hij kijkt naar me om, nogal ingenomen met zichzelf. 'De laatste keer dat we bij elkaar waren.'

'Ik snap het niet, pa.'

'De laatste keer dat we allemáál bij elkaar waren.' Hij neemt nog een hap en trekt weer een zuur gezicht. 'Met z'n drietjes. Het was de zevende. Zeven september 1971. De dag dat je wegging naar – hoe heette die school ook al weer? Ik zei tegen je moeder dat het het einde was van ons leven samen. Die dag.'

'Dunleavy,' zeg ik.

'Ik zei tegen haar dat je ons voorgoed verliet.'

'Dat was niet zo, pa. Helemaal niet.'

'Ik was ertegen dat je ging, wist je dat? Maar volgens je moeder was het een fantastische kans. God hebbe haar ziel.'

'Was jij ertegen?'

'Nou en of. Zij was degene die het wilde. Zij wilde jou de kans geven. We hebben er verschrikkelijke ruzie over gehad.'

'Dat had ik nooit gedacht.'

'Dat weet ik. Daarom vertel ik het nu.' Hij trekt zijn wenkbrauwen op. 'Voor de goede orde.' Hij neemt nog een hap en tuit zijn lippen. 'Het heeft weken geduurd. Volgens mij was het het stomste wat je kon doen. Maar het doet er niet meer toe. Zo is het leven nu eenmaal, hè?' Terwijl hij nadenkend kauwt, beweegt zijn magere hals op en neer. 'Je moet er even aan wennen,' zegt hij terwijl hij het aangekloven klokhuis ophoudt, 'maar dan vallen die dingen best mee. Dunleavy – ja. Ik vergeet die naam altijd. Het was een maandag, geloof ik. Zeven september. Of een dinsdag. Precies. Best mogelijk dat je om een of andere reden op dinsdag begon. Misschien vanwege Labour Day.'

'Ironisch.'

'Ja, inderdaad.'

Hij neemt nog een hapje.

'Er zit een vent bij mij op de gang,' zegt hij. 'Ene Leo – die kan bij elke datum die je noemt de bijbehorende dag zeggen. Binnen een halve minuut. We kunnen het hem vragen als we terugkomen.'

'Jij was ertegen?'

'Klopt, jongen.'

'Maar je zei van niet.'

'O ja? In mijn ogen liep je over naar de tegenpartij.'

'En? Is dat gebeurd?'

Hij kijkt me aan. 'Hmm, ik weet het niet,' zegt hij na een paar tellen. 'Ik weet het echt niet.' Dan lacht hij en voegt hij eraan toe: 'Maar zo zit de wereld nu eenmaal in elkaar. Toen de jongens pvc gingen gebruiken in plaats van lood, wilde ik ermee ophouden. Maar uiteindelijk deed ik mee. En ik vond het geweldig.' Hij haalt zijn schouders op, waarbij de zwakkere onder zijn overhemd achterblijft. 'Misschien had ik m'n gewrichten gespaard als ik er eerder aan begonnen was.'

'Pa,' zeg ik, 'wat vind je ervan dat ik in de journalistiek zit?'

'Ik?' antwoordt hij. 'Wat weet ik daarvan? Engels is nooit mijn sterkste kant geweest.'

'Heb je wel Engels gehad?'

'Nee.' Hij veegt een appelpitje van zijn broekspijp. 'Dat werd niet gegeven.'

'Wat lees je tegenwoordig eigenlijk allemaal, pa?'

'Veel.'

'Hoeveel?'

'Nou, zie je – ik heb gemerkt dat ik er goed in ben. Wie had dat nou gedacht? Jouw vader. Ik ben snel, hoor. Heb ik nooit geweten. Een paar boeken per week, schat ik; dat is niet ongewoon voor me. Niet slecht voor een
loodgieter, hè? En ik heb nooit van mijn leven Engels gehad.'

'Lees je twee boeken per week?'

'Zo ongeveer.'

We zijn al bij Walnut Orchards en ik rijd het parkeerterrein op. 'Goh,
pa,' zeg ik. 'Waarom nu?'

'Waarom nu?' Daar moet hij even over nadenken. 'Nou, ten eerste heb
ik nu meer tijd dan vroeger.' Hij schopt tegen de vloer van de Camry, bukt
zich en plukt de losgekomen brokjes aarde van zijn schoenen. Er ver-
schijnt een bepaalde blik in zijn ogen. 'Maar het is denk ik ook wat ze altijd
zeggen: omdat er zoveel boeken zijn.'

Ik parkeer de auto voor de deur van zijn vleugel, maar hij maakt geen
aanstalten om uit te stappen. Hij veegt het stof op een hoopje op de vloermat en schuift het met licht bevende vingers op zijn handpalm. 'En voor
al dat lezen word jíj betaald,' voegt hij eraan toe terwijl hij ten slotte het
portier opent en het handje aarde op het asfalt laat vallen. 'Dat moet een
mooi leven zijn.'

'Dat is het ook, pa, dat is het.'

'Nou, dat moet ook wel.' Dan doet hij een handreiking: 'Maar ik mis je
nog steeds.'

'Ik ben hier, hoor pa.'

'Ik mis je al vanaf de dag dat je nieuwe leven begon.' Hij haalt één
schouder op. 'Je bent altijd ambitieus geweest, weet je. Je moeder moedig-
de dat aan. Ik kon er toch niets tegen doen. En nu ben ik daar blij om.'

'Ik zie mezelf niet als ambitieus.'

'Maar dat ben je wel. Zo ben je altijd geweest.'

Leunend op de portiergreep duwt hij zich op en het duurt enkele ogenblikken voordat hij uit zijn stoel omhoog weet te komen. Maar ik weet dat
ik mijn hulp niet hoef aan te bieden. 'En als puntje bij paaltje komt,' zegt
hij wanneer hij ten slotte op de parkeerplaats staat, 'was het niet eens meneer Metarey die je naar Dunleavy stuurde.'

'Jij en mam moeten er ook iets mee te maken hebben gehad, dat snap ik.'

Hij bukt zich naar het raampje. 'Nou,' zegt hij zacht, 'dat bedoel ik niet.' Zijn handen beven nog iets meer. 'Ik bedoel Eugene McGowar. McGowar en zijn mannen en al die mannen zoals hij. Ik hoop dat je niet bent vergeten dat zij degenen zijn die je eigenlijk hebben gestuurd.'

'O ja, ik begrijp wat je bedoelt, pa. Ja, dat weet ik.'

Hij kijkt naar de vloer van de auto. 'Meneer Metarey heeft je dingen gegeven die ik niet kon geven, jongen. Dat begrijp ik. Hij was een betere vader dan ik kon zijn.'

Ik zet de motor uit. 'Pa... denk je dat echt?'

'Dat weet ik, Cor. En ik vind het best. We zijn er allemaal beter van geworden, toch?' Hij slaat zijn ogen op naar de mijne. 'En ik weet dat jij in ruil daarvoor iets voor hem hebt gedaan – voor Henry Bonwiller. Voor allebei, bedoel ik. Ik weet dat je iets hebt gedaan – ik weet alleen niet precies wat.' Hij gaat weer rechtop staan en draait zich om.

'Wat dan, pa?'

'Tja,' zegt hij terwijl hij nog even omkijkt voordat hij wegloopt. 'Henry Bonwiller was de beste vriend die de arbeider in dit land ooit heeft gehad.'

Toen de volgende zaterdag de uitvaart van meneer Metarey plaatsvond, was er een hoog hek om het terrein van de ramp opgetrokken. Nog geen halve dag na het ongeluk waren drie mannen in een dienstauto van het nationale bureau voor verkeersveiligheid gekomen, die een paar uur met hun polaroidcamera's in de weer waren rond de ravage waar een bijtende geur afkwam, en vervolgens naar Buffalo terugreden. Later die ochtend kwam Glenn Burrant opdagen met het blocnootje van de verslaggever in zijn hand. Ik stond bij de schuur en zag hem op een gereedschapskist naast het wrak zitten terwijl voor zijn ogen de laatste planken werden vastgespijkerd door ingehuurde timmerlieden. Toen trok hij zijn das recht en liep naar het huis terug. Hij zag nog bleek toen ik die middag het portier van de Corvair voor hem openhield voordat hij wegging. 'Nooit gedacht dat het zó zou eindigen,' zei hij zacht terwijl hij achter het stuur kroop. Hij zag net zo grauw als wij allemaal.

'Dat had niemand gedacht,' was het enige antwoord dat ik kon bedenken.

Er waren die dag allerlei akelige karweitjes te doen op het landgoed en net als de rest van het personeel was ik komen helpen. Maar ik geloof dat het al avond was toen Gil opkeek van een doos die hij stond dicht te plakken en vroeg: 'Hé, heeft iemand Churchill gezien?'

Ik denk ook aan die hond. Ik denk aan de hand van meneer Metarey op zijn gretige kop.

Ik denk aan Liam Metarey die geen vliegopleiding had, maar uit onderdelen een motor in elkaar kon zetten. Ik denk aan Liam Metarey die het bewind voerde over de aanzienlijke middelen van zijn vaders fortuin, die het volle gewicht van dat fortuin naar een hoger plan tilde van invloed en status. Aan Liam Metarey die een paard kon temmen en een draadsnijmachine kon hanteren als de beste in Carrol County, die een verzameling kleppen en zuigers in zijn schuur kon namaken. Aan Liam Metarey aan wie ik heel wat van de grote gaven van mijn leven te danken heb en die ik altijd erkentelijk zal blijven. Hij was iemand – net als zijn vader, geloof ik nu, en als zijn jongste dochter – iemand bij wie de gekoppelde polen van het sublieme en de wanhoop van elkaar waren losgeraakt. Zoals bij veel andere net zo geslaagde mannen. Toch was hij onveranderlijk aardig voor mij. Wat er ook gebeurde.

Zijn generositeit was in zekere zin een voorbode van zijn einde, zoals nu glashelder lijkt – want wie anders geeft er zoveel weg? En ik hoop maar dat zijn laatste ogenblikken niet beheerst werden door angst maar door kalmte, ook al werden ze overschaduwd door het inferno dat zijn opzet was. Ik geloof niet dat Henry Bonwiller of JoEllen Charney of een ander aspect van de loop der gebeurtenissen de oorzaak was van zijn heengaan: ze waren slechts het instrument dat hij, besef ik als ik over hem nadenk, altijd al had gezocht, op steeds grotere hoogte en met alle energie van zijn geest, in alle dagen van zijn bewind. Hij was dol op instrumenten.

Ik denk constant aan hem. Tot op de dag van vandaag.

Henry Bonwiller sprak natuurlijk op de begrafenis. En ik geloof dat het die grote, maar sobere bijeenkomst was, en niet zozeer enig inzicht in zijn eigen daden of een vlucht voor de wrede kentering in de campagne, die hem ten slotte tot zijn besluit bracht. Hij had een onmenselijk pantser om zich heen – hoe kon ook het anders? –, maar dat wil niet zeggen dat er niets tot hem kon doordringen. Het was een eenvoudige dienst. Vier mannen om de kist te dragen – Gil McKinstrey, twee neven van meneer Metarey en Andrew, die weer met verlof thuis was gekomen – en slechts twee sprekers, de pastoor en Henry Bonwiller, die de dag na het ongeluk van Chattanooga was doorgereisd naar Raleigh-Durham, maar het bezoek aan West Virginia daarna had afgezegd. Hij stond voor de menigte in de episcopale Drievuldigheidskerk in Saline en boog zijn hoofd.

Het schip was stampvol en ook voor de open deuren stonden nog eens tientallen rijen klapstoelen. Hij hief zijn vermoeide gezicht op naar de menigte en vertelde hoe lang hij Liam Metarey had gekend en wat een trouwe vriend hij was geweest. Ik weet dat er verslaggevers onder de toehoorders zaten – ze waren officieel niet welkom, maar waren toch gekomen – Glenn Burrant onder andere. Mijn vader was er natuurlijk ook; hij zat naast meneer McGowar – de tweede keer in mijn leven dat ik hen samen in pak zag. En honderden inwoners van de stad. Henry Bonwiller sprak niet lang en hij was zo aangedaan – of hij kon gewoon uitstekend het publiek bespelen – dat hij zijn retoriek achterwege liet en slechts met een hese, vlakke stem in de microfoon sprak op weinig meer dan een fluistertoon. Zijn stem droeg tot ver in het schip en daarbuiten, waar ik stond. Ik wilde om de een of andere reden helemaal achteraan staan. Om iedereen te kunnen zien. Of opdat men mij niet kon zien. Andrew, Christian en Clara zaten samen met hun moeder voorin en zelfs van buiten de kerk kon ik hen naast elkaar in de bank zien zitten. Ik moest me afwenden.

Aan het slot van zijn lofrede haalde Henry Bonwiller een opgevouwen velletje papier uit zijn borstzak en las het gedicht 'Musée des Beaux Arts' van Auden voor, dat ik nog steeds ieder jaar op Liam Metareys geboortedag lees.

'Ze vergisten zich nooit in het lijden,
De Oude Meesters: hoe goed kenden zij de
Plaats ervan bij de mens; hoe het zich voelen doet
Terwijl een ander eet of een raam openzet of domweg verder loopt;

Hoe, als de ouderen eerbiedig, hartstochtelijk wachten
Op de wonderbare geboorte, er altijd een paar
Kinderen moeten zijn voor wie het niet hoeft,
Die schaatsen op de vijver aan de zoom
Van het bos: zij wisten maar al te goed
Dat zelfs het stuitend martelaarschap zijn weg
Moet gaan, hoe dan ook, in een rommelige hoek,
Waar de hond zijn hondeleven leidt en het paard van de folteraar
Zijn onschuldig achterste schurkt aan een boom.
Neem Brueghels *Icarus:* zoals iedereen
Zich gemoedereerd van de ramp afkeert; de ploeger zal
De plons wel hebben gehoord, de verlaten schreeuw,'

Hij keek op naar zijn gehoor. Veel mensen moesten huilen. Na een ogenblik knikte hij met opeengeklemde lippen, draaide zich om naar de kist en
bracht een groet. Toen stopte hij het opgevouwen vel papier weer in zijn
jaszak en reciteerde de rest uit zijn hoofd:

'Maar dat falen deed hem niet veel; de zon scheen,
Zoals ze moest schijnen, op de witte benen die in het groen
Water verdwenen; en het breekbaar, kostbaar schip dat wel
Iets vreemds moet hebben gezien, een jongen die viel
Uit de lucht, zeilde kalm voort, moest ergens heen.'

Heel even bleef hij stil rechtop staan, als om zich te vermannen. Toen
boog hij zich naar de microfoon en fluisterde: 'Ik zal niet hoger streven.'
   Zelfs de verslaggevers dachten, geloof ik, dat het gewoon de volgende
regel van het gedicht was.

Elf

IK WEET NIET PRECIES WANNEER HET WAS, MAAR OP EEN GEGEVEN moment in de winter van mijn laatste jaar op Dunleavy was Glenn Burrant met zijn werk opgehouden. De zomer ervoor, na het ongeluk van meneer Metarey en het einde van de campagne, was ik bijna helemaal gestopt met kranten lezen en ik begon er pas weer mee toen mijn laatste semester bijna was afgelopen. Ik deelde mijn kamer weer met Astor en ging nog steeds af en toe in het weekend terug naar Saline – vooral om mijn vader op te zoeken, al zei hij dat hij me niet nodig had. Eerlijk gezegd hadden de gebeurtenissen van de afgelopen maanden me onzeker gemaakt en dat jaar stond ik herhaaldelijk op het punt van school te gaan. Ik bleef alleen uit loyaliteit aan mijn moeder en uit dankbaarheid aan meneer Metarey.

En toch begon ik Dunleavy dat jaar langzamerhand als mijn thuis te beschouwen, vooral doordat mijn moeder er niet meer was in het huis in Dumfries. Ik voelde me er tenminste inmiddels net zo op mijn gemak als in het weekend in Saline. Ik had er niet zoveel vrienden als Astor, maar ik was ook geen buitenstaander meer en er waren dingen waar ik dagelijks plezier in had: voetbal, Europese geschiedenis, zingen, het lange vrijdagavondmaal als de eerstejaars hun sketches voor ons opvoerden in de eetzaal. In november was Nixon herkozen in de op een na grootste monsterzege uit de geschiedenis.

Ik veranderde ook in andere opzichten. Ik haalde nog steeds goede cijfers, maar voelde niet meer de behoefte de beste van de klas te zijn. Ik sliep door tot kwart over zeven, als ik wakker werd van Astors wekker, en haastte me samen met hem naar de les, en 's avonds bleef ik soms bij een groepje vrienden van ons hangen in plaats van in mijn eentje te gaan studeren. Ik keek televisie om het nieuws te volgen, voor zover ik daar een glimp van kon opvangen tussen de tekenfilms en sport door waarop het toestel in de gemeenschappelijke ruimte altijd stond afgesteld. In mijn bureau lag nog steeds mijn gekreukte knipsel van Vance Trawbridge' artikel 'Een regering-Bonwiller', maar pas toen maart ten einde liep en het gras her en der voor het eerst door de winterse deken heen piepte, kwam ik weer eens tussen de bibliotheekkasten en stond ik voor het eerst sinds lange tijd voor het krantenrek.

Het was een woensdag en de *Courier-Express* van die maandag was keurig in het bovenste vak gelegd. Ik zag er niet meer zo naar uit om Glenns werk te lezen, maar uit macht der gewoonte sloeg ik toch de opiniepagina op. Zijn column stond er niet in. Dat verraste me. In de bibliotheek werden de oude kranten niet langer dan een maand bewaard en ik nam ze allemaal door, maar de column stond ook niet in de oude maandagkranten of in die van andere dagen. Toen besefte ik dat hij was ontslagen.

'Waarom ontslagen?' vraagt Trieste.

'Zijn column stond er niet meer in.'

'Hij kan ook gewoon naar een grotere krant zijn gegaan.'

'Maar dat was niet zo,' zeg ik. 'Ik wist het gewoon.' We staan in het redactielokaal en ze maakt weer aanstalten om weg te gaan. Dat is tegenwoordig het moment waarop we met elkaar praten.

'Als ík zou zeggen dat ik iets gewoonweg wíst, meneer Sifter,' antwoordt ze terwijl ze haar oliejas van de haak haalt, 'zou u me naar huis sturen.'

'Toch is het zo. Ik wíst het gewoon.' Ik kijk haar over de rand van mijn bril aan. 'Noem het maar journalistiek instinct.'

Ze neemt me onderzoekend op. Dan zegt ze: 'Wat natuurlijk niets anders betekent dan dat u precies begreep wat er aan de hand was.'

'Misschien.'

'Is hij ontslagen om wat hij wist?'

'Dat vermoed ik.'

'Toe nou. U zei toch dat de *Courier-Express* zo'n progressieve krant was?'

'Henry Bonwiller was een progressieve kandidaat.'

'Waarom heeft Glenn Burrant het verhaal dan niet gewoon ergens anders gepubliceerd?'

'Omdat de situatie toen anders was. Hij kon het niet gewoon op zijn log plaatsen. En hij was niet het type dat zomaar een redactielokaal kon binnenlopen en een baan kreeg. Hij stonk een uur in de wind.'

Daar moet ze om lachen, maar niet lang. 'Maar ze kenden zijn reputatie toch?'

'Hier wel.'

'En te veel mensen hier zijn de Metareys dankbaar. Zit het zo, meneer Sifter?'

'En de senator had er ook te veel in zijn macht.'

Ze knoopt de oliejas dicht. Het is een mooie avond, maar nu de avonden kouder worden, draagt ze hem iedere dag, weer of geen weer. 'Wat denkt u dat hij dan echt wíst?' vraagt ze.

'Ik zou het niet weten. Ik weet niet of het iets te maken had met Anodyne of JoEllen.' Ik kijk haar aan. 'Of misschien wel iets met de president. Maar ik denk wel dat hij iets wist. Ik denk dat hij een bron had. Hij was een heel goede verslaggever, zie je. Niet alleen omdat hij zijn research goed deed, maar ook omdat hij het talent bezat zich in zijn onderwerp te verplaatsen. Weet je nog wat hij me schreef? Dat iedereen zijn eigen hel is?'

'Dat is ook van Mencken. Ik heb het opgezocht.'

'Heel goed, Trieste. Het punt is, ik geloof niet dat hij daarmee zichzelf bedoelde. Ik denk dat hij het over Henry Bonwiller had. En soms denk ik Nixon.'

Ze staat al bij de deur. 'Of Liam Metarey.'

'Dat kan ook.'

'We zwijgen terwijl zij in haar heuptas haar fietssleuteltje zoekt.

'Hoe dan ook,' zeg ik, 'er blijkt uit dat hij zichzelf in een ander kon verplaatsen. Zo werkte hij. Wat hij over die nepbrieven aan de *Union-Leader* uitvond: dat was nog vóór Woodward en Bernstein.'

'En is hij daarom ontslagen?'

'Het zijn maar hypotheses. De macht van de Bonwillers reikte ver. Maar die van de president ook.'

'Hebt u hem gezocht?'

Ik overweeg even of ik hierop zal antwoorden. Ten slotte zeg ik: 'Ik heb hem gevonden, Trieste.'

Ze gaat weer zitten, aan het bureau bij de deur. 'Echt?'

'Hij woont in Ottawa. Hij is nu gepensioneerd, maar hij gaf geschiedenis op een middelbare school.'

'Hebt u contact met hem gezocht?'

'Nee. Hij weet wie ik ben en wat ik doe. Als hij contact had gewild met mij, had hij dat allang gezocht.'

'Ik snap het,' zegt ze. Ze staat weer op.

'Niets zal JoEllen terugbrengen.'

'Nee.' Ze kijkt me aan. Dan gaat ze de deur uit, loopt langzaam de trap af en is weg.

Die lente op Dunleavy schreef ik Glenn nog een brief, maar die werd als onbestelbaar geretourneerd. En op Haverford ging ik, als ik maar even in de bibliotheek was, de kranten weer lezen – de grotere, zoals de *Globe*, de *Post* en de *Times* – omdat ik diep in mijn hart hoopte dat ik op een dag zijn naam zou tegenkomen. Maar ik wist – ik wíst gewoon – wat er was gebeurd. En jaren later, toen ik zelf bij de krant werkte en internet in opkomst was, toen de journalistiek een compleet nieuwe fase inging, begon ik weer te zoeken, ditmaal met behulp van de zoekmachines. Maar algauw kreeg ik door dat die ook niets opleverden. Wat het ook was dat Glenn Burrant wist – wat hij ook had ontdekt over JoEllen, Anodyne of Nixon zelf – hij had besloten het voor zich te houden.

━━━

Tegenwoordig besteedt Clara nog steeds vrij veel tijd aan pogingen om haar vaders naam te zuiveren. Ik moet zeggen dat ik haar vasthoudendheid bewonder, maar dat ik me er lange tijd over heb verbaasd. Ze gaat systematisch te werk. Telkens als de vraag naar Liam Metareys aandeel in het schandaal wordt opgerakeld, schrijft ze een brief aan de *Plain Dealer*, de *Globe* of de *Inquirer* om zijn onschuld te verkondigen, en bij de verschijning van een nieuw boek schrijft ze ook weer, maar dan naar de boekenbijlagen, en gaat ze naar auteurslezingen in Cleveland en Buffalo en soms in Albany om haar stellingen te verdedigen in het vragenkwartiertje na afloop. Ze gaat naar alle fondsenwervingsdiners voor de Democratische Partij en doet ook daar de ronde om de reputatie van haar vader hoog te houden. Dat zou je niet hebben verwacht.

Degene die met zekerheden begint zal eindigen in twijfel. Dat zijn de exacte woorden; ze zijn van Francis Bacon. Ik kwam ze kort geleden toevallig tegen in een geschiedenis van Europa tijdens de verlichting. Maar Clara is juist het bewijs van het tegendeel: zij is niet in twijfel geëindigd. Hoe moest ik weten dat het meisje dat de schuur van haar vader in brand stak en van zijn boot sprong, het meisje dat haar best leek te doen om zijn toekomstplannen te dwarsbomen en zich te mengen in zijn meest serieuze aspiraties, later in haar volwassen leven met al haar energie zou ijveren voor een kansloze onderscheiding van zijn naam? Hoe kon ik weten dat mijn vrouw de felste voorvechtster zou worden van een familie waar ze zich een groot deel van de tijd dat ik haar kende vrolijk om had gemaakt en tegen had afgezet?

Maar misschien wist ik het wel. Misschien wisten we het allebei wel.

Liam Metarey is mij nog steeds een raadsel. Ik kende hem zoals hij was in de ogen van een jongen van zestien die nog nooit zijn eigen brood had verdiend. Achteraf gezien begreep ik bijna niets. Was hij aardig tegen me? Altijd. Was hij eerlijk tegen me over zijn daden? Alleszins. De misrekening die hij maakte was vooral een misrekening in loyaliteit, denk ik nu, niet zozeer aan een man als wel aan een ideaal, en ik kan me niet voorstellen dat hem toen hij die beging iets anders voor ogen stond dan een grootsere toekomst voor veel meer mensen dan alleen voor hemzelf. En dan was er nog de kwestie van zijn eigen verleden, die een jongen van mijn leeftijd toen volkomen boven de pet ging. Hoe zal het zijn geweest om de fakkel van die invloedrijke familie over te nemen van een man zo wreed en vastberaden als zijn vader? Een man die niet eerst arm en later rijk was, maar beide tegelijkertijd, rijk en arm, zijn leven lang, precies zoals Liam Metarey. Maar anders dan de zoon was de vader al die tijd genadeloos. Was de genadeloosheid de les die de zoon ten slotte leerde? De les die hem uiteindelijk in de steek liet?

Het is natuurlijk maar een vermoeden van mij, maar het is een vermoeden waar Clara zich in kan vinden. Haar grootvader was al dood toen zij werd geboren, en ik zal dan ook nooit de echte wordingsgeschiedenis kennen, het verhaal van de meedogenloze Amerikaanse pionier, de man die een machtige familie voortbracht zoals je een machine voortbrengt, een hefboom waarvan de kracht zich vermenigvuldigt als hij de nieuwe eeuw en de Nieuwe Wereld in zwaait. Die Nieuwe Wereld was het Amerika van kolen en elektriciteit en de grote stalen spoorwegen, waar de eerste baronnen van een nieuw land werden geboren uit noeste arbeid, strak gekanaliseerde ambitie en iets dat we tegenwoordig misschien wel tomeloze hebzucht zouden noemen. Dat is het geslacht waar Liam Metarey een telg van was, en dat is het geslacht dat vermoedelijk die ene beslissing voortbracht, misschien genomen in een vlaag van paniek, maar niettemin genomen, op een sneeuwrijke middag vijfendertig jaar geleden.

Het is ook het geslacht dat onze kinderen zullen voortzetten. En ik vraag me voortdurend af hoe dat zal uitwerken. Ik zie het telkens weer in de brieven van mijn vrouw aan kranten en in haar niet-aflatende pleidooien op diners. Daar is het weer, de invloed van families als de hare, de massieve muur die de aanval weerstaat. Maar ik moet zeggen dat ik er respect voor heb – diep respect voor heb – bij Clara, en soms denk ik dat het een teken is van de verwonding waardoor ze me juist zo dierbaar is.

Ik vraag me weleens af wat ze ooit heeft gezien in mij, een jongen die in een ander leven misschien niets anders zou hebben nagestreefd dan een fatsoenlijk loon en wat vrije tijd. Maar het antwoord daarop zal wel opnieuw zijn dat ik op haar vader lijk. Wat in wezen betekent dat mijn eigen vader op de hare leek en dat we elkaar daardoor herkenden. Haar familie bracht de grote patriarch voort en nu glijden we met elke generatie, zoals Trieste het zou kunnen zeggen, verder af naar het gemiddelde. Het stemt me weemoedig dat ik de toekomst van onze meisjes niet kan meemaken. Ik zou zo graag willen weten dat het hun goed zal gaan.

Dit soort verlangen was Francis Bacon zelf trouwens niet vreemd: de zucht naar kennis van de toekomst die lange tijd de alchemie van de ontwikkelde klasse was. Het was per slot van rekening zijn praktische gedrevenheid die Engeland naar de Wetenschappelijke Revolutie voerde en het is zijn methodologie waardoor we ons nog steeds laten leiden. Maar ik betwijfel of hij meer kan hebben gehouden van de natuur dan Liam Metarey zelf, bijna vierhonderd jaar van technologie later; en dat blijft een eerbewijs aan de man die ik heb gekend. Liam Metarey was degene die me erop wees dat de eekhoorns de eikels die ze vinden van de witte eik direct opeten, maar de eikels van de rode eik ingraven voor de winter. Een wonderlijk weetje, en ik ben nooit iemand anders tegengekomen die het ook wist – al hoef je maar even aan het eind van de herfst op een stuk land als het vroegere landgoed van de Metareys te staan om onmiddellijk in te zien dat het klopt. Liam Metarey had het helemaal zelf ontdekt, gewoon door te kijken. En ik ben dankbaar dat mijn kinderen de geschiedenis van zo iemand meedragen. Francis Bacon, de eerste wetenschapper, zou het ook mooi hebben gevonden.

Bacon zal met zijn uitspraak wel hebben gedoeld op wetenschappelijk onderzoek – zijn afkeer van de logica van Aristoteles, de algemene religiositeit in Engeland en de vooronderstellingen van de eerste empirische geleerden –, maar hij geldt toch ook voor mensen, of niet? *Degene die met zekerheden begint zal eindigen in twijfel.* Het is een verklaring voor mijn vrouw en vermoedelijk ook voor Christian; maar net zo goed voor Liam Metarey en mijn vader. Ik heb eigenlijk nooit kunnen nagaan of het voor mijn moeder gold, maar waarschijnlijk wel voor mij.

Een tijdje geleden besloot Clara mijn vader, meneer McGowar en Trieste uit te nodigen voor een etentje. Ze heeft er gevoel voor, om mensen bij elkaar te brengen, en hoewel ik zelf niet op deze combinatie zou zijn gekomen besefte ik direct, toen ze met z'n drieën bij me in de auto zaten, dat ze gelijk had. Ten eerste zijn er weinig etentjes buiten Manhattan of bejaardenhuizen waarbij de gasten geen van allen kunnen rijden. Dat hadden ze dus alvast gemeen. Trieste, die achter in de Camry zat, haalde haar eigen blocnote tevoorschijn – de journalistenblocnote van de *Speaker-Sentinel* – en schreef vragen voor meneer McGowar op. Hoewel hij voor zover ik weet nauwelijks kan lezen, vond hij het geweldig. Ik weet niet hoe ze wist dat dit goed zou vallen – of het moest zijn door haar uitzonderlijke antenne voor andere mensen – en ik veronderstel dat ze eenvoudige woorden moest gebruiken; maar Trieste kennende lukte het haar vragen te stellen over een halve eeuw steenhouwen, over zijn jeugd in Carrol County, over de crisisjaren, over de eerste onoverwinnelijke jaren van de Yankees en over de werking van watergekoelde zagen – dat alles in de tijd dat we van mijn oude buurt naar mijn nieuwe reden. En dat was nog maar het begin. In het achteruitkijkspiegeltje zag ik de grijns van meneer McGowar, die wel een gele schijf meloen leek. En mijn vader genoot er zichtbaar van dat de twee achter hem een gesprek zaten te voeren, zodat hij rustig naast me kon opschieten in zijn boek, A Tale of Two Cities dit keer.

En ook voor mij was het aangenaam stil onder het rijden, een stilte die slechts werd verstoord door het geluid van omslaande blaadjes. Net als in mijn eigen jeugd in Dumfries Street, maar dan met Trieste in de plaats van mijn moeder en Sydney Carton in plaats van de uitslagen.

Bij ons thuis begroette mijn vader Clara in de hal met een buiging en een handdruk en daarna een kus op haar wang. Ondanks de veranderingen in zijn persoonlijkheid is hij onverminderd beleefd tegen haar – 'het primaat van het langetermijngeheugen,' zegt dokter Jadoon – en vervolgens stelde hij Trieste voor. Daarop begon Trieste mijn vrouw te charmeren, geloof ik, met die typisch vrouwelijke blik van haar die haar jongenskleren logenstrafte.

In onze eetkamer hangt toevallig het oude olieverfportret van Eoghan Metarey uit Aberdeen West en Clara besloot, mogelijk omdat ze zelf naast Trieste wilde zitten, meneer McGowar de plaats ertegenover te geven. Halverwege de soep merkte ik dat dat geen goed idee was geweest. Hij at niet. Hij keek ernaar op en hield zijn hoofd nu eens naar rechts en dan weer naar links, alsof hij de duikvluchten van vleermuizen ontweek.

'Alles in orde, meneer McGowar?' vroeg ik.

Hij wees.

DE OGU

FOLGU

'O, ja – dat is zo. Klopt. Maar het is gewoon een trucje van de schilder. Meer niet. Die van de vogel ook. Het heeft mij ook altijd gefascineerd, moet ik zeggen. Vroeger, toen Clara jong was, hing het in de hal. Het is moeilijk te omschrijven.'

We keken allemaal. Het verbaast me trouwens nog steeds. Het is zo knap. Die donkere blik waarvan je zou zweren dat hij bewoog. En ook de iriserende gele veren van de kanarie. En het glinsterende waterglas. Zoals de man nog helemaal in het hier en nu lijkt te leven.

Clara, die aan het andere uiteinde van de tafel zat, zei: 'U hebt hem toch gekend, meneer McGowar?'

Hij verstijfde.

'Mijn grootvader. Eoghan Metarey.'

JA MUFROU

'Er zijn niet veel mensen die dat nog kunnen zeggen.'
'Eugene heeft in de granietmijn gewerkt,' zei mijn vader, 'vanaf... wat was het, Eugene? 1921?'

MAYS RUTH
YANKEE'S GIANTS

'Dat was inderdaad 1921. Heel goed, Eugene.' Hij knipoogde naar mij. *Sportpagina's*, zei hij geluidloos naar mij.

GOEIU KOMPTISIE

'Dat heb ik ook gehoord, Eugene.'
Toen we aan het hoofdgerecht toe waren, deed Trieste ook mee met de vragen. Ik zag dat ze in gedachten al met een verhaal bezig was. 'Meneer McGowar,' zei ze zodra Clara de kip had opgediend, 'toen u de mijn inging, begon u toen meteen met de zaag?'
Meneer McGowar legde zijn lepel neer.

JEE, NEE
KOSTU 20 JAAR

'Hoe oud was u dan toen u begon?'

~~ELV~~
ELF

'Is dat niet wat jong, meneer McGowar?'

'Veel jongens begonnen op hun achtste of negende,' zei mijn vader. 'Dan zijn ze nog klein. Hoeven ze niet zulke brede schachten te maken.'

Trieste keek me aan, vermoedelijk omdat ze op dat moment liever niet mijn vrouw aankeek. Ze is misschien niet tactvol, maar wel gevoelig. 'Maar...' zei ze, 'maar... de arbeidswetten dan? Is dat geen kinderarbeid?'

'De wet op de kinderarbeid kwam pas in de crisisjaren,' zei mijn vader. Hij glimlachte. 'Dankzij Roosevelt.'

Toen legde Trieste haar vork neer. 'Dát is nog eens interessant.'

Meneer McGowar nam de gelegenheid te baat om zijn bestek weer op te nemen en door te eten. Ik zat hem uiteraard nog steeds te observeren. Het is haast onvermijdelijk. Hij is zo iemand die zo volkomen zichzelf is, zo totaal anders dan iedereen die je maar kent, dat je je bij hem voortdurend moet beheersen om niet te grinniken van bewondering omdat iemand precies zo is geworden als hij. Niet klein te krijgen, zou je kunnen zeggen. Aan tafel moet je onwillekeurig naar hem kijken, alsof er in de stoel naast je een museumstuk soep zit te eten. En hij zelf keek telkens op naar het schilderij achter Clara.

'Wat is interessant, Trieste?' vroeg Clara.

'Dat het toen was, toen het juist zo slecht ging,' antwoordde ze – ik hoorde al aan haar dat ze een artikel zat te componeren – 'toen de nationale economie het dieptepunt van de eeuw had bereikt...' Ze tikte met haar vinger op tafel. 'Dat we juist tóén de wet op de kinderarbeid maakten, dat we juist tóén het meest bezorgd waren om onze kinderen.' Ze pakte haar blocnote en maakte een aantekening.

Ik dacht dat mijn vader en meneer McGowar het wel een mooie observatie zouden vinden, maar er kwam weer een vreemde uitdrukking op meneer McGowars gezicht. Ik zag dat hij eigenlijk wilde dooreten, maar hij pakte toch de blocnote.

MANNU WILDU T WERK FAN DU KINDURS

Mijn vader snoof.

En toen was het stil.

426

'Nou,' zei Clara terwijl ze opstond om wijn in te schenken. 'Dat is dan duidelijk.'

Nog een stilte.

'Meneer McGowar,' zei ik, 'Willie Mays was in 1921 nog niet eens geboren.'

Mijn vader zat nog steeds triomfantelijk te grijnzen. 'Carl Mays,' zei hij.

VANGUR

'Heel goed, Eugene.'

Trieste zei: 'En, wat was Eoghan Metarey voor iemand?'

Ik had meneer McGowar nog nooit zien blozen. Maar toen gebeurde het. Hij bracht zijn vork naar zijn mond en blies erop om tijd te winnen. Hij draaide naar rechts en naar links. Pas toen hij begon te schrijven, keerde zijn stenige kleur terug.

IRLUK EN PSIES

Clara keek hem aan.

'Eerlijk en precies,' zei ik.

'Dank u, meneer McGowar,' zei Clara.

'Hebt u hem gekend, meneer McGowar?' vroeg Trieste.

En toen moest hij zelfs lachen. Een tweeledig gehik dat klonk als een wip met een stroef draaiende scharnier.

FIJFTG JAR
EEN KEER G̶S̶I̶E̶N̶
GZIEN

Het werd geen latertje. Tegen achten zag ik dat mijn vader en meneer McGowar een beetje onderuit begonnen te zakken, en ik weet hoe die twee kunnen worden als de zon ondergaat. Daarom vertrokken we nog voor het nagerecht. Op de terugweg zat mijn vader weer *A Tale of Two Cities* naast me te lezen en hoorde ik een hoop druk gekrabbel op de achterbank. Na een tijdje kwam het blocnootje van Trieste naar voren. Mijn vader schreef iets en gaf het terug. Maar pas toen ik bij de halte van de bus van de steengroeve stopte om meneer McGowar af te zetten en hij zijn arm naar de voorbank uitstak om me een hand te geven, zei Trieste: 'Hebt u het schilderij gezien, meneer Sifter?'

'Welke?' vroeg ik.

Meneer McGowar trok zijn hand terug en ik hoorde hem in het donker naar de portiergreep tasten.

'Dat portret. Van de grootvader van uw vrouw.'

'Ik bedoel: welke meneer Sifter?'

'U, meneer.'

'In dat geval: ja, natuurlijk. Ik ken dat schilderij heel goed. Wat is ermee?'

Er klonk nog wat geschuif op de achterbank.

'Zeg het dan,' zei Trieste.

Meneer McGowar rukte intussen aan het portier. Ik deed het voor hem van het slot.

'Laat maar, Eugene,' zei mijn vader. 'Ga jij maar.'

Ik knipte het lampje aan. In het achteruitkijkspiegeltje waren zijn wangen weer rood.

'Toe dan, meneer McGowar,' zei Trieste. 'Toe nou. Zeg nou wat u in het schilderij opviel.'

Hij bloosde nog heviger.

'Alstublieft, meneer McGowar,' zei ik. 'Ik wil het graag horen.'

Ik hoorde het omslaan van blaadjes. Even later verscheen zijn hoofd tussen mijn vader en mij in.

FIS

WATUR

GELT

~~CANRIE~~

~~KNARI~~

FOGUL

Hij keek weg.

'Toe nou,' zei Trieste.

'Ik snap er niks van,' zei ik.

'Die ouwe heeft het waarschijnlijk nooit goed bekeken,' zei Trieste vrolijk. Mijn vader grinnikte zachtjes. 'Hij had hem toch mooi te grazen.' Hij sloeg zijn boek dicht. 'Vast een schilder van de vakbond.'
'Ik snap niet waar jullie het over hebben.'
'Het is de Westville 1,' zei mijn vader. 'Daar is het een schilderij van. Weet je niet wat de Westville 1 is?'
'Dat was die mijn in Nova Scotia.'
'Precies. De kanarie, het geld en het water. Het is een zogeheten allegorie.'
'Jezus.'
'En vis,' zei Trieste. 'Dat kregen ze van hem te eten.'
'Die schilder heeft een hoop risico genomen,' zei mijn vader. 'Maar hij moet er waarschijnlijk nu nog om lachen.'
'De verblinding van de macht, meneer.'
Mijn vader was ook degene die begon te zingen:

'Op de donkere zestiende mei
Daar aan de oever van de Westville, hei!
Een donk're, donk're breuk in het donker, hei!
Op de donkere zestiende mei.
Hei.'

In het kille licht van het plafondlampje van de auto keek ik naar hem en Trieste, die de korte regels uitbrulden terwijl ze alle drie in hun handen klapten. Trieste straalde, en meneer McGowar even later ook. Toen ze waren uitgezongen, keek ik mijn vader aan, die Dickens tussen zijn knieën hield.
Hij haalde zijn schouders op. 'Het vernuft van de Amerikaanse arbeider,' zei hij ten slotte.

Er zijn niet veel jaren van vaderschap voor nodig om te denken dat je je ouders eindelijk begrijpt, en ik heb dat punt bij de mijne lang geleden bereikt. En net als ieder ander ben ik dankbaarder geworden voor de dingen die ze me hebben gegeven en heb ik meer respect gekregen voor de bewonderenswaardige moed die het van hen moet hebben gevergd om me te laten gaan – in mijn geval naar een totaal ander leven dan dat van hen. En nu ik ook mijn eigen meisjes heb zien vertrekken – eerst voor logeerpartijen, toen naar zomerkamp, vervolgens naar de universiteit en vriendjes, ten slotte naar banen en echtgenoten –, nu ik hen een voor een hun eigen weg heb zien gaan, kan ik alleen maar hopen dat ook zij op datzelfde punt zullen uitkomen, dat ook zij in ons zullen gaan zien wat we altijd voor hen hebben geprobéérd te zijn, ook al is dat ons niet altijd gelukt. Misschien is dat alleen maar ijdelheid. Maar ik vraag me af hoe we het met hen hebben gedaan. Ik vraag me af door welke achteloze woorden van ons ze zich gekwetst hebben gevoeld en door welke ze zich jaren later en duizenden kilometers ver weg gesteund hebben gevoeld; welke verwachtingen van ons hen over de ontmoedigende obstakels in hun leven hebben geholpen en welke botsten met hun eigen beeld van zichzelf. Ik geloof dat ik mijn kinderen ken, dat ik hen alle drie ken, en toch weet ik vanuit mijn eigen jeugd zeker dat het natuurlijk niet zo is.

Op een koele, regenachtige vrijdag een tijdje geleden kwam een man mijn werkkamer bij de krant binnen. Hij was van gemiddelde lengte maar tenger, en hij was gekleed in een dunne, nog net niet versleten regenjas en een paar instappers met bemodderde zolen. Zijn haar was nat van de regen en zijn gezicht ook, maar dat had hij blijkbaar niet in de gaten. De druppels vielen op het bureau toen hij zijn hoofd schudde nadat ik hem een stoel had aangeboden; hij bleef met zijn hand op de leuning staan terwijl hij met me praatte. Hij legde een haveloze aktetas op de zitting.

'Meneer Millbury?' vroeg ik.

'Heel goed.'

'Ik herken uw gezicht.'

'Het gaat om Trieste.'

'Trieste is een geweldig meisje. Een geweldig kind.'

'Ze heeft bij u thuis gegeten.'

'Dat heeft ze u dus verteld. Met mijn vrouw en mijn vader. Een heel gezellige avond.'

De blik waarmee hij me aankeek, leek geïrriteerd, alsof mijn woorden een onbenullig raadseltje vormden dat hij moest oplossen voordat hij ter zake kon komen. Hij tilde de aktetas op en legde hem op het bureau. Ook die was nat van de regen en ik zag dat er water op het hout spatte.

'We hebben dit niet nodig,' zei hij zacht.

'Wat niet?'

'Liefdadigheid.' Hij maakte de gesp van de tas los, opende hem en schudde hem op het vloeiblad uit.

'Ach, het had niets te betekenen,' zei ik. 'Hij was in de uitverkoop. Hij kostte bijna niets. Ik dacht dat Trieste hem wel kon gebruiken. Voor 's winters, tegen de kou.'

'Dank u, maar we hebben het niet nodig,' zei hij nog eens, nog steeds op zachte toon. 'Ik heb het niet nodig, en zij ook niet. Ze heeft genoeg aan wat ze heeft.' Toen rechtte hij zijn rug, sloot de aktetas en liep naar buiten.

Misschien had Liam Metarey de middag dat hij op de Ferguson de sneeuw in reed helemaal niets gevonden. Hij heeft er nooit iets over gezegd. Althans niet tegen mij. Wat er in de appelboomgaard is gebeurd, kan ik alleen proberen te reconstrueren uit de dingen die hij me op een andere avond in cryptische bewoordingen, denk ik, probeerde te vertellen.

Zo stel ik het me voor:

Hij heeft de hele ochtend bij Henry Bonwiller gezeten. Hij heeft mooi droog walnotenhout op het vuur in de studeerkamer gegooid, in de hoop dat het helpt om de senator nuchter te krijgen. Hij heeft de kamer warm gestookt om het rillen tegen te gaan. Hij heeft hem nog nooit zo gezien, stomdronken, nat en prevelend sinds hij zo ongeveer met zonsopgang is binnengekomen. Hij heeft zijn schoenen uitgetrokken, maar zijn broekspijpen waren tot de knieën toe drijfnat. Van het in de sneeuw sjouwen. Of erin vallen. Maar hij weigert zich te verkleden. Weigert de kleren uit te trekken.

Het drankgebruik. Voor het eerst dringt tot Liam Metarey door dat het een serieus probleem zal worden. Voor de campagne. Hij had dat al veel eerder moeten inzien, zoals Clara het inzag. Hij had de advocaten erop moeten zetten. Die bizarre minachting voor de regels. Hij kon die ochtend in het donker amper de trap naar de studeerkamer op komen. Met één arm onder zijn oksel. En hij heeft hem meer dan eens zo meegemaakt. In het openbaar. De avond dat June tegen de schuur reed, bijvoorbeeld. Maar ook andere. Alsof hij het allemaal wil opgeven.

Iets om een oogje op te houden – meer dan een oogje. Voortaan alert op te zijn. En de verslaggevers uit de buurt houden. Kilometers uit de buurt.

Intussen zit Henry in de stoel te dommelen. En nog steeds te rillen. Liam Metarey ruikt de drank.

Hij zet een pot koffie.

Laat Gil halen. Opdracht: zijn neef in Toronto. De autodealer. Als de pers van buiten de stad erachter komt dat hij de auto in de prak heeft gereden – een maand voor Iowa –, dan kan hij het verder wel vergeten. Zijn neef kan wel iemand met de onderdelen de grens over sturen. Fluitje van een cent.

Hij zet verse koffie. Drinkt zijn koffie zelf zwart en geeft Henry hetzelfde. Brengt het kopje voor hem naar zijn lippen alsof hij een klein kind te drinken geeft.

Pas als ze samen twee potten op hebben, wordt Henry wakker en zegt: 'Shit, waar is ze?'

Dubbele tong.

'Waar is wie?'

Een asgrauwe kleur op zijn gezicht.

'Abbel.'

'Wie?'

'Abbel. Sjilverden.'

Ook dat nog.

Wanneer Liam Metarey halverwege de oprijlaan is, dankt hij de hemel voor de Ferguson. Niet misselijk, die sneeuw. Anderhalve decimeter op de grond en er komt misschien nog twee keer zoveel aan. En ook nog niet al te koud. Nog warm genoeg voor veel meer. De bui die boven het meer komt opzetten. Hij had haar beter niet achter kunnen laten.

Abrupt keert hij. Laat de Ferguson met draaiende motor bij de achter-deur staan. Neemt de trap naar de bibliotheek met twee treden tegelijk.

'Heeft iemand het gezien?'

'Wat?'

Rammelt hem in zijn stoel door elkaar. 'Heeft iemand het gezien?'

'Nee.'

'Weet je het zeker?'

Rammelt hem nog eens door elkaar.

'Henry!'

'Bensine. Gestobd voor bensine. Gepisjt.'

'Heeft de jongen je gezien?'

'De jongen?'

'Van het tankstation, Henry.'

'Zawwel.'

Weer op de Ferguson. Zo ver als het kan tussen de bomen door. Kan goddome overal zijn in die rotbossen. Kilometers en kilometers. De glin-sterende korst is achter hem alweer effen. Schoongewist. Althans nage-noeg.

Meer een gevoel dan wijsheid. Twee flauwe voren. Vegen, nauwelijks meer, indrukken die over de oprijlaan lopen: de sporen van de Cadillac. Die heen en weer slingeren. Bezopen. Straalbezopen.

Hij volgt.

Het licht neemt al af. Wolken, winter en bomen, eind van de middag. Maar de schaduwen tekenen zich daardoor duidelijker af. Twee grijze ba-nen op de lichte korst.

Inmiddels is hij vlak bij de boomgaarden. Onder de overhuiving van-daan en tussen de voorvaderlijke bomen. Rijen verweerde, honderd jaar oude blauwsparren en zilversparren. Hij heeft een zicht van bijna een ki-lometer in beide richtingen.

De sporen stoppen.

Hij remt. Rijdt achteruit.

Daar zijn ze.

Dan zijn ze weg.

Een stevige wind ranselt de takken en als hij opkijkt ziet hij de sneeuw van het meer aan komen waaien. Even later zit hij er middenin.

Een sneeuwstorm.

Nu tussen de rijen. Daar moeten ze terecht zijn gekomen. Daar, tussen de buigende stammen. Dieper in de zachtere grond, waardoor hij wordt afgeremd. Maar moeilijker te missen. De geulen zijn er nog, maar niet lang meer. Moet zijn ogen afschermen om iets te zien. Kolkende sneeuwvlokken die zo groot als motten in de windvlagen wervelen. In noordwestelijke richting naar het huisje in de boomgaard en de autoweg.

De bocht.

Hij zet de Ferguson in de derde versnelling, buigt af naar het noorden en als hij dwars over het land rijdt, worden de sneeuwbanken geplet door de reuzenwielen. Hier en daar neergebogen takken die onder de as afbreken. De lage scheuten die afknappen.

Op het weiland met zwerfkeien moet hij om de massieve rotsen heen zigzaggen. Tientallen, die in een onnavolgbaar patroon als spoken opdoemen. Hij slalomt er rakelings langs. Kijkt links en rechts, tussen de spleten van zijn vingers, waarmee hij zijn ogen voor de sneeuw afschermt. Links en rechts. In de richting van de s-bocht waar de weg vlak langs het weiland loopt.

Als hij achter de laatste kei vandaan komt, bij de bocht aan het eind van het grasland, glinstert er iets in de sneeuw.

Hij stapt van de tractor af: een flacon.

Ongemarkeerd. Geen letters. Er zit nog een beetje in. Hij houdt hem schuin: bourbon. Om een of andere reden gaat hij dan op zoek naar de dop. Maar het is geen doen. In het waas van sneeuw heeft hij nog geen drie meter zicht.

Hij klimt weer op de Ferguson en stopt de flacon in zijn zak, maar als hij zich naar de pook omwendt om verder te rijden, ziet hij ze in de sneeuw aan de andere kant.

De zwarte pumps.

Een randje rood.

Haar.

Zijn maag keert om.

Van de tractor af. In zijn eigen voetsporen, om haar heen.

Ze ligt op haar buik. Hij veegt de sneeuw weg. Bontstola om haar schouders en hoofd. Rode jurk eronder.

434

Hij legt zijn hand op haar rug.

Die komt omhoog.

Hij rolt haar om, maar ze is net een zak stenen. Het gezicht wit van de kou en onder de sneeuw. Plat geplakt bont. Blauwe plek op het voorhoofd. Donker bloed. Geronnen of bevroren. Oogleden samengekleefd. Hij kijkt weg. Kijkt terug.

Met één vinger veegt hij de rijp weg. Voorzichtig. De bolling van het oog onder zijn handschoen. Hij wacht. Trekt de oogleden open.

Jezus!

Ze bewegen: heen en weer.

Hij laat los en het hoofd valt opzij.

Wil haar niet nog eens aanraken. En nu ziet hij nog iets, in de plooi van haar hals. Heel even. Heeft hij het gezien?

'JoEllen.'

Een schok en een flikkering.

Maar de ogen: hij heeft het gezien.

Raakt haar arm aan. 'JoEllen.'

Schudt haar.

'JoEllen!'

Geeft een klap in haar gezicht. Een houtachtige hardheid als van boombast.

Trekt zijn handschoen uit. Raakt haar wang aan.

Is hij warm?

Hij opent de ogen nog eens: heen en weer.

Nauwelijks ouder dan zijn dochter.

Christian.

Heen en weer.

Hij kijkt naar de weg. Gal in zijn keel. De sneeuw, de sneeuw. Windvlagen geselen de sneeuw als een doek dat valt. Over een uur duisternis en het begin van een vorstperiode. Van een week. Zware vorst en nog een pak van een paar meter op komst. Hij kijkt op. Drie misschien. Droge sneeuw. Stuifsneeuw. Die nog steeds over het meer komt aanwaaien.

En al die wind.

Hij klimt weer op de tractor. Rijdt een paar meter. Zet de motor af en komt er weer uit.

Op de grond verplaatst hij wat dingen. Een tak. Een steen. Wist zijn schoenafdrukken uit.

Tilt haar aan de stevige handgrepen van bevroren bont op, wil de huid niet nog eens aanraken. Ook niet met zijn handschoenen aan. Draait haar weer om en het hoofd valt als een zinklood voorover in het wit. Schopt er sneeuw overheen. Bedekt het lichaam voor de helft.

De zak met stenen.

Weer op de tractor, met dichtgeschroefde keel. Hij buigt zich opzij en in het wit tekent zich een scheur af. Laat een rookwolk ontsnappen. Hij buigt zich nog verder. Nog een scheur en die wolk weer.

Maar even later: geen wolk.

Dan niets.

Steekt zijn hand in zijn zak en giet een scheutje bourbon in zijn keel. Giet zo dat de flacon zijn lippen niet raakt. Stroperig van de kou. Maar die wordt erdoor verdreven.

Dan buigt hij zich, voorzichtig, weer opzij. Mikt. Gooit hem zo dat de doploze hals rechtop blijft staan. Geruisloos komt hij neer, pal naast haar. Bij de elleboog van haar gekromde arm. Een volmaakte worp. De opening gaat dicht.

Start de Ferguson.

Volgt zijn eigen sporen terug naar de oprijlaan. Zet de motor af als hij de hoge bomen bereikt en kijkt om. En alle sporen zijn al vervaagd. Zo snel al. Beginnen te verdwijnen. Het is echt een sneeuwstorm. De Heer heeft een sneeuwstorm gestuurd om hen te helpen. En de nog steeds weeklagende wind.

Die alles vóór de ochtend vlak waait. Dat soort dingen doet de Heer. Niet voor hem maar voor iedereen. Verandert het allemaal in een woestenij van ijs. Bedekt tot de lente.

Hij had niets meer voor haar kunnen doen.

Het was zo voorbestemd. Misschien daarom.

Hij kan niets voor haar doen. Maar veel voor de anderen.

Ik begrijp het.

Om zijn zoon te redden.

Om duizend zonen te redden.

Al die wind en sneeuw. De weidse, hemelse deken. Niet meer dan een hobbel die hij nu in de dichte sneeuw nog kan onderscheiden en die voor zijn ogen verdwijnt, de rode jurk die in wit wegknippert.

===

'Kom op, pa,' zeg ik. 'Laten we naar ma gaan.'
'Waarom zouden we?'
'Omdat je dat wilt.'
Hij worstelt met zijn schoenen. Het zijn nog steeds, twintig jaar na zijn laatste klus, de Red Wings met hun metalen neus, die bijna zijn doorgesleten. En hij heeft niet graag dat ik hem help, ook al kost het hem soms tien minuten om de veters te strikken. Hij heeft pijn in zijn schouders, pijn in zijn knieën, pijn in zijn heupen en zo af en toe pijn in zijn knokkels. Zijn loodgieterspensioen, noemt hij het. Maar wat ik vooral zie, is dat hij geen zin heeft. Soms vraag ik me af of al die pijn goed uitkomt.
'Kom op,' zeg ik. 'We zijn twee weken geleden ook al niet geweest.'
'O, nee?'
'Nee. Weet je nog? Toen zijn we naar de Metareys geweest. En twee weken daarvoor zijn we ook niet geweest.' Ik wijs. 'Weet je het raam nog?'
Ik zie hem denken.
'Dat is zo,' antwoordt hij ten slotte. Hij laat de veters los en komt op het bed overeind.
Ik kijk hem streng aan. 'Je weet het toch nog wel van dat raam, pa?'
'Natuurlijk weet ik dat nog.'
'Dat je het eruit hebt gehaald,' zeg ik. 'En dat mevrouw Milton de verpleger erbij riep.'
'Dank je, ik weet het nog heel goed.'
De veters zijn nu door de ogen en terwijl hij zich stram op zijn knieën laat zakken en dan op één knie gaat zitten om ze aan te trekken, zie ik hem in een flits in zijn overall met een wollen muts op, bij onze achterdeur in het ochtendlicht.
Maar hij krijgt de linker niet zoals hij hem hebben wil.
'Kom,' zeg ik, 'laat mij maar.'
'Nee.'
'Hoe gaat het vandaag met je vingers?'

'Prima.' Dan: 'Stijf.'

'Laat mij het voor je doen. Toe. Het heeft niets te betekenen.'

'Ik zei nee.'

Als we een halfuur later in de Camry de begraafplaats Greenhaven op rijden is hij nog steeds, voorovergebogen op zijn stoel, met de strik in de weer. Onder veel gesnuif en gebrom. Maar halverwege de lange oprijlaan naar de grafvelden, waar de eerste stenen staan in ingetogen rijen, besluit hij eindelijk dat de veters goed genoeg zitten. Hij komt overeind en neemt *David Copperfield* op zijn schoot, al is het nog maar een paar honderd meter rijden. Als we er zijn, stap ik uit en blijf in het gras staan terwijl hij zijn hoofdstuk uitleest. Dan lopen we er samen naartoe.

Achter het graf van mijn moeder staat een marmeren bankje, een geschenk van de Metareys. De lange, lage gedenkplaat zelf is van kalksteen, nog geen veertig centimeter hoog, maar bijna even lang als het bankje erachter. Een lage muur. Mijn moeder hield haar hoofd misschien niet hoog geheven, maar ze was wel koppig. Hetzelfde geldt eigenlijk voor mijn vader, al lijkt hij tegenwoordig meer zijn kam op te steken. Meestal maken we eerst een ommetje, maar vandaag bukt hij zich meteen en plukt een handje margrieten die hier bij bosjes langs de paden groeien. Hij doet dat bij ieder bezoek en dan begint hij net als altijd de stengels te verknopen. Je hebt daar twee handen voor nodig en ik zie dat de rechter op de linker moet wachten, maar hij heeft er opmerkelijk veel geduld mee, net als met zijn schoenveters. Het zijn koeienogen en de kale stampers hebben allang zaad gevormd, wat het knopen makkelijker maakt. Even later heeft hij een ketting zo lang als zijn arm. Dan neemt hij zijn hoed af en loopt naar haar toe.

'Ze zou het heel erg hebben gevonden wat er nu bij de Metareys gebeurt,' zeg ik terwijl ik naast hem kom staan.

Hij kijkt naar de steen. 'Je hebt ze nooit erg gemogen, liefste.'

'Toch wel, hoor,' zeg ik. 'Wel, ma.'

'Dan heb je het voor je gehouden, liefste.'

Daar denk ik over na.

Dan begint hij de ketting van margrieten in de speciale knoop te leggen die hij mooi vindt. Het is een platting, die hij vroeger toen ik klein was vaak voor me maakte: een lange, vervlochten streng die uiteindelijk net lijkt op twee lichamen met de armen om elkaar heen. Zijn vingers werken traag maar worden verrassend soepel als ze eenmaal warm zijn.

'Ze was een goede vrouw,' verklaart hij ten slotte, terwijl hij zich omdraait. Hij zegt dat bij vrijwel ieder bezoek, al die jaren al dat we hier samenkomen, maar telkens is het alsof hij het opnieuw meent. Longfellow, Shakespeare en William Manchester, en waarschijnlijk Marx, Zinn en nu ook Dickens, en zelfs een beroerte – hij is er niet erg door veranderd. Hij houdt de krans van gevlochten bloemstelen tegen zijn borst en sluit even zijn ogen.

Als hij ze opent, zegt hij: 'Je bent er nooit op voorbereid hoe je leven uitpakt. Geloof je niet? En je komt er ook nooit achter hoe dat van je kinderen is geworden.'

'Nee, pa. Dat vraag ik me ook altijd af over de meisjes.'

'En dat vroeg ik me af over jóú.' Hij glimlacht, een beetje schaapachtig. 'Niet de hele tijd misschien, maar ik deed het wel. Toen mam stierf, dacht ik dat je die klap nooit te boven zou komen. Dat ik er ook nooit overheen zou komen.'

'Maar we zijn er wel overheen gekomen,' zeg ik. 'Allebei.' Dan voeg ik eraan toe. 'We houden van je, ma.'

'Zit er maar niet over in, Cor. Ze zou blij zijn geweest.'

Hij houdt de margrieten met twee handen voor zich om ze in het licht te bekijken. Ze liggen zacht te trillen in zijn handpalmen.

'Pa,' zeg ik, 'wist jij dat het ging gebeuren?'

'Wat?'

'Wat er met ma gebeurde. Wist je dat toen? Heeft ze het verteld? Dat ze ziek was, bedoel ik.' Ik draai me naar hem toe. 'Dat ze wist dat ze doodging.'

Hij kijkt niet op van wat hij doet. 'Wat is dat nou voor rare vraag?'

'Ik weet niet. Het kwam zomaar in me op.'

'Natuurlijk wisten we het niet. Dat is belachelijk. Als we het geweten hadden, hadden we iets gedaan. Ze is in haar hele leven geen dag ziek geweest.'

Ik kijk hem aan. Hij denkt al aan iets anders, merk ik. Hij bukt en legt de aaneengeknoopte margrieten naast alle andere, een met zorg geschikt bergje bloemstengels dat op de grond naast haar vergaat tot doorzichtige draadjes.

'Ik heb het me alleen altijd afgevraagd,' zeg ik.

'Stom om je dat af te vragen,' antwoordt hij terwijl hij zich opricht.

'Goed,' zegt hij na een ogenblik. 'Ik ben zover.'

En dan beginnen we aan de klim. Over de lange, flauwe helling die van de begraafplaats naar de top van de heuvel loopt, waar nog steeds het stenen fundament van een oude Hollandse brandwacht staat. Het is een simpel vierkant van verweerd natuursteen in de aarde boven op een heuvelkam, maar als je daar gaat staan en je naar het westen wendt, kun je nog steeds bijna vijftig kilometer ver uitkijken over de lange schaduwen van de laatste onbedorven morene in de omgeving, de morene die het laagste dal doorsnijdt. Het dal waar de Millbury's wonen. Aan de overkant ervan glinstert een streepje van het Eriemeer. Hier komen mijn vader en ik tegenwoordig altijd. Misschien omdat het de herinneringen oproept die we allebei koesteren aan het gebied zoals het vroeger was. Het land in Carrol County is nergens plat – er is amper een stukje vlakke grond te vinden dat groot genoeg is voor een voetbalveld –, maar de hellingen zijn nauwelijks hoger dan de huizen ertussenin en vooralsnog hebben de bouwers de heuveltoppen in ieder geval met rust gelaten. De boerengewoonte om te schuilen voor de wind. Als je achttien meter recht omhooggaat – zoals mijn vader en ik nu doen, voetje voor voetje, terwijl de zon boven ons zijn hoogste punt bereikt – en je blik beperkt tot het westen, zoals wij dat nu doen, zou je zweren dat het land zo ver het oog reikt altijd leeg is geweest.

―――――

De hoorzittingen van de Senaat over Anodyne Energy begonnen, zoals sommigen zich zullen herinneren, pas aan het eind van Jimmy Carters regeerperiode in Washington, meer dan twee volle presidentstermijnen na de dood van meneer Metarey. En toen nog werd het onderzoek overschaduwd door andere gebeurtenissen. Henry Bonwiller was niet de enige die voor de commissie verscheen. Ook twaalf leden van de staatsregering van Wyoming, vier van North Dakota en twee van de commissie voor atoomenergie van voormalig president Nixon, samen met de afgevaardigden Kyle Stennart van Wyoming en Madeline Blank van New York en de hoofden van een stuk of vijf energiebedrijven en gas- en oliemaatschappijen uit het Middenwesten en Canada moesten verschijnen. En dat waren alleen nog maar de getuigen van de eerste week. De zittingen leken net als de financiële transacties zelf opgezet om verwarring te zaaien.

Op 2 november 1979, aan het eind van de vrijdagmiddag, in de laatste uren van de nieuwscyclus van die week, nam Henry Bonwiller plaats in de getuigenbank van de vergaderruimte van de Senaat om zich te laten ondervragen door een zaal vol collega's, van wie hij er als voorzitter van de machtige commissie van overheidsuitgaven er heel wat met hun carrière had geholpen. Hij was pas in de zestig, maar zijn armen beefden een beetje toen hij zich in de stoel liet zakken. Het nieuwe netwerk C-SPAN had een camera bij de zitting lopen, maar ik weet nog dat ik de enige was die keek, zelfs op het kantoor van de *Patriot Ledger* in Quincy in Massachusetts, waar ik na de universiteit mijn eerste baantje in de journalistiek had gekregen.

Ik zat een uur lang te luisteren terwijl de senator werd ondergevraagd over een verwarrend web van transacties. Hij was tien jaar daarvoor als investeerder binnengehaald door een tussenpersoon van een ander bedrijf, de dochteronderneming in Buffalo van een Canadese holding, waarvan de voornaamste activiteit leek te bestaan uit het in het leven roepen van weer andere, kleinere ondernemingen, veelal offshore, om de winst-en-verliesrekening in de boeken te reguleren. De vrouw en zoons van Henry Bonwiller hadden belangen in verscheidene boormaatschappijen die in die boeken voorkwamen, en kennelijk hadden die de familie bepaald geen windeieren gelegd. Maar hun belangen bleken opties te zijn die met terugwerkende kracht waren geschonken, een duidelijk profijtelijke maar waarschijnlijk onwettige regeling, wat senator Bonwiller pas scheen te beseffen toen senator Russell Long uit Louisiana dat bij wijze van inleiding op een vraag aan hem uitlegde. 'Senator Long,' antwoordde Henry Bonwiller grinnikend met zijn diepe bas, 'als ik begreep hoe dat soort dingen in elkaar zitten, zou ik op Wall Street werken.'

Waarop Russell Long eveneens grinnikend antwoordde: 'Ik ook, senator, ik ook.'

Dat was de laatste vraag van die middag en twee dagen later werd de Amerikaanse ambassade in Teheran bestormd door een horde Iraanse studenten, waarbij negentig mensen werden gegijzeld. Daarna kon ik de hoorzittingen ook op C-SPAN niet meer vinden.

Maar de wetgevende macht van de Democraten was toen toch al tanende en in het hele land heerste het gevoel dat het gedaan was met hun bijna dertig jaar durende monopolie in beide huizen van het Congres. Iedereen geloofde dat de Verenigde Staten waren verzwakt door president Carter en zijn aandacht voor mensenrechten – het zou nog veertien maanden duren voordat de krijgsgevangenen vrijkwamen – en hoewel de hoorzittingen niet in een motie van wantrouwen uitmondden, werd senator Bonwiller als tegenstander van het leger en voorvechter van de minderbedeelden in eigen land langzamerhand overvleugeld door de nieuwe, grimmiger stemming die zich van het land meester maakte.

Beste meneer Sifter,

Al een hele tijd wilde ik u schrijven om me te verontschuldigen voor wat mijn vader heeft gedaan en om u te bedanken voor alle dingen die u en de *Speaker-Sentinel* me hebben gegeven, wat, als ik uitkijk over de binnenplaats (mijn vader zou op dit moment hard kuchen) blijkbaar precies is waar hij bang voor was. (Nou ja.) En waar ík ook bang voor was – tenminste voordat ik op deze vreemde maar eigenlijk toch best vriendelijke kusten aanlandde. Kortom, ik kan eindelijk 's nachts slapen, wat een verademing is omdat ik in mijn eerste weken in Boston het gevoel had dat ik in een nachtelijke boks- en toeterwedstrijd terecht was gekomen. Maar als ik nu uit mijn raam kijk, lijkt het allemaal volkomen normaal. Ik heb ook gemerkt dat alle andere eerstejaars in hun wollen truien net zo ongevaarlijk zijn als ik en waarschijnlijk geen steek minder in de war (of bang). Me dunkt dat dit een erg lange inleiding is, meneer.

Ten eerste: mijn vader bedoelde het goed. Hij had toen hij jong was zelf kennisgemaakt met elitaire universiteiten (gepromoveerd in scheikunde, Johns Hopkins, 1974) en deftige bedrijven (E.I. duPont, 1975-1990) en zelfs even met deftige kleren, en om allerlei redenen die alleen hij kent, is hij er nog steeds bang voor, tenminste als het om zijn kinderen gaat. Dat wil zeggen dat hij wel excentriek is, maar in veel opzichten ook bevoorrecht en dat hij me alleen maar probeerde te behoeden voor een wereld vol valse verlokkingen die hij maar al te goed kende.

En nu zit ik hier met voor me bijna precies dezelfde toekomst als hij had.

Maar ik mis mijn oliejas wel (als het hier niet regent, sneeuwt het wel, of zo) en ik heb er zelfs even aan gedacht u te vragen om hem op te sturen, maar mijn vader zou er vast en zeker achter komen en u op kantoor opzoeken. Dus dat laten we maar liever achterwege.

Ik heb het natuurlijk vrij druk. Ik ben hier nu bijna een heel semester en verwacht nog steeds dat ik elk moment door de mand kan vallen. Net als iedereen waarschijnlijk. Het laatste wat mijn vader zei toen hij me afzette, was dat de hersenen niet de balsem voor het hart zijn waar ik kennelijk op hoopte (zijn woorden). Nou, dat was een leuke afscheidsrede, hè? (Wees vriendelijk, meneer, als u van uw dochters afscheid neemt.)

Maar wij Millbury's zijn een taai stel (dat zeker) en voor zover ik heb begrepen (uit de literatuur van mijn eerste semester tenminste) lijken Dostojevski en Virginia Woolf het met mijn vader eens te zijn. Dat gegeven is me vaak opgevallen bij alle meisjes bij de koffiepunten met hun zwarte make-up en gescheurde spijkerbroeken, om nog maar te zwijgen van de spiegelruit van iedere verduisterde winkeletalage in de regen. Vroeger dacht ik stiekem vol trots dat ik erboven stond. Voorbij. Dat is allemaal voorbij.

Ik zal het kort houden. Ik hoop dat het een van vele brieven wordt, al weet ik dat dat aanmatigend is en getuigt van naïef optimisme – maar naïef optimisme is een eigenschap waar ik respect voor heb gekregen en waar ik naar streef.

Dat was het voorlopig.

Voor altijd bedankt. U hebt veel voor me betekend.

Trieste

De ochtend na de begrafenis van Liam Metarey was het aan Gil McKinstrey en mij om de resten van het vliegtuig weg te halen van de lap verschroeide grond waar ze lagen. De brandjes in de velden waren tot de drainagesloten gekomen en sommige waren pas op de grindpaden rond de visvijvers uitgedoofd. Er was nog geen week overheen gegaan, maar tussen de pollen verkoold gras kwamen al groene sprietjes op. De wrede natuur, zoals Liam Metarey misschien zou hebben gezegd. Het vliegtuig zelf was onherkenbaar. Op de plaats waar eens de romp had gezeten lagen drie brede, verwrongen platen staal en door de punt van een vleugel die op de grond voorbij de brandgang was beland, staken enkele kale stijlen. Her en der in het zwart lagen nog wat kleinere brokstukken. Maar dat was alles. Gil sloeg een ketting om de grootste stukken en hees ze met behulp van touw-en-blok in de lange kar achter de Ferguson. Ik liep de kleinere brokstukken her en der te verzamelen en gooide ze erbij. Ik dacht natuurlijk weer aan meneer Metarey – hij zou de restanten hebben gesmolten om er weer iets bruikbaars van te smeden. Het maakte niet uit dat hij het vliegtuig had kunnen vervangen – het maakte niet uit, al had hij er honderd kunnen kopen. Hij zou het zelf hebben gedaan: hij zou er boeken op hebben nageslagen of met een oudgediende hebben gepraat, of gewoon zelf een techniek hebben bedacht, iets om iets nuttigs te maken van de resten. Het was een van de aspecten van zijn karakter waar ik uiteindelijk de meeste bewondering voor had. Gil en ik waren er allebei stil van hoe snel alles – de man, het vliegtuig – kon verdwijnen.

'Vochtig is het hier,' zei ik uiteindelijk.

'Mijn stickie wil bijna niet branden,' antwoordde Gil.

Toen werkten we weer zwijgend in de warme zon door.

Hij zei pas weer iets aan het eind van de ochtend. 'Jij zult je zomers nu wel ergens anders doorbrengen,' zei hij.

'Blijf jij hier?'

'Niet mijn beslissing,' antwoordde hij.

Hij duwde zijn pet naar achteren en ging door met zijn werk. De rest van de dag zeiden we niets meer. Ik had iets tegen hem willen zeggen, dat wilde ik al maanden, al sinds de avond dat ik hem in het bijzijn van meneer Metarey en senator Bonwiller had zitten plagen op de motorkap van de gedeukte auto. Er waren meer overeenkomsten dan verschillen tussen hem en mij, dat is zeker; maar ik merkte dat hij me de zware vracht van verbrand metaal niet naar de kar wilde laten begeleiden toen hij in de dieplader stond en de hijsketting met zijn gespierde armen oprakelde. Misschien was het een blijk van zijn respect voor mij, maar waarschijnlijk was het eerder zijn afwijzing van een groentje dat hem eens in het openbaar had gekleineerd. Hij boog zich over de kraanbalk heen en stuurde de gordel zelf: liever deed hij het werk van twee dan zich door mij te laten helpen.

Ik liet hem begaan. Er was een kloof tussen ons die ik niet langer kon dichten.

En natuurlijk werd die een jaar later alleen maar weer breder toen ik eindexamen deed op Dunleavy en op Haverford werd toegelaten. Dat was het moment waarop ik ontdekte dat meneer Metarey me geld voor mijn studie had nagelaten. Mijn moeder had er blijkbaar al veel eerder van geweten, maar had besloten niets te zeggen. Ik hoorde er pas van via een brief van meneer Metarey zelf, die hij precies rond de tijd van de dood van JoEllen Charney had geschreven. Mijn vader overhandigde mij de brief op het etentje na mijn eindexamen op Dunleavy, tegelijk met een pakje waarin overeenkomstig het uitgebreide en met zorg opgestelde testament van meneer Metarey zijn in leer gebonden exemplaar van *The Jungle* zat. De datering van de brief en de merkwaardige bewoordingen van de eerste zinnen maken het raadsel voor mij alleen maar groter:

20 december 1971

Beste Corey,

Ik heb je moeder gevraagd dit aan je te geven op de dag dat je de wereld die je kent verlaat en naar de andere wereld gaat.

Ik benijd je omdat je op weg gaat met een scherp oog, terwijl je zoveel edelmoedigheid hebt gezien in onze eigen kleine kring, maar ook zoveel dat corrupt is en iets van wat sterfelijk is.

Ik heb je ouders verteld dat we je iets willen geven voor je opleiding. Toen mijn eigen vader me wegstuurde naar school zei hij één ding: 'De rest is aan jou.'

Daarom moet ik het daar misschien ook maar bij laten.

Als altijd,

L.M.

De financiële bijdrage van meneer Metarey dekte niet alles, terwijl hij daar gemakkelijk voor had kunnen zorgen, maar wel een flink deel, en in de daaropvolgende vier jaar dat ik aan de uitleenbalie van de universiteitsbibliotheek werkte om de rest van mijn studiekosten te betalen, stelde ik me hem voor alsof hij over de jaren heen tegen mij sprak. Hij zou hebben gezegd dat het goed is om te werken. Hij leek de lessen van iedere klasse te hebben geleerd, van die van mij destijds en van die waar ik nu lid van ben, en ook van die van hemzelf, die buiten het bereik ligt van mij en zelfs van onze kinderen – zijn kleindochters. Hij zou hebben gezegd dat het gevaarlijk is te veel te krijgen, dat fortuin in iedere vorm de geest verzwakt. Hij zou hebben gezegd dat een mens zijn verleden niet kan overwinnen, maar dat hij het altijd zal proberen; dat, met zorg, de wonden van de ene generatie in de volgende kunnen worden getemperd, en in die daarna nog eens, zodat we met een beetje geluk in onze kinderen de dingen kunnen voortbrengen waar we zelf naar hebben gestreefd. Maar we kunnen hen niet dwingen te willen wat wij willen. Ook zij zullen streven.

En ik zou op mijn beurt andere dingen tegen hem hebben gezegd. Dat Henry Bonwiller uiteindelijk niet ten val kwam door JoEllen Charney, zoals Liam Metarey vreesde, maar door Anodyne Energy. Anodyne Energy omdat die beschuldiging – die ondanks de hoorzittingen tot op de dag van vandaag niet duidelijk omschreven is – in de ogen van het publiek nooit hoefde te worden bewezen. De dubieuze boorconcessies, de geantedateerde opties, de lege vennootschappen: zaken waar de meeste mensen weinig verstand van hadden, maar die uiteindelijk de stok werden om een man mee te slaan wiens land zich al tegen hem had gekeerd. Hij won in 1976 zijn Senaatszetel voor de vijfde keer, maar verloor hem bij de volgende tussentijdse verkiezingen. We waren inmiddels een nieuw politiek tijdperk binnengegaan en Anodyne stond voor ouderwetse koehandel en onverholen gesjoemel voor eigen gewin in een tijd dat alles wat daarnaar riekte desastreus was geworden voor elke politicus die zo'n last nog meetorste.

De verhalen over JoEllen Charney doken in de jaren daarna telkens weer op, maar de familie Bonwiller kon ze – uiteraard geholpen door trouwe aanhangers zoals mijn vrouw – dankzij de pure reikwijdte van haar macht gewoon weer de kop indrukken. Keer op keer. Henry Bonwiller had haar laten vermoorden omdat ze iets wist over Anodyne – het duurde niet lang voordat dit gerucht aan de borreltafel op feestjes in Albany werd rondgefluisterd, en het duurde niet lang of dit gerucht werd vrijwel algemeen geloofd, al weet ik zeker dat het niet waar is. Maar ook daarvan waren nog tal van varianten, minder wijdverbreid maar belastender: hij had haar overreden toen ze vertelde dat ze zwanger was, hij had haar midden in de winter dronken gevoerd en in de bossen achtergelaten, zijn vrouw had haar laten vergiftigen en in de sneeuw laten leggen. En kortgeleden heb ik er een gehoord die zelfs mijn belangstelling weer wekte: dat hij helemaal niet de macht over het stuur had verloren, maar met opzet van de weg was gedrukt door zijn vijanden – maar als ik daarover nadenk staat mijn verstand stil. Als Liam Metarey nog had geleefd, had hij al deze hypotheses, die met een naar mijn mening onrustbarend gebrek aan bewijs worden doorverteld, allang gehoord, en helaas kan hij me er niets meer over vertellen. Ik weet dat ik hem wilde – en nog steeds wil – vertellen dat Henry Bonwiller het allemaal heeft overleefd en dat hij het zelf ook zou hebben overleefd. Maar ik kan er uiteindelijk alleen maar naar gissen of dat iets had uitgemaakt.

Ik ben met die familie verbonden en die band zal nooit meer verdwijnen. Af en toe zie ik mijn eigen verleden – mijn verleden met mijn eigen ouders, in mijn eigen huis, tussen mijn eigen mensen – als iets dat zo ver weg is dat het bijna is verdwenen. Soms lijkt dat een onpeilbaar verlies. Maar wat kun je aan zulke gevoelens doen?

Clara en ik wonen nu bij Masaguint – de oude Dutch Downs –, niet ver van het bosbessenveen van de Millbury's, en 's avonds na het eten kunnen we op de beschutte veranda zitten zonder een auto te horen. Althans vooralsnog. We zitten op tien minuten rijden van de grens van Carrol County en iets minder dan een uur – als het niet druk is – van Saline. Clara werkt tegenwoordig hele dagen voor de bond van vrouwelijke kiezers, een baan waardoor ze in contact komt met bijna alle Democraten die in openbare ambten zijn gekozen in dit deel van de staat, en ze schrijft nog steeds haar brieven aan de redactie van de *Courier-Express*, de *Times Union* en de *Plain Dealer*. En af en toe krijg ik de indruk dat ze zelf van plan is zich kandidaat te stellen voor een functie. Hier betekent dat in een gemeenteraad en als dat goed gaat misschien in het staatsbestuur. Hoe dan ook, ze vindt haar baan blijkbaar leuk en ze maakt lange dagen, met als gevolg dat ik meestal ook tot in de avond op de krant blijf om de artikelen voor de ochtendeditie te controleren en de bergen tips door te nemen; als ik daarmee klaar ben, rijd ik langs Burdick's – samen met Gervin's de laatste winkels in de binnenstad – en thuis besteed ik redelijk veel zorg aan een maaltijd voor ons tweeën. Dan stuur ik een e-mail naar een van de meisjes en soms schrijf ik zelfs een brief. Wanneer Clara na het donker in haar Subaru aan komt rijden, warm ik ons avondeten op in de magnetron. Zo is ons leven. We houden redelijk goed contact met iedereen.

Wat heb ik geleerd? De oude waarheden vooral: dat de liefde voor onze kinderen ons op de been houdt, dat mensen niet zijn wat ze lijken, dat degenen aan wie we een hekel hebben op eenzelfde manier zijn gekwetst als wij, dat macht de balsem is voor wanhoop en dat dit een van de belangrijkste dingen is die een doem vormen en waardoor wij gedoemd zijn. Dat je nooit achter de waarheid komt. Als je bij zoiets betrokken bent geweest, als er in je herinnering nog iets leeft dat op de loer ligt, een ongrijpbaar, nachtmerrieachtig wezen dat je altijd achtervolgt, zul je je altijd instinctief willen omdraaien om het te zien, of het nu angstaanjagend of goedaardig is. Maar net als in de kinderdroom wil dat nooit echt lukken. Het is er en draait mee naar links en naar rechts, precies even snel als jij, zodat het toch altijd achter je blijft en zich altijd net buiten je gezichtsveld weet te houden.

June Metarey is helaas vorig jaar overleden, toen ze een van de nakomelingen van Churchill uitliet. Behalve op de vaste dag in de week dat we bij elkaar aten, hadden we haar tegen het eind zonder goede reden weinig gesproken en daar is Clara nog steeds verdrietig om. Maar ze is dankbaar dat haar moeders einde snel en pijnloos was. Christian is niet getrouwd, maar ze heeft een dochter geadopteerd uit Guangzhou, en samen leren ze biologisch te boeren op een klein maar prachtig stukje land bij Putney in Vermont. Hoewel Trieste Millbury me nog steeds krabbels schrijft vanuit koffieshops in Boston, heb ik haar sinds het etentje bij ons thuis nog maar één keer gezien: haar vader dwong haar met haar stage te stoppen. Ik begrijp zijn standpunt eigenlijk wel. Maar van het voorjaar is ze wel op kantoor langsgekomen om me te bedanken voor de gedeeltelijke beurs die de Stichting Speaker-Sentinel haar – uiteraard met goedvinden van meneer en mevrouw Millbury – had aangeboden toen ze op Harvard werd toegelaten.

Gil McKinstrey moet tegen de zeventig lopen, maar is nog steeds bouwtimmerman bij een projectontwikkelaar die hier in de buurt luxe huizencomplexen bouwt. Carlton Sample is twintig jaar geleden met pensioen gegaan en is mede-eigenaar van een slijterij in het winkelcentrum De Eiken – toevallig vlak onder de takken van de grote boom – en voor zover ik weet woont Glenn Burrant nog steeds in Canada. Vance Trawbridge is, zoals algemeen bekend, tragisch aan zijn eind gekomen door een val kort nadat hij zijn memoires had voltooid, maar voordat ze gepubliceerd waren. Uit die memoires komt een moedig man naar voren, maar ook een man die melancholieker en innerlijk meer verscheurd was dan iemand waarschijnlijk ooit had geweten. Holly Steen is de enige die ik volkomen uit het oog ben verloren, al ben ik af en toe wel in de verleiding, voornamelijk uit een soort tedere nieuwsgierigheid, haar te zoeken. Astor Highbridge is docent Amerikaanse studies op Berkeley en komt nog steeds om de twee of drie jaar een weekend bij ons logeren als hij weer eens in dit deel van het land is.

Deze maand is het zesentwintig jaar geleden dat Clara en ik trouwden in een kleine lemen kerk dicht bij Las Cruces in New Mexico: Clara wilde zo ver mogelijk weg zijn van thuis, in ieder opzicht. De plechtigheid vond plaats in heel kleine kring, met alleen mijn vader en mevrouw Metarey en, ja, Christian, die me na afloop omhelsde zoals je vermoedelijk een broer omhelst.

Ik snap wel waarom. In het najaar van mijn laatste jaar op Dunleavy kwam Andrew Metarey om bij een reddingsoperatie bij Phu Cat, toen de helikopter van de geneeskundige dienst door vijandelijk vuur werd neergehaald. Drie maanden later werd het vredesakkoord van Parijs getekend. Ik nam de trein naar huis voor de begrafenis en dat was de laatste keer dat ik Christian en Clara zag voordat ik naar de universiteit ging. Het was bijna pijnlijk om die dag bij de familie te zijn, zo groot was hun verdriet. Ik geloof dat iedereen het zo voelde. Gil McKinstrey was weer baarddrager, samen met de neven van meneer Metarey. Ik weet dat Christian zelfs geen woord kon uitbrengen.

De verwanten van de andere militairen die in die helikopter sneuvelden, komen nog steeds ieder jaar in oktober bij het Vietnam Memorial in Washington bij elkaar en Clara en ik zijn er ieder jaar bij. Boven ons aanrecht hangt een foto van Andrew met Churchill als pup, die hij hoog boven zijn hoofd houdt. Dus we zien hem nog iedere dag en we zien ook die leuke witte hond, en de jongere versie van zijn weemoedige ogen. Ik heb nooit een broer gehad, dus ik geloof niet dat ik me echt in Clara of Christian kan inleven. En ik snap niet hoe June Metarey het allemaal heeft doorstaan.

Dat was het wel, geloof ik.

Mijn vader is nog steeds in Walnut Orchards, en is bijna nog even actief als vroeger. Ik denk weleens dat hij zich opmaakt om honderd te worden. Hij leest nog steeds een paar uur per dag, alsof hij denkt dat hij examen moet doen. Ik vind het grappig. Zijn oude vrienden weten niet wat ze ervan moeten vinden, maar dokter Jadoon is erdoor gaan geloven in iets dat uitgaat boven fysiologie en hersenanatomie. De laatste tijd leest mijn vader meneer McGowar ook voor, op de middagen dat ze samen zijn. Meestal Dickens, vertelt hij, die hun allebei schijnt aan te spreken. Daarna gaan ze buiten de tuin inspecteren.

Mijn vader heeft nog steeds last van artritis en onlangs kregen we te horen dat hij een vergroot hart heeft, maar die kwalen houden hem niet tegen als hij zich iets heeft voorgenomen. Zo zijn we van plan om volgende week samen naar een tentoonstelling van handgereedschap uit de koloniale tijd te gaan, een reizende expositie die onderweg naar Cleveland een paar dagen de jaarbeurs van Carrol County aandoet. Ik zal ongetwijfeld een das dragen, omdat ik uit mijn werk kom. En hij zal zijn Red Wings aanhebben. Zo zijn we nu eenmaal. We zullen een leuke middag hebben samen, ook al toont hij zich tegenwoordig steeds meer van zijn chagrijnige kant. De ervaring heeft me geleerd hoe ik hem kan kalmeren. Ik ga gewoon even weg. Ik ga naar de wc of naar buiten om een boodschap op mijn mobiel te beantwoorden, en ik weet dat hij rustig ergens op een bank zal zitten te lezen als ik terugkom.

Eén ding heb ik nog niet vermeld, maar een tijdje geleden gooide hij een zak appelen, een voor een, naar een auto die voor zijn raam in Walnut Orchards geparkeerd stond. Maar het was een BMW, en de logica ervan – althans zíjn redenering, voor zover ik die erin herkende – stelde me een beetje gerust. Ik weet natuurlijk niet waar dit gedrag op uit zal lopen, maar wat er ook gebeurt, we hebben nog steeds onze zondagse uitstapjes samen. Daar wordt hij op de een of andere manier altijd rustig van. Telkens als we met mijn auto naar de begraafplaats Greenhaven gaan voor een bezoekje aan de heuvels rond het graf van mijn moeder, kent hij voor een paar uur weer de aangename kalmte van zijn vroegere bestaan. Een mens kan in zijn leven ver komen, maar eigenlijk heeft het niet veel om het lijf: nu mijn vrouw het zo druk heeft en onze dochters de wijde wereld in zijn getrokken, behoren deze uren met mijn vader tot de mooiste van de week. Daar komt het uiteindelijk op neer, geloof ik. We lopen nog altijd graag over die heuvels, vooral als het warm is, en soms blijven we er zomaar even staan.

VERANTWOORDING

IK BEN VEEL MENSEN DANKBAAR VOOR HUN HULP BIJ HET SCHRIJ-
ven van deze roman. In de allereerste plaats mijn vrouw, Barbara, die er
bijna net zo lang mee heeft geleefd als ik, en twee goede vriendinnen,
mijn redactrice Kate Medina, en mijn agente Maxine Groffsky. Maar vooral ook de vele anderen die zo vriendelijk waren het manuscript met zorg te
lezen: Joe Blair, Po Bronson, Chard deNiord, Michael Flaum, Dan Geller,
Dayna Goldfine, Bill Houser, Jon Maksik, Leslie Maksik, Lauren Reece en
Steve Sellers. Ik ben Fred Gerr en Tom Pitoniak dankbaar voor hun nauw-
gezette en veeleisende werk, en de vele geweldige mensen bij Random
House, onder wie Gina Centrello, Sanyu Dillon, Frankie Jones, Jynne
Martin, Sally Marvin, Kate Norris, Beth Pearson, Tom Perry, Abby Plesser,
Robin Rolewicz, Jennifer Smith, Beck Stvan en Simon Sullivan. Voor allerlei weetjes over journalistiek, honden en voorverkiezingen dank aan
respectievelijk Neil MacFarquhar, Jane Van Voorhis en Dave Redlawsk.
Ook wil ik mijn moeder, vader en broer bedanken voor hun geduld en
steun, en vooral mijn kinderen voor hun verdraagzaamheid. Voor techni-
sche adviezen heb ik me verlaten op de welwillendheid van twee piloten,
Kevin Malone en Chuck Peters, en vier artsen: Michael Cohen, Marc Dia-
mond, Chris Jensen en Marcus Nashelsky. Alle eventuele medische en
luchtvaartkundige onjuistheden in de tekst zijn van mij.

E.C.